Dominik Fischer

# Die Handlungsmechanismen der Europäischen Union zur Sicherung ihrer Werte

Dominik Fischer

# Die Handlungsmechanismen der Europäischen Union zur Sicherung ihrer Werte

*Würzburg University Press*

Dissertation, Julius-Maximilians-Universität Würzburg
Juristische Fakultät, 2023
Gutachter: Prof. Dr. Eckhard Pache, Prof. Dr. Stefanie Schmahl, LL.M. (E)

Impressum

Julius-Maximilians-Universität Würzburg
Würzburg University Press
Universitätsbibliothek Würzburg
Am Hubland
D-97074 Würzburg
www.wup.uni-wuerzburg.de

© 2024 Würzburg University Press
Print on Demand

Coverdesign: Julia Bauer / Holger Schilling

ISBN 978-3-95826-224-9 (print)
ISBN 978-3-95826-225-6 (online)
DOI 10.25972/WUP-978-3-95826-225-6
URN urn:nbn:de:bvb:20-opus-325586

# Vorwort

Die vorliegende Arbeit entstand während meiner Tätigkeit als Wissenschaftlicher Mitarbeiter am Lehrstuhl für Staatsrecht, Völkerrecht, Internationales Wirtschaftsrecht und Wirtschaftsverwaltungsrecht an der Julius-Maximilians-Universität Würzburg. Eine Berücksichtigung der seit dem 01.01.2021 geltenden Verordnung über die Konditionalität der Rechtsstaatlichkeit erfolgte aufgrund des Zeitpunktes der Erstellung der Arbeit nicht. Sie wurde im Wintersemester 2020/21 von der Juristischen Fakultät der Julius-Maximilians-Universität Würzburg als Dissertation angenommen und entspricht dem Stand der Fertigstellung im Januar 2021.

Mein Dank gilt zunächst meinem Doktorvater, Herrn Prof. Dr. Eckhard Pache für seine Betreuung und Unterstützung. Ebenfalls möchte ich Frau Prof. Dr. Stefanie Schmahl, LL.M. (E) für die Erstellung des Zweitgutachtens danken.

Des Weiteren möchte ich mich bei Anja Knoth, Charlotte Stiebritz, Marina Reitz und Theresa Gerlich bedanken, die durch ihre Unterstützung zum Gelingen der Arbeit beigetragen haben.

Mein ganz besonderer Dank gilt meiner Mutter Martina Fischer, meiner Schwester Lisa Fischer und meiner Freundin Anna Stumpf für ihren stetigen Rückhalt sowie uneingeschränkte Unterstützung.

Leipzig, Dezember 2023                                                    Dominik Fischer

# Inhaltsverzeichnis

# Abkürzungsverzeichnis

| | |
|---|---|
| a.A. | anderer Ansicht |
| ABl. | Amtsblatt der Europäischen Gemeinschaften |
| Abs. | Absatz |
| a.E. | am Ende |
| AEUV | Vertrag über die Arbeitsweise der EU |
| APuZ | Aus Politik und Zeitgeschichte |
| Art. | Artikel |
| Aufl. | Auflage |
| BayVBl. | Bayerische Verwaltungsblätter |
| Bd. | Band |
| BGBl. | Bundesgesetzblatt |
| BIP | Bruttoinlandsprodukt |
| Bull. EU | Bulletin der Europäischen Union |
| BVerfG | Bundesverfassungsgericht |
| bzgl. | bezüglich |
| bzw. | beziehungsweise |
| CMLRev. | Common Market Law Review |
| CVM | Cooperation and Verification Mechanism |
| ders. | derselbe |
| dies. | dieselbe(n) |
| DÖV | Die Öffentliche Verwaltung |
| Dok. | Dokument |
| DVBl. | Deutsches Verwaltungsblatt |
| EAG | Europäische Atomgemeinschaft |
| EAGV | Vertrag zur Gründung der Europäischen Atomgemeinschaft |
| EFRE | Europäischer Fonds für regionale Entwicklung |
| EG | Europäische Gemeinschaften |
| EGKS | Europäische Gemeinschaft für Kohle und Stahl |
| EGMR | Europäischer Gerichtshof für Menschenrechte |
| EGV | Vertrag über die Europäische Gemeinschaft |
| EIC | European Innovation Council |
| EIoP | European Integration online Papers |
| EJN | European Judicial Network |
| EL. | Ergänzungslieferung |
| ELRev. | European Law Review |
| EMRK | Europäische Menschenrechtskonvention |
| endg. | endgültig |
| EnzEuR | Enzyklopädie Europarecht |
| ESF | Europäische Sozialfonds |
| etc. | et cetera |
| EU | Europäische Union |

| | |
|---|---|
| EuConst | European Constitutional Law Review |
| EuG | Gericht der Europäischen Union |
| EuGH | Gerichtshof der Europäischen Union |
| EuGHVfO | Verfahrensordnung des Gerichtshofs |
| EuGRZ | Europäische Grundrechte-Zeitschrift |
| EuR | Europarecht (Zeitschrift) |
| EuR Beih. | Beiheft Europarecht (Zeitschrift) |
| EURATOM | Europäische Atomgemeinschaft |
| EUStA | Europäische Staatsanwaltschaft |
| EuZW | Europäische Zeitschrift für Wirtschaftsrecht |
| EVV | Europäischer Verfassungsvertrag |
| EWG | Europäische Wirtschaftsgemeinschaft |
| EWGV | Vertrag über die Europäische Wirtschaftsgemeinschaft |
| f. | folgende |
| ff. | folgende |
| Fn. | Fußnote |
| FPÖ | Freiheitliche Partei Österreichs |
| FRA | Agentur der Europäischen Union für Grundrechte |
| GA | Generalanwalt |
| GASP | Gemeinsame Außen- und Sicherheitspolitik |
| gem. | gemäß |
| ggf. | gegebenenfalls |
| GRCh | Grundrechtecharta |
| GRECO | Staatengruppe gegen Korruption |
| HJRL | The Hague Journal on the Rule of Law |
| Hs. | Halbsatz |
| i.S.d. | im Sinne des/r |
| i.S.v. | im Sinne von |
| i.V.m. | in Verbindung mit |
| IWF | Internationaler Währungsfonds |
| JRP | Journal für Rechtspolitik |
| JuS | Juristische Schulung |
| JZ | Juristenzeitung |
| KFG | Kolleg-Forschergruppe |
| KOM | Kommissionsdokument(e) |
| lit. | litera |
| MJ | Maastricht Journal of European and Comparative Law |
| m.w.N. | mit weiteren Nachweisen |
| NGO | Non-governmental Organization(s) |
| NJ | Neue Justiz |
| NJB | Nederlands Juristenblad, zu Deutsch: Niederländisches Juristenblatt |
| NJW | Neue Juristische Wochenschrift |
| Nr. | Nummer |

| | |
|---|---|
| NVwZ | Neue Zeitschrift für Verwaltungsrecht |
| OECD | Organisation für wirtschaftliche Zusammenarbeit und Entwicklung |
| OLAF | Europäisches Amt für Betrugsbekämpfung |
| OSZE | Organisation für Sicherheit und Zusammenarbeit in Europa |
| PIS | Prawo i Sprawiedliwość, zu Deutsch: Recht und Gerechtigkeit |
| Rn. | Randnummer |
| Rs. | Rechtssache |
| Rz. | Randzeichen |
| s. | siehe |
| S. | Seite |
| SEK | Dokumente des Sekretariats der Europäischen Kommission |
| SIEPS | Swedish Insitute for European Policy Studies |
| Slg. | Sammlung (der Rspr. des EuGH) |
| sog. | sogenannte(n)(r) |
| SRSS | Structural Reform Support Service |
| u. a. | unter andere(m)(n); und andere |
| UAbs. | Unterabsatz |
| UNHCR | Hoher Flüchtlingskommissar der Vereinten Nationen |
| Urt. | Urteil |
| usw. | und so weiter |
| v. | von/vom |
| verb. | verbunden |
| VerfBlog | Verfassungsblog.de |
| VerwArch. | Verwaltungsarchiv |
| vgl. | vergleiche |
| VO | Verordnung |
| VR | Verwaltungsrundschau |
| VRÜ | Verfassung und Recht in Übersee |
| VwGO | Verwaltungsgerichtsordnung |
| WGI | The Worldwide Governance Indicators |
| WVK | Wiener Vertragsrechtskonvention |
| ZaöRV | Zeitschrift für ausländisches öffentliches Recht und Völkerrecht |
| ZG | Zeitschrift für Gesetzgebung |
| ZP | Zusatzprotokoll |
| ZPO | Zivilprozessordnung |
| ZRP | Zeitschrift für Rechtspolitik |

# § 1 Einleitung

## A. Die EU: Eine Werteunion in Gefahr

Die Europäische Union kann auf eine bewegte Integrationsgeschichte zurückblicken.[1] Obwohl in ihren Anfängen in den Gründungsverträgen[2] noch nicht ausdrücklich von europäischen Werten gesprochen wurde,[3] waren diese stillschweigende Voraussetzung der Integrationsbestrebungen.[4] Das erfolgreiche Integrationsprojekt Europäische Union wäre ohne gemeinsame Werteverbürgungen und damit ohne ein Mindestmaß an Homogenität nicht zu verwirklichen gewesen.[5]

Der Wandel von einer vorwiegend wirtschaftlich geprägten hin zu einer auf Werten basierenden Gemeinschaft wurde durch den Vertrag von Maastricht[6] mit der Gründung der Europäischen Gemeinschaft und der Aufnahme europäischer Grundsätze erkennbar eingeleitet.[7] Seitdem entfaltete sich in der Europäischen Gemeinschaft zunehmend ein „Wertedenken",[8] das schrittweise kodifiziert wurde.[9] Mit dem Reformvertrag von Lissabon[10] hat die EU nun ihre vorerst letzte Entwicklungsstufe erreicht.

Die Union beruht nunmehr gem. Art. 2 EUV auf einem gemeinsamen Wertefundament[11] und darf daher als „Wertegemeinschaft" bzw. „Werteunion" verstanden werden.[12]

---

[1]  Für einen Überblick über die Entwicklung der europäischen Integration vgl. *Hakenberg*, Europarecht, 8. Aufl. 2018, Rn. 4 ff.; *Haratsch/Koenig/Pechstein*, Europarecht, 12. Aufl. 2020, Rn. 7 ff.; *Herdegen*, Europarecht, 21. Aufl. 2019, § 4 Rn. 1 ff.

[2]  Vertrag über die Gründung der Europäischen Gemeinschaft für Kohle und Stahl (EGKS) v. 18.04.1951, BGBl. 1952 II Nr. 7, v. 06.05.1952, S. 445 ff.

[3]  Der Vertrag über die Gründung der EGKS diente der Friedenssicherung durch Verflechtung der kriegswichtigen Industriezweige. Zugleich zielte die weitere wirtschaftliche Verflechtung auf eine Integration der europäischen Staaten, die schließlich in eine politische europäische Gemeinschaft münden könnte, ab.

[4]  Vgl. Präambel des Vertrages „Vertrag über die Gründung der Europäischen Gemeinschaft für Kohle und Stahl" vom 18.04.1951, BGBl. 1952 II Nr. 7, v. 06.05.1952, S. 448; *Herdegen*, in: Pitschas/Uhle/Aulehner, Festschrift für Rupert Scholz, 2007, S. 139 (141); *Rensmann*, in: Blumenwitz/Gornig/Murswiek, Die Europäische Union als Wertegemeinschaft, 2005, S. 49 (52 f.) m.w.N.; *Calliess*, in: Calliess/Ruffert, EUV/AEUV, 5. Aufl. 2016, Art. 2 EUV Rn. 1.

[5]  *Joas/Mandry*, in: Schuppert/Pernice/Haltern, Europawissenschaft, 2005, S. 541 (551 ff.); *Calliess*, in: Calliess/Ruffert, EUV/AEUV, 5. Aufl. 2016, Art. 2 EUV Rn. 1.

[6]  ABl. EG Nr. C 191/01 v. 29.07.1992.

[7]  *Herdegen*, Europarecht, 21. Aufl. 2019, § 4 Rn. 10 ff.; *Hilf/Schorkopf*, in: Grabitz/Hilf/Nettesheim, Das Recht der Europäischen Union, 70. EL 2020, Art. 2 EUV Rn. 1; *Serini*, Sanktionen der Europäischen Union bei Verstoß eines Mitgliedstaates gegen das Demokratie- oder Rechtsstaatsprinzip, 2009, S. 18; *Scholz*, in: Maunz/Dürig, Grundgesetz-Kommentar, 88. EL 2019, Art. 23 GG Rn. 12 m.w.N.; *Streinz*, Europarecht, 11. Aufl. 2019, Rn. 39; *Schroeder*, Grundkurs Europarecht, 6. Aufl. 2019, § 2 Rn. 13 ff.

[8]  *Terhechte*, in: Pechstein/Nowak/Häde, Frankfurter Kommentar, 2017, Art. 2 EUV Rn. 4.

[9]  Zur Entwicklung der Geschichte der Werte siehe unten I. Genese, S. 5 ff.

[10]  ABl. EU Nr. C 306/01 v. 17.12.2007.

[11]  Ausführlich hierzu unter § 2 Die Werteklausel: Eine Bestandsaufnahme, S. 5 ff.

[12]  Bull. EU 4-2003, I.1.; *Speer*, DÖV 2001, 980 (980 ff.); *Calliess*, JZ 2004, 1033 (1033 ff.); *Mandry*, Europa als Wertegemeinschaft, 2009, S. 49 ff.; *Joas/Mandry*, in: Schuppert/Pernice/Haltern, Europawissenschaft, 2005, S. 541 (551); *Rensmann*, in: Blumenwitz/Gornig/Murswiek, Die Europäische Union als Wertegemeinschaft,

Sie ist Ausdruck der Auffassung ihrer Mitgliedstaaten, dass sich die geschaffene europäische Integrationsgemeinschaft durch umfassende Leitgedanken und Grundüberzeugungen auszeichnet.[13] Sie hebt sich damit aus dem Kreis der konventionellen internationalen Organisationen ab.[14] Die übergreifenden Werteverbürgungen sollen die Entwicklung einer europäischen Identität nach innen und außen fördern und somit zur weiteren Integration innerhalb der Union beitragen.[15] Ferner kommt den Werten als Ausdruck des Einvernehmens über die fundamentalen Grundlagen der Union im integrationsbedingten Entscheidungsprozess von Demokratisierung und Parlamentarisierung eine Legitimationswirkung zu.[16] Die Werte sichern im unionalen Integrationsprozess der Kompetenzübertragung und Mehrheitsentscheidungen ein kohärentes und konsistentes europäisches Handeln.[17]

Trotz ihrer Erfolgsgeschichte sieht sich die EU in den letzten Jahren vor allem rechtsstaatlich bedenklichen Entwicklungen einzelner Mitgliedstaaten gegenüber. Voranzustellen sind hier insbesondere Ungarn und Polen, aufgrund derer die Rechtsstaatlichkeit der Werteunion immer stärker unter Druck gerät.[18] In Ungarn wurde unter der Regierung Viktor Orbán bereits früh versucht, mit dem umstrittenen Pressegesetz die Medien unter politische Kontrolle zu bringen.[19] Mit weitreichenden Eingriffen in die Organisation und Funktionsweise der Justiz sollten die politischen Entscheidungen auch für die Zukunft nicht mehr revidiert werden können.[20] In Polen ist seit der Machtübernahme der PiS-Partei ebenfalls die Unabhängigkeit der Justiz betroffen.[21] Die Nichtveröffentlichung von Entscheidungen des Verfassungsgerichts im Amtsblatt, der Austausch von rechtmäßig gewählten Verfassungsrichtern sowie die Unterstellung der gesamten Justiz unter die

---

2005, S. 49 (51 ff.); *Schmitz*, in: Blumenwitz/Gornig/Murswiek, Die Europäische Union als Wertegemeinschaft, 2005, S. 73 (80 ff.); *Gerhards/Hölscher*, in: Heit, Die Werte Europas, 2005, S. 96 (98 f.); *Balli*, in: Heit, Die Werte Europas, 2005, S. 164 (165 ff.); *Herdegen*, in: Pitschas/Uhle/Aulehner, Festschrift für Rupert Scholz, 2007, S. 139 (142 ff.); *Herdegen*, Europarecht, 21. Aufl. 2019, § 6 Rn. 10; ABl. EG Nr. C 287/01 v. 12.10.2001; kritisch *Franzius*, Europäisches Verfassungsrechtsdenken, 2010, S. 69 ff.; *Hanschmann*, Der Begriff der Homogenität in der Verfassungslehre und der Europarechtswissenschaft, 2008, S. 258 ff.

[13] *Calliess*, JZ 2004, 1033 (1033 ff.); *de Quadros*, in: Brenner/Huber/Möstl, Festschrift für Peter Badura, 2004, S. 1125 (1127); *Terhechte*, in: Pechstein/Nowak/Häde, Frankfurter Kommentar, 2017, Art. 2 EUV Rn. 1; *Calliess*, in: Calliess/Ruffert, EUV/AEUV, 5. Aufl. 2016, Art. 2 EUV Rn. 5.

[14] *Terhechte*, in: Pechstein/Nowak/Häde, Frankfurter Kommentar, 2017, Art. 2 EUV Rn. 1 m.w.N.

[15] *Calliess*, JZ 2004, 1033 (1039 f.); *Calliess*, in: Calliess/Ruffert, EUV/AEUV, 5. Aufl. 2016, Art. 2 EUV Rn. 5.

[16] *Calliess*, JZ 2004, 1033 (1040).

[17] *Calliess*, in: Calliess/Ruffert, EUV/AEUV, 5. Aufl. 2016, Art. 2 EUV Rn. 5.

[18] Pressemitteilung Europäische Kommission v. 03.04.2019, https://ec.europa.eu/germany/news/20190403-kommission-eroeffnet-neues-verfahren-gegen-polen-warnt-rumaenien-und-debatte_de (zuletzt abgerufen: 31.01.2021 um 16:35 Uhr).

[19] Ungarn verstärkt staatliche Kontrolle über die Medien, Euractiv v. 22.12.2010, https://www.euractiv.de/section/digitale-agenda/news/ungarn-verstarkt-staatliche-kontrolle-uber-die-medien/ (zuletzt abgerufen: 31.01.2021 um 16:35 Uhr).

[20] Ausführlich hierzu *Scheppele*, in: v. Bogdandy/Sonnevend, Constitutional Crisis in the European Constitutional Area, 2015, S. 111 (111 ff.); *Huber*, Der Staat 2017, 389 (390 f.); *Franzius*, DÖV 2018, 381 (381).

[21] *Szerkus*, Sejm verabschiedet Justizreformen: Endstation für den polnischen Rechtsstaat, Legal Tribune Online v. 17.07.2017, https://www.lto.de/recht/hintergruende/h/polen-reform-justiz-richterschaft-ende-des-rechtsstaats/ (zuletzt abgerufen: 31.01.2021 um 16:35 Uhr).

politische Aufsicht der PiS-Regierung[22] geben Zeugnis von rechtsstaatlich bedenklichen Maßnahmen innerhalb der Wertegemeinschaft.

Die vollzogene Metamorphose der EU hin zur Werteunion kann aber nur Bestand haben, wenn ihr institutioneller Rahmen gewährleistet, dass dem Wertesystem durch die etablierten und potentiellen Mitgliedstaaten ausreichend Geltung verschafft wird. In Anbetracht zunehmender Zweifel an der Einhaltung der europäischen Werte durch einzelne Mitgliedstaaten gilt es im Folgenden zu erläutern, welche Bedeutung den Werten zukommt, über welche Sicherungsmechanismen das Unionsrecht verfügt, wie die Überwachungszuständigkeit in der Union aufgeteilt ist und ob die Mechanismen ausreichen, um Werte missachtenden Bestrebungen Einhalt zu gebieten.

## B. Gang der Untersuchung

Die Europäische Union als Wertegemeinschaft in ihrer anhaltenden Wertekrise vorangestellt (§ 1 A.), gilt es zunächst die Werteklausel i.S.v. Art. 2 EUV als Ausgangspunkt aller vertraglich verankerten Handlungsmechanismen der Werteunion näher zu beleuchten (§ 2).

Daran anschließend erfolgt, den Schwerpunkt dieser Arbeit bildend, die Erörterung der unionalen Handlungsmechanismen zur Sicherung ihrer Werte.[23] Die Darlegung der Handlungsmechanismen ist entsprechend dem Ablauf einer EU-Mitgliedschaft in eine Vorbeitritts- und Nachbeitrittsphase untergliedert.

Zunächst sind die präventiven Sicherungsmechanismen (§ 3) in Form des Beitrittsverfahrens i.S.d. Art. 49 EUV (A.) und des Kooperations- und Kontrollmechanismus (B.) darzulegen.

Dem zur Wahrung der einmal erreichten Wertehomogenität diametral gegenüberstehend gilt es sodann die repressiven Sicherungsmechanismen (§ 4) zu beleuchten. Hier voranzustellen ist zunächst das Sanktionsverfahren i.S.d. Art. 7 EUV (A.) als originäres Instrument zur Wertesicherung. Daran anschließend erfolgt die Darstellung des Vertragsverletzungsverfahrens gem. Art. 258, 260 AEUV in Verbindung mit Art. 2 EUV als sog. Wertesicherungsverfahren (B.). Anschließend erfolgt mit dem EU-Rahmen zur Stärkung des Rechtsstaatsprinzips (C.) die Erörterung eines informellen Vorverfahrens und verbindenden Elements zu den repressiven Sicherungsmechanismen.

Nachfolgend werden die Mechanismen einem Vergleich (§ 5) unterzogen, um mit einem Resümee (§ 6) abschließend Stellung zu den Handlungsmechanismen innerhalb der Union zu beziehen.[24]

---

[22] Eingehend *Huber*, Der Staat 2017, 389 (391 ff.).

[23] Die Erörterung erfolgt unter Ausschluss der weiteren Verfahren des Unionsrechts wie Art. 263, 267 AEUV als auch der GRCh.

[24] Außer Betracht bleiben unter anderem das jährliche Justizbarometer zur Messung der Unabhängigkeit, Qualität und Effizienz der nationalen Justizsysteme, der Dienst der Kommission zur Unterstützung von Strukturreformern zur besseren Einhaltung der rechtsstaatlich relevanten Bereiche wie Justizwesen, Verwaltung und Korruptionsbekämpfung, das Europäische Amt für Betrugsbekämpfung (OLAF) sowie die in Errichtung befindliche Europäische Staatsanwaltschaft (EUStA).

# § 2 Die Werteklausel: Eine Bestandsaufnahme

Bevor die unionsrechtlichen Sicherungsmechanismen einer rechtlichen Analyse unterzogen werden, gilt es die Norm des Art. 2 EUV kurz darzustellen. Als Ausgangspunkt für alle Sicherungsmechanismen muss deren inhaltliche und rechtliche Ausgestaltung zunächst klar umrissen werden, damit eine Beurteilung der einzelnen Mechanismen erfolgen kann. Im Folgenden wird nach einem Überblick (A.) zur Entstehungsgeschichte der Norm (I.) deren systematische Stellung und normative Verflechtung (II.), die Aussagekraft des neuen Wertebegriffs (III.) sowie dessen rechtliche Bindungswirkung (IV.) beleuchtet, bevor unter B. komprimiert die einzelnen Werte (I.) mit ihren Kernaussagen herausgearbeitet werden. Sodann wird nach einer kurzen Darlegung der staatenübergreifenden Gemeinsamkeiten i.S.d. Art. 2 S. 2 EUV (II.) mit einem Fazit (C.) zur Werteklausel abgeschlossen.

## A.  Überblick

Voranzustellen ist dem Überblick zunächst der Gesetzeswortlaut des Art. 2 EUV, der besagt:

> *„Die Werte, auf die sich die Union gründet, sind die Achtung der Menschenwürde, Freiheit, Demokratie, Gleichheit, Rechtsstaatlichkeit und die Wahrung der Menschenrechte einschließlich der Rechte der Personen, die Minderheiten angehören. Diese Werte sind allen Mitgliedstaaten in einer Gesellschaft gemeinsam, die sich durch Pluralismus, Nichtdiskriminierung, Toleranz, Gerechtigkeit, Solidarität und die Gleichheit von Frauen und Männern auszeichnet."*

## I.   Genese

Die Anfänge des in der heutigen Fassung nach Lissabon bestehenden Art. 2 EUV reichen bereits über 40 Jahre zurück.[25] Mit ex-Art. F Abs. 1 EUV-Maastricht wurde erstmalig primärrechtlich verankert,[26] dass die Regierungssysteme der Mitgliedstaaten auf *„demokratischen Grundsätzen beruhen".*[27] Vorausgegangen waren seit den 1970er Jahren entsprechende Überlegungen, den Demokratie- und Legitimationsdefiziten der Europäischen

---

[25]  *Jacqué*, in: v. d. Groeben/Schwarze/Hatje, Europäisches Unionsrecht, 7. Aufl. 2015, Art. 2 EUV Rn. 1; *Hilf/Schorkopf*, in: Grabitz/Hilf/Nettesheim, Das Recht der Europäischen Union, 70. EL 2020, Art. 2 EUV Rn. 1.

[26]  ABl. EG Nr. C 191/01 v. 29.07.1992.

[27]  *Hilf/Schorkopf*, in: Grabitz/Hilf/Nettesheim, Das Recht der Europäischen Union, 70. EL 2020, Art. 2 EUV Rn. 1.

Gemeinschaften EURATOM, EGKS und EWG auf dem Weg hin zu einer Europäischen Gemeinschaft (EG) zu begegnen.[28]

Weitere Änderungen wurden mit dem Vertrag von Amsterdam auf den Weg gebracht.[29] Hierbei zielten die Regierungen der Mitgliedstaaten auf eine Anpassung des Primärrechts, um namentlich die vom Europäischen Rat von Kopenhagen bereits 1993 beschlossenen und 1997 vom Europäischen Rat von Luxemburg bestätigten politischen Beitrittskriterien primärrechtlich zu verankern.[30] Die endgültige Fassung des ex-Art. 6 Abs. 1 EUV-Amsterdam lautete: *„Die Union beruht auf den Grundsätzen der Freiheit, der Demokratie, der Achtung der Menschenrechte und Grundfreiheiten sowie der Rechtsstaatlichkeit; diese Grundsätze sind allen Mitgliedstaaten gemeinsam."* Erstmalig wurden damit die Grundprinzipien Rechtsstaatlichkeit, Menschenrechte und die Freiheitsrechte, auf denen sich die Union gründet, ausdrücklich in dem EU-Vertrag festgehalten. Die Änderung des ex-Art. F Abs. 1 EUV-Maastricht ist dabei im direkten Zusammenhang mit der erstmaligen Kodifizierung des Sanktionsverfahrens nach ex-Art. 7 EUV-Amsterdam zu sehen.[31]

Die letzten verbindlichen Änderungen an der Vorschrift wurden mit dem Vertrag von Lissabon, der die Regelung Art. I-2 des zuvor gescheiterten Verfassungsvertrages[32] (EVV) unverändert in Art. 2 EUV-Lissabon überführte,[33] vorgenommen.[34] Der Vertrag von Nizza[35] ließ dagegen die Vorschrift unberührt. Mit Art. 2 EUV sind die Formulierungen des ex-Art. 6 Abs. 1 EUV-Nizza aufgenommen und weiter ergänzt worden.[36] Die bereits nach der alten Rechtslage bestehenden Grundsätze wurden um die Achtung der Menschenwürde, die Gleichheit und die Wahrung der Minderheitenrechte erweitert. Zudem spricht der Wortlaut des Art. 2 EUV anders als die Vorgängernorm, nach der die Union auf den *„Grundsätzen [...] beruht"*, nunmehr davon, dass diese sich auf die *„Werte [...] gründet"*. Damit wurde ein Wandel in der Terminologie von „Grundsätzen" zu „Werte" vollzogen, der als Bestätigung zu sehen ist, dass die Europäische Union auf einem gemeinsamen Wertefundament fußt.[37]

---

[28]   *Terhechte*, in: Pechstein/Nowak/Häde, Frankfurter Kommentar, 2017, Art. 2 EUV Rn. 4; *Hilf/Schorkopf*, in: Grabitz/Hilf/Nettesheim, Das Recht der Europäischen Union, 70. EL 2020, Art. 2 EUV Rn. 1.

[29]   ABl. EG Nr. C 340/01 v. 10.11.1997.

[30]   Bull. EU 6-1993, Ziff. I.13; Bull. EU 12-1997, Ziff. I.5; *Hilf/Schorkopf*, in: Grabitz/Hilf/Nettesheim, Das Recht der Europäischen Union, 70. EL 2020, Art. 2 EUV Rn. 2 m.w.N.

[31]   *Schorkopf*, in: Grabitz/Hilf/Nettesheim, Das Recht der Europäischen Union, 61. EL 2017, Art. 7 EUV Rn. 5; vgl. auch KOM (96) 90 endg., 28.02.1996, S. 3 f.

[32]   ABl. EU Nr. C 310/01 v. 16.12.2004.

[33]   Ausführlich zur Entstehungsgeschichte der Norm des Verfassungsvertrages, siehe nur *Calliess*, in: Calliess/Ruffert, Verfassung der Europäischen Union, 2006, Art. I-2 Rn. 6 ff.

[34]   *Heintschel v. Heinegg*, in: Vedder/Heintschel v. Heinegg, Europäisches Unionsrecht, 2. Aufl. 2018, Art. 2 EUV Rn. 1; *Hilf/Schorkopf*, in: Grabitz/Hilf/Nettesheim, Das Recht der Europäischen Union, 70. EL 2020, Art. 2 EUV Rn. 7; *Calliess*, in: Calliess/Ruffert, EUV/AEUV, 5. Aufl. 2016, Art. 2 EUV Rn. 6; *Terhechte*, in: Pechstein/Nowak/Häde, Frankfurter Kommentar, 2017, Art. 2 EUV Rn. 4.

[35]   ABl. EG Nr. C 80/01 v. 10.03.2001.

[36]   *Pechstein*, in: Streinz, EUV/AEUV, 3. Aufl. 2018, Art. 2 EUV Rn. 1.

[37]   *Calliess*, in: Calliess/Ruffert, Verfassung der Europäischen Union, 2006, Art. I-2 Rn. 13.

Hintergrund für die Neuschaffung dieser Vorschrift mit umfassendem Wertekatalog waren insbesondere die Erfahrungen aus den politischen Sanktionen der Mitgliedstaaten gegen Österreich im Jahre 2000,[38] als auch die bürgerlichen, politischen, wirtschaftlichen und sozialen Rechte der europäischen Bürgerinnen und Bürger, die mit der Grundrechtecharta der Union einheitlich zusammengefasst wurden und eine europäische Wertegrundlage darlegten.[39]

Die Ausarbeitung dieses Wertekatalogs vom Vorentwurf über die Änderungsvorschläge bis zur endgültigen Konventfassung des Art. I-2 EVV auf der Konferenz der Staats- und Regierungschefs zeigt dabei den mitgliedstaatlichen Versuch der Herausbildung eines europäischen Wertekerns, der um einen Satz 2 mit der Umschreibung der Ziele ergänzt wurde.[40]

## II.    Systematische Stellung und normative Verflechtung

Art. 2 EUV steht im Anschluss an die Grundlagen des Art. 1 EUV der Europäischen Union unter den *„Gemeinsame[n] Bestimmungen"* im Titel I des EU-Vertrages. Im Zuge des Reformvertrages von Lissabon wurde die vormals bestehende Verortung der Grundlagen der Vorgängernorm mit ex-Art. 6 Abs. 1 EUV-Nizza am Ende des Titel I des EU-Vertrages aufgegeben. Damit sind die Werte im Lissabonner Vertragsgefüge nun vor den Zielen, die mit Art. 3 EUV die verfassungsrechtliche Grundnorm des Integrationsprogramms des Vertragswerks darstellt,[41] verortet. Mit der Förderungspflicht der Werte nach Art. 3 Abs. 1 EUV kommt diesen systematisch ein zentraler Vorbildcharakter zu. Sie haben somit Ausstrahlungswirkung auf alle Folgenormen, weshalb letztlich jedes unionale Handeln sowohl die Werte als auch die Ziele explizit als übergeordnete Vorgabe[42] zu berücksichtigen hat.[43] Den Werten kann mit dieser Verklammerung durch Art. 3 Abs. 1 EUV letztlich eine gesteigerte Normativität unterstellt werden.[44] Das Vorrücken der Werteklausel an die Regelung der Gründung der Union und ihrer Grundlagen in Art. 1 EUV verdeutlicht plastisch die besondere Nähe und Prägung der Werte für die Struktur der Union.[45] Ihnen kommt sowohl für die unionsrechtliche Rechtsordnung aber auch im Rahmen der Außenbeziehungen der EU eine bedeutende Rolle zu.[46]

---

[38]    *Schauer*, in: Busek/Schauer, Eine europäische Erregung, 2003, S. 189 (207 ff.).

[39]    *Hilf/Schorkopf*, in: Grabitz/Hilf/Nettesheim, Das Recht der Europäischen Union, 70. EL 2020, Art. 2 EUV Rn. 3.

[40]    Ausführlich hierzu *Hilf/Schorkopf*, in: Grabitz/Hilf/Nettesheim, Das Recht der Europäischen Union, 70. EL 2020, Art. 2 EUV Rn. 4 ff.

[41]    *Ruffert*, in: Calliess/Ruffert, EUV/AEUV, 5. Aufl. 2016, Art. 3 EUV Rn. 1; *Terhechte*, in: Grabitz/Hilf/Nettesheim, Das Recht der Europäischen Union, 53. EL 2014, Art. 3 EUV Rn. 9.

[42]    *Frenz*, Rechtstheorie 2010, 400 (401 ff.).

[43]    *Terhechte*, in: Grabitz/Hilf/Nettesheim, Das Recht der Europäischen Union, 53. EL 2014, Art. 3 EUV Rn. 31; *Terhechte*, in: Pechstein/Nowak/Häde, Frankfurter Kommentar, 2017, Art. 2 EUV Rn. 6.

[44]    *Terhechte*, in: Pechstein/Nowak/Häde, Frankfurter Kommentar, 2017, Art. 2 EUV Rn. 6.

[45]    Vgl. *Calliess*, in: Calliess/Ruffert, EUV/AEUV, 5. Aufl. 2016, Art. 1 EUV Rn. 1.

[46]    *Terhechte*, in: Pechstein/Nowak/Häde, Frankfurter Kommentar, 2017, Art. 2 EUV Rn. 5 m.w.N.

Der Wortlaut des Art. 2 S. 1 EUV verpflichtet nicht nur die Union, sondern auch die Mitgliedstaaten auf die Werte. So klingt mit Satz 2 eine Erweiterung des Geltungsbereichs der Werte auf die mitgliedstaatlichen Verfassungsstrukturen an.[47] Demnach sind diese Werte auch allen Mitgliedstaaten in einer Gesellschaft gemeinsam, die sich durch Pluralismus, Nichtdiskriminierung, Toleranz, Gerechtigkeit, Solidarität und Geschlechtergleichheit auszeichnet. Hierin deutet sich bereits der weitere systematische Zusammenhang des Art. 2 EUV im Gefüge des Primärrechts an. Besondere Bedeutung erlangt Art. 2 S. 1 EUV namentlich in Bezug auf die Sicherungsmechanismen nach Art. 49 EUV und Art. 7 EUV, die dessen Schutz gewährleisten.[48] Im Wege der Verweisung des Art. 49 EUV[49] und des Art. 7 EUV[50] auf die Werte des Art. 2 S. 1 EUV werden diese zur materiellen Tatbestandsvoraussetzung.[51]

Nicht nur innerhalb der Union besteht eine Bindung an die Werte. Auch in ihren Außenbeziehungen sind diese wesentlicher Bestandteil des Handelns der Union, wie unter anderem Art. 3 Abs. 5, Art. 8, Art. 21, Art. 23 EUV und Art. 206 f. AEUV darlegt.[52] Weitere Bedeutung erlangen die Werte als materielles Tatbestandsmerkmal im Rahmen des Konvergenzgebots nach Art. 32 EUV sowie der Durchführung einer Mission in der Gemeinsamen Außen- und Sicherheitspolitik nach Art. 42 Abs. 5 EUV.[53]

## III. Die Werte – eine neue Begrifflichkeit im Unionsrecht

Im Vertrag von Lissabon ist mit Art. 2 EUV erstmalig eine Werteklausel primärrechtlich kodifiziert worden.[54] Insoweit gilt es zu erörtern, welche Bedeutung der Begrifflichkeit der Werte zukommt und wie diese rechtsdogmatisch einzuordnen sind.

---

[47]  *Heintschel v. Heinegg*, in: Vedder/Heintschel v. Heinegg, Europäisches Unionsrecht, 2. Aufl. 2018, Art. 2 EUV Rn. 3; *Hilf/Schorkopf*, in: Grabitz/Hilf/Nettesheim, Das Recht der Europäischen Union, 70. EL 2020, Art. 2 EUV Rn. 9.

[48]  *Terhechte*, in: Pechstein/Nowak/Häde, Frankfurter Kommentar, 2017, Art. 2 EUV Rn. 7; vgl. auch *Rensmann*, in: Blumenwitz/Gornig/Murswiek, Die Europäische Union als Wertegemeinschaft, 2005, S. 49 (66 ff.).

[49]  Ausführlich zu den Werten als Tatbestandvoraussetzung im Präventiven Sicherungsmechanismus nach Art. 49 EUV vgl. unter 2. Achtung und Förderung der in Art. 2 EUV genannten Werte, S. 32 ff.

[50]  Ausführlich zu den Werten als Tatbestandvoraussetzung im Repressiven Sicherungsmechanismus nach Art. 7 EUV vgl. unter a. Bestehen einer eindeutigen Gefahr für die Werte, S. 75 ff.

[51]  *Calliess*, JZ 2004, 1033 (1036); *Calliess*, in: Calliess/Ruffert, EUV/AEUV, 5. Aufl. 2016, Art. 2 EUV Rn. 32; *Hilf/Schorkopf*, in: Grabitz/Hilf/Nettesheim, Das Recht der Europäischen Union, 70. EL 2020, Art. 2 EUV Rn. 10; *Jacqué*, in: v. d. Groeben/Schwarze/Hatje, Europäisches Unionsrecht, 7. Aufl. 2015, Art. 2 EUV Rn. 18; *Pechstein*, in: Streinz, EUV/AEUV, 3. Aufl. 2018, Art. 2 EUV Rn. 1.

[52]  Eingehend hierzu *Terhechte*, in: Pechstein/Nowak/Häde, Frankfurter Kommentar, 2017, Art. 2 EUV Rn. 8; *Hilf/Schorkopf*, in: Grabitz/Hilf/Nettesheim, Das Recht der Europäischen Union, 70. EL 2020, Art. 2 EUV Rn. 11; *Calliess*, in: Calliess/Ruffert, EUV/AEUV, 5. Aufl. 2016, Art. 2 EUV Rn. 33 spricht insoweit sogar von einem „Werteexport".

[53]  *Hilf/Schorkopf*, in: Grabitz/Hilf/Nettesheim, Das Recht der Europäischen Union, 70. EL 2020, Art. 2 EUV Rn. 11; *Terhechte*, in: Pechstein/Nowak/Häde, Frankfurter Kommentar, 2017, Art. 2 EUV Rn. 8.

[54]  Zu den Werten im unionsrechtlichen Diskurs eingehend *Terhechte*, in: Pechstein/Nowak/Häde, Frankfurter Kommentar, 2017, Art. 2 EUV Rn. 4 m.w.N.

Wendet man sich für die Bestimmung der Werte dem Unionsrecht zu, so schweigt dieses zum Wertebegriff. Als zentrales Element der präventiven und repressiven Sicherungsmechanismen wird dieser vielmehr von Art. 2 EUV vorausgesetzt.[55] Unter Werten werden gemeinhin Grundeinstellungen des Einzelnen oder der Gesellschaft[56] bzw. Leitideen für die Tätigkeit politischer Institutionen[57] verstanden. Ihnen kommt damit normativ eine Orientierungs- und Ordnungsfunktion zu, die in Entscheidungssituationen anleitet und unter anderem nach Kriterien wie richtig und falsch, gut und böse differenziert.[58] Im rechtlichen Sinne beschreiben die Werte Güter, die eine Rechtsordnung als vorgegeben oder aufgegeben anerkennt.[59] Dabei gründet sich jede Rechtsnorm mindestens auf einen Wert, der diesen transformiert und konkretisiert.[60] Insoweit sind die Werte auch allgemeine Zielvorstellungen, Auslegungsleitlinien, Normenkontrollmaßstab und Legitimationsgrundlage zugleich.[61] Ihr Bedeutungsgehalt ist mitunter fließend und steht gleichsam zwischen Moral und Recht.[62]

Eine klare inhaltliche Begriffsbestimmung von Werten ist schwierig. So zeichnet sich der Wertebegriff durch die Faktoren der Unbestimmtheit, Vielschichtigkeit, Subjektivität sowie Kontextbezogenheit aus.[63] Die Werte des Art. 2 EUV bedürfen unzweifelhaft der Konkretisierung.[64] Für die Bestimmung eines Wertes gilt es, sich auf den Ursprung der Werte zurückzubesinnen. Dieser liegt vor allem in den historischen und kulturellen Grunderfahrungen ihrer Mitgliedstaaten begründet.[65] Gleichwohl soll den europäischen Werten mit Blick auf Art. 2 EUV nun ein selbständiger Gehalt zukommen.[66] Zur Bestimmung der Kerngehalte sind dabei stets deren nationale Wertinhalte zu berücksichtigen. Erst im Zuge einer wertenden Vergleichung mit den mitgliedstaatlichen Verfassungen

---

[55]  *Hilf/Schorkopf*, in: Grabitz/Hilf/Nettesheim, Das Recht der Europäischen Union, 70. EL 2020, Art. 2 EUV Rn. 19.

[56]  *Di Fabio*, JZ 2004, 1 (3); *Calliess*, in: Calliess/Ruffert, EUV/AEUV, 5. Aufl. 2016, Art. 2 EUV Rn. 12 m.w.N.

[57]  *Schmitz*, in: Blumenwitz/Gornig/Murswiek, Die Europäische Union als Wertegemeinschaft, 2005, S. 73 (80); *Schwarze/Wunderlich*, in: Schwarze, EU-Kommentar, 4. Aufl. 2019, Art. 2 EUV Rn. 1.

[58]  *Di Fabio*, JZ 2004, 1 (3); *Calliess*, JZ 2004, 1033 (1034); *von Komorowski*, in: Blumenwitz/Gornig/Murswiek, Die Europäische Union als Wertegemeinschaft, 2005, S. 99 (107); *Hilf/Schorkopf*, in: Grabitz/Hilf/Nettesheim, Das Recht der Europäischen Union, 70. EL 2020, Art. 2 EUV Rn. 19.

[59]  *Reimer*, ZG 2003, 208 (209).

[60]  *Reimer*, ZG 2003, 208 (209); *Calliess*, JZ 2004, 1033 (1034); *Prümm*, VR 2016, 361 (362).

[61]  *Hillmann*, in: Reinhold, Soziologie-Lexikon, 3. Aufl. 1997, S. 593 (593 ff.); *Calliess*, in: Calliess/Ruffert, EUV/AEUV, 5. Aufl. 2016, Art. 2 EUV Rn. 12; *Speer*, DÖV 2001, 980 (981); *v. Bogdandy*, in: v. Bogdandy/Bast, Europäisches Verfassungsrecht, 2. Aufl. 2009, S. 13 (25 ff.).

[62]  *Di Fabio*, JZ 2004, 1 (3); *Calliess*, JZ 2004, 1033 (1034).

[63]  *Speer*, DÖV 2001, 980 (981); *von Komorowski*, in: Blumenwitz/Gornig/Murswiek, Die Europäische Union als Wertegemeinschaft, 2005, S. 99 (109 f.); *Calliess*, in: Calliess/Ruffert, EUV/AEUV, 5. Aufl. 2016, Art. 2 EUV Rn. 12; kritisch *Hanschmann*, Der Begriff der Homogenität in der Verfassungslehre und der Europarechtswissenschaft, 2008, S. 261 ff.

[64]  *Hilf/Schorkopf*, in: Grabitz/Hilf/Nettesheim, Das Recht der Europäischen Union, 70. EL 2020, Art. 2 EUV Rn. 20.

[65]  *Speer*, DÖV 2001, 980 (982); *Calliess*, in: Calliess/Ruffert, EUV/AEUV, 5. Aufl. 2016, Art. 2 EUV Rn. 13.

[66]  *Calliess*, JZ 2004, 1033 (1042); *Calliess*, in: Calliess/Ruffert, EUV/AEUV, 5. Aufl. 2016, Art. 2 EUV Rn. 14.

lassen sich die unionalen Werte konkretisieren.[67] Nationale und unionale Werte stehen daher in einer Wechselbeziehung zueinander.[68] Gleichwohl statuieren die Werte der Union lediglich eine Grundhomogenität, deren Grundvorstellung innerhalb der Union vorliegen muss.[69] Mit Blick auf den Wert der Demokratie beschränkt Art. 2 EUV die Mitgliedstaaten deshalb nicht auf ein bestimmtes Modell.

Da es der Norm des Art. 2 EUV an einer inhaltlichen Umschreibung ihrer Werte im Einzelnen ermangelt,[70] kommt dem Gerichtshof eine tragende Rolle zu.[71] Dieser konkretisiert die abstrakten und unbestimmten Werte im Wege der Auslegung, womit sie ihren eindeutigen rechtlichen Gehalt erlangen.[72]

Abgegrenzt werden können die Werte von Grundrechten, Staatszielen und Grundsätzen, da es ihnen grundsätzlich an Beschränkungen fehlt und sie daher nicht auf spezifische Adressaten und Rechtsfolgen festgelegt sind.[73] Obschon in Art. 2 S. 1 EUV als Werte bezeichnet, handelt es sich rechtsdogmatisch um Rechtsgrundsätze[74] bzw. Rechtsprinzipien.[75] Dies deutet bereits die Übernahme der vormals in ex-Art. 6 Abs. 1 EU-Nizza bezeichneten Grundsätze als Werte in Art. 2 S. 1 EUV an.[76] Auch kann den Merkmalen des Art. 2 S. 1 EUV ihre Adressierung an die EU und ihre Mitgliedstaaten und somit eine Beschränkung auf Rechtsfolgenseite nicht abgesprochen werden.[77] Zudem entfalten sie durch ihre Einbindung in den präventiven Sicherungsmechanismus nach Art. 49 EUV sowie durch den repressiven Sicherungsmechanismus mit Art. 7 EUV eine rechtliche

---

[67]   *Calliess*, in: Calliess/Ruffert, EUV/AEUV, 5. Aufl. 2016, Art. 2 EUV Rn. 14; *Hilf/Schorkopf*, in: Grabitz/Hilf/Nettesheim, Das Recht der Europäischen Union, 70. EL 2020, Art. 2 EUV Rn. 20; *Franzius*, DÖV 2018, 381 (384).

[68]   *Calliess*, JZ 2004, 1033 (1042); *Calliess*, in: Calliess/Ruffert, EUV/AEUV, 5. Aufl. 2016, Art. 2 EUV Rn. 14 f.

[69]   *Schmitz*, in: Blumenwitz/Gornig/Murswiek, Die Europäische Union als Wertegemeinschaft, 2005, S. 73 (82); *Schwarze/Wunderlich*, in: Schwarze, EU-Kommentar, 4. Aufl. 2019, Art. 2 EUV Rn. 2.

[70]   *Schwarze/Wunderlich*, in: Schwarze, EU-Kommentar, 4. Aufl. 2019, Art. 2 EUV Rn. 3.

[71]   Vgl. hierzu die Ausführungen unter I. Die einzelnen Werte des Art. 2 S. 1 EUV in der Übersicht, S. 15 ff.; *Lenaerts*, EuGRZ 2017, 639 (639 f.); *Schwarze/Wunderlich*, in: Schwarze, EU-Kommentar, 4. Aufl. 2019, Art. 2 EUV Rn. 3.

[72]   *Hilf/Schorkopf*, in: Grabitz/Hilf/Nettesheim, Das Recht der Europäischen Union, 70. EL 2020, Art. 2 EUV Rn. 20; *Schwarze/Wunderlich*, in: Schwarze, EU-Kommentar, 4. Aufl. 2019, Art. 2 EUV Rn. 3; *Schorkopf*, Der Europäische Weg, 2010, S. 50 f.; *Lenaerts*, EuGRZ 2017, 639 (639 ff.).

[73]   *Reimer*, ZG 2003, 208 (209 f.); *Calliess*, JZ 2004, 1033 (1034).

[74]   Eingehend zur synonymischen Verwendung von Grundsätzen und Prinzipien im Unionsrecht *v. Bogdandy*, EuR 2009, 749 (759 f.).

[75]   *v. Bogdandy*, in: v. Bogdandy/Bast, Europäisches Verfassungsrecht, 2. Aufl. 2009, S. 13 ff.; *Schwarze/Wunderlich*, in: Schwarze, EU-Kommentar, 4. Aufl. 2019, Art. 2 EUV Rn. 2; *v. Bogdandy*, EuR 2009, 749 (762 f.); *Schmahl*, EuR 2000, 819 (821 f.); *Weber*, DÖV 2017, 741 (742 f.); *v. Bogdandy*, ZaöRV 2019, 503 (523); *Calliess*, in: Calliess/Ruffert, EUV/AEUV, 5. Aufl. 2016, Art. 2 EUV Rn. 8, 12 f.; *v. Bogdandy/Ioannidis*, ZaöRV 2014, 283 (284); *Sommermann*, in: Niedobitek, Europarecht, 2014, § 3 Rn. 8; *Hilf/Schorkopf*, in: Grabitz/Hilf/Nettesheim, Das Recht der Europäischen Union, 70. EL 2020, Art. 2 EUV Rn. 21 m.w.N.; *Murswiek*, NVwZ 2009, 481 (481 f.); *Terhechte*, in: Pechstein/Nowak/Häde, Frankfurter Kommentar, 2017, Art. 2 EUV Rn. 9; *Heintschel v. Heinegg*, in: Vedder/Heintschel v. Heinegg, Europäisches Unionsrecht, 2. Aufl. 2018, Art. 2 EUV Rn. 12; kritisch *Würtenberger*, in: Bruns/Kern/Münch/Piekenbrock/Stadler/Tsikrikas, Festschrift für Rolf Stürner, 2. Bd. 2013, S. 1974 (1977 ff.).

[76]   Schon *v. Bogdandy*, EuR 2009, 749 (762); *Weber*, DÖV 2017, 741 (742).

[77]   *Schmahl*, EuR 2000, 819 (821 f.); *Reimer*, ZG 2003, 208 (209 f.); *v. Bogdandy/Ioannidis*, ZaöRV 2014, 283 (284); *Calliess*, in: Calliess/Ruffert, EUV/AEUV, 5. Aufl. 2016, Art. 2 EUV Rn. 8.

Wirkung und halten damit auch Rechtsfolgen bereit, die eine Einordnung als Rechtsgrundsätze bzw. Rechtsprinzipien rechtfertigen.[78] Als Teil des Unionsrechts mit weitreichenden Bindungswirkungen wird man ihnen folglich auch nicht ihre rechtliche Natur
absprechen können.[79] Die unter anderem mit Blick auf Art. 21 Abs. 1 UAbs. 1 EUV und
dem Vergleich der Präambel der Charta und des EU-Vertrages sich darbietende Inkonsis-
tenz der Bezeichnung Werte und Grundsätze im Unionsrecht stützt ferner diese Auslegung.[80]

Die Verwendung des Begriffs Werte dient zugleich der primärrechtlichen Verankerung eines identitätsbildenden Wertekonsenses und führt zu einer ethisch-sittlichen Aufladung der Prinzipien.[81] Die in Art. 2 EUV kodifizierte Wertvorstellung soll den Mitgliedstaaten und den Unionsorgangen als Leitbild dienen,[82] stellt aber zugleich eine unionsrechtlich durchsetzbare Rechtsnorm dar, wie im Folgenden ausgeführt wird.

## IV.  Die Erstarkung der Werte zu justiziablen Verfassungsprinzipien

Als Teil des Primärrechts, das auch als Unionsverfassungsrecht begriffen werden kann,
stellen die in Art. 2 EUV kodifizierten Verbürgungen gleichwohl europäische Verfassungsprinzipien dar.[83] Dies galt bereits unter dem Vertrag von Nizza mit ex-Art. 6 Abs. 1
EUV-Nizza. So bemühte der Gerichtshof, der zuvor die übliche Bezeichnung als Grundprinzipien wählte,[84] in seinem Urteil in der Rechtssache *Kadi und Al Barakaat* erstmals
die Begrifflichkeit der Verfassungsgrundsätze für das vormalige Gemeinschaftsrecht.[85] Ihr
grundlegender Charakter bestimmt dabei nicht nur das Verfassungsprofil der EU, sondern auch das ihrer Mitgliedstaaten.[86]

---

[78]  *v. Bogdandy*, EuR 2009, 749 (762 f.).

[79]  *v. Bogdandy*, EuR 2009, 749 (761 ff.).

[80]  Eingehend *Hilf/Schorkopf*, in: Grabitz/Hilf/Nettesheim, Das Recht der Europäischen Union, 70. EL 2020,
Art. 2 EUV Rn. 21; *v. Bogdandy*, EuR 2009, 749 (762).

[81]  *Sommermann*, in: Niedobitek, Europarecht, 2014, § 3 Rn. 7 m.w.N.; *Weber*, DÖV 2017, 741 (742 f.); *Calliess*,
JZ 2004, 1033 (1034).

[82]  *Schwarze/Wunderlich*, in: Schwarze, EU-Kommentar, 4. Aufl. 2019, Art. 2 EUV Rn. 1.

[83]  Ausführlich *v. Bogdandy*, EuR 2009, 749 (749 ff.); *Calliess*, in: Calliess/Ruffert, EUV/AEUV, 5. Aufl. 2016,
Art. 2 EUV Rn. 12; *Murswiek*, NVwZ 2009, 481 (481).

[84]  Vgl. nur EuGH, verb. Rs. C-46/93 und C-48/93, Brasserie du pêcheur/Bundesrepublik Deutschland, Slg.
1996, I-1029, Rn. 27; EuGH, Rs. C-438/05, International Transport Workers' Federation, Slg. 2007, I-10779,
Rn. 68.

[85]  EuGH, verb. Rs. C-402/05 P und C-415/05 P, Kadi und Al Barakaat International Foundation/Rat und
Kommission, Slg. 2008, I-06351, Rn. 285.

[86]  Vgl. CONV 528/03, 06.02.2003, S. 11 f.; KOM (2003) 606 endg., 15.10.2003, S. 5 f.; *v. Bogdandy/Ioannidis*,
ZaöRV 2014, 283 (284); *Hilf/Schorkopf*, in: Grabitz/Hilf/Nettesheim, Das Recht der Europäischen Union,
70. EL 2020, Art. 2 EUV Rn. 8 ff.; *Terhechte*, in: Pechstein/Nowak/Häde, Frankfurter Kommentar, 2017,
Art. 2 EUV Rn. 3; *Pechstein*, in: Streinz, EUV/AEUV, 3. Aufl. 2018, Art. 2 EUV Rn. 1.

Während die Werte in der Rechtsprechung des EuGH bisher kaum herangezogen wurden,[87] ereilte diesen Prinzipien durch den Reformvertrag von Lissabon ein Bedeutungszuwachs. Mit der Auflösung der Säulenstruktur erhält auch der EU-Vertrag einen supranationalen Charakter und wird unter die Gerichtsbarkeit des EuGH gestellt.[88] Dessen Zuständigkeit umfasst damit, im Wege der Art. 258, 259 AEUV und Art. 267 AEUV auch die Verstöße der Unionsorgane sowie der Mitgliedstaaten gegen den EU-Vertrag festzustellen.[89] Zwar ist Art. 2 EUV ebenfalls wie seine Vorgängernorm ex-Art. 6 Abs. 1 EUV-Nizza an die Staaten gerichtet, weshalb seine unmittelbare innerstaatliche Anwendbarkeit bezweifelt werden könnte.[90] Demgegenüber hat der EuGH bereits mit der Entscheidung in der Rechtssache *van Gend & Loos*[91] auch eine als reine Staatenverpflichtung formulierte Vorschrift für unmittelbar anwendbar anerkannt, die somit auch Rechte und Pflichten für den Einzelnen begründen kann.[92] Insoweit darf für die unmittelbare Anwendbarkeit von Art. 2 EUV dem Grunde nach nichts anderes gelten, solange sich die Werte hinreichend bestimmen lassen.[93]

Der Konkretisierung der Werteverbürgungen hat der EuGH bisher stetig Vorschub geleistet. Demgemäß besteht auf nationaler und unionaler Ebene mit der Grundrechtecharta sowie der EMRK eine hinreichende rechtliche Konkretisierung der einzelnen Werte.[94] Die Organe, Behörden und Gerichte der Mitgliedstaaten sind damit auf die Werte verpflichtet und berechtigt. Der Gerichtshof öffnete sich bereits vor dem Reformvertrag, so deutet es sein *Kadi*-Urteil an, indem er sich argumentativ auf die „*Verfassungsgrundsätze*" des EG-Vertrages, „*zu denen auch der Grundsatz zählt, dass alle Handlungen der Gemeinschaft die Menschenrechte achten müssen*" stützte bzw. „*eine Abweichung von den Grundsätzen der Freiheit, der Demokratie und der Achtung der Menschenrechte und Grundfreiheiten [...], die in Art. 6 Abs. 1 EU als Grundlage der Union niedergelegt sind*" als unzulässig ansah.[95] Hierin deutete sich ein Einlenken auf eine grundsatz- bzw. wertegeleitete Rechtsprechung an, wodurch Art. 2 EUV in der Zukunft eine bedeutende Rolle für die Anwendung des Unionsrechts erlangen würde.[96]

---

[87]   *Terhechte*, in: Pechstein/Nowak/Häde, Frankfurter Kommentar, 2017, Art. 2 EUV Rn. 11; *Hilf/Schorkopf*, in: Grabitz/Hilf/Nettesheim, Das Recht der Europäischen Union, 51. EL 2013, Art. 2 EUV Rn. 46.

[88]   *Murswiek*, NVwZ 2009, 481 (481); *Thiele*, EuR 2010, 30 (48 f.); *Pache/Rösch*, NVwZ 2008, 473 (478); *Schwarze*, EuR Beih. 1/2009, 9 (14).

[89]   Eingehend *Murswiek*, NVwZ 2009, 481 (481 ff.); *Schroeder*, Grundkurs Europarecht, 6. Aufl. 2019, § 3 Rn. 63; ausführlich zu den Werten als Klagegegenstand des Vertragsverletzungsverfahrens unter 1. Verstoß gegen eine „Verpflichtung aus den Verträgen" – die Werte als Klagegegenstand, S. 150 ff.

[90]   So bereits schon *Murswiek*, NVwZ 2009, 481 (485).

[91]   EuGH, Rs. C-26/62, Van Gend en Loos/Administratie der Belastingen, Slg. 1963, 3.

[92]   *Murswiek*, NVwZ 2009, 481 (485); *Bergmann*, in: Bergmann, Handlexikon der Europäischen Union, 5. Aufl. 2015, „Van Gend & Loos-Urteil".

[93]   Zutreffend bereits *Murswiek*, NVwZ 2009, 481 (485).

[94]   *Würtenberger*, in: Bruns/Kern/Münch/Piekenbrock/Stadler/Tsikrikas, Festschrift für Rolf Stürner, 2. Bd. 2013, S. 1974 (1980); *Schmahl*, EuR 2000, 819 (822); *Nettesheim*, EuR 2003, 36 (45).

[95]   EuGH, verb. Rs. C-402/05 P und C-415/05 P, Kadi und Al Barakaat International Foundation/Rat und Kommission, Slg. 2008, I-06351, Rn. 285, 303.

[96]   *Hilf/Schorkopf*, in: Grabitz/Hilf/Nettesheim, Das Recht der Europäischen Union, 70. EL 2020, Art. 2 EUV Rn. 46a; *Kanalan/Wilhelm/Schwander*, Der Staat, 2017, 193 (195).

Mit seinem Urteil in der Rechtssache *Associação Sindical dos Juízes Portugueses (ASJP)*[97] aus dem Jahre 2018 hat der EuGH die Justiziabilität der Werte bei der Anwendung des Unionsrechts entscheidend weiterentwickelt.[98] Vorausgegangen war die Frage, ob die zeitweilige Bezügekürzung von Mitgliedern des portugiesischen Rechnungshofes aufgrund von Unionsvorgaben eine Beeinträchtigung der richterlichen Unabhängigkeit nach Art. 19 Abs. 1 UAbs. 2 EUV, Art. 47 GRCh darstelle.[99] Dies nahm der Gerichtshof zum Anlass, den Art. 19 Abs. 1 UAbs. 2 EUV als eine wertekonkretisierende Primärrechtsnorm der Rechtsstaatlichkeit i.S.d. Art. 2 S. 1 EUV anzuerkennen.[100] Die Ableitung des Grundsatzes der richterlichen Unabhängigkeit aus dem Wert der Rechtsstaatlichkeit eröffnete dem EuGH die Kontrolle einer Werteverletzung.[101] Damit legte der Gerichtshof dar, dass die Werte in Verbindung mit den sie konkretisierenden Vorschriften des Primärrechts justiziabel sind.[102] Zugleich stellte er fest, dass im Anwendungsbereich des Unionsrechts alleine das unionsrechtliche Verständnis der richterrechtlichen Garantien als Maßstab für die Ausgestaltung der nationalen Gerichtssysteme entscheidend sei.[103]

Sein Verständnis von der Justiziabilität des Art. 2 S. 1 EUV durch eine wertorientierte Auslegung festigte der Gerichtshof im Jahre 2019 in zwei weiteren Entscheidungen gegen Polen.[104] Gegenstand war abermals die Verletzung der richterlichen Unabhängigkeit aufgrund der Herabsetzung des Ruhestandsalters für Richter durch polnische Rechtsvorschriften.[105] Anders als in der Rechtssache *ASJP*, welche dem Gerichtshof als Sprungbrett für das Verfahren gegen Polen diente,[106] stellte er nunmehr eine Verletzung des Art. 19 Abs. 1 UAbs. 2 EUV als Konkretisierung des Werts der Rechtsstaatlichkeit fest.[107] Hiermit

---

[97] EuGH, Rs. C-64/16, Associação Sindical dos Juízes Portugueses, ECLI:EU:C:2018:117.

[98] v. *Bogdandy/Spieker*, EuConst 2019, 391 (412); *Hilf/Schorkopf*, in: Grabitz/Hilf/Nettesheim, Das Recht der Europäischen Union, 70. EL 2020, Art. 2 EUV Rn. 46a; *Bonelli/Claes*, EuConst 2018, 622 (623).

[99] EuGH, Rs. C-64/16, Associação Sindical dos Juízes Portugueses, ECLI:EU:C:2018:117, Rn. 27; siehe hierzu die Urteilsbesprechungen *Streinz*, JuS 2018, 1016 (1016 ff.); *Bonelli/Claes*, EuConst 2018, 622 (622 ff.); v. *Bogdandy/Spieker*, EuConst 2019, 391 (391 ff.).

[100] EuGH, Rs. C-64/16, Associação Sindical dos Juízes Portugueses, ECLI:EU:C:2018:117, Rn. 32; *Hilf/Schorkopf*, in: Grabitz/Hilf/Nettesheim, Das Recht der Europäischen Union, 70. EL 2020, Art. 2 EUV Rn. 46a; *Schorkopf*, NJW 2019, 3418 (3420).

[101] Vgl. EuGH, Rs. C-64/16, Associação Sindical dos Juízes Portugueses, ECLI:EU:C:2018:117, Rn. 32 ff.; *Hilf/Schorkopf*, in: Grabitz/Hilf/Nettesheim, Das Recht der Europäischen Union, 70. EL 2020, Art. 2 EUV Rn. 46a.

[102] v. *Bogdandy/Spieker*, EuConst 2019, 391 (416 ff.); *Hilf/Schorkopf*, in: Grabitz/Hilf/Nettesheim, Das Recht der Europäischen Union, 70. EL 2020, Art. 2 EUV Rn. 46a; *Schorkopf*, NJW 2019, 3418 (3420).

[103] Vgl. EuGH, Rs. C-64/16, Associação Sindical dos Juízes Portugueses, ECLI:EU:C:2018:117, Rn. 34 ff.; *Jaeger*, EuR 2018, 620 (622 f.); *Hilf/Schorkopf*, in: Grabitz/Hilf/Nettesheim, Das Recht der Europäischen Union, 70. EL 2020, Art. 2 EUV Rn. 46b.

[104] EuGH, Rs. C-619/18, Kommission/Polen, ECLI:EU:C:2019:531; EuGH, Rs. C-192/18, Kommission/Polen, ECLI:EU:C:2019:924.

[105] Diese legte die Kommission dem EuGH im Wege von Vertragsverletzungsverfahren vor und stützte sich hierbei jeweils auf die Verletzung von Art. 19 Abs. 1 UAbs. 2 EUV i.V.m. Art. 47 GRCh sowie einmal auf die Verletzung der Richtlinie 2006/54/EG; siehe hierzu ausführlich unter 2. Bisherige Praxis der (indirekten) Wertesicherung, S. 144 ff.

[106] v. *Bogdandy/Spieker*, EuConst 2019, 391 (417).

[107] EuGH, Rs. C-619/18, Kommission/Polen, ECLI:EU:C:2019:531, Rn. 42 ff.; EuGH, Rs. C-192/18, Kommission/Polen, ECLI:EU:C:2019:924, Rn. 98 ff.

bekräftigte der EuGH seine Auffassung, dass alleine das unionsrechtliche Verständnis vom Inhalt der richterlichen Garantien maßgeblich sei.[108]

Durch die Operationalisierung der Werte in seiner jüngsten Rechtsprechung reagierte der Gerichtshof auf die anhaltende „Wertekrise" um die Rechtsstaatlichkeit.[109] Auf deren Problematik wird im Rahmen der Darstellung der repressiven Sicherungsmechanismen noch weiter eingegangen.[110] Damit bleibt festzuhalten, dass die Werte der Union als europäische Verfassungsprinzipien anzusehen sind, die auch die nationalen Verfassungen der Mitgliedstaaten prägen und diese sich hieran auszurichten haben. Hierbei bilden die Werteverbürgungen absolute Grenzen, die nicht überschritten werden dürfen, ohne als zwingende Gestaltungsvorgaben für die mitgliedstaatlichen Institutionen verstanden zu werden.[111] Dem Gerichtshof eröffnet der Vertrag von Lissabon die Möglichkeit, sich zugleich als Verfassungsgericht der Union zu positionieren und auf der normativen Grundlage der Werte auch dort, wo es um nationale Fragen der Mitgliedstaaten geht, zu handeln.[112] Damit ebnete der Gerichtshof den Weg für eine Anwendbarkeit aller Werte des Art. 2 S. 1 EUV über die bestehenden Instrumentarien der Art. 258, 259 AEUV und Art. 267 AEUV.[113]

## B.   Rechtlicher Gehalt der Werteklausel

Die Union hat sich mit Art. 2 EUV auf eine *„verselbstständigte Werteklausel"*[114] verpflichtet, die ihrem Handeln zu Grunde zu legen ist.[115] Durch deren praktische Anwendung im Rahmen des unionsrechtlichen Sicherungssystems bedürfen die Werte einer rechtlichen Konturierung. Im Folgenden gilt es den rechtlichen Mindestgehalt der einzelnen Werte herauszuarbeiten.

---

[108]   *Jaeger*, EuR 2018, 620 (622 f.).

[109]   Mit seinem Urteil in der Rechtssache *Minister for Justice and Equality* eröffnet der Gerichtshof nun auch Individuen die Möglichkeit, europäische Werte in Verbindung mit ihren Grundrechten zu verteidigen, EuGH, Rs. C-216/18 PPU, Minister for Justice and Equality, ECLI:EU:C:2018:586; *v. Bogdandy*, ZaöRV 2019, 503 (537 f.).

[110]   Siehe hierzu § 4 Die repressiven Sicherungsmechanismen, S. 71 ff.

[111]   So bereits schon *v. Bogdandy*, ZaöRV 2019, 503 (543), der von „roten Linien" spricht.

[112]   *Murswiek*, NVwZ 2009, 481 (483); *Hilf/Schorkopf*, in: Grabitz/Hilf/Nettesheim, Das Recht der Europäischen Union, 51. EL 2013, Art. 2 EUV Rn. 46.

[113]   So auch *Hilf/Schorkopf*, in: Grabitz/Hilf/Nettesheim, Das Recht der Europäischen Union, 70. EL 2020, Art. 2 EUV Rn. 46b.

[114]   *Pechstein*, in: Streinz, EUV/AEUV, 3. Aufl. 2018, Art. 2 EUV Rn. 1.

[115]   *Schwarze/Wunderlich*, in: Schwarze, EU-Kommentar, 4. Aufl. 2019, Art. 2 EUV Rn. 2.

## I. Die einzelnen Werte des Art. 2 S. 1 EUV in der Übersicht

### 1. Menschenwürde

Mit dem Vertrag von Lissabon erlangt die Menschenwürde erstmals eine ausdrückliche Erwähnung im EU-Vertrag. Die Nennung der Würde des Menschen vor den übrigen Werten wird mit dem Gebot verknüpft, sie auch zu achten. Mit dem Achtungsgebot erhebt die Union die Menschenwürde zum Selbstzweck ihres Seins und Handelns und stellt die Ausübung der ihr übertragenen Hoheitsgewalt und geschaffenen Rechtsordnung in den Dienst des Menschen.[116] Durch die Vorrangstellung der Menschenwürde stellt diese den konzeptionellen Bezugspunkt für alle nachfolgenden Werte dar und damit auch für deren Auslegung.[117] Die Nennung der Würde des Menschen in Art. 2 S. 1 EUV ist spiegelbildlich zur Grundentscheidung der Grundrechtecharta zu sehen,[118] die in Art. 1 GRCh die Menschenwürde an den Anfang stellt und dadurch deren zentrale Rolle im System des europäischen Grundrechtsschutzes darlegt.[119] Mit der Nennung als Grundrecht sowie obersten Wert der Union kommt der Würde des Menschen der fundamentale Gehalt der Unveräußerlichkeit und Achtung der Subjektivität des Menschen zu.[120] Dabei genoss sie bereits schon vorher als ungeschriebener Grundsatz des Gemeinschaftsrechts einen primärrechtlichen Rang als EG-Grundrecht.[121] Die konkrete rechtliche Bestimmung des unionalen Menschenwürdegehalts ergibt sich aus richterlicher Rechtsfortbildung.[122]

Die Unveräußerlichkeit der Menschenwürde zeigt sich insbesondere in dem Verbot, den Menschen zum bloßen Objekt staatlichen Handelns herabzuwürdigen.[123] Welches Verständnis die Union der Menschenwürde in ihren einzelnen Ausformungen – Sicherung des Existenzminimums, informationelle Selbstbestimmung – beimisst, bleibt abzu-

---

[116] *Hilf/Schorkopf*, in: Grabitz/Hilf/Nettesheim, Das Recht der Europäischen Union, 70. EL 2020, Art. 2 EUV Rn. 22; *Lenaerts*, EuGRZ 2017, 639 (640).

[117] *Müller-Graff*, integration 2003, 111 (116); *Rensmann*, in: Blumenwitz/Gornig/Murswiek, Die Europäische Union als Wertegemeinschaft, 2005, S. 49 (58); *Calliess*, in: Calliess/Ruffert, Verfassung der Europäischen Union, 2006, Art. I-2 Rn. 22; *Frenz*, Rechtstheorie 2010, 400 (409).

[118] *Calliess*, in: Calliess/Ruffert, Verfassung der Europäischen Union, 2006, Art. I-2 Rn. 22 m.w.N.

[119] Die EU-Grundrechtecharta gilt jedoch gem. Art. 51 Abs. 1 S. 1 GRCh „*ausschließlich bei der Durchführung des Rechts der Union*", wodurch dessen Anwendungsbereich enger gefasst erscheint als der des Wertes i.S.d. Art. 2 S. 1 EUV, vgl. eingehend zum Anwendungsbereich nur *Lenaerts*, EuR 2012, 3 (4 ff.) und *Honer*, JuS 2017, 409 (410 ff.); *Brauneck*, NVwZ 2018, 1423 (1426).

[120] *Frenz*, Rechtstheorie, 2010, 400 (408); *Hilf/Schorkopf*, in: Grabitz/Hilf/Nettesheim, Das Recht der Europäischen Union, 70. EL 2020, Art. 2 EUV Rn. 23.

[121] Vgl. EuGH, Rs. C-377/98, Niederlande/Parlament und Rat, Slg. 2001, I-7079, Rn. 70; EuGH, Rs. C-36/02, Omega, Slg. 2004, I-9609, Rn. 34; EuGH, Rs. C-341/05, Laval un Partneri, Slg. 2007, I-11767, Rn. 94; EuGH, Rs. C-23/12, Zakaria, ECLI:EU:C:2013:24, Rn. 40; *Pechstein*, in: Streinz, EUV/AEUV, 3. Aufl. 2018, Art. 2 EUV Rn. 2.

[122] *Calliess*, in: Calliess/Ruffert, Verfassung der Europäischen Union, 2006, Art. I-2 Rn. 22.

[123] *Frenz*, Rechtstheorie 2010, 400 (408); *Heintschel v. Heinegg*, in: Vedder/Heintschel v. Heinegg, Europäisches Unionsrecht, 2. Aufl. 2018, Art. 2 EUV Rn. 5.

warten.[124] Insbesondere bei Streitfragen wie Gentechnik, Biotechnologie, Einwanderungs- und Asylpolitik bedarf es einer unionalen Konkretisierung des Würdekonzepts, das wohl nicht um eine gewisse Verallgemeinerung umhinkommen wird.[125] Der EuGH wird die unionale Mindestgarantie der Menschenwürde noch weiter ausformen müssen, um für eine einheitliche Anwendung durch die Mitgliedstaaten zu sorgen.[126]

## 2.   Freiheit

An zweiter Stelle steht der Wert der Freiheit gleichberechtigt neben der Menschenwürde, der Demokratie, der Gleichheit und der Rechtsstaatlichkeit. Der Wert der Freiheit bildet zweifellos das wesentliche Leitmotiv des europäischen Integrationsprozesses und ihm kommt sowohl für die Wirtschaft als auch für die Politik in der Union eine zentrale Bedeutung zu.[127] Dabei ist dieses Grundmotiv auch in den anderen Werten der Demokratie, Rechtsstaatlichkeit und der Menschenrechte bereits angelegt.[128]

Unter dem Freiheitsbegriff wird man allgemein die Garantie der Selbstbestimmung des Individuums, die Abwesenheit einer Fremdherrschaft, die Ablehnung jedes Gewaltmonismus und jedweder Form der Vorherrschaft einer politischen Organisation fassen können.[129] Dies führt zur Notwendigkeit der Begrenzung hoheitlicher Befugnisse, der Befolgung der Gebotenheit zur Erreichung rechtlich legitimer Ziele sowie dem gesetzlichen Normierungserfordernis von Eingriffsbefugnissen.[130] Unionale Ausformungen der Freiheit stellen im Wesentlichen die vier Grundfreiheiten, die Unionsbürgerrechte sowie die Unionsgrundrechte dar.[131]

## 3.   Demokratie

An dritter Stelle findet sich der Wert der Demokratie wieder. Art. 2 S. 1 EUV legt nach seinem Wortlaut, wie bereits schon ex-Art. 6 Abs. 1 EUV-Amsterdam, dar, dass das Demokratiegebot nicht nur horizontal zwischen den Mitgliedstaaten, sondern auch vertikal

---

[124]   *Heintschel v. Heinegg*, in: Vedder/Heintschel v. Heinegg, Europäisches Unionsrecht, 2. Aufl. 2018, Art. 2 EUV Rn. 5.

[125]   *Terhechte*, in: Pechstein/Nowak/Häde, Frankfurter Kommentar, 2017, Art. 2 EUV Rn. 12 f.

[126]   Vgl. *Terhechte*, in: Pechstein/Nowak/Häde, Frankfurter Kommentar, 2017, Art. 2 EUV Rn. 13.

[127]   *Calliess*, in: Calliess/Ruffert, EUV/AEUV, 5. Aufl. 2016, Art. 2 EUV Rn. 18; *Terhechte*, in: Pechstein/Nowak/ Häde, Frankfurter Kommentar, 2017, Art. 2 EUV Rn. 14.

[128]   *Hilf/Schorkopf*, in: Grabitz/Hilf/Nettesheim, Das Recht der Europäischen Union, 70. EL 2020, Art. 2 EUV Rn. 24; *Heintschel v. Heinegg*, in: Vedder/Heintschel v. Heinegg, Europäisches Unionsrecht, 2. Aufl. 2018, Art. 2 EUV Rn. 6.

[129]   *Hilf/Schorkopf*, in: Grabitz/Hilf/Nettesheim, Das Recht der Europäischen Union, 70. EL 2020, Art. 2 EUV Rn. 25; *Calliess*, in: Calliess/Ruffert, EUV/AEUV, 5. Aufl. 2016, Art. 2 EUV Rn. 19; *Pechstein*, in: Streinz, EUV/AEUV, 3. Aufl. 2018, Art. 2 EUV Rn. 3; *Terhechte*, in: Pechstein/Nowak/Häde, Frankfurter Kommentar, 2017, Art. 2 EUV Rn. 14.

[130]   *Pechstein*, in: Streinz, EUV/AEUV, 3. Aufl. 2018, Art. 2 EUV Rn. 3.

[131]   *Calliess*, in: Calliess/Ruffert, EUV/AEUV, 5. Aufl. 2016, Art. 2 EUV Rn. 19 m.w.N.; *Terhechte*, in: Pechstein/Nowak/Häde, Frankfurter Kommentar, 2017, Art. 2 EUV Rn. 14.

in Bezug zur Union gilt.[132] Damit sind sowohl die Mitgliedstaaten als auch die Union auf einen gemeinsamen Demokratiebegriff festgeschrieben.[133] Für dessen Bestimmung kann daher nicht allein auf einen im nationalstaatlichen Bereich vorgeprägten Demokratiebegriff zurückgegriffen werden, zumal die einzelnen mitgliedstaatlichen Ausprägungen des Demokratieprinzips mitunter stark voneinander abweichen.[134] Es bedarf auch an dieser Stelle vielmehr eines unionsspezifischen Demokratiebegriffs.[135]

Auf der Primärrechtsebene ist das unionale Demokratieprinzip hingegen nur bedingt ausgestaltet.[136] Unter den *„Bestimmungen über die demokratischen Grundsätze"* nach Art. 9 ff. des Titels II des EU-Vertrages finden sich darüber nur einzelne Grundsätze. Zu nennen ist hier die repräsentative Demokratie mit doppelter Legitimation durch das EU-Parlament und den Ministerrat nach Art. 10 EUV, ergänzt durch das plebiszitäre Element der europäischen Bürgerinitiative nach Art. 11 Abs. 4 EUV.[137] An einem umfassenden unionalen Demokratiemodell fehlt es daher weiterhin.

Abhilfe kann hier neben einem mitgliedstaatlichen Verfassungsvergleich auch die Berücksichtigung einschlägiger völkerrechtlicher Verträge schaffen.[138] Für die Konkretisierung lassen sich neben Art. 3 Zusatzprotokoll 1 EMRK[139] auch die Schlussfolgerungen des Europäischen Rates von Kopenhagen[140] heranziehen.[141] Als Kernelemente des unionsspezifischen Demokratiebegriffs sind unter anderem das Selbstbestimmungsrecht, der Minderheitenschutz, die Meinungsfreiheit, freie und geheime Wahlen, politische Pluralität und die hieraus folgende Möglichkeit von Machtwechseln, Transparenz und die Integrität der Staatsorgane zu sehen.[142] Stützen lässt sich dies auch auf Art. 21 Abs. 3 der Allgemei-

---

[132]  *Hilf/Schorkopf*, in: Grabitz/Hilf/Nettesheim, Das Recht der Europäischen Union, 70. EL 2020, Art. 2 EUV Rn. 27.

[133]  *Hilf/Schorkopf*, in: Grabitz/Hilf/Nettesheim, Das Recht der Europäischen Union, 70. EL 2020, Art. 2 EUV Rn. 30.

[134]  *Beutler*, in: v. d. Groeben/Schwarze, Kommentar zum EU-/EG-Vertrag, 6. Aufl. 2003, Art. 6 EUV Rn. 29; *Calliess*, in: Calliess/Ruffert, EUV/AEUV, 5. Aufl. 2016, Art. 2 EUV Rn. 20 m.w.N.; *Schmitz*, in: Blumenwitz/Gornig/Murswiek, Die Europäische Union als Wertegemeinschaft, 2005, S. 73 (82); *Pechstein*, in: Streinz, EUV/AEUV, 3. Aufl. 2018, Art. 2 EUV Rn. 4.

[135]  *Beutler*, in: v. d. Groeben/Schwarze, Kommentar zum EU-/EG-Vertrag, 6. Aufl. 2003, Art. 6 EUV Rn. 28; *Calliess*, in: Calliess/Ruffert, EUV/AEUV, 5. Aufl. 2016, Art. 2 EUV Rn. 20 m.w.N.; vgl. auch *Hilf/Schorkopf*, in: Grabitz/Hilf/Nettesheim, Das Recht der Europäischen Union, 70. EL 2020, Art. 2 EUV Rn. 29 f.

[136]  *Pechstein*, in: Streinz, EUV/AEUV, 3. Aufl. 2018, Art. 2 EUV Rn. 4.

[137]  *Calliess/Hartmann*, Zur Demokratie in Europa: Unionsbürgerschaft und europäische Öffentlichkeit, 2014, S. 80 f.; *Hilf/Schorkopf*, in: Grabitz/Hilf/Nettesheim, Das Recht der Europäischen Union, 70. EL 2020, Art. 2 EUV Rn. 30; *Lenaerts*, EuGRZ 2017, 639 (641).

[138]  *Holterhus/Kornack*, EuGRZ 2014, 389 (393).

[139]  Art. 3 ZP 1 EMRK lautet: *„Die Hohen Vertragsparteien verpflichten sich, in angemessenen Zeitabständen freie und geheime Wahlen unter Bedingungen abzuhalten, welche die freie Äußerung der Meinung des Volkes bei der Wahl der gesetzgebenden Körperschaften gewährleisten."*

[140]  Vgl. KOM (97) 2000 endg., 15.07.1997; KOM (98) 146 endg., 12.03.1998; KOM (2000) 726 endg., 14.11.2000.

[141]  *Calliess*, in: Calliess/Ruffert, EUV/AEUV, 5. Aufl. 2016, Art. 2 EUV Rn. 21; *Hilf/Schorkopf*, in: Grabitz/Hilf/Nettesheim, Das Recht der Europäischen Union, 70. EL 2020, Art. 2 EUV Rn. 29.

[142]  *Beutler*, in: v. d. Groeben/Schwarze, Kommentar zum EU-/EG-Vertrag, 6. Aufl. 2003, Art. 6 EUV Rn. 30 ff.; *Serini*, Sanktionen der Europäischen Union bei Verstoß eines Mitgliedstaates gegen das Demokratie- oder Rechtsstaatsprinzip, 2009, S. 82 ff. m.w.N.; *Hilf/Schorkopf*, in: Grabitz/Hilf/Nettesheim, Das Recht der Europäischen Union, 70. EL 2020, Art. 2 EUV Rn. 29; *Calliess*, in: Calliess/Ruffert, EUV/AEUV, 5. Aufl. 2016,

nen Erklärung für Menschenrechte[143] sowie Art. 25 Abs. 2 des Internationalen Pakts[144] über die bürgerlichen und politischen Rechte.[145]

Der Demokratiebegriff des Art. 2 S. 1 EUV umfasst daher abermals nur die Erfüllung demokratischer Mindestanforderungen.[146] Gleichwohl zeigt der Wortlaut des Art. 2 EUV zweifelsfrei auf, dass die Union und ihre Mitgliedstaaten auf ein und denselben Wert der Demokratie verpflichtet sind.[147] Daher sieht sich die Europäische Union zu Recht in Bezug auf ihre mangelnde Gleichheit der Wahl zum Europäischen Parlament dem Vorwurf des Demokratiedefizits ausgesetzt.[148]

## 4.    Gleichheit

Im Anschluss an die Demokratie wurde mit dem Wert der Gleichheit eine weitere Ergänzung der Werteklausel gegenüber ex-Art. 6 Abs. 1 EUV-Nizza vorgenommen. Das Gleichheitsgebot umfasst auf Unionsebene sowohl die Staaten- als auch die Unionsbürgergleichheit.[149] Der Grundsatz der Staatengleichheit hat in Art. 4 Abs. 2 EUV eine ausdrückliche Erwähnung gefunden. Mit Art. 2 S. 1 EUV wurde insbesondere die Gleichheit der Unionsbürger vor dem Gesetz herausgearbeitet.[150] In Ermangelung eines besonderen Verbotskriteriums handelt es sich hierbei um eine Verpflichtung zum allgemeinen Gleichheitssatz.[151] Der Gleichheitssatz ist in ständiger Rechtsprechung des EuGH seit langem anerkannt und verlangt, dass vergleichbare Sachverhalte nicht unterschiedlich behandelt werden und unterschiedliche Sachverhalte nicht gleich behandelt werden dürfen, außer dies lässt sich objektiv rechtfertigen.[152] Näheren primärrechtlichen Ausdruck hat dieser im allgemeinen Diskriminierungsverbot nach Art. 18 EUV, den Grundfreiheiten gem. Art. 28 ff. AEUV sowie in den Grundrechten nach Art. 20, 21 und 23 GRCh gefunden.[153] Der allgemeine Gleichheitssatz entspricht Art. 14 EMRK.[154] Die Mitgliedstaa-

---

Art. 2 EUV Rn. 21; *Holterhus/Kornack*, EuGRZ 2014, 389 (393); *Knauff*, DÖV 2010, 631 (634); *Prümm*, VR 2016, 361 (368); *Würtenberger*, in: Bruns/Kern/Münch/Piekenbrock/Stadler/Tsikrikas, Festschrift für Rolf Stürner, 2. Bd. 2013, S. 1974 (1982).

[143]   UN GA Res. 217/A-(III), 10.12.1948, UN Doc. A/RES/217 A-(III).

[144]   BGBl. 1973 II Nr. 60, v. 20.11.1973, S. 1533 (1544 f.).

[145]   *Holterhus/Kornack*, EuGRZ 2014, 389 (393); *Hilf/Schorkopf*, in: Grabitz/Hilf/Nettesheim, Das Recht der Europäischen Union, 70. EL 2020, Art. 2 EUV Rn. 28.

[146]   *Knauff*, DÖV 2010, 631 (634).

[147]   *Hilf/Schorkopf*, in: Grabitz/Hilf/Nettesheim, Das Recht der Europäischen Union, 70. EL 2020, Art. 2 EUV Rn. 30.

[148]   *Holterhus/Kornack*, EuGRZ 2014, 389 (394); *Hilf/Schorkopf*, in: Grabitz/Hilf/Nettesheim, Das Recht der Europäischen Union, 70. EL 2020, Art. 2 EUV Rn. 30; *Schroeder*, Grundkurs Europarecht, 6. Aufl. 2019, § 4 Rn. 5 ff.

[149]   *Calliess*, in: Calliess/Ruffert, EUV/AEUV, 5. Aufl. 2016, Art. 2 EUV Rn. 23; *Hilf/Schorkopf*, in: Grabitz/Hilf/Nettesheim, Das Recht der Europäischen Union, 70. EL 2020, Art. 2 EUV Rn. 33.

[150]   *Hilf/Schorkopf*, in: Grabitz/Hilf/Nettesheim, Das Recht der Europäischen Union, 70. EL 2020, Art. 2 EUV Rn. 31; *Terhechte*, in: Pechstein/Nowak/Häde, Frankfurter Kommentar, 2017, Art. 2 EUV Rn. 18.

[151]   *Pechstein*, in: Streinz, EUV/AEUV, 3. Aufl. 2018, Art. 2 EUV Rn. 5; *Hilf/Schorkopf*, in: Grabitz/Hilf/Nettesheim, Das Recht der Europäischen Union, 70. EL 2020, Art. 2 EUV Rn. 31.

[152]   EuGH, Rs. C-127/07, Arcelor Atlantique und Lorraine u. a., Slg. 2008, I-9895, Rn. 23.

[153]   *Frenz*, Rechtstheorie 2010, 400 (413).

ten und die Union sind an den Grundsatz gleichermaßen gebunden. Mit der zusätzlichen Erwähnung der Gleichheit im Rahmen der Werteklausel wird dieser eine erhöhte Bedeutung zugewiesen, die insbesondere mit Blick auch auf die Sicherungsmechanismen der Union zu sehen ist.[155]

## 5. Rechtsstaatlichkeit

Die Europäische Union ist nicht nur eine Werte-, sondern auch eine Rechtsunion.[156] Der Rechtsstaatlichkeit kommt als Wert in Gestalt der durch den EuGH richterrechtlich entwickelten Rechtsgrundsätze eine zentrale Rolle bei den Sicherungsmechanismen zu. Dies zeigt sich an der Etablierung des Kooperations- und Kontrollmechanismus,[157] aber auch an der Einführung des neuen EU-Rahmens[158] zur Stärkung des Rechtsstaatsprinzips.[159] Die fundamentalen Gewährleistungen dieses Wertes sind eng verknüpft mit den übrigen Werten und lassen diesen zu Recht als tragenden „Grundwert" erscheinen.

Dem Gebot der Rechtsstaatlichkeit kommt insbesondere im Rahmen des europäischen Integrationsprozesses naturgemäß eine bedeutende Rolle zu.[160] Als elementare Bedingung der Legalität staatlichen Handelns ist diese den Rechtsordnungen der Mitgliedstaaten entlehnt.[161] Gleichwohl kann dessen Legalitätserfordernis auf die Union übertragen werden, auch wenn es dieser an Staatsqualität mangelt.[162] Angesichts der bereits unterschiedlichen nationalen Bezeichnungen als Rechtsstaatsprinzip, „rule of law" oder „État de droit" und deren unterschiedlichen Ausformungen[163] kann auf Unionsebene folglich kein deckungsgleiches Verständnis existieren. Dennoch lässt sich ein unionales Rechtsstaatsprinzip anhand einer Gegenüberstellung der mitgliedstaatlichen Verfassungen herleiten.[164] Der EuGH hat hierzu wesentlich beigetragen, indem er die aus dem mitgliedstaatlichen Recht folgenden rechtsstaatlichen Grundsätze auf Unionsebene richterrechtlich entwickel-

---

[154] *Calliess*, in: Calliess/Ruffert, EUV/AEUV, 5. Aufl. 2016, Art. 2 EUV Rn. 23.

[155] Zutreffend bereits *Pechstein*, in: Streinz, EUV/AEUV, 3. Aufl. 2018, Art. 2 EUV Rn. 5.

[156] Vgl. EuGH, Rs. C-294/83, Les Verts/Parlament, Slg. 1986, 1339, Rn. 23; EuGH, Gutachten 1/91, Slg. 1991, I-6099, Rn. 21; EuGH, Rs. C-550/09, E und F, Slg. 2010, I-6213, Rn. 44; EuGH, Rs. C-583/11 P, Inuit Tapiriit Kanatami u. a./Parlament und Rat, ECLI:EU:C:2013:625, Rn. 90.

[157] Siehe hierzu unter B. Der Kooperations- und Kontrollmechanismus: Umgehung der Beitrittshürde, S. 56 ff.

[158] Ausführlich zum neuen repressiven Sicherungsmechanismus siehe unter C. Der EU-Rahmen zur Stärkung des Rechtsstaatsprinzips: Ein Brückenverfahren, S. 174 ff.

[159] Zutreffend bereits schon *Terhechte*, in: Pechstein/Nowak/Häde, Frankfurter Kommentar, 2017, Art. 2 EUV Rn. 20.

[160] *Classen*, EuR Beih. 3/2008, 7 (7 ff.); *Skouris*, EuR Beih. 2/2015, 9 (9 ff.); *v. Bogdandy*, EuR 2017, 487 (487 ff.).

[161] *Pechstein*, in: Streinz, EUV/AEUV, 3. Aufl. 2018, Art. 2 EUV Rn. 6; *Calliess*, in: Calliess/Ruffert, EUV/AEUV, 5. Aufl. 2016, Art. 2 EUV Rn. 25.

[162] *Classen*, EuR Beih. 3/2008, 7 (8 f.); *Stumpf*, in: Schwarze, EU-Kommentar, 2. Aufl. 2009, Art. 6 EUV Rn. 7; *Holterhus/Kornack*, EuGRZ 2014, 389 (392); *Pechstein*, in: Streinz, EUV/AEUV, 3. Aufl. 2018, Art. 2 EUV Rn. 6; *Calliess*, in: Calliess/Ruffert, EUV/AEUV, 5. Aufl. 2016, Art. 2 EUV Rn. 25.

[163] *Beutler*, in: v. d. Groeben/Schwarze, Kommentar zum EU-/EG-Vertrag, 6. Aufl. 2003, Art. 6 EUV Rn. 35; *Calliess*, in: Calliess/Ruffert, EUV/AEUV, 5. Aufl. 2016, Art. 2 EUV Rn. 26; *Heintschel v. Heinegg*, in: Vedder/Heintschel v. Heinegg, Europäisches Unionsrecht, 2. Aufl. 2018, Art. 2 EUV Rn. 10; *Bogdandy/Ioannidis*, ZaöRV 2014, 283 (288).

[164] *Holterhus/Kornack*, EuGRZ 2014, 389 (392).

te.[165] Unter anderem umfasst damit das unionale Rechtsstaatsprinzip den Vorrang und Vorbehalt des Gesetzes,[166] die Gewährleistung von Grundrechten,[167] den Grundsatz der Rechtssicherheit,[168] die Rechtsschutzgarantie,[169] den Bestimmtheitsgrundsatz[170] sowie die wirksame richterliche Unabhängigkeit.[171] Des Weiteren beinhaltet es auch den Grundsatz der Verhältnismäßigkeit,[172] der mit Art. 5 Abs. 4 EUV sogar eine ausdrückliche primärrechtliche Kodifizierung gefunden hat.[173] Daneben ist ferner das Prinzip der Gewaltenteilung erfasst, das auch auf Unionsebene Anwendung findet.[174] Letzteres wird auf unionaler Ebene vielmehr durch die Rechtsfigur des institutionellen Gleichgewichts – *„checks and balances"* – gewährleistet.[175] Zur Bestätigung dieser Kernelemente lassen sich auch die Berichte der Kommission zur Beitrittsfähigkeit neuer Beitrittsaspiranten, auf die noch im Weiteren näher eingegangen wird,[176] heranziehen. Hierbei untersucht diese im Rahmen der Rechtsstaatlichkeit neben der Gewaltenteilung die Immunität des Parlaments, den

---

[165] *Calliess*, in: Calliess/Ruffert, Verfassung der Europäischen Union, 2006, Art. I-2 Rn. 31; *Calliess*, in: Calliess/Ruffert, EUV/AEUV, 5. Aufl. 2016, Art. 2 EUV Rn. 26 m.w.N.; *Pechstein*, in: Streinz, EUV/AEUV, 3. Aufl. 2018, Art. 2 EUV Rn. 6; *Holterhus/Kornack*, EuGRZ 2014, 389 (393); *Lenaerts*, EuGRZ 2017, 639 (641 f.); *Classen*, EuR Beih. 3/2008, 7 (11 ff.).

[166] EuGH, Rs. C-133/85, Rau/BALM, Slg. 1987, 2289, Rn. 29 ff.; *Beutler*, in: v. d. Groeben/Schwarze, Kommentar zum EU-/EG-Vertrag, 6. Aufl. 2003, Art. 6 EUV Rn. 35; *Knauff*, DÖV 2010, 631 (634); *Calliess*, in: Calliess/Ruffert, EUV/AEUV, 5. Aufl. 2016, Art. 2 EUV Rn. 26.

[167] EuGH, Rs. C-550/07 P, Akzo Nobel Chemicals und Akcros Chemicals/Kommission, Slg. 2010, I-8301, Rn. 54; *Schroeder*, Grundkurs Europarecht, 6. Aufl. 2019, § 4 Rn. 16; *Bogdandy/Ioannidis*, ZaöRV 2014, 283 (288) m.w.N.; *Beutler*, in: v. d. Groeben/Schwarze, Kommentar zum EU-/EG-Vertrag, 6. Aufl. 2003, Art. 6 EUV Rn. 35; *Knauff*, DÖV 2010, 631 (634); *Calliess*, in: Calliess/Ruffert, EUV/AEUV, 5. Aufl. 2016, Art. 2 EUV Rn. 26.

[168] EuGH, Rs. C-90/95 P, De Compte/Parlament, Slg. 1997, I-1999, Rn. 35; EuGH, Rs. C-177/90, Kühn/Landwirtschaftskammer Weser-Ems, Slg. 1992, I-35, Rn. 14; EuGH, Rs. C-98/78, Racke/Hauptzollamt Mainz, Slg. 1979, 69, Rn. 20.

[169] EuGH, Rs. C-222/84, Johnston/Chief Constable of the Royal Ulster Constabulary, Slg. 1986, 1651, Rn. 18 f.; EuGH, Rs. C-222/86, Unectef/Heylens, Slg. 1987, 4097, Rn. 14 f.; EuGH, Rs. C-213/89, The Queen/Secretary of State for Transport, ex parte Factortame, Slg. 1990, I-2433, Rn. 21; EuGH, Rs. C-54/96, Dorsch Consult Ingenieursgesellschaft/Bundesbaugesellschaft Berlin, Slg. 1997, I-4961, Rn. 23; EuGH, Rs. C-50/00 P, Unión de Pequeños Agricultores/Rat, Slg. 2002, I-6677, Rn. 38 f.

[170] EuGH, Rs. C-294/83, Les Verts/Parlament, Slg. 1986, 1339, Rn. 23; EuGH, Rs. C-169/80, Gondrand und Garancini, Slg. 1981, 1931, Rn. 14.

[171] EuGH, Rs. C-64/16, Associação Sindical dos Juízes Portugueses, ECLI:EU:C:2018:117; EuGH, Rs. C-619/18, Kommission/Polen, ECLI:EU:C:2019:531; EuGH, Rs. C-192/18, Kommission/Polen, ECLI:EU:C:2019:924; *Hering*, DÖV 2020, 293 (299 f.).

[172] *Beutler*, in: v. d. Groeben/Schwarze, Kommentar zum EU-/EG-Vertrag, 6. Aufl. 2003, Art. 6 EUV Rn. 35; *Calliess*, in: Calliess/Ruffert, EUV/AEUV, 5. Aufl. 2016, Art. 2 EUV Rn. 26.

[173] *Knauff*, DÖV 2010, 631 (634).

[174] *Schorkopf*, Homogenität in der Europäischen Union, 2000, S. 95 (97 f.).

[175] *Calliess*, in: Calliess/Ruffert, EUV/EGV, 3. Aufl. 2007, Art. 6 EUV Rn. 23; *Hilf/Schorkopf*, in: Grabitz/Hilf/Nettesheim, Das Recht der Europäischen Union, 70. EL 2020, Art. 2 EUV Rn. 35; *Knauff*, DÖV 2010, 631, (634); *Schorkopf*, Homogenität in der Europäischen Union, 2000, S. 95.

[176] Siehe hierzu die Analyse der Kommission unter 3. Die zentralen Aspekte bei der Analyse der Werteangleichung, S. 43 ff.

Rechtsschutz sowie eine unabhängige Justiz und Korruptionsbekämpfung.[177] Trotz unterschiedlicher Ausprägungen einzelner Grundsätze des Rechtsstaatsprinzips in den verfassungsrechtlichen Systemen der Mitgliedstaaten existiert damit ein übereinstimmender und unabdingbarer Kernbestand der Rechtsstaatlichkeit innerhalb des europäischen Verfassungsverbundes.[178]

### 6. Menschenrechte einschließlich der Rechte der Personen, die Minderheiten angehören

Am Satzende des Art. 2 S. 1 EUV verpflichtet sich die Union zur Wahrung der Menschenrechte einschließlich der Rechte der Personen, die Minderheiten angehören. Der Menschenrechtsschutz ist hierbei im Zusammenhang mit den Vorschriften der EMRK sowie den gemeinsamen Verfassungsüberlieferungen der Mitgliedstaaten zu sehen und hat durch die Grundrechtecharta im Wege des Art. 6 EUV bereits eine primärrechtliche Regelung erfahren.[179] Über den Verweis aus Art. 6 Abs. 3 EUV wird die unionale Rechtsordnung um das Menschenrechtsregime der EMRK erweitert.[180] Das Bekenntnis zur Wahrung der Menschenrechte ist zugleich auch Bestandteil der auf Rechtsstaatlichkeit und Demokratie verpflichteten Unionsgemeinschaft.[181] Aufgrund der bestehenden detaillierten Gewährleistungsgehalte des Menschenrechtsschutzes durch die besonderen grundrechtlichen und rechtsstaatlichen Regelungen stellt sich die Frage des Bedeutungsinhalts dieses Werts.[182] Eine vollständige Aufladung des Art. 2 S. 1 EUV mit den Konkretisierungen der europäischen Grundrechte kann hieraus nicht abgeleitet werden,[183] da die Werte das Mindestmaß an objektiven Gewährleistungen darstellen.[184] Der Menschenrechtsschutz ist vielmehr vor dem Hintergrund des Prozesses der europäischen Integration zu sehen, der seinen Ausdruck mithin in den Sicherungsmechanismen findet.[185] Die Nennung der Wahrung der Menschenrechte in Art. 2 S. 1 EUV dient dem Zweck, überstaatliche Menschen-

---

[177] *Kassner*, Die Unionsaufsicht, 2003, S. 104; *Hilf/Schorkopf*, in: Grabitz/Hilf/Nettesheim, Das Recht der Europäischen Union, 70. EL 2020, Art. 2 EUV Rn. 35; *Calliess*, in: Calliess/Ruffert, EUV/AEUV, 5. Aufl. 2016, Art. 2 EUV Rn. 26.

[178] *Schmahl*, in: Calliess, Liber Amicorum für Torsten Stein, 2015, S. 834 (836).

[179] *Heintschel v. Heinegg*, in: Vedder/Heintschel v. Heinegg, Europäisches Unionsrecht, 2. Aufl. 2018, Art. 2 EUV Rn. 11; *Hilf/Schorkopf*, in: Grabitz/Hilf/Nettesheim, Das Recht der Europäischen Union, 70. EL 2020, Art. 2 EUV Rn. 36; *Terhechte*, in: Pechstein/Nowak/Häde, Frankfurter Kommentar, 2017, Art. 2 EUV Rn. 21; ausführlich zur Grundrechtecharta als Konkretisierung der Werte, *Schmitz*, in: Blumenwitz/Gornig/Murswiek, Die Europäische Union als Wertegemeinschaft, 2005, S. 73 (85 ff.).

[180] *Kanalan/Wilhelm/Schwander*, Der Staat, 2017, 193 (199).

[181] *Heintschel v. Heinegg*, in: Vedder/Heintschel v. Heinegg, Europäisches Unionsrecht, 2. Aufl. 2018, Art. 2 EUV Rn. 11; *Calliess*, in: Calliess/Ruffert, EUV/AEUV, 5. Aufl. 2016, Art. 2 EUV Rn. 27; *Hilf/Schorkopf*, in: Grabitz/Hilf/Nettesheim, Das Recht der Europäischen Union, 70. EL 2020, Art. 2 EUV Rn. 36.

[182] *Pechstein*, in: Streinz, EUV/AEUV, 3. Aufl. 2018, Art. 2 EUV Rn. 7; *Hilf/Schorkopf*, in: Grabitz/Hilf/Nettesheim, Das Recht der Europäischen Union, 70. EL 2020, Art. 2 EUV Rn. 36.

[183] *Knauff*, DÖV 2010, 631 (633); *Hilf/Schorkopf*, in: Grabitz/Hilf/Nettesheim, Das Recht der Europäischen Union, 70. EL 2020, Art. 2 EUV Rn. 36 f.

[184] *Knauff*, DÖV 2010, 631 (633).

[185] *Terhechte*, in: Pechstein/Nowak/Häde, Frankfurter Kommentar, 2017, Art. 2 EUV Rn. 21; *Pechstein*, in: Streinz, EUV/AEUV, 3. Aufl. 2018, Art. 2 EUV Rn. 7.

rechtsgewährleistungen als Maßstab der Sicherungsmechanismen des Art. 49 EUV und Art. 7 EUV zu verankern.[186] Insoweit kann, ungeachtet der fehlenden Bindung der EU an die EMRK, die generelle Übereinstimmung der nationalen Grundrechtsstandards der beitrittswilligen Bewerberstaaten mit den unionalen Menschenrechtsgewährleistungen als Nachweis der Existenz der gebotenen Grundrechtshomogenität erfolgen.[187] Die in den Rechtsquellen kodifizierten europäischen Grundrechte dienen mithin als Anknüpfungspunkt des Nachweises der unionalen Menschenrechtsgewährleistungen. Die Europäische Grundrechtecharta kann demgegenüber mit der Beschränkung auf den unionalen Anwendungsbereich nach Art. 51 Abs. 1 S. 1 GRCh[188] eine derartige Maßstabsfunktion nicht bieten.[189]

Die Formulierung „*Rechte der Personen, die Minderheiten angehören*" wurde von der Regierungskonferenz der Staats- und Regierungschefs im Jahre 2007 eingefügt.[190] Sie spiegelt das Rahmenabkommen des Europarates zum Schutz nationaler Minderheiten[191] wider.[192] Die Nennung der Minderheiten, deren Schutz bereits durch den Gleichheitssatz sowie mittelbar durch das Rechtsstaats- und Demokratieprinzip garantiert wird, verdeutlicht deren Stellenwert und Schutzauftrag in der Union.[193] Dabei handelt es sich nicht um die Rechte der Minderheiten, sondern um individuelle Rechte von Menschen, die zu Minderheiten gehören.[194] Demnach sind die Union sowie die Mitgliedstaaten verpflichtet, für die Minderheiten solche Bedingungen zu erhalten oder zu schaffen, die es ihnen ermöglichen, auch weiterhin als solche identifizierbar zu sein.[195] Somit kommt der zusätzlichen Nennung des Menschenrechtsschutzes, einschließlich der Minderheitenrechte nach Art. 2 S. 1 EUV, neben einer Anwendungs- auch eine Maßstabsfunktion für die Instrumentarien der Wertesicherung zu.[196]

---

[186]   *Pechstein*, in: Streinz, EUV/AEUV, 3. Aufl. 2018, Art. 2 EUV Rn. 7.

[187]   *Knauff*, DÖV 2010, 631 (633); *Calliess*, in: Calliess/Ruffert, EUV/EGV, 3. Aufl. 2007, Art. 6 EUV Rn. 18.

[188]   Art. 51 Abs. 1 S. 1 GRCh lautet: „*Diese Charta gilt für die Organe, Einrichtungen und sonstigen Stellen der Union unter Wahrung des Subsidiaritätsprinzips und für die Mitgliedstaaten ausschließlich bei der Durchführung des Rechts der Union.*"

[189]   Zutreffend *Knauff*, DÖV 2010, 631 (633).

[190]   *Hilf/Schorkopf*, in: Grabitz/Hilf/Nettesheim, Das Recht der Europäischen Union, 70. EL 2020, Art. 2 EUV Rn. 38.

[191]   BGBl. 1997 II Nr. 31, v. 29.07.1997, S. 1406 f.

[192]   *Calliess*, in: Calliess/Ruffert, EUV/AEUV, 5. Aufl. 2016, Art. 2 EUV Rn. 28; *Hilf/Schorkopf*, in: Grabitz/Hilf/Nettesheim, Das Recht der Europäischen Union, 70. EL 2020, Art. 2 EUV Rn. 38.

[193]   *Heintschel v. Heinegg*, in: Vedder/Heintschel v. Heinegg, Europäisches Unionsrecht, 2. Aufl. 2018, Art. 2 EUV Rn. 11.

[194]   *Hilf/Schorkopf*, in: Grabitz/Hilf/Nettesheim, Das Recht der Europäischen Union, 70. EL 2020, Art. 2 EUV Rn. 38; *Calliess*, in: Calliess/Ruffert, EUV/AEUV, 5. Aufl. 2016, Art. 2 EUV Rn. 28.

[195]   *Heintschel v. Heinegg*, in: Vedder/Heintschel v. Heinegg, Europäisches Unionsrecht, 2. Aufl. 2018, Art. 2 EUV Rn. 11.

[196]   *Pechstein*, in: Streinz, EUV/AEUV, 3. Aufl. 2018, Art. 2 EUV Rn. 7.

## II.    Die staatenübergreifenden Gemeinsamkeiten nach Art. 2 S. 2 EUV

Neben den in Art. 2 S. 1 EUV kodifizierten Werten rückt mit Satz 2 deren gesellschaftlicher Bezug in den Fokus. Mit der Umschreibung, dass die in Satz 1 genannten Werte *„allen Mitgliedstaaten in einer Gesellschaft gemeinsam [sind], die sich durch Pluralismus, Nichtdiskriminierung, Toleranz, Gerechtigkeit, Solidarität und die Gleichheit von Frauen und Männern auszeichnet"*, wird nicht das vertikale Verhältnis zwischen Union bzw. Staat und Bürger angesprochen.[197] Vielmehr sind die aufgezählten Aspekte Eigenschaften einer durch westliche Verfassungsgrundsätze geprägten freien Gesellschaft, die sich auf Demokratie, Rechtsstaatlichkeit und Menschenrechtsschutz gründet.[198] Hierdurch wird deutlich, dass nicht die EU, sondern ihre Mitgliedstaaten in Bezug genommen werden.[199]

Bei den in Art. 2 S. 2 EUV genannten Merkmalen handelt es sich nicht um Werte der EU.[200] Dies lässt sich offenkundig mit dem Wortlaut des Satzes 2 begründen, der ausdrücklich auf die *„Werte"* in Satz 1 der Norm verweist.[201] Auch fehlt es diesen Merkmalen aufgrund ihrer unbestimmten und ausfüllungsbedürftigen Inhalte an einer hinreichenden Konkretisierbarkeit, die zu willkürlichen Ergebnissen führen würde und sich somit einer Durchsetzung im Beitritts- oder Sanktionsverfahren entzieht.[202] Insbesondere bei den Merkmalen *„Pluralismus"*, *„Toleranz"* und *„Gerechtigkeit"* des Art. 2 S. 2 EUV lässt sich im Gegensatz zu den Verfassungsprinzipien des Satzes 1 keine Konkretisierung durch spezielle Normen des EU- oder AEU-Vertrages darlegen.[203] Zudem können die Charakteristika einer freien Gesellschaft von staatlicher Seite nicht aufgezwungen werden, da sie sich der unmittelbaren staatlichen Einflussnahme entziehen.[204]

---

[197]    *Streinz/Ohler/Herrmann*, Der Vertrag von Lissabon zur Reform der EU, 3. Aufl. 2010, S. 79 f.; *Ohler*, in: Grabitz/Hilf/Nettesheim, Das Recht der Europäischen Union, 62. EL 2017, Art. 49 EUV Rn. 16.

[198]    *Knauff*, DÖV 2010, 631 (634); *Calliess*, in: Calliess/Ruffert, Verfassung der Europäischen Union, 2006, Art. I-2 Rn. 34.

[199]    *Hilf/Schorkopf*, in: Grabitz/Hilf/Nettesheim, Das Recht der Europäischen Union, 70. EL 2020, Art. 2 EUV Rn. 41; *Terhechte*, in: Pechstein/Nowak/Häde, Frankfurter Kommentar, 2017, Art. 2 EUV Rn. 23.

[200]    *Calliess*, in: Calliess/Ruffert, Verfassung der Europäischen Union, 2006, Art. I-2 Rn. 34; *Knauff*, DÖV 2010, 631 (634); *Frenz*, Rechtstheorie 2010, 400 (417); *Pechstein*, in: Streinz, EUV/AEUV, 3. Aufl. 2018, Art. 2 EUV Rn. 8; *Hilf/Schorkopf*, in: Grabitz/Hilf/Nettesheim, Das Recht der Europäischen Union, 70. EL 2020, Art. 2 EUV Rn. 43; *Terhechte*, in: Pechstein/Nowak/Häde, Frankfurter Kommentar, 2017, Art. 2 EUV Rn. 23; *Murswiek*, NVwZ 2009, 481 (485 f.); *Schwarze/Wunderlich*, in: Schwarze, EU-Kommentar, 4. Aufl. 2019, Art. 2 EUV Rn. 1; *Heintschel v. Heinegg*, in: Vedder/Heintschel v. Heinegg, Europäisches Unionsrecht, 2. Aufl. 2018, Art. 2 EUV Rn. 12; a.A. *Kanalan/Wilhelm/Schwander*, Der Staat, 2017, 193 (219 ff.).

[201]    Zutreffend bereits *Calliess*, in: Calliess/Ruffert, Verfassung der Europäischen Union, 2006, Art. I-2 Rn. 35; *Knauff*, DÖV 2010, 631 (634); weitergehend hingegen *Streinz/Ohler/Herrmann*, Der Vertrag von Lissabon zur Reform der EU, 3. Aufl. 2010, S. 79 f.

[202]    Eingehend *Murswiek*, NVwZ 2009, 481 (485 f.); *Heintschel v. Heinegg*, in: Vedder/Heintschel v. Heinegg, Europäisches Unionsrecht, 2. Aufl. 2018, Art. 2 EUV Rn. 12.

[203]    *Heintschel v. Heinegg*, in: Vedder/Heintschel v. Heinegg, Europäisches Unionsrecht, 2. Aufl. 2018, Art. 2 EUV Rn. 12; *Terhechte*, in: Pechstein/Nowak/Häde, Frankfurter Kommentar, 2017, Art. 2 EUV Rn. 23.

[204]    *Knauff*, DÖV 2010, 631 (634); vgl. auch *Calliess*, in: Calliess/Ruffert, EUV/AEUV, 5. Aufl. 2016, Art. 2 EUV Rn. 30.

Das horizontale Verhältnis zwischen Privatpersonen ist dennoch nicht von den Werten nach Art. 2 S. 1 EUV losgelöst. Es besteht vielmehr zwischen den Werten des Satzes 1 und den in Satz 2 genannten gesellschaftlichen Charakteristika ein enger Zusammenhang.[205] Die gesellschaftlichen Charakteristika bedingen das Vorliegen des in Art. 2 S. 1 EUV genannten Wertefundaments, da nur durch die an die Staaten gerichteten unionalen Vorgaben der Einhaltung von Demokratie, Rechtsstaatlichkeit und Menschenrechtsschutz der Grundstock zur Schaffung eines derartigen gesellschaftlichen Raumes gelegt wird. Somit verkörpert dieser gesellschaftliche Programmsatz den von der Union angestrebten Idealtypus einer mitgliedstaatlichen Gesellschaft, der sich als Ausformung der Werte etablieren soll.[206]

## C.  Fazit

Als Werte bezeichnet stellen die in Art. 2 S. 1 EUV kodifizierten Merkmale dem Grunde nach Verfassungsprinzipien dar, die eine rechtliche Verbindlichkeit begründen. Gleichwohl sind diese hierauf nicht beschränkt, sondern legen ein europäisches Werteverständnis fest, das einheitsbildend, legitimationsfördernd und identitätsstiftend wirken soll.[207] Trotz ihres ursprünglich politischen Konzepts und ihrer hohen Abstraktheit haben die Werte bereits eine zunehmende Verrechtlichung durch das Unionsrecht erfahren. Exemplarisch hierfür steht die Rechtsstaatlichkeit, die bereits einer hinreichenden Konturierung durch den Gerichtshof unterzogen wurde und damit eine bessere Vorhersehbarkeit und Bewertbarkeit im Hinblick auf die Anwendung des Art. 2 S. 1 EUV als Tatbestandsmerkmal gewährleistet.[208] Dies ist mit Blick auf die Gewährleistung von Rechtssicherheit insgesamt zu begrüßen. Dem Wert der Rechtsstaatlichkeit kommt vor dem Hintergrund seiner zusätzlichen Anknüpfung im EU-Rahmen zur Stärkung des Rechtsstaatsprinzips und aufgrund seiner vielfältigen Überschneidung mit den einzelnen Prinzipien eine herausgehobene Bedeutung unter den Werten der Union zu.

Als Verfassungsprinzipien verpflichten die Werte sowohl die Union als auch die Mitgliedstaaten auf ein Mindestmaß an Wertehomogenität. Sie bilden somit als rechtliche Basis die „Geschäftsgrundlage" der Mitgliedstaaten in der EU.[209] Dies wird durch die explizite Nennung des Art. 2 EUV unter Art. 49 EUV als Beitrittserfordernis für alle zukünftigen Mitgliedstaaten und mit Art. 7 EUV für alle bestehenden Mitgliedstaaten prominent aufgezeigt. Bestanden diese Mindestanforderungen zum Teil bereits vor dem Reformvertrag von Lissabon, hat dieser zugleich zu einem Bedeutungszuwachs für die Werte und deren Durchsetzung mit der Möglichkeit der Heranziehung im Wege des Vertragsverlet-

---

[205]  *Knauff*, DÖV 2010, 631 (634).

[206]  *Knauff*, DÖV 2010, 631 (634 f.); ausführlich zu den Gesellschaftsmerkmalen *Terhechte*, in: Pechstein/Nowak/Häde, Frankfurter Kommentar, 2017, Art. 2 EUV Rn. 24 ff.

[207]  *Terhechte*, in: Grabitz/Hilf/Nettesheim, Das Recht der Europäischen Union, 53. EL 2014, Präambel EUV, Rn. 22; *Calliess*, in: Calliess/Ruffert, EUV/AEUV, 5. Aufl. 2016, Art. 2 EUV Rn. 31.

[208]  So auch *Holterhus/Kornack*, EuGRZ 2014, 389 (400).

[209]  Zutreffend bereits *Calliess*, JZ 2004, 1033 (1036, 1040).

zungsverfahrens nach Art. 258 ff. AEUV und des Vorabentscheidungsverfahrens gem. Art. 267 AEUV geführt.

Ungeachtet der bereits vorangeschrittenen Verrechtlichung der Werte, kann diese insbesondere mit Blick auf den Wert der Menschenwürde oder Freiheit als noch nicht vollendet angesehen werden. Hier bedarf es weiterer Anstrengungen zur Konkretisierung, damit der Idealtypus einer mitgliedstaatlichen Gesellschaft aus Pluralismus, Nichtdiskriminierung, Toleranz, Gerechtigkeit, Solidarität und der Gleichheit von Frauen und Männern verwirklicht werden kann. Die Etablierung der Werte als Leitbild europäischen Handelns zur Konflikt- und Zukunftsbewältigung hängt hierbei entscheidend von den Mitgliedstaaten und den Institutionen der Union ab.

# § 3 Die präventiven Sicherungsmechanismen

Die Integration eines Bewerberstaates in die Werteunion kann nur dann erfolgen, wenn sich dessen innerstaatliche Verfassungs- und Organisationsstrukturen auf den in Art. 2 S. 1 EUV festgeschriebenen Werten gründet und bei vereinzelt defizitären Strukturelementen des Bewerberstaates der Union eine Überwachungs- und Kontrollmöglichkeit eingeräumt wird. Welche Anforderungen an die Bewerberstaaten nach europäischem Werteverständnis zu stellen sind und welche Möglichkeiten von Kooperations- und Kontrollverfahren bei einzelnen Staaten bestehen, ist im Folgenden Gegenstand der Untersuchung. Im ersten Schritt werden die rechtlichen Rahmenbedingungen für einen EU-Beitritt (A.) und in einem zweiten Schritt der staatenspezifische Kooperations- und Überwachungsmechanismus (B.) erörtert. Hierbei beschränkt sich die Untersuchung der Sicherungsmechanismen auf die für die Verwirklichung des Werteschutzes relevanten Kerngehalte der Verfahren.

## A. Das EU-Beitrittsverfahren: Heranführung an das unionale Werteniveau

Die rechtlichen Rahmenbedingungen für einen EU-Beitritt werden durch Art. 49 EUV primärrechtlich festgeschrieben. Zwar handelt es sich bei Art. 49 EUV in erster Linie um die rechtliche Ausgestaltung des Beitrittsverfahrens zur Union. Dessen Anforderungen dienen gleichwohl der Sicherung der Wertehomogenität.

Zuerst erfolgt ein Überblick (I.) über den Gesetzeswortlaut, die Herausbildung der Werte als Rahmenbedingung (1.), der Regelungsmaterie und dem Ziel (2.) des Beitrittsverfahrens. Anschließend erfolgt eine Darlegung der Beitrittsbedingungen (II.) als auch der Herausarbeitung der Wertekontrolle im Heranführungsverfahren (III.), an die sich die Erörterung der Kontrollkompetenz des EuGH (IV.) und eine Würdigung (V.) anschließt, bevor mit einem Fazit (VI.) abgeschlossen wird.

## I. Überblick

Voranzustellen ist der Gesetzeswortlaut des Art. 49 EUV, der besagt:

> *„Jeder europäische Staat, der die in Artikel 2 genannten Werte achtet und sich für ihre Förderung einsetzt, kann beantragen, Mitglied der Union zu werden. Das Europäische Parlament und die nationalen Parlamente werden über diesen Antrag unterrichtet. Der antragstellende Staat richtet seinen Antrag an den Rat; dieser beschließt einstimmig nach Anhörung der Kommission und nach Zustimmung des Europäischen Parlaments, das mit der Mehrheit seiner Mitglieder beschließt. Die vom Europäischen Rat vereinbarten Kriterien werden berücksichtigt.*

*Die Aufnahmebedingungen und die durch eine Aufnahme erforderlich werdenden Anpassungen der Verträge, auf denen die Union beruht, werden durch ein Abkommen zwischen den Mitgliedstaaten und dem antragstellenden Staat geregelt. Das Abkommen bedarf der Ratifikation durch alle Vertragsstaaten gemäß ihren verfassungsrechtlichen Vorschriften."*

## 1.   Genese

Die Beitrittsklausel wurde in ihrer Geschichte immer wieder weitreichenden Anpassungen unterzogen und zeigt damit spiegelbildlich den europäischen Prozess der Vertiefung der organisatorischen Strukturen der heutigen Europäischen Union hin zu einer Wertegemeinschaft.[210] Die mit Art. 49 EUV in der Fassung von Lissabon kodifizierten Anforderungen bestanden zu Beginn der Entwicklung für die beitrittswilligen Bewerberstaaten natürlich nicht in dieser Extension.

Die erste weitreichende Veränderung der Zugangsmodalitäten mit Blick auf die Wertesicherung erfolgte im Zuge des Vertrages von Maastricht.[211] Dieser führte zu einer einheitlichen Regelung der Beitrittsbestimmungen zur Union verankert in ex-Art. O EUV-Maastricht.[212] Jeder Beitritt erforderte nunmehr eine vorherige Zustimmung des Europäischen Parlaments. In dieser Phase des Wandels des weltpolitischen Klimas mit dem Ende des Ost-West-Konflikts und der Absehbarkeit einer Osterweiterung arbeiteten die Mitgliedstaaten der EU im Jahre 1993 in Kopenhagen ein Programm mit rechtlichen und politischen Beitrittsanforderungen, die sog. *Kopenhagener Kriterien* heraus.[213] An diesen musste sich von nun an jeder beitrittswillige europäische Staat messen lassen,[214] um so eine einheitliche Steuerung des Erweiterungsprozesses gewährleisten zu können.[215]

In dem sich anschließenden Vertrag von Amsterdam traten die Reformbestrebungen zur Schaffung rechtsverbindlicher Aufnahmebedingungen in verfahrens- und materiellrechtlicher Hinsicht noch deutlicher zu Tage.[216] Mit ex-Art. 49 Abs. 1 EUV-Amsterdam wurden erstmals positivrechtlich materielle Anforderungen der späteren Werte kodifiziert.[217] Demnach durfte der europäische Bewerberstaat nur unter der Voraussetzung beitreten, die in ex-Art. 6 Abs. 1 EUV-Amsterdam formulierten *"Grundsätze der Freiheit,*

---

[210]   *Ohler*, in: Grabitz/Hilf/Nettesheim, Das Recht der Europäischen Union, 62. EL 2017, Art. 49 EUV Rn. 1.

[211]   ABl. EG Nr. C 191/01 v. 29.07.1992.

[212]   Art. O EUV-Maastricht lautet: *„Jeder europäische Staat kann beantragen, Mitglied der Union zu werden. Er richtet seinen Antrag an den Rat; dieser beschließt einstimmig nach Anhörung der Kommission und nach Zustimmung des Europäischen Parlaments, das mit der absoluten Mehrheit seiner Mitglieder beschließt.*
*Die Aufnahmebedingungen und die durch eine Aufnahme erforderlich werdenden Anpassungen der Verträge, auf denen die Union beruht, werden durch ein Abkommen zwischen den Mitgliedstaaten und dem antragstellenden Staat geregelt. Das Abkommen bedarf der Ratifikation durch alle Vertragsstaaten gemäß ihren verfassungsrechtlichen Vorschriften."*

[213]   Europäischen Rat Kopenhagen, SN 180/1/93, v. 21./22.06.1993.

[214]   Europäischen Rat Kopenhagen, SN 180/1/93, v. 21./22.06.1993, S. 13.

[215]   *Nettesheim*, EuR 2003, 36 (36); *Knauff*, DÖV 2010, 631 (632) m.w.N.

[216]   ABl. EG Nr. C 340/01 v. 10.11.1997.

[217]   *Ohler*, in: Grabitz/Hilf/Nettesheim, Das Recht der Europäischen Union, 62. EL 2017, Art. 49 EUV Rn. 2; *Pechstein*, in: Streinz, EUV/AEUV, 3. Aufl. 2018, Art. 49 EUV Rn. 1.

*der Demokratie, der Achtung der Menschenrechte und der Grundfreiheiten sowie der Rechtsstaatlichkeit*" zu achten.[218] Die mit dem Vertrag von Amsterdam eingeleitete primärrechtliche Konturierung des Beitrittsverfahrens setzte sich im nachfolgenden Vertrag von Nizza zunächst nicht weiter fort.[219]

Mit der aktuell letzten Ergänzung der Beitrittsklausel durch den Vertrag von Lissabon endete nun vorerst dessen Reformprozess.[220] Aufgrund der Verschmelzung der vormals Europäischen Gemeinschaft auf die Europäische Union gilt nun auch die Beitrittsklausel einheitlich für die rechtlich selbständigen Verbände Europäische Atomgemeinschaft und Europäische Union.[221]

## 2. Regelungsmaterie und Ziel

Die an eine Mitgliedschaft in der Europäischen Wertegemeinschaft anknüpfenden Bedingungen für die Bewerberstaaten sind primärrechtlich in Art. 49 Abs. 1 EUV verankert. Die Beitrittsbedingungen setzen eine europäische Zugehörigkeit des Bewerbers und dessen freiheitlich-demokratische Grundordnung voraus. Diese maßgeblichen Elemente der Gemeinschaft, auf die sich die Union gründet, stellen folglich auch die entscheidungserheblichen Kriterien zur Beurteilung der Beitrittsfähigkeit neuer Bewerberstaaten dar.

Daneben regelt Art. 49 Abs. 1 S. 3 EUV auch das entsprechende Zustimmungs- und Ratifikationserfordernis für den Beitritt. Nach der Stellungnahme der Kommission, der Befassung und Zustimmung des EU-Parlaments und des einstimmigen Beschlusses des Rates kann einem Beitrittsantrag stattgegeben werden. Zum vollständigen Mitglied der Werteunion erwächst der Beitrittskandidat erst nach Ratifikation des völkerrechtlichen Vertrages gem. Art. 49 Abs. 2 EUV durch den Abschluss der innerstaatlichen Ratifikationsverfahren des Bewerberstaates und der EU-Mitgliedstaaten.[222] Mit Hinterlegung der Ratifikationsurkunden beim Depositarstaat und Inkrafttreten des Vertrages wird der Beitrittskandidat vollwertiges EU-Mitglied.[223]

Die Beitrittsnorm in ihrer Schlüsselfunktion für eine Mitgliedschaft in der Union unterliegt dabei einem Spannungsverhältnis aus widerstreitenden Integrationszielen.[224] Zum einen ist die Union mit ihren in der Präambel begründeten Zielvorgaben der Überwindung der Teilung des europäischen Kontinents,[225] als auch der in Art. 1 Abs. 2 EUV niedergelegten Bestrebung der Verwirklichung einer Union der Völker Europas, auf eine

---

218 *Herrnfeld*, in: Schwarze, EU-Kommentar, 4. Aufl. 2019, Art. 49 EUV Rn. 4; *Pechstein*, in: Streinz, EUV/AEUV, 3. Aufl. 2018, Art. 49 EUV Rn. 4.

219 ABl. EG Nr. C 80/01 v. 10.03.2001.

220 ABl. EU Nr. C 306/01 v. 17.12.2007.

221 *Ohler*, in: Grabitz/Hilf/Nettesheim, Das Recht der Europäischen Union, 62. EL 2017, Art. 49 EUV Rn. 1.

222 Ausführlich zum Beitrittsvertrag *Niedobitek*, JZ 2004, 369 (370 ff.).

223 *Meng*, in: v. d. Groeben/Schwarze/Hatje, Europäisches Unionsrecht, 7. Aufl. 2015, Art. 49 EUV Rn. 29 ff.; *Ohler*, in: Grabitz/Hilf/Nettesheim, Das Recht der Europäischen Union, 62. EL 2017, Art. 49 EUV Rn. 38.

224 *Meier*, EuR 1978, 12 (12 ff.); *Blanke*, EuR 2005, 787 (787); *Knauff*, DÖV 2010, 631 (637).

225 Vgl. dritte Präambelerwägung des Vertrages über die Europäischen Union in der Fassung von Lissabon, ABl. EU Nr. C 306/01 v. 17.12.2007.

fortschreitende Erweiterung des Kreises ihrer Mitglieder angelegt.[226] Demgegenüber steht das sowohl in Art. 1 Abs. 2 EUV als auch in der Präambel des EU-Vertrages zum Ausdruck kommende entgegengesetzte Ziel, die Beziehungen der Völker in der Union immer mehr zu vertiefen.[227] Diesem Spannungsverhältnis aus Erweiterung und Vertiefung versucht man mit Art. 49 EUV zu begegnen, indem die materiellen Beitrittskriterien eine hinreichende Wertehomogenität der Mitgliedstaaten sicherstellen sollen.[228]

Die mit dem Beitritt neuer Staaten verbundene räumliche Ausdehnung der Union ermöglicht neben der Erweiterung ihres Europäischen Binnenmarktes auch gleichzeitig die weitere Manifestierung des Geltungsbereichs ihrer Rechtsordnung und Werte.[229] Eine damit einhergehende engere politische und wirtschaftliche Verknüpfung europäischer Beitrittsstaaten mit den EU-Mitgliedstaaten führt auch unter geopolitischen Gesichtspunkten zur Gewährleistung von mehr Stabilität, Sicherheit und Frieden auf dem europäischen Kontinent.[230]

Die durch die Beitrittsklausel grundsätzlich garantierte Integrationsoffenheit hat mit der normativen Verweisung auf Art. 2 EUV und der Bezugnahme auf die sog. *Kopenhagener Kriterien* gleichzeitig geschärfte Vorgaben erhalten, die der Wahrung der im Unionsrecht verankerten fundamentalen Prinzipien dienen. Damit zielt die Vorschrift auf den Schutz und die Sicherung der durch das Unionsrecht verfassten Rechtsgemeinschaft und ihrer Integrationsleistungen ab.[231] Eine personelle und räumliche Integration neuer Mitgliedstaaten in die Union darf deshalb nicht zu einer politischen Desintegration derselben führen.[232]

## II.   Die Beitrittsbedingungen zur Werteunion

Die Union legt die Kriterien fest, die zur Absicherung für einen Beitritt zu ihrer Wertegemeinschaft vorliegen müssen. Im Rahmen ihrer Auslegungshoheit entscheidet sie, ob die Beitrittsbedingungen bei jedem einzelnen Bewerberstaat vorliegen. Die Beitrittskriterien Europäischer Staat (1.), die Achtung und Förderung der Werte (2.), die *Kopenhagener Kriterien* (3.) sowie der maßgebliche Betrachtungszeitpunkt (4.) sind Gegenstand der weiteren Ausführungen.

---

[226]   Art. 1 Abs. 2 EUV lautet: „*Dieser Vertrag stellt eine neue Stufe bei der Verwirklichung einer immer engeren Union der Völker Europas dar, in der die Entscheidungen möglichst offen und möglichst bürgernah getroffen werden.*"

[227]   Vgl. *Ohler*, in: Grabitz/Hilf/Nettesheim, Das Recht der Europäischen Union, 62. EL 2017, Art. 49 EUV Rn. 9.

[228]   *Knauff*, DÖV 2010, 631 (637); *Ohler*, in: Grabitz/Hilf/Nettesheim, Das Recht der Europäischen Union, 62. EL 2017, Art. 49 EUV Rn. 10.

[229]   Vgl. *Nettesheim*, EuR 2003, 36 (39 f.).

[230]   *Knauff*, DÖV 2010, 631 (632); *Blanke*, EuR 2005, 787 (797); *Cremona*, ELRev. 2005, 3 (9).

[231]   *Ohler*, in: Grabitz/Hilf/Nettesheim, Das Recht der Europäischen Union, 62. EL 2017, Art. 49 EUV Rn. 4.

[232]   *Ohler*, in: Grabitz/Hilf/Nettesheim, Das Recht der Europäischen Union, 62. EL 2017, Art. 49 EUV Rn. 4.

## 1.  Europäischer Staat

Einen zulässigen Antrag auf Beitritt zur europäischen Werteunion kann nach dem Wortlaut des Art. 49 Abs. 1 S. 1 EUV *„jeder europäische Staat"* stellen. Dem Erfordernis *„europäische[r] Staat"* kommt bereits für das Antragsrecht eine Bedeutung zu.[233]

Daher muss jedem Bewerberstaat Staatsqualität in Form einer eigenen Staatlichkeit zukommen.[234] Ein Beitritt soll zudem nur durch einen Antrag auf gesamtstaatlicher Ebene ermöglicht werden.[235] Dabei bedarf es nicht zwingend des Beitritts des Staates mit dessen gesamtem Staatsgebiet.[236]

Weiterhin muss es sich um einen „europäischen" Staat handeln.[237] Art. 49 Abs. 1 S. 1 EUV verdeutlicht den räumlich beschränkten Anwendungsbereich und statuiert eine eingeschränkte Offenheit der EU-Erweiterung zu Gunsten der Förderung der europäischen Integration.[238] Zu dessen Beurteilung werden zutreffend politische, kultur- und geistesgeschichtliche Aspekte angeführt.[239] Eine Zugehörigkeit wird man vor allem bei einer wertegeprägten Ausrichtung dieser Aspekte i.S.d. Art. 2 EUV annehmen dürfen.[240]

---

[233]  *Zeh*, Recht auf Beitritt?, 2002, S. 14; *Hoffmeister*, in: Ott/Inglis, Handbook on European Enlargement, 2002, S. 90 (91 f.).

[234]  *Cremer*, in: Calliess/Ruffert, EUV/AEUV, 5. Aufl. 2016, Art. 49 EUV Rn. 8; *Šarčević*, EuR 2002, 461 (464); der Ausdruck Staat i.S.d. Vorschrift knüpft hierbei an die nach allgemeinen völkerrechtlichen Kriterien zu stellenden Eigenschaften an, *Herrnfeld*, in: Schwarze, EU-Kommentar, 4. Aufl. 2019, Art. 49 EUV Rn. 3; *Klein*, in: Hailbronner/Klein/Magiera/Müller-Graff, Handkommentar zum Vertrag über die Europäische Union, 3. EL 1994, Art. O EUV Rn. 7; *Pechstein*, in: Streinz, EUV/AEUV, 3. Aufl. 2018, Art. 49 EUV Rn. 2; das dem Völkerrecht zu Grunde liegende Verständnis des Staatsbegriffs umfasst die Wesensmerkmale, dass ein Personenverbund volle und effektive Selbstregierung über ein abgegrenztes Gebiet ausübt, vgl. *Schweizer/Dederer*, Staatsrecht III, 11. Aufl. 2016, § 5 Rn. 1029; *Epping*, in: Ipsen, Völkerrecht, 7. Aufl. 2018, § 7 Rn. 1; *Calliess*, Staatsrecht III, 2. Aufl. 2018, S. 13 Rn. 28.

[235]  So auch schon *Rötting*, Das verfassungsrechtliche Beitrittsverfahren zur Europäischen Union, 2009, S. 93.

[236]  *Ehlermann*, EuR 1984, 113 (114); *Meng*, in: v. d. Groeben/Schwarze/Hatje, Europäisches Unionsrecht, 7. Aufl. 2015, Art. 49 EUV Rn. 4; exemplarisch hierfür die Färöer-Inseln, die zwar zu Dänemark gehören, jedoch nicht Teil der Europäischen Union wurden, weshalb auch sämtliche Verträge der EU auf diese keine Anwendung finden, vgl. ABl. EG Nr. L 73 v. 27.03.1972, S. 19 (47); *Ehlermann*, EuR 1984, 113 (114).

[237]  Für eine ausführliche Darstellung des Begriffs „europäisch" siehe *Dorau*, EuR 1999, 736 (736 ff.).

[238]  *Meng*, in: v. d. Groeben/Schwarze/Hatje, Europäisches Unionsrecht, 7. Aufl. 2015, Art. 49 EUV Rn. 11; vgl. auch *Zeh*, Recht auf Beitritt?, 2002, S. 14 f.; *Hoffmeister*, in: Ott/Inglis, Handbook on European Enlargement, 2002, S. 90 (91 f.).

[239]  *Šarčević*, EuR 2002, 461 (465 f.); *Hoffmeister*, in: Ott/Inglis, Handbook on European Enlargement, 2002, S. 90 (92); *Langenfeld*, ZRP 2005, 73 (73); *Heintschel v. Heinegg*, in: Vedder/Heintschel v. Heinegg, Europäisches Unionsrecht, 2. Aufl. 2018, Art. 49 EUV Rn. 3; *Bruha/Vogt*, VRÜ 1997, 477 (481 ff.); *Dorau*, EuR 1999, 736 (752 f.); *Hanschel*, NVwZ 2012, 995 (996); *Herrnfeld*, in: Schwarze, EU-Kommentar, 4. Aufl. 2019, Art. 49 EUV Rn. 3; *Hofmann*, EuR 1999, 713 (718); *Ohler*, in: Grabitz/Hilf/Nettesheim, Das Recht der Europäischen Union, 62. EL 2017, Art. 49 EUV Rn. 14; *Booß*, in: Lenz/Borchardt, EU-Verträge, 6. Aufl. 2012, Art. 49 EUV Rn. 1; *Meng*, in: v. d. Groeben/Schwarze/Hatje, Europäisches Unionsrecht, 7. Aufl. 2015, Art. 49 EUV Rn. 11.

[240]  Zutreffend bereits *Herrnfeld*, in: Schwarze, EU-Kommentar, 4. Aufl. 2019, Art. 49 EUV Rn. 3; *Cremer*, in: Calliess/Ruffert, EUV/AEUV, 5. Aufl. 2016, Art. 49 EUV Rn. 9; *Hofmann*, EuR 1999, 713 (718 f.).

Den Mitgliedstaaten ist damit ein weiter Beurteilungsspielraum in Bezug auf das Kriterium „europäisch" als Beitrittsbedingung eröffnet.[241] Die Grenzziehung bleibt somit immer eine politisch geprägte und weniger rechtlich nachprüfbare Entscheidung.[242] Als politischer Akt muss sich die Abgrenzung jedoch immer auch auf die Ziele der Union und damit auch die Förderung ihrer Werte rückkoppeln lassen.[243]

## 2.    Achtung und Förderung der in Art. 2 EUV genannten Werte

Neben der Antragsberechtigung für nur europäische Staaten bedarf es der materiellen Beitrittsvoraussetzungen der Achtung und des Einsatzes für die Förderung der Werte i.S.d. Art. 2 EUV.

### a.    In Artikel 2 genannte Werte

Art. 49 Abs. 1 S. 1 EUV verweist mit den *„in Artikel 2 genannten Werte[n]"* allein auf die in Art. 2 S. 1 EUV kodifizierten Verfassungsprinzipien, auf denen sich die Rechtsordnung der Union gründet.[244] Sie sind materiell-rechtliche Aufnahmebedingungen für einen Beitrittsstaat, sichern die Identität der Union als Rechts- und Wertegemeinschaft und begründen die Legitimität der im Verbund von Union und Mitgliedstaaten ausgeübten Herrschaftsgewalt.[245] Die gesellschaftliche Dimension der Werte gem. Art. 2 S. 2 EUV umfasst als Programmsatz vorwiegend das horizontale Verhältnis zwischen den Bürgern,[246] welches sich einer unmittelbaren staatlichen Einflussnahme entzieht.[247] Folglich

---

[241]  *Langenfeld*, ZRP 2005, 73 (73); *Pechstein*, in: Streinz, EUV/AEUV, 3. Aufl. 2018, Art. 49 EUV Rn. 3.

[242]  *Langenfeld*, ZRP 2005, 73 (73); *Herrnfeld*, in: Schwarze, EU-Kommentar, 4. Aufl. 2019, Art. 49 EUV Rn. 3; *Ohler*, in: Grabitz/Hilf/Nettesheim, Das Recht der Europäischen Union, 62. EL 2017, Art. 49 EUV Rn. 14; *Pechstein*, in: Streinz, EUV/AEUV, 3. Aufl. 2018, Art. 49 EUV Rn. 3; *Meng*, in: v. d. Groeben/Schwarze/Hatje, Europäisches Unionsrecht, 7. Aufl. 2015, Art. 49 EUV Rn. 11. Deutlich wird dies mit Blick auf die Türkei, die als Beitrittskandidat anerkannt wurde, deren Zuordnung zu Europa indes nicht hinsichtlich aller Aspekte eindeutig ausfällt, vgl. Schlussfolgerungen des Vorsitzes des Europäischen Rates von Helsinki SN 300/99, v. 10./11.12.1999, Rz. 12. Eine völkerrechtliche Bestätigung der Türkei als europäischer Staat kann zutreffend nicht von der Hand gewiesen werden, vgl. *Rötting*, Das verfassungsrechtliche Beitrittsverfahren zur Europäischen Union, 2009, S. 97 f. Dies kann durchaus auch kritisch hinterfragt werden, liegt doch nur ein ganz geringer Teil des Staatsgebietes in „Europa" und sind deren politische, kulturelle sowie verfassungsrechtlichen Strukturen nicht ausreichend deckungsgleich, *Oppermann* spricht insoweit von der Türkei als „Schicksalsstaat" der EU, vgl. *Oppermann*, in: Gaitanides/Kadelbach/Iglesias, Festschrift für Manfred Zuleeg, 2005, S. 72 (78 f.); kritisch hierzu *Pechstein*, in: Streinz, EUV/AEUV, 3. Aufl. 2018, Art. 49 EUV Rn. 3; ablehnend *Scholz*, in: Maunz/Dürig, Grundgesetz-Kommentar, 88. EL 2019, Art. 23 GG Rn. 59.

[243]  *Ohler*, in: Grabitz/Hilf/Nettesheim, Das Recht der Europäischen Union, 62. EL 2017, Art. 49 Rn. 14.

[244]  *Meng*, in: v. d. Groeben/Schwarze/Hatje, Europäisches Unionsrecht, 7. Aufl. 2015, Art. 49 EUV Rn. 12; *Ohler*, in: Grabitz/Hilf/Nettesheim, Das Recht der Europäischen Union, 62. EL 2017, Art. 49 EUV Rn. 15; *Cremer*, in: Calliess/Ruffert, EUV/AEUV, 5. Aufl. 2016, Art. 49 EUV Rn. 9; *Nettesheim*, in: Oppermann/Classen/Nettesheim, Europarecht, 8. Aufl. 2018, § 42 Rn. 10; *Pechstein*, in: Streinz, EUV/AEUV, 3. Aufl. 2018, Art. 49 EUV Rn. 4.

[245]  *Nettesheim*, EuR 2003, 36 (36); *Calliess*, JZ 2004, 1033 (1040); *Ohler*, in: Grabitz/Hilf/Nettesheim, Das Recht der Europäischen Union, 62. EL 2017, Art. 49 EUV Rn. 15.

[246]  *Ohler*, in: Grabitz/Hilf/Nettesheim, Das Recht der Europäischen Union, 62. EL 2017, Art. 49 EUV Rn. 16.

[247]  *Knauff*, DÖV 2010, 631 (634).

wird man die Verweisung auf den gesamten Art. 2 EUV unter systematisch-teleologischen Gesichtspunkten zu Gunsten des Satzes 1 reduzieren müssen.[248] Der Wortlaut der Verweisungsnorm ist insoweit etwas unglücklich formuliert. Durch eine präzise Verweisung nur auf Satz 1 des Art. 2 EUV hätte man hier Abhilfe schaffen können.[249] Eine Verwirklichung der gesellschaftlichen Dimension ist damit nicht im Zeitpunkt des Beitritts geschuldet.[250] Dennoch können diese Kriterien bei der politischen Beurteilung der Beitrittsfähigkeit eines Bewerberstaates ergänzende Berücksichtigung finden.[251]

Inwieweit der Bewerberstaat diese verfassungsrechtlichen Mindestanforderungen erfüllt, erfordert eine individuelle Einzelbetrachtung. Dabei rückt insbesondere der Beurteilungsspielraum der am Beitrittsprozess befassten Unionsorgane ins Blickfeld.[252]

## b.  Achten und sich für ihre Förderung einsetzen

Gewährleistet sein muss, dass die Beitrittskandidaten *„die [...] Werte achten und sich für ihre Förderung einsetz[en]"*. Die Werte legen als Prinzipien einen verfassungsrechtlichen Bedeutungskern fest, dessen individuell verfassungsstaatliche Ausformung den einzelnen Nationalstaaten aufgrund ihrer Autonomie überlassen ist.[253] Eine verfassungsrechtliche Homogenität wird durch diese nicht festgeschrieben, sondern vielmehr die Einhaltung von Mindeststandards.[254] Diese können zudem anhand der verbindlichen und umfassend ausgestalteten Grundrechtecharta, der zunehmenden völkerrechtlichen Verträge, des Rückgriffs auf die EMRK sowie der ständigen Weiterentwicklung durch die Rechtsprechung des EuGH weitgehend präzisiert werden.[255] Die verfassungsrechtlichen Mindeststandards bedürfen als abstrakte Normgebilde der hinreichenden und subsumtionsfähigen Konkretisierung in Form von nationalen Einzelregelungen, die diese ausfüllen.[256] Damit rückt das interne verfassungsrechtliche System der zukünftigen Mitgliedstaaten ins Blickfeld der Beitrittsanforderungen.

Die ältere Fassung des ex-Art. 49 Abs. 1 S. 1 EUV-Amsterdam gewährte einen Beitritt zur Union ausdrücklich nur einem europäischen Staat, *„der die in Art. 6 Abs. 1 genannten Grundsätze achtet"*. In der Fassung des Vertrages von Lissabon setzt Art. 49 EUV demgegenüber nun weiter voraus, dass der Beitrittskandidat sich neben der Achtung der Werte auch *„für ihre Förderung einsetzt"*. Die über die bisherige Regelung hinausgehende Bedingung der Förderung der Werte ist in ihrer Formulierung zwar anschaulich, in ihrer tat-

---

[248]  Hierfür spricht auch aus historischer Sicht die vorhergehende Verweisung des ex-Art. 49 EUV-Nizza nur auf die Grundprinzipien in ex-Art. 6 Abs. 1 EUV-Nizza, welche die Vorgängernorm des Art. 2 S. 1 EUV darstellt.

[249]  So bereits *Hilf/Schorkopf*, in: Grabitz/Hilf/Nettesheim, Das Recht der Europäischen Union, 51. EL 2013, Art. 2 EUV Rn. 43.

[250]  *Knauff*, DÖV 2010, 631 (634).

[251]  *Ohler*, in: Grabitz/Hilf/Nettesheim, Das Recht der Europäischen Union, 62. EL 2017, Art. 49 EUV Rn. 16.

[252]  Zur Kontrolle der Erfüllung der zentralen Vorgaben der Werte durch den Bewerberstaat, siehe III. Die Werterelevanz im Beitrittsverfahren, S. 39 ff.

[253]  *Ohler*, in: Grabitz/Hilf/Nettesheim, Das Recht der Europäischen Union, 62. EL 2017, Art. 49 EUV Rn. 15.

[254]  *Nettesheim*, EuR 2003, 36 (61).

[255]  *Schmahl*, EuR 2000, 819 (822); *Träbert*, Sanktionen der Europäischen Union gegen ihre Mitgliedstaaten, 2010, S. 251 f.

[256]  Zutreffend bereits *Nettesheim*, EuR 2003, 36 (43 f.).

sächlichen Regelungswirkung indes weniger eindeutig. Insofern stellt sich die Frage, inwieweit hiermit eine Änderung gegenüber der früheren Rechtslage eingetreten ist.[257]

Betrachtet man den vormaligen Wortlaut des ex-Art. 49 Abs. 1 S. 1 EUV-Amsterdam mit der geforderten bloßen „Achtung" der Grundsätze, wird man aus dessen Bedeutungsgehalt folgern können, dass die Bewerberstaaten im Binnen- und Außenverhältnis auf die Einhaltung der europäischen Grundsätze aufpassen und sich vor Verstößen gegen diese in Acht nehmen mussten. Insoweit kann „achten" zunächst als passives Verhalten und damit als reines Gebot des Unterlassens eines Verstoßes verstanden werden.

Ein anderer Bedeutungsgehalt könnte sich jedoch unter dem Gesichtspunkt einer systematisch-teleologischen Auslegung der Norm ergeben. Die Systematik der Einhaltung der Grundsätze der Union setzte sich bereits früher schon aus ex-Art. 49, ex-Art. 7 EUV-Amsterdam und ex-Art. 226 f. EGV-Amsterdam zusammen. Die sowohl präventiven als auch repressiven Mechanismen knüpfen aufgrund der unterschiedlichen Zeitpunkte an ein verändertes Verhalten der Staaten an. Anders als die repressiven Sicherungsmechanismen, die ein bestehendes Niveau der Grundsätze aufrechterhalten sollen und die Mitgliedstaaten zu einem passiven Verhalten anhielten, bedurfte es zur präventiven Sicherung im Wege des ex-Art. 49 EUV-Amsterdam erst einmal der aktiven Herstellung dieses Niveaus durch die Mitgliedstaaten. Die Einhaltung der Grundsätze im Binnen- und Außenverhältnis bedurfte deshalb der aktiven Transformation des Staatensystems zur Erreichung des Niveaus der EU-Mitgliedstaaten für die Zeit des Beitritts als auch darüber hinaus.[258] Folglich wird man bei dem ehemals geforderten „Achten" nicht schon ein rein passives Verhalten der Bewerberstaaten ausreichen lassen.[259]

Die insoweit neu hinzugefügte Bedingung der „Förderung" der Werte setzt zwar dem Wortlaut nach ein vordergründig bewusstes aktives Verhalten des beitrittswilligen Staates zur stetigen Realisierung dieser Werte voraus, geht aber in seiner tatsächlichen Regelungswirkung wohl nicht weiter als die vormalige Achtung der Werte.[260] Demnach darf die zusätzliche Voraussetzung der „Förderung" als eine normative Klarstellung einer bereits bestehenden Praxis unter Hervorhebung der besonderen Bedeutung der Einhaltung der Werte verstanden werden. Ungeachtet dessen ist diese mit dem Reformvertrag von Lissabon neu eingefügte gesetzliche Klarstellung zu begrüßen. Hierdurch wird dem Beitrittsaspiranten eindeutig vor Augen geführt, dass die Verbindlichkeit der Werte über das Beitrittsverfahren hinweg in der EU-Mitgliedschaft fortwirkt, was zudem durch die repressiven Sicherungsmechanismen nach Art. 7 EUV und Art. 258 ff. AEUV spiegelbildlich zum Ausdruck kommt.[261]

---

[257]   Vgl. auch *Pechstein*, in: Hatje/Müller-Graff, EnzEuR Bd. 1, 2014, § 15 Rn. 8.

[258]   Vgl. auch *Heintschel v. Heinegg*, in: Vedder/Heintschel v. Heinegg, Europäisches Unionsrecht, 2. Aufl. 2018, Art. 49 EUV Rn. 5.

[259]   Zutreffend jedoch ohne tiefergehende Ausführung bereits *Pechstein*, in: Hatje/Müller-Graff, EnzEuR Bd. 1, 2014, § 15 Rn. 8.

[260]   Im Ergebnis wohl auch *Pechstein*, in: Streinz, EUV/AEUV, 3. Aufl. 2018, Art. 49 EUV Rn. 4; *Pechstein*, in: Hatje/Müller-Graff, EnzEuR Bd. 1, 2014, § 15 Rn. 8; vgl. demgegenüber auch *Herrnfeld*, in: Schwarze, EU-Kommentar, 4. Aufl. 2019, Art. 49 EUV Rn. 4, der eine stärkere Verpflichtung zur Förderung sieht.

[261]   So bereits *Herrnfeld*, in: Schwarze, EU-Kommentar, 4. Aufl. 2019, Art. 49 EUV Rn. 4.

Im Hinblick auf die tatsächliche Umsetzung der Werte müssen die Regierungssysteme der beitrittswilligen Mitgliedstaaten bewusst im Innen- und Außenverhältnis dafür eintreten.[262] Dies bedeutet, die eigenen Rechts- und Verfassungsordnungen so anzupassen, dass sie den Verfassungsprinzipien der Union entsprechen. Die bloße Auflösung rechtlicher Widersprüche zwischen den Werten und der eigenen Rechts- und Verfassungsordnung der Mitgliedstaaten reicht hierbei nicht aus.[263] Ein bewusstes Eintreten für die Verwirklichung der Werte verlangt neben der Angleichung der Rechtsordnung durch entsprechende Verfassungs- und Gesetzesänderungen zudem auch die praktisch wirksame Umsetzung und Anwendung bei den innerstaatlichen Stellen.[264] Eine besondere Rolle kommt hier innerstaatlich deshalb der Exekutive, in Form der einzelnen Verwaltungsbehörden, als auch der Judikative zu.[265]

## 3.  Kopenhagener Kriterien gem. Art. 49 Abs. 1 S. 4 EUV

Neben der bereits erörterten Achtung und Förderung der in Art. 2 S. 1 EUV aufgeführten Werte fordert Art. 49 Abs. 1 S. 4 EUV weiterhin, dass bei der Beitrittsentscheidung die *„vom Europäischen Rat vereinbarten Kriterien [...] berücksichtigt"* werden. Diese Regelung hat durch den Lissabonner Reformvertrag Eingang in die Vorschrift gefunden.[266] Ihre generalklauselartige Formulierung nimmt erstmals primärrechtlich auf die bereits seit Jahren bestehende Praxis der auf dem Gipfel in Kopenhagen am 21. und 22.06.1993 aufgestellten inhaltlichen Kriterien[267] für eine Mitgliedschaft in der EU Bezug.[268] Die Bezugnahme erfolgt nur insoweit, als diese nicht bereits schon durch Art. 2 S. 1 EUV selbst primärrechtlich kodifiziert wurden.[269]

Die Anforderungen für den Beitrittskandidaten beinhalten neben einer institutionellen Stabilität („Politisches Kriterium") eine funktionierende Marktwirtschaft („Wirtschaftli-

---

[262]  *Knauff,* DÖV 2010, 631 (633); *Ohler,* in: Grabitz/Hilf/Nettesheim, Das Recht der Europäischen Union, 62. EL 2017, Art. 49 EUV Rn. 15.

[263]  *Ohler,* in: Grabitz/Hilf/Nettesheim, Das Recht der Europäischen Union, 62. EL 2017, Art. 49 EUV Rn. 15.

[264]  *Ohler,* in: Grabitz/Hilf/Nettesheim, Das Recht der Europäischen Union, 62. EL 2017, Art. 49 EUV Rn. 15; *Pechstein,* in: Hatje/Müller-Graff, EnzEuR Bd. 1, 2014, § 15 Rn. 8; *Pechstein,* in: Streinz, EUV/AEUV, 3. Aufl. 2018, Art. 49 EUV Rn. 4.

[265]  *Ohler,* in: Grabitz/Hilf/Nettesheim, Das Recht der Europäischen Union, 62. EL 2017, Art. 49 EUV Rn. 15.

[266]  *Ohler,* in: Grabitz/Hilf/Nettesheim, Das Recht der Europäischen Union, 62. EL 2017, Art. 49 EUV Rn. 17; *Terhechte,* in: Pechstein/Nowak/Häde, Frankfurter Kommentar, 2017, Art. 49 EUV Rn. 20.

[267]  Die vom Europäischen Rat in Kopenhagen niedergelegten Kriterien lauten wie folgt: *„Als Voraussetzung für die Mitgliedschaft muß der Beitrittskandidat eine institutionelle Stabilität als Garantie für demokratische und rechtsstaatliche Ordnung, für die Wahrung der Menschenrechte sowie die Achtung und den Schutz von Minderheiten verwirklicht haben; sie erfordert ferner eine funktionsfähige Marktwirtschaft sowie die Fähigkeit, dem Wettbewerbsdruck und den Marktkräften innerhalb der Union standzuhalten. Die Mitgliedschaft setzt außerdem voraus, daß die einzelnen Beitrittskandidaten die aus einer Mitgliedschaft erwachsenden Verpflichtungen übernehmen und sich auch die Ziele der politischen Union sowie der Wirtschafts- und Währungsunion zu eigen machen können. Die Fähigkeit der Union, neue Mitglieder aufzunehmen, dabei jedoch die Stoßkraft der europäischen Integration zu erhalten, stellt ebenfalls einen sowohl für die Union als auch für die Beitrittskandidaten wichtigen Gesichtspunkt dar.",* SN 180/1/93, v. 21./22.06.1993, S. 13.

[268]  *Cremona,* ELRev. 2005, 3 (15); *Terhechte,* EuR 2008, 143 (150 f.); *Knauff,* DÖV 2010, 631 (635).

[269]  *Cremer,* in: Calliess/Ruffert, EUV/AEUV, 5. Aufl. 2016, Art. 49 EUV Rn. 10; *Knauff,* DÖV 2010, 631 (635).

ches Kriterium") sowie die Fähigkeit und Bereitschaft, die sich aus einer Mitgliedschaft erwachsenden Anforderungen zu erfüllen ("Acquis-Kriterium").[270] Das Acquis-Kriterium erfordert, die gefassten Entscheidungen und Regelungen im Rahmen der GASP und der früheren dritten Unionssäule sowie sämtliche völkerrechtlichen Verträge der Union vor und nach Inkrafttreten des Vertrages von Lissabon zu übernehmen.[271] Darüber hinaus wurde als viertes Kriterium die Fähigkeit der Union zur Aufnahme neuer Mitglieder ("Aufnahmefähigkeitskriterium") als zu berücksichtigender Gesichtspunkt der Beitrittsentscheidung festgelegt.[272] Die vom Wortlaut suggerierte reine Berücksichtigungspflicht ist insoweit irreführend, denn die Erfüllung der *Kopenhagener Kriterien* in der europäischen Erweiterungspraxis stellt sich vielmehr als zwingende Voraussetzung für den Beitritt eines Bewerberstaates dar.

Bei den zu berücksichtigenden Bedingungen der *Kopenhagener Kriterien* bleibt zu klären, inwieweit diese zur Sicherung der Werte präventiv beitragen können. Im Wege der politischen Beitrittskriterien kann eine "Feinsteuerung" der Ausgestaltung des Wertefundaments durch detaillierte Prüfprogramme erfolgen, wie es durch die bloßen strukturellen Vorgaben des Art. 2 S. 1 EUV nicht möglich ist.[273] Die Etablierung eines sich auf Demokratie- und Rechtsstaatlichkeitsprinzipien stützenden Wertefundaments erfordert letztlich nicht nur eine rechtliche Betrachtung, sondern politische Einschätzungen, wie die Anforderungen einer Verfassungsordnung eines zukünftigen Mitgliedstaates genau auszugestalten sind, um Werte wie Demokratie, Rechtsstaatlichkeit und Gleichheit widerzuspiegeln.[274] Folglich dienen die politischen Kriterien gleichwohl der Wertesicherung.

Hinsichtlich der Übernahmefähigkeit des gemeinsamen europäischen Besitzstandes verhält es sich ähnlich. Dieser umfasst unter anderem auch Gerichtsentscheidungen sowie Sekundär- und Tertiärrechtsakte, die einen Ausfluss der durch Art. 2 EUV verkörperten Werteentscheidung der Union darstellen und damit ebenfalls zu einer Sicherung des Werteniveaus beitragen.

Ergänzt wird die Wertesicherung durch die Möglichkeit der Schaffung zusätzlicher *"vereinbarter Kriterien"* des Europäischen Rates i.S.d. Art. 49 Abs. 1 S. 4 EUV. Die Einbeziehung dieser Kriterien stellt eine dynamische Verweisung dar, aufgrund derer die jeweilig aufgestellten Kriterien des Rates eine Bindungswirkung für die Beitrittskandidaten entfalten.[275] Somit umfasst diese Vorschrift neben einer Berücksichtigungspflicht ebenso die Ermächtigung an den Europäischen Rat, einseitig und ohne eine vorherige vertragliche Vereinbarung mit zukünftigen Beitrittskandidaten die Bedingungen für deren Beitrittsfä-

---

[270]   *Meng*, in: v. d. Groeben/Schwarze/Hatje, Europäisches Unionsrecht, 7. Aufl. 2015, Art. 49 Rn. 13; *Geiger*, in: Geiger/Khan/Kotzur, EUV/AEUV, 6. Aufl. 2017, Art. 49 EUV Rn. 8; *Cremona*, ELRev. 2005, 3 (15 ff.); *Cremer*, in: Calliess/Ruffert, EUV/AEUV, 5. Aufl. 2016, Art. 49 EUV Rn. 10; *Slavu*, Die Osterweiterung der Europäischen Union, 2008, S. 64 ff.

[271]   *Herrnfeld*, in: Schwarze, EU-Kommentar, 4. Aufl. 2019, Art. 49 EUV Rn. 6; *Pechstein*, in: Streinz, EUV/AEUV, 3. Aufl. 2018, Art. 49 EUV Rn. 6 m.w.N.

[272]   Siehe für eine ausführliche Darstellung der Beitrittskriterien *Slavu*, Die Osterweiterung der Europäischen Union, 2008, S. 94 ff.

[273]   *Ohler*, in: Grabitz/Hilf/Nettesheim, Das Recht der Europäischen Union, 62. EL 2017, Art. 49 EUV Rn. 18.

[274]   Ausführlich hierzu *Ohler*, in: Grabitz/Hilf/Nettesheim, Das Recht der Europäischen Union, 62. EL 2017, Art. 49 EUV Rn. 18.

[275]   *Knauff*, DÖV 2010, 631 (635); *Šarčević*, EuR 2002, 461 (472 f.).

higkeit festzuschreiben.[276] Damit wird dem Rat nicht nur eine grundsätzliche Überarbeitung bzw. Ergänzung der *Kopenhagener Kriterien* eröffnet, sondern die selbständige Aufstellung länderspezifischer Beitrittsanforderungen, abhängig vom jeweilig vorherrschenden Wertedefizit des Anwärterstaates.[277] Die für die Entwicklung der europäischen Gemeinschaft gebotenen Anpassungen können somit auf den Weg gebracht werden.[278] Gleichzeitig bilden die Werte aber auch den rechtlich zulässigen Maßstab für die zusätzlich zu vereinbarenden Kriterien.[279]

## 4.  Maßgeblicher Betrachtungszeitpunkt

Die Norm des Art. 49 EUV, als Torwächter zu einer EU-Mitgliedschaft, verpflichtet alle beitrittswilligen Bewerberstaaten, sich an das bestehende unionale Wertefundament anzupassen. Das Beitrittsverfahren untergliedert sich dabei in eine Antrags-, Verhandlungs- und Abschlussphase,[280] die jeweils unterschiedliche Verfahrensschritte umfassen.[281] Aufgrund des langwierigen und komplexen Prozesses der Heranführung eines Landes an die Union stellt sich in Bezug auf Art. 49 EUV die Frage, zu welchem Zeitpunkt die Werte vollständig zu erfüllen sind. Insoweit kommen unterschiedliche Zeitpunkte, namentlich die Antragsstellung als auch die Vertragsabschlussphase, in Betracht.

Im Wege der sog. *Präadhesions- bzw. Heranführungsstrategien*[282] wird versucht, durch langjährige Vorbereitungsphasen die beitrittswilligen Staaten an die Union heranzuführen, um deren Beitrittsreife zum Zeitpunkt der Antragstellung nach Art. 49 Abs. 1 S. 1 EUV zu gewährleisten.[283] Diesbezüglich wird restriktiv vertreten, dass die Erfüllung der Werte zum Zeitpunkt der Eröffnung der Beitrittsverhandlungen und damit bei der Antragstellung vorliegen müssen.[284]

---

[276]  *Ohler*, in: Grabitz/Hilf/Nettesheim, Das Recht der Europäischen Union, 62. EL 2017, Art. 49 EUV Rn. 17 f.; *Knauff*, DÖV 2010, 631 (635).

[277]  *Meng*, in: v. d. Groeben/Schwarze/Hatje, Europäisches Unionsrecht, 7. Aufl. 2015, Art. 49 Rn. 14; *Knauff*, DÖV 2010, 631 (635); *Ohler*, in: Grabitz/Hilf/Nettesheim, Das Recht der Europäischen Union, 62. EL 2017, Art. 49 EUV Rn. 17.

[278]  *Knauff*, DÖV 2010, 631 (635).

[279]  So bereits schon *Knauff*, DÖV 2010, 631 (635).

[280]  *Šarčević*, EuR 2002, 461 (463); *Pechstein*, in: Streinz, EUV/AEUV, 3. Aufl. 2018, Art. 49 EUV Rn. 7; *Heintschel v. Heinegg*, in: Vedder/Heintschel v. Heinegg, Europäisches Unionsrecht, 2. Aufl. 2018, Art. 49 EUV Rn. 9.

[281]  Ausführlich zum Verfahrensgang *Knauff*, DÖV 2010, 631 (636); *Pechstein*, in: Streinz, EUV/AEUV, 3. Aufl. 2018, Art. 49 EUV Rn. 8; *Meng*, in: v. d. Groeben/Schwarze/Hatje, Europäisches Unionsrecht, 7. Aufl. 2015, Art. 49 Rn. 26 ff.; *Heintschel v. Heinegg*, in: Vedder/Heintschel v. Heinegg, Europäisches Unionsrecht, 2. Aufl. 2018, Art. 49 EUV Rn. 11 ff.

[282]  Zur Begrifflichkeit Präadhesion vgl. *Rötting*, Das verfassungsrechtliche Beitrittsverfahren zur Europäischen Union, 2009, S. 14, Fn. 43.

[283]  *Heintschel v. Heinegg*, in: Vedder/Heintschel v. Heinegg, Europäisches Unionsrecht, 2. Aufl. 2018, Art. 49 EUV Rn. 8; *Slavu*, Die Osterweiterung der Europäischen Union, 2008, S. 36 ff.

[284]  Vgl. Schlussfolgerungen des Vorsitzes des Europäischen Rates von Luxemburg, 12./13.12.1997, Bull. EU 12-1997, Ziff. I.4., I.5.; vgl. auch KOM (97) 2000, endg., 15.07.1997, S. 46; *Herrnfeld*, in: Schwarze, EU-Kommentar, 4. Aufl. 2019, Art. 49 EUV Rn. 5; *Koenig/Haratsch*, Europarecht, 3. Aufl. 2000, Rn. 860; *Heintschel v. Heinegg*, in: Vedder/Heintschel v. Heinegg, Europäisches Unionsrecht, 2. Aufl. 2018, Art. 49 EUV

Demgegenüber lässt die Praxis der EU-Osterweiterung zum 01.05.2004 erkennen, dass der Anpassungs- und Reformprozess der Staaten an das unionale Werteniveau nur schrittweise in einem langjährigen Beitrittsprozess erfolgte,[285] mitunter auch erst nach dem Beitritt vollständig erreicht wurde.[286] Eine Übereinstimmung der Rechts- und Gesellschaftsordnung des beitrittswilligen europäischen Staates mit den Werten hat daher nicht bereits beim Beitrittsgesuch, sondern erst zum Zeitpunkt des Beitritts vorzuliegen.[287] Dies zeigt auch die Praxis in Bezug auf die Türkei,[288] die mit Stellung des Aufnahmeantrags zwar als offizieller Beitrittskandidat am 11.12.1999 anerkannt wurde, jedoch hinsichtlich der Erfüllung der politischen Kriterien bisweilen hinter den Unionsvorgaben zurückbleibt.[289]

Gegen eine solche Auslegung spricht weder der Wortlaut des Art. 49 Abs. 1 S. 1 EUV noch die Systematik der Verträge. Vielmehr muss im Sinne der Präambel des EU-Vertrages, dem Ziel des europäischen Integrationsprozesses zur Überwindung der Teilung Europas und des *„Bekenntnisses zu den Grundsätzen der Freiheit, der Demokratie und der Achtung der Menschenrechte und Grundfreiheiten und der Rechtsstaatlichkeit"* im Wege einer offenen und integrationsfreundlichen Auslegung bei der Anwendung des Art. 49 Abs. 1 EUV Rechnung getragen werden.[290] Die in Art. 49 Abs. 1 S. 1 EUV formulierten Beitrittsanforderungen an die Bewerberstaaten sind zukunftsgerichtet ausgestaltet und sollen prinzipiell beitrittsfreundlich angewendet werden.[291] Ein Zuwiderhandeln gegenüber den Werten im Zeitpunkt der Antragstellung führt daher grundsätzlich weder zum Ausschluss des Bewerberstaates aus dem Kreis möglicher Beitrittskandidaten noch macht dies den Beitrittsantrag unwirksam.[292] Ob die politische, rechtliche und wirtschaftliche Beitrittsreife zum Zeitpunkt der Antragstellung tatsächlich vollständig gegeben ist, lässt sich zudem schon gar nicht mit völliger Sicherheit beurteilen.[293]

---

Rn. 8; wohl auch *Meier*, EuR 1978, 12 (19 ff.); vgl. *Dagtoglou*, EuR 1980, 1 (7); wenig überzeugend auch *Pechstein*, in: Streinz, EUV/AEUV, 3. Aufl. 2018, Art. 49 EUV Rn. 4, der die Nichterfüllung der Werte des Art. 2 EUV bei Beitrittsantrag als unüberbrückbares Fehlen einer Verhandlungsgrundlage für den anschließenden Beitrittsprozess ansieht und damit der Union ihrem stabilisierenden, rechtsstaatlichkeitsfördernden Integrationspotential widerspricht.

[285] *Pechstein/Koenig*, Die Europäische Union, 3. Aufl. 2000, Rn. 440 ff.; vgl. auch *Puttler*, in: Calliess/Ruffert, EUV/AEUV, 5. Aufl. 2016, Art. 177 AEUV Rn. 22 f.; *Lippert*, APuZ 1-2/2003, 7 (10); *Kraft*, APuZ B 15/2001, 6 (8).

[286] *Slavu*, Die Osterweiterung der Europäischen Union, 2008, S. 70 f.; vgl. auch *Vedder*, in: Grabitz/Hilf, Das Recht der Europäischen Union, 40 EL. 2009, Art. 49 EUV Rn. 13.

[287] Vedder, in: Grabitz/Hilf/Nettesheim, Das Recht der Europäischen Union, 40 EL. 2009, Art. 49 EUV Rn. 13; *Slavu*, Die Osterweiterung der Europäischen Union, 2008, S. 70; *Nettesheim*, EuR 2003, 36 (38 f.); *Knauff*, DÖV 2010, 631 (636).

[288] Vgl. KOM (2004) 656 endg., 06.10.2004, S. 2 ff.

[289] Dies wird in Bezug auf die Rechtsstaatlichkeit seit dem Putsch in der Türkei Mitte 2016 und dem Vorgehen gegen Oppositionelle immer wieder deutlich.

[290] *Nettesheim*, EuR 2003, 36 (38 f.).

[291] Zutreffend bereits *Nettesheim*, EuR 2003, 36 (38 f.).

[292] *Šarčević*, EuR 2002, 461 (464); *Knauff*, DÖV 2010, 631 (636); *Nettesheim*, EuR 2003, 36 (38 ff.); vgl. auch *Ohler*, in: Grabitz/Hilf/Nettesheim, Das Recht der Europäischen Union, 62. EL 2017, Art. 49 EUV Rn. 31.

[293] Zutreffend bereits *Knauff*, DÖV 2010, 631 (636); vgl. auch *Vedder*, in: Grabitz/Hilf/Nettesheim, Das Recht der Europäischen Union, 40. EL 2009, Art. 49 EUV Rn. 13.

Letztendlich handelt es sich bei der Bewertung eines Beitrittsantrags um eine Progno-seentscheidung – rechtlicher und politisch-moralischer Art – über das Anpassungs- und Reformpotential des Bewerberstaates zur zukünftigen Erfüllung der materiell-rechtlichen Anforderungen des Art. 49 EUV im Zeitpunkt des tatsächlichen Beitritts.[294] Der Prozess der Beitrittsverhandlungen mit dem Bewerberstaat sollte deshalb konsequenterweise nur dann eingeleitet werden, wenn auch im Zeitpunkt des Beitritts mit großer Sicherheit er-wartet werden kann, dass die Werte auch vollständig erfüllt werden können.[295] Etwas anderes kann nur gelten, wenn bereits vor der Aufnahme der Beitrittsverhandlungen der-art schwerwiegende und unüberwindbare Verstöße bzw. Hindernisse in Bezug auf die Achtung und Einhaltung der Werte der Union bestehen, die selbst im Wege langwieriger Beitrittsverhandlungen nicht behoben werden können.[296] Richtigerweise bedarf es bei einer fundierten und europarechtsfreundlichen Analyse der Beitrittsreife sowohl der Be-rücksichtigung der Phase des Beitrittsgesuchs, des potentiellen Verhandlungsverfahrens als auch der des Vertragsschlusses.[297] Dies bestätigt auch die Verhandlungspraxis der Uni-onsorgane.[298]

## III.  Die Werterelevanz im Beitrittsverfahren

Nachdem die Beitrittsanforderungen dargelegt wurden, stellt sich im Folgenden die Frage, wie in der Praxis der Anpassungsprozess der Rechtsordnungen der Bewerberkandidaten an die Werte überwacht und gewährleistet wird. Entscheidend für die präventive Siche-rung der Werte ist daher das Bestehen eines geordneten Heranführungsverfahrens, um den Werten am Ende des Beitrittsverfahrens auch praktische Wirksamkeit zukommen zu lassen. Da der Beitritt grundsätzlich die Erfüllung der Werte voraussetzt, verlagert sich der Beginn des Beitrittsprozesses zusehends auf die Vorbereitungsphase, die schon Jahre vor Stellung des Beitrittsantrags ansetzt. In dieser langjährigen Vorbereitungs- und Verhand-lungsphase erhalten die Bewerberstaaten weitreichende Unterstützung und unterstehen auch gleichzeitig umfassender Kontrolle.

Nachfolgend soll nach einem Überblick über das Monitoring der Kommission (1.) so-wie der Darlegung der Struktur der Werteanalyse (2.) deren zentrale Aspekte herausgear-beitet werden (3.), bevor sich den unionalen Reaktionsmöglichkeiten der Aussetzung und des Abbruchs des Beitrittsverfahrens (4.) zugewandt wird.

---

[294]  *Ohler*, in: Grabitz/Hilf/Nettesheim, Das Recht der Europäischen Union, 62. EL 2017, Art. 49 EUV Rn. 31; *Nettesheim*, EuR 2003, 36 (38 ff.); *Langenfeld*, ZRP 2005, 73 (74).

[295]  So bereits auch schon *Slavu*, Die Osterweiterung der Europäischen Union, 2008, S. 71 m.w.N.; *Langenfeld*, ZRP 2005, 73 (74).

[296]  Vgl. weiterführend zur Problematik mangelnder Beitrittsreife aufgrund bestehenden bzw. fortwirkenden Unrechts durch einen Bewerberstaat *Nettesheim*, EuR 2003, 36 (39 ff.).

[297]  *Langenfeld*, ZRP 2005, 73 (74); *Ohler*, in: Grabitz/Hilf/Nettesheim, Das Recht der Europäischen Union, 62. EL 2017, Art. 49 EUV Rn. 31; *Šarčević*, EuR 2002, 461 (470).

[298]  Vgl. Bull. EU 12-1999, I.3; Bull. EU 12-2002, I.1 ff.; KOM (2004) 656 endg., 06.10.2004, S. 2 ff.; weiterfüh-rend zur Problematik der Anerkennung der Beitrittsreife der Türkei durch die Union siehe hierzu kritisch *Langenfeld*, ZRP 2005, 73 (74 ff.).

## 1.   Monitoring der Kommission

Der Kommission kommt eine bedeutende Rolle bei der Sicherung der Werte zu,[299] deren Zuständigkeit sich neben dem Anhörungsrecht gem. Art. 49 Abs. 1 S. 3 EUV aus der Gesamtschau ihrer Regelungsbefugnisse und Aufgabenzuweisungen, unter anderem der Förderung des Unionsinteresses nach Art. 17 Abs. 1 S. 1 EUV,[300] herleiten lässt.[301] Im Wege der Heranführungspraxis der Mitgliedstaaten an den gemeinschaftlichen Besitzstand und damit an das Werteniveau der Union haben sich unterschiedliche Mechanismen zur Bewältigung dieser Aufgabe herausgebildet. Neben der zum Beginn des Heranführungsverfahrens stehenden ersten Einschätzung des Antrags eines Bewerberstaates im Wege des Screening-Berichts[302] sind insbesondere die Mitteilungen durch Fortschritts-[303] und Abschlussberichte[304] wichtige Werkzeuge zur Beurteilung der Beitrittsreife der Bewerber.[305]

Die durch die Kommission verfassten länderbezogenen Stellungnahmen zum Aufnahmeantrag, Fortschritts- und Abschlussberichte sind Sachstandsberichte, aufgrund derer dem Rat und dem Europäischen Parlament die wichtigsten Informationen über den Stand der Entwicklung der Kandidatenländer zur Verfügung gestellt werden. [306] Die Ausarbeitung dieser Berichte obliegt dabei der Generaldirektion Nachbarschaftspolitik und Erweiterungsverhandlungen der Europäischen Kommission. [307] Ein Teil der

---

[299]   *Maresceau*, in: Maresceau/Lannon, The EU's Enlargement and Mediterranean Strategies, 2001, S. 3 (3); vgl. auch *Knauff*, DÖV 2010, 631 (637).

[300]   *Ohler*, in: Grabitz/Hilf/Nettesheim, Das Recht der Europäischen Union, 62. EL 2017, Art. 49 EUV Rn. 30; vgl. auch *Schmidt/v. Sydow*, in: v. d. Groeben/Schwarze, Europäisches Unionsrecht, 7. Aufl. 2015, Art. 17 EUV Rn. 16 f.

[301]   Ihre herausgehobene Stellung im Rahmen des Beitrittsprozesses wird bereits durch das Vorhandensein eines eigenen Erweiterungskommissars deutlich. Im September 1999 wurde im Zusammenhang mit den Bestrebungen der Verlagerung der EU-Erweiterung Richtung Osten erstmals im Wege einer Kommissionsumbildung der Posten eines Kommissars für Erweiterungsfragen mit einer eigenen Generaldirektion geschaffen. Die Bündelung des umfangreichen Erweiterungsprozesses durch Institutionalisierung darf als Bestrebung der Kommission verstanden werden, den bisweilen sektoral durchgeführten Erweiterungsprozess in einer einzelnen Einrichtung zentral zu verorten, vgl. https://ec.europa.eu/info/departments/european-neighbourhood-policy-and-enlargement-negotiations_de (zuletzt abgerufen: 31.01.2021 um 17:00 Uhr).

[302]   Vgl. hierzu Agenda 2000 – Stellungnahme der Kommission vom 15.07.1997 zum Antrag Estland: DOC/97/12; Ungarn: DOC/97/13; Lettland: DOC/97/14; Litauen: DOC/97/15; Polen: DOC/97/16; Tschechischen Republik: DOC/97/17; Rumänien: DOC/97/18; Slowenien: DOC/97/19; Slowakei: DOC/97/20.

[303]   Siehe exemplarisch nur Zypern: SEK (2001) 1745, 13.11.2001; Tschechische Republik: SEK (2001) 1746, 13.11.2001; Estland: SEK (2002) 1403, 09.10.2002; Malta: SEK (2002) 1411, 09.10.2002; Bulgarien: SEK (2004) 1199, 06.10.2004; Rumänien: SEK (2004) 1200, 06.10.2004.

[304]   Vgl. nur Polen: SEK (2003) 1207, 05.11.2003; Ungarn: SEK (2003) 1205, 05.11.2003; Kroatien; KOM (2013) 171 endg., 26.03.2013.

[305]   Vgl. Europäischen Kommission, IP/00/1264, 08.11.2000; vgl. auch KOM (2013) 171 endg., 26.03.2013.

[306]   Exemplarisch am Bsp. Kroatiens, vgl. nur KOM (2012) 186 endg., 24.04.2012; KOM (2012) 601 endg., 10.10.2012.

[307]   Vgl. Europäische Kommission, Europäische Nachbarschaftspolitik und Erweiterungsverhandlungen, https:// ec.europa.eu/info/departments/european-neighbourhood-policy-and-enlargement-negotiations_de (zuletzt abgerufen: 31.01.2021 um 17:49 Uhr); diese Direktion besteht aus etwa 1650 Mitgliedern, die in Brüssel, den EU-Delegationen und in den Partnerländern angesiedelt sind. Sie alle arbeiten unter der Leitung des derzeitigen Kommissars für Erweiterung und Europäische Nachbarschaftspolitik *Olivér Várhelyi*.

Kommissionsbeamten ist dabei den jeweiligen Kandidatenländern zugewiesen und vor Ort für die Erhebung der jeweiligen relevanten Informationen zuständig. Die Kommission greift zudem auf unterschiedliche Informationsquellen zurück, um sich ein umfassendes und realistisches Bild des Bewerberlandes in Bezug auf die Einhaltung der Werte zu machen.[308] Zur Informationsbeschaffung in Anspruch genommen werden nicht nur die betreffenden Mitgliedstaaten selbst, sondern neben internationalen Organisationen (Europarat, OSZE, UNHCR, IWF, Weltbank usw.) auch regierungsunabhängige Organisationen.[309]

Im Rahmen des sog. Monitoring überwachen die Kommissionsbeamten die Einhaltung der vereinbarten Verpflichtungen der Beitrittskandidaten und somit den Fortschritt der Anpassungsvorgänge in den einzelnen Bereichen der Länder.[310] Aufgrund der politischen Brisanz dieser Berichte und einer ggf. weitreichenden Signalwirkung einer zu kritischen und damit scharfen Beurteilung eines Kandidaten im Hinblick auf Defizite im europäischen Erweiterungsprozess wird dieser in der Praxis durch den Generaldirektor[311] abgesegnet.[312]

Das Monitoring durch die einzelnen Kommissionsbeamten vor Ort bleibt als Grundlage für die Berichterstattung durch die Kommission gegenüber der Union fester Bestandteil des Beitrittsprozesses. Es endet erst mit dem endgültigen Beitritt des Staates zur Union. Hierdurch dient es den zukünftigen Mitgliedstaaten als zusätzliche Orientierungshilfe im Reformprozess und den bereits bestehenden Mitgliedstaaten als Gewähr für die kontinuierlichen Reformbemühungen zur Erreichung des Werteniveaus durch die Bewerberkandidaten.

Als zentrale Dokumente und Grundlage für die Entscheidung der politischen Gremien über die zeitliche und inhaltliche Einhaltung der Vorgaben des Beitritts kommt den Stellungnahmen zum Aufnahmeantrag, den Fortschritts- und Abschlussberichten der EU-Kommission deshalb eine bedeutende Rolle bei der Wertesicherung zu.[313] Die im jährlichen Turnus erscheinenden Fortschrittsberichte liefern einen Überblick über die Anpassungsfortschritte der Beitrittsländer. Im Wege einer kurzen Einschätzung des Reformprozesses ergibt sich ein Gesamtbild über den aktuellen Stand der Beitrittsverhandlungen.[314] Dauern die Beitrittsverhandlungen noch an und sind die endgültigen Verpflichtungen noch nicht festgelegt worden, erfolgt eine vorläufige Bewertung durch die Kommission zur Sachlage der bis dahin durchgeführten Umsetzungen.[315]

---

[308]  *Slavu*, Die Osterweiterung der Europäischen Union, 2008, S. 41.
[309]  Vgl. KOM (2004) 257 endg., 20.04.2004, S. 8 (14).
[310]  Vgl. hierzu nur am Beispiel Bulgariens und Rumäniens, KOM (2006) 214 endg., 16.05.2006.
[311]  Der amtierende Generaldirektor für Nachbarschaftspolitik und Erweiterungsverhandlungen ist seit Oktober 2013 *Christian Danielsson*.
[312]  *Slavu*, Die Osterweiterung der Europäischen Union, 2008, S. 41.
[313]  Vgl. *Nettesheim*, in: Oppermann/Classen/Nettesheim, Europarecht, 8. Aufl. 2018, § 42 Rn. 15 ff.; ausführlich zu den gesamten Kopenhagener Beitrittsdokumenten der EU siehe *Kochenov*, EU Enlargement and the Failure of Conditionality, 2008, S. 67 ff.
[314]  *Slavu*, Die Osterweiterung der Europäischen Union, 2008, S. 42; vgl. zu den Fortschritten der westlichen Balkanländer und der Türkei im Hinblick auf einen EU-Beitritt, https://ec.europa.eu/neighbourhood-enlargement/countries/package_en (zuletzt abgerufen: 31.01.2021 um 10:49 Uhr).
[315]  *Slavu*, Die Osterweiterung der Europäischen Union, 2008, S. 42.

Damit äußert sich die Kommission regelmäßig zum aktuellen Stand der Entwicklung des Beitrittsprozesses und unterbreitet auf Grundlage dieser Einschätzungen konkrete Empfehlungen über das weitere Vorgehen mit dem Bewerberstaat.[316] Hierdurch kann eine Anpassung in der Erweiterungsstrategie und in den Prioritäten der Beitrittspartnerschaft vom Rat erfolgen. Da der Rat in der Praxis diesen Einschätzungen der Kommission in seinen Kernpunkten generell folgt, kommt dieser eine, wenn nicht sogar die bedeutende Schlüsselrolle im Beitrittsverfahren zu.[317]

Das Monitoring und die Berichterstattung dürfen nicht nur als Diktat der Kommission und damit als Diktat von Brüssel gegenüber den Bewerberkandidaten verstanden werden. Im Wege der Fortschrittsberichte wird vielmehr auch den Ländern die Möglichkeit gegeben, ein wertvolles Feedback zum Beitrittsprozess zu erhalten und zugleich signalisiert, für welche Bereiche es weiterer wichtiger Anstrengung und Anpassung zur Erreichung der Werte bedarf.

## 2.  Die Struktur der Werte-Analyse

Die Fortschrittsberichte, Stellungnahmen und Beitrittspartnerschaften zu den Bewerberstaaten haben mit deren Herausbildung seit Erlass der *Kopenhagener Kriterien* im Jahre 1993 eine Vielzahl an Kommissionsdokumenten hervorgebracht. So könnte sich zunächst der Eindruck eines kaum überschaubaren und nachvollziehbaren Chaos des Erweiterungsprozesses aufdrängen.[318]

Bei genauerer Analyse der Kommissionsdokumente lässt sich jedoch aufgrund des meist identischen Aufbaus eine gewisse Struktur erkennen.[319] Die Berichte der Kommission bei der Prüfung der Anpassungsfortschritte, der Festlegung der Prioritäten im Reformprozess und in den Beitrittspartnerschaften orientieren sich an den bereits bekannten *Kopenhagener Kriterien* und sind somit wie diese auch dreigliedrig aufgebaut.[320] Neben den politischen und wirtschaftlichen Kriterien wird stets auch nach Acquis-Kriterien untergliedert.[321] Die an erster Stelle stehenden politischen Kriterien – als Äquivalent für die Werte der Union – sind ihrerseits in die Untergruppen Demokratie und Rechtsstaatlichkeit, Menschenrechte, regionale Fragen und den sonstigen Verpflichtungen aus den

---

[316]  *Ludwig*, Die Rechtsstaatlichkeit in der Erweiterungs-, Entwicklungs- und Nachbarschaftspolitik der Europäischen Union, 2011, S. 80.

[317]  *Kochenov*, EU Enlargement and the Failure of Conditionality, 2008, S. 58.

[318]  *Maresceau*, in: Maresceau/Lannon, The EU's Enlargement and Mediterranean Strategies, 2001, S. 3 (4); *Kochenov*, EU Enlargement and the Failure of Conditionality, 2008, S. 67; *Ludwig*, Die Rechtsstaatlichkeit in der Erweiterungs-, Entwicklungs- und Nachbarschaftspolitik der Europäischen Union, 2011, S. 81 f.

[319]  *Maresceau*, in: Maresceau/Lannon, The EU's Enlargement and Mediterranean Strategies, 2001, S. 3 (15); *Kochenov*, EU Enlargement and the Failure of Conditionality, 2008, S. 77 f.; *Ludwig*, Die Rechtsstaatlichkeit in der Erweiterungs-, Entwicklungs- und Nachbarschaftspolitik der Europäischen Union, 2011, S. 82.

[320]  Vgl. Europäische Kommission, 17.04.2018, zu Albanien, MEMO/18/3403, zu Bosnien und Herzegowina, MEMO/18/3408, zu Kosovo, MEMO/18/3404, zu Mazedonien, MEMO/18/3405, zu Montenegro, MEMO/18/3409, zu Serbien, MEMO/18/3406, zu Türkei, MEMO/18/3407.

[321]  So bereits *Kochenov*, EU Enlargement and the Failure of Conditionality, 2008, S. 77 f.; *Ludwig*, Die Rechtsstaatlichkeit in der Erweiterungs-, Entwicklungs- und Nachbarschaftspolitik der Europäischen Union, 2011, S. 81 f.

Schlussfolgerungen des Rates vom 29.04.1997 aufgefächert.[322] Die Kommission unterscheidet bei der Untergruppe Demokratie und Rechtsstaatlichkeit in ihrer Analyse weitergehend zwischen den drei Teilaspekten Legislative, Exekutive und Judikative.[323] Ergänzt wurde die Analyse später um den Teilaspekt der Antikorruptionsmaßnahmen. Entscheidend für die präventive Sicherung der Werte sind demnach die politischen Kriterien, wobei hier insbesondere die Aspekte im Rahmen von Demokratie und Rechtsstaatlichkeit, Menschenrechte und Minderheitenschutz überprüft und beurteilt werden.

## 3.  Die zentralen Aspekte bei der Analyse der Werteangleichung

Um den Bewertungsprozess hinsichtlich der Sicherung der Werte der Union anschaulich darstellen zu können, werden im Folgenden die wichtigsten Aspekte der Untersuchungsmaterie der Kommission im Rahmen der Beurteilung der Beitrittsanträge, Fortschritts- und Abschlussberichte der Länder Kroatiens, Polens und Ungarns dargelegt. Hierbei betont die Kommission, dass sich ihre Analyse nicht auf eine rein formale Darstellung beschränke, sondern vielmehr den Versuch darstelle, eine Einschätzung der tatsächlichen Funktionsfähigkeit von Demokratie und Rechtsstaatlichkeit zu geben.[324] Die Gewährleistung der *„institutionelle[n] Stabilität als Garantie für demokratische und rechtsstaatliche Ordnung, für die Wahrung der Menschenrechte sowie die Achtung und den Schutz von Minderheiten"*[325] des Bewerberkandidaten wird gestützt auf die für die Beurteilung der für die Werte relevanten Untersuchungsergebnisse zu Demokratie und Rechtsstaatlichkeit, Menschenrechte und Minderheitenschutz. Dabei untergliedert die Kommission den Oberpunkt Demokratie und Rechtsstaatlichkeit in die Unterpunkte Parlament, Exekutive, Judikative und Antikorruptionsmaßnahmen.[326] Die Darstellung beschränkt sich hierbei auf die Ausführungen der Kommission zu den politischen Kriterien.

---

[322]  *Maresceau*, in: Maresceau/Lannon, The EU's Enlargement and Mediterranean Strategies, 2001, S. 3 (15); *Ludwig,* Die Rechtsstaatlichkeit in der Erweiterungs-, Entwicklungs- und Nachbarschaftspolitik der Europäischen Union, 2011, S. 82; vgl. hierzu Zusammenfassung der Beitrittspartnerschaft mit der Türkei, https:// eur-lex.europa.eu/legal-content/DE/TXT/?uri=LEGISSUM%3Ae40111 (zuletzt abgerufen: 31.01.2021 um 13:49 Uhr).

[323]  *Kochenov,* EU Enlargement and the Failure of Conditionality, 2008, S. 86; *Ludwig,* Die Rechtsstaatlichkeit in der Erweiterungs-, Entwicklungs- und Nachbarschaftspolitik der Europäischen Union, 2011, S. 82 f.; vgl. EUR-Lex, Beitrittspartnerschaft v. 29.05.2008, https://eur-lex.europa.eu/legal-content/DE/TXT/?uri= LEGISSUM%3Ae40111 (zuletzt abgerufen: 31.01.2021 um 13:55 Uhr).

[324]  KOM (2004) 257 endg., 20.04.2004, S. 14.

[325]  Europäischer Rat von Kopenhagen, SN 180/1/93, v. 21./22.06.1993, S. 13.

[326]  Daneben finden sich in den einzelnen Kapiteln der Stellungnahmen Anknüpfungspunkte an die Werte, wie im Rahmen der Freizügigkeit (Kapitel 2), der Dienstleistungsfreiheit (Kapitel 3) sowie der Justiz und Inneres (Kapitel 24), die jedoch keine originäre Werteanalyse darstellen.

## a.   Parlament[327]

Bei der Beurteilung der Legislative legt die Kommission ein besonderes Augenmerk auf die Funktion, den Ablauf und die Arbeitsweise des Parlamentssystems. Hierbei prüft sie, wie im Einzelnen das parlamentarische System ausgestaltet ist und ob dieses über ein ordnungsgemäß ablaufendes Mehrparteiensystem verfügt. Dabei wird neben der Begutachtung der Gründung und transparenten Finanzierung von Parteien insbesondere das System der parlamentarischen Ausschüsse beleuchtet. Ferner wendet sich die Kommission der Funktionsfähigkeit der parlamentarischen Opposition, dem Minderheitenschutz sowie der Frage parlamentarischer Immunität der Abgeordneten und der Offenlegung ihrer Einkünfte zu. Die Kommission untersucht zudem die ordnungsgemäße Arbeitsweise des Parlaments dahingehend, ob die letzten Wahlen im Land frei und gerecht abgelaufen sind und damit demokratischen und rechtsstaatlichen Grundsätzen genügen.

## b.   Exekutive[328]

Bei der Überprüfung der Exekutive des jeweiligen Staates wendet sich die Kommission der organisatorischen Ausgestaltung der öffentlichen Verwaltung zu. Hierbei wird der Aufbau analysiert und dabei insbesondere die Ernennung von Ministern, die parlamentarische Kontrolle der Regierung, die autonomen regulatorischen Befugnisse der Regierung als auch die Organisation der kommunalen und regionalen Selbstverwaltung begutachtet. Entscheidend für eine effektive Verwaltung erscheint in den Augen der Kommission vor allem das Bestehen einer funktionierenden kommunalen Selbstverwaltung. Hierbei untersucht die Kommission, ob diese verfassungsrechtlich verankert, effizient, transparent, unabhängig und mit eigenen finanziellen Mitteln sowie Zuständigkeiten ausgestattet ist.

Ein weiterer wichtiger Punkt, auf den die Kommission ihren Fokus legt, ist der Sicherheitsapparat der Länder. Vor dem Hintergrund der Stabilität zukünftiger Mitgliedstaaten sowie rechtsstaatlicher und demokratischer Gesichtspunkte stellt die Überwachung der ordnungsgemäßen Arbeitsweise durch ein funktionierendes Kontrollsystem eine unabdingbare Voraussetzung des Bewerberstaates dar. Neben dem Armee- und Polizeiapparat

---

[327]   Polen: Vgl. DOC/97/16, 15.07.1997, S. 13 f.; KOM (98) 701 endg., 17.12.1998, S. 9; Poland – Regular Report – 13/10/99, S. 12 f.; KOM (2000) 709 endg., 08.11.2000, S. 15; SEK (2001) 1752, 13.11.2001, S. 16; SEK (2002) 1408, 09.10.2002, S. 21 f.; SEK (2003) 1207, 05.11.2003, S. 13 f.; Ungarn: vgl. KOM (98) 700 endg., 17.12.1998, S. 8; KOM (99) 505 endg., 13.10.1999, S. 11; KOM (2000) 705 endg., 08.11.2000, S. 13; SEK (2001) 1748, 13.11.2001, S. 15; SEK (2002) 1404, 09.10.2002, S. 20; SEK (2003) 1205, 05.11.2003, S. 13 f.; Kroatien: vgl. KOM (2004) 257 endg., 20.04.2004, S. 15 f.; SEK (2005) 1424, 09.11.2005, S. 11; SEK (2007) 1431, 06.11.2007, S. 7; SEK (2009) 1333, 14.10.2009, S. 7; SEK (2011) 1200 endg., 12.10.2011, S. 5; vgl. KOM (2013) 171 endg., 26.03.2013.

[328]   Polen: Vgl. DOC/97/16, 15.07.1997, S. 14 ff.; KOM (98) 701 endg., 17.12.1998, S. 9 f.; Poland – Regular Report – 13/10/99, S. 13 f.; KOM (2000) 709 endg., 08.11.2000, S. 15 f.; SEK (2001) 1752, 13.11.2001, S. 17 ff.; SEK (2002) 1408, 09.10.2002, S. 22 ff.; SEK (2003) 1207, 05.11.2003, S. 13 f.; Ungarn: vgl. KOM (98) 700 endg., 17.12.1998, S. 8; KOM (99) 505 endg., 13.10.1999, S. 11 f.; KOM (2000) 705 endg., 08.11.2000, S. 14 f.; SEK (2001) 1748, 13.11.2001, S. 15 f.; SEK (2002) 1404, 09.10.2002, S. 20 ff.; SEK (2003) 1205, 05.11.2003, S. 13 f.; Kroatien: vgl. KOM (2004) 257 endg., 20.04.2004, S. 17 ff.; SEK (2005) 1424, 09.11.2005, S. 12 ff.; SEK (2007) 1431, 06.11.2007, S. 8 f.; SEK (2009) 1333, 14.10.2009, S. 7 f.; SEK (2011) 1200 endg., 12.10.2011, S. 5 f.; KOM (2013) 171 endg., 26.03.2013.

sind auch die Geheimdienste erfasst. Diese bedürfen einer zivilen Kontrolle und damit der Bindung an Recht und Gesetz.

Daneben überprüft die Kommission die Ausgestaltung des öffentlichen Dienstes. Hierbei befasst sie sich mit dem gesetzlichen Regelungsapparat in Bezug auf Ausstattung, Finanzierung, Besoldungssystem, den Rechten und Pflichten öffentlicher Bediensteter, den Zuständigkeiten und dem Status der im öffentlichen Bereich tätigen Personen. Zudem kontrolliert sie die Beförderung, Mobilität, Auswahl-, Einstellungs- und Weiterbildungsverfahren, Dienstregeln und Disziplinarmaßnahmen, das Bestehen zentraler Beamtenausbildungsstätten sowie den Ausbau der kommunalen Selbstverwaltung.

## c.  Judikative[329]

Bei der Beurteilung der Justiz analysiert die Kommission zunächst deren Aufbau und Funktionalität. Hierbei wird die Verfassung hinsichtlich der Garantie der Unabhängigkeit der Justiz sowie der Immunität der Richter untersucht. Des Weiteren wird deren Ausgestaltung in Bezug auf Richter, Staatsanwälte, Gerichtsassessoren und Verwaltungsbeamte analysiert. Der Justizapparat der Länder wird von der Kommission insbesondere hinsichtlich seiner Infrastruktur, Ausrüstung sowie deren Umstellung auf elektronische Datenverarbeitung begutachtet. Daneben legt sie ein besonderes Augenmerk auf die Aus- und Fortbildung durch Schulungszentren für Richter und Justizbeamte. In diesem Zusammenhang beleuchtet die Kommission auch die Transparenz der nationalen Einstellungs- und Beförderungsvorschriften.

Bei der Bewertung der Arbeitsweise des Justizwesens steht deren Unabhängigkeit und Effizienz im Vordergrund. Um rechtsstaatlichen Grundsätzen zu genügen, betont die Kommission deren besondere Bedeutung für das Justizwesen. Neben der Unabhängigkeit kommt es entscheidend auch auf deren effektive und effiziente und damit praktisch wirksame Arbeitsweise an. Hierbei gilt es Verfahrensrückstau, langwierige Urteilsfindung und unzureichende Vollstreckung zu analysieren und abzuschaffen. Die Kommission sieht hierbei die Ursache einer Überlastung im Fehlen eines ausreichend qualifizierten Personals aufgrund der Unzulänglichkeit bei der Richterauswahl und der Richterausbildung begründet. Auch liege die Ursache in einer mangelhaften Infrastruktur sowie Arbeitsabläufen und einer unzureichenden Besoldung.

---

[329]  Polen: Vgl. DOC/97/16, 15.07.1997, S. 16 f.; KOM (98) 701 endg., 17.12.1998, S. 10 f.; Poland – Regular Report – 13/10/99, S. 14 f.; KOM (2000) 709 endg., 08.11.2000, S. 17 f.; SEK (2001) 1752, 13.11.2001, S. 19 ff.; SEK (2002) 1408, 09.10.2002, S. 24 ff.; SEK (2003) 1207, 05.11.2003, S. 14 ff.; Ungarn: vgl. KOM (98) 700 endg., 17.12.1998, S. 8 f.; KOM (99) 505 endg., 13.10.1999, S. 12; KOM (2000) 705 endg., 08.11.2000, S. 15 f.; SEK (2001) 1748, 13.11.2001, S. 16 ff.; SEK (2002) 1404, 09.10.2002, S. 22 ff.; SEK (2003) 1205, 05.11.2003, S. 14 f.; Kroatien: vgl. KOM (2004) 257 endg., 20.04.2004, S. 20 ff.; SEK (2005) 1424, 09.11.2005, S. 14 ff.; SEK (2007) 1431, 06.11.2007, S. 9 f.; SEK (2009) 1333, 14.10.2009, S. 9 f.; SEK (2011) 1200 endg., 12.10.2011, S. 6 f.; KOM (2013) 171 endg., 26.03.2013, S. 3 ff.

## d.    Antikorruptionsmaßnahmen[330]

Für die Beurteilung der Antikorruptionsmaßnahmen betrachtet die Kommission neben den rechtlichen Grundlagen auch den Bestand und Ausbau der nationalen Einrichtungen sowie die präventiven und repressiven Maßnahmen des Landes. Insoweit fordert die Kommission für die Erlangung des europäischen Standards neben dem Beitritt zu den einschlägigen internationalen Abkommen gegen Korruption, wie der OECD Anti-Bribery Convention, GRECO – Council of Europe Group of States against Corruption, die Schaffung und Ergänzung wirksamer nationaler Regelungen und deren tatsächliche praktische Anwendung. Dabei ist es für die Kommission von zentraler Bedeutung, dass Korruption in den Ländern überhaupt als Problem, sowohl gesellschaftlich als auch politisch, erkannt wird, um deren Bekämpfung anzugehen. Hierbei sieht die Kommission eine Sensibilisierung im öffentlichen Auftragswesen und bei öffentlichen Unternehmen als notwendig an, damit eine Anpassung an das Werteniveau der Union vollzogen werden kann. Insoweit bedarf es einer breiten Öffentlichkeitsarbeit für Antikorruptionsmaßnahmen. Neben der Schaffung eines entsprechenden Bewusstseins legt die Kommission auch ein besonderes Augenmerk auf die Kriminalisierung von Korruption. Sie untersucht dahingehend die nationalen Regelungen und staatlichen Einrichtungen, die mit dieser Aufgabe betraut sind. Dabei kontrolliert sie, inwieweit die Schaffung von neuen Antikorruptionsbehörden und ein Ausbau bei der Polizei notwendig ist. Daneben prüft sie aber auch die Umsetzung der Antikorruptionsgesetze, die neben vorbeugenden Antikorruptionskampagnen auch durch Anklagen und Verurteilungen effektiv erfolgen müssen. Dabei kommt der Justiz wiederum eine wichtige Rolle zu, die durch Strafverfolgung und durch ein ausreichendes Strafmaß bei der Verurteilung eine wirksame und abschreckende Wirkung herbeiführt.

## e.    Menschenrechte und Minderheitenschutz[331]

Beim Menschenrechtsschutz legt die Kommission besonderen Wert auf die verfassungsrechtliche Garantie von Grundrechten, deren wirksame Ausgestaltung und Anwendung. Ferner kontrolliert sie die Eingliederung des Bewerberstaates in internationale Übereinkommen, wie die Menschenrechtskonvention mitsamt den Zusatzprotokollen, das Euro-

---

[330]    Polen: Vgl. KOM (98) 701 endg., 17.12.1998, S. 11; Poland – Regular Report – 13/10/99, S. 15; KOM (2000) 709 endg., 08.11.2000, S. 18; SEK (2001) 1752, 13.11.2001, S. 21; SEK (2002) 1408, 9.10.2002, S. 26 f.; SEK (2003) 1207, 05.11.2003, S. 16 f.; Ungarn: vgl. KOM (98) 700 endg., 17.12.1998, S. 9.; KOM (99) 505 endg., 13.10.1999, S. 12 f.; KOM (2000) 705 endg., 08.11.2000, S. 16 f.; SEK (2001) 1748, 13.11.2001, S. 18 f.; SEK (2002) 1404, 09.10.2002, S. 25 f.; SEK (2003) 1205, 05.11.2003, S. 15 ff.; Kroatien: Vgl. KOM (2004) 257 endg., 20.04.2004, S. 23 f.; SEK (2005) 1424, 09.11.2005, S. 16 f.; KOM (2007) 663 endg., 06.11.2007, S. 37; SEK (2009) 1333, 14.10.2009, S. 10 f.; SEK (2011) 1200 endg., 12.10.2011, S. 7 f.; KOM (2013) 171 endg., 26.03.2013, S. 7 ff.

[331]    Polen: Vgl. DOC/97/16, 15.07.1997, S. 17 ff.; KOM (98) 701 endg., 17.12.1998, S. 11 ff.; Poland – Regular Report – 13/10/99, S. 15 ff.; KOM (2000) 709 endg., 08.11.2000, S. 19 ff.; SEK (2001) 1752, 13.11.2001, S. 21 ff.; SEK (2002) 1408, 09.10.2002, S. 28 ff.; SEK (2003) 1207, 05.11.2003; Ungarn: vgl. KOM (98) 700 endg., 17.12.1998, S. 9 ff.; KOM (99) 505 endg., 13.10.1999, S. 13 ff.; KOM (2000) 705 endg., 08.11.2000, S. 17 ff.; SEK (2001) 1748, 13.11.2001, S. 19 ff.; SEK (2002) 1404, 09.10.2002, S. 27 ff.; SEK (2003) 1205, 05.11.2003; Kroatien: vgl. KOM (2004) 257 endg., 20.04.2004, S. 24 ff.; SEK (2005) 1424, 09.11.2005, S. 17 ff.; KOM (2007) 663 endg., 06.11.2007, S. 37 f.; SEK (2009) 1333, 14.10.2009, S. 11 ff.; SEK (2011) 1200 endg., 12.10.2011, S. 8 ff.; KOM (2013) 171 endg., 26.03.2013, S. 9 ff.

paratsübereinkommen über die Verhinderung von Folter sowie die Europäische Sozialcharta.

Elementare bürgerliche und politische Rechte sieht sie hierbei in dem Recht auf Zugang zur Justiz, dem Verbot der Todesstrafe sowie unmenschlicher und entwürdigender
Behandlung und Zwangsarbeit, dem Verbot der willkürlichen Freiheitsentziehung und der
Untersagung jeder Form der Diskriminierung, dem Wahlrecht, der Koalitions- und Ver-
sammlungsfreiheit, der Meinungsfreiheit, der Presse- und Medienfreiheit, dem Schutz des
Eigentums und der Privatsphäre sowie dem Recht auf Asyl. Daneben müssen Bewerberstaaten auch wirtschaftliche, soziale und kulturelle Rechte in Form der Garantie unter-
nehmerischer und marktwirtschaftlicher Freiheit, des Rechts auf freie Arbeit und Zugang
zu Beschäftigungen, Sozialleistungen wie garantierte Gesundheitsversorgung, in Form des
besonderen Schutzes der Familie, der Gründung von Gewerkschaften, des Streikrechts,
der Religionsfreiheit, der Trennung von Staat und Kirche, des unentgeltlichen Grund-
schulunterrichts, freien Zugangs zur Hochschule und gleichgeschlechtlichen Beziehungen
gewährleisten.

Ein weiteres Augenmerk legt die Kommission auf die Rechte von Frauen und Kindern.
Hier kommt es ihr vor allem auf die praktische Umsetzung der Gleichstellung der Ge-
schlechter an. Bezüglich der Rechte von Kindern überprüft die Kommission die Übernahme der UN-Kinderrechtskonvention sowie die Einführung internationaler Standards.
Daneben untersucht sie den Ausbau und die Bildung im Sektor Kindererziehung sowie
öffentliche Maßnahmen gegen die Diskriminierung der Kinder von Minderheiten.

Hinsichtlich der Minderheiten kontrolliert die Kommission die Eingliederung und
Umsetzung völkerrechtlicher Übereinkommen. Sie begutachtet die Integration von Minderheiten in die Gesellschaft, deren Gesundheits- und Wohnungssituation, den Zugang
zum Gesundheitssystem und Arbeitsmarkt, die Chancen auf Bildung und Beschäftigung
in der öffentlichen Verwaltung sowie deren ausreichende Vertretung auf lokaler Ebene.

## 4.  Aussetzung und Abbruch des Verfahrens bei Verstoß gegen die Werte

Haben die Bewerberländer die erste Hürde genommen und sind als Beitrittskandidaten in
die Verhandlungen mit der Union eingetreten, garantiert dieser Schritt nicht zwangsläufig
neben der Einhaltung der Werte auch den endgültigen Beitritt und somit eine Mitgliedschaft in der EU. Der Beschluss des Rates zur Eröffnung der Beitrittsverhandlungen führt
zu keinerlei Bindung gegenüber dem Bewerberstaat.[332] Die Verhandlungen können hingegen jederzeit zunächst einmal suspendiert werden. Das Suspendieren der Beitrittsverhandlungen bewirkt, dass über noch offene Verhandlungskapitel mit dem Kandidatenland
nicht weiter beraten wird und auch keine weiteren Kapitel eröffnet werden.[333] Eine Sus-

---

[332]  *Meng*, in: v. d. Groeben/Schwarze/Hatje, Europäisches Unionsrecht, 7. Aufl. 2015, Art. 49 EUV Rn. 27; vgl.
auch *Ohler*, in: Grabitz/Hilf/Nettesheim, Das Recht der Europäischen Union, 62. EL 2017, Art. 49 EUV
Rn. 23.

[333]  Das Einfrieren der Beitrittsgespräche, wie es im November 2016 gegenüber der Türkei vom EU-Parlament
gefordert wurde, ist kein formal vorgesehener Prozessschritt, sondern vielmehr ist dessen Bedeutungsinhalt
vom EU-Parlament ausgehandelt worden. In Reaktion auf die Verhaftungswellen in der Türkei nach dem
vermeintlichen Putschversuch und der möglichen Wiedereinführung der Todesstrafe hat sich das EU-

pendierung der Verhandlungen ist jedoch nur möglich, wenn der Beitrittskandidat schwerwiegend und fortdauernd gegen die Werte verstößt.[334] Auch hier zeigt sich wiederholt die besondere Bedeutung der Werte. Dieses Vorgehen ist dennoch kein formal vorgesehener Prozessschritt im Verhandlungsgang und findet demnach auch keine ausdrückliche Rechtsgrundlage in Art. 49 EUV.[335] Vielmehr findet die Suspendierung eine Rückanknüpfung im allgemeinen Verhandlungsrahmen und wird auch in den Leitlinien zu den Beitrittsverhandlungen ausdrücklich erwähnt. Für einen primärrechtlichen Anknüpfungspunkt gibt es mangels eines Anspruchs des Kandidatenlandes auf Beitritt auch keine Notwendigkeit.[336] Dennoch lässt sich dies auch durch die Systematik der repressiven Sicherungsmechanismen nach Art. 7 EUV und Art. 258 f. AEUV stützen.

Neben der Suspendierung besteht ferner als *ultima ratio* die Möglichkeit des endgültigen Abbruchs der Verhandlungen.[337] Sowohl die Suspendierung als auch der Abbruch der Verhandlungen ergehen auf Vorschlag der Kommission und bedürfen der Entscheidung des Rates, der mit qualifizierter Mehrheit beschließt.[338] Weder der Abbruch noch die Suspendierung führen zu einem Verstoß gegen Treu und Glauben nach dem allgemeinen Völkerrecht sowie dem *Estoppel*-Prinzip,[339] wenn der Bewerberstaat selbst die Ursache für den Wegfall der Grundlage bewirkt hat.[340] Schadensersatzpflichten können hierdurch nicht entstehen.[341]

## IV. Die eingeschränkte Kontrollkompetenz des EuGH

Die in Art. 49 EUV primärrechtlich kodifizierten Beitrittskriterien stellen geltendes EU-Recht dar.[342] Zwar kann ihnen eine politisch-programmatische Qualität nicht abgesprochen werden. Dennoch bilden sie wie erörtert nicht reine Programmsätze,[343] sondern enthalten eine klare objektive Rechtspflicht gegenüber den EU-Organen und EU-Mitgliedstaaten, aus denen wiederum konkrete Bindungen erwachsen können.[344] Nichts

---

Parlament gegen die Fortführung weiterer Beitrittsgespräche ausgesprochen. Dieser Beschluss hat keine Bindungswirkung für die EU-Kommission oder die Mitgliedstaaten, jedoch gleichzeitig hohe Symbolkraft. Im Unterschied zum Einfrieren der Gespräche bedarf die Suspendierung einen einstimmigen Beschluss der Mitgliedstaaten für die Wiederaufnahme der Beitrittsverhandlungen.

[334]  *Ohler*, in: Grabitz/Hilf/Nettesheim, Das Recht der Europäischen Union, 62. EL 2017, Art. 49 EUV Rn. 33.

[335]  *Ohler*, in: Grabitz/Hilf/Nettesheim, Das Recht der Europäischen Union, 62. EL 2017, Art. 49 EUV Rn. 33.

[336]  So bereits *Ohler*, in: Grabitz/Hilf/Nettesheim, Das Recht der Europäischen Union, 62. EL 2017, Art. 49 EUV Rn. 33.

[337]  *Meng*, in: v. d. Groeben/Schwarze/Hatje, Europäisches Unionsrecht, 7. Aufl. 2015, Art. 49 EUV Rn. 27; *Ohler*, in: Grabitz/Hilf/Nettesheim, Das Recht der Europäischen Union, 62. EL 2017, Art. 49 EUV Rn. 33.

[338]  *Meng*, in: v. d. Groeben/Schwarze/Hatje, Europäisches Unionsrecht, 7. Aufl. 2015, Art. 49 EUV Rn. 27; *Ohler*, in: Grabitz/Hilf/Nettesheim, Das Recht der Europäischen Union, 62. EL 2017, Art. 49 EUV Rn. 33.

[339]  *Friede*, ZaöRV 1935, 517 ff.

[340]  *Ohler*, in: Grabitz/Hilf/Nettesheim, Das Recht der Europäischen Union, 62. EL 2017, Art. 49 EUV Rn. 33.

[341]  *Pechstein*, in: Streinz, EUV/AEUV, 3. Aufl. 2018, Art. 49 EUV Rn. 2.

[342]  *Šarčević*, EuR 2002, 461 (472 f.).

[343]  *Šarčević*, EuR 2002, 461 (472 f.).

[344]  *Zeh*, Recht auf Beitritt?, 2002, S. 32 ff.; *Pechstein/Koenig*, Die Europäische Union, 3. Aufl. 2000, Rn. 424; *Ohler*, in: Grabitz/Hilf/Nettesheim, Das Recht der Europäischen Union, 62. EL 2017, Art. 49 EUV Rn. 59.

anderes gilt in Bezug auf die ungeschriebenen Voraussetzungen der subsumtionsfähigen *Kopenhagener Kriterien*, da diese als ergänzende Normierung der kodifizierten Tatbestände zum Zweck der Bewahrung der Homogenität der Union aus der Gesamtsystematik der Verträge abgeleitet sind.[345] Im Rahmen der Erfüllung der Beitrittsbedingungen stellt sich daher die Frage, ob dem Gerichtshof eine Kontrollbefugnis in Bezug auf die Beitrittsbedingungen und die Entscheidung zur Aufnahme eines neuen Mitgliedstaates zukommt. Neben der Kontrolle der formalen Voraussetzungen ist insbesondere der Blick auf die Sicherung der Werte und damit die materiellen Voraussetzungen des Art. 49 Abs. 1 S. 1 EUV zu richten.

Die gerichtliche Kontrolle der formalen Voraussetzungen des Beitrittsverfahrens kann im Wege der Klageverfahren des AEU-Vertrages erfolgen.[346] Steht demnach die tatsächliche Berücksichtigung der Kommission bzw. des Europäischen Parlaments in Frage, kann dies durch das Vertragsverletzungsverfahren gem. Art. 258 AEUV zur Klärung vor den EuGH gebracht werden.[347] Fehlt es dagegen bei dem Beschluss des Rates nach Art. 49 Abs. 1 EUV an der formgerechten Beteiligung des Parlaments, ist auch eine Rüge im Wege der Nichtigkeitsklage nach Art. 263 AEUV möglich.[348] Entscheidend ist, dass hier nur die rechtlich verbindlichen Maßnahmen der Organe als Anknüpfungspunkt für eine Jurisdiktion in Betracht kommen.[349] Der Beitrittsvertrag selbst scheidet als Klagegegenstand aus. Das Beitrittsabkommen bzw. die Unterzeichnung durch die Vertragsstaaten untersteht als Akt des Primärrechts nicht einer Gültigkeitsprüfung und damit nur eingeschränkt der Jurisdiktionsgewalt des EuGH.[350]

Im Rahmen der Sicherung der Werte ist dagegen vielmehr die Frage entscheidend, ob die materiell-rechtlichen Anforderungen für einen Beitritt durch die Organe eingehalten werden. Eine unzureichende Beachtung der in Art. 49 Abs. 1 EUV kodifizierten und in Bezug genommenen Beitrittsanforderungen könnte unproblematisch vor dem EuGH gerügt werden, wenn sich die Rüge auch hier gegen die Handlungen von Unionsorganen richtet und nicht gegen die Missachtung der Beitrittsvoraussetzungen des geschlossenen

---

[345] *Šarčević*, EuR 2002, 461 (473); vgl. *Bruha/Vogt*, VRÜ 1997, 477 (492).

[346] *Hillion*, ELRev. 2004, 583 (587); *Herrnfeld*, in: Schwarze, EU-Kommentar, 4. Aufl. 2019, Art. 49 EUV Rn. 16; *Meng*, in: v. d. Groeben/Schwarze/Hatje, Europäisches Unionsrecht, 7. Aufl. 2015, Art. 49 EUV Rn. 37; *Pechstein*, in: Streinz, EUV/AEUV, 3. Aufl. 2018, Art. 49 EUV Rn. 15; *Pechstein*, in: Hatje/Müller-Graff, EnzEuR Bd. 1, 2014, § 15 Rn. 19.

[347] *Herrnfeld*, in: Schwarze, EU-Kommentar, 4. Aufl. 2019, Art. 49 EUV Rn. 16; *Pechstein*, in: Hatje/Müller-Graff, EnzEuR Bd. 1, 2014, § 15 Rn. 19; *Terhechte*, in: Pechstein/Nowak/Häde, Frankfurter Kommentar, 2017, Art. 49 EUV Rn. 35; kritisch dagegen *Pechstein*, in: Streinz, EUV/AEUV, 3. Aufl. 2018, Art. 49 EUV Rn. 15.

[348] *Bruha/Vogt*, VRÜ 1997, 477 (491 f.); *Herrnfeld*, in: Schwarze, EU-Kommentar, 4. Aufl. 2019, Art. 49 EUV Rn. 16; *Ohler*, in: Grabitz/Hilf/Nettesheim, Das Recht der Europäischen Union, 62. EL. 2017, Art. 49 EUV Rn. 28; *Meng*, in: v. d. Groeben/Schwarze/Hatje, Europäisches Unionsrecht, 7. Aufl. 2015, Art. 49 EUV Rn. 37.

[349] *Ohler*, in: Grabitz/Hilf/Nettesheim, Das Recht der Europäischen Union, 62. EL. 2017, Art. 49 EUV Rn. 28.

[350] *Meng*, in: v. d. Groeben/Schwarze/Hatje, Europäisches Unionsrecht, 7. Aufl. 2015, Art. 49 EUV Rn. 37; *Herrnfeld*, in: Schwarze, EU-Kommentar, 4. Aufl. 2019, Art. 49 EUV Rn. 16; *Pechstein*, in: Streinz, EUV/AEUV, 3. Aufl. 2018, Art. 49 EUV Rn. 15; *Ohler*, in: Grabitz/Hilf/Nettesheim, Das Recht der Europäischen Union, 62. EL. 2017, Art. 49 EUV Rn. 28; *Hillion*, ELRev. 2004, 583 (587).

Beitrittsvertrages.[351] Problematisch an einer Entscheidung des Gerichtshofs über die ausreichende Erfüllung der Beitrittskriterien nach Art. 49 Abs. 1 S. 1 EUV i.V.m. Art. 2 S. 1 EUV durch die Unionsorgane und Mitgliedstaaten ist letztlich die Tatsache, dass es sich hierbei um eine Frage der politischen Bewertung handelt.[352] Die Mitgliedstaaten und die Unionsorgane verfügen bei der Beurteilung der Einhaltung der Werte sowie der *Kopenhagener Kriterien* über einen Ermessensspielraum, weshalb eine Überprüfung und Bewertung durch den EuGH schwerlich in Betracht zu ziehen ist.[353] Eine Beurteilung der abstrakten Kriterien vor dem Beitritt eines neuen Staates im Wege eines Vorabentscheidungsverfahrens nach Art. 267 AEUV aus der *ex-ante* Perspektive hat der EuGH abgelehnt.[354] Es gehört gerade nicht zur Aufgabe des Gerichtshofs, vor Beitritt eines Staates zu etwaigen materiellen Anforderungen im Beitrittsverfahren Stellung zu beziehen.[355] Eine *ex-post*-Kontrolle der Einhaltung der materiellen Anforderungen durch die Organe ist nicht ausgeschlossen. Es spricht jedoch vieles dafür, dass der EuGH dies nur bei offenkundigen und schwerwiegenden Überschreitungen des Ermessensspielraums in Betracht zieht.[356]

Damit erweist sich die Kontrolle der Einhaltung der Beitrittsvoraussetzungen durch den Gerichtshof sowohl in formeller als auch in materieller Hinsicht als problematisch und kaum justiziabel. Die praktische Bedeutung dieser Überlegung, dass offensichtliche und schwerwiegende Verstöße der Anforderungen des Art. 2 S. 1 EUV durch die Unionsorgane einer gerichtlichen Kontrolle durch den EuGH unterzogen werden können, wird auch dadurch geschmälert, dass dies nur vor dem Inkrafttreten des Beitrittsvertrages möglich ist.[357] Mit Ratifikation des Beitrittsvertrages unterliegen die einzelnen Bestimmungen der Aufnahmebedingungen, ähnlich dem Primärrecht, nur noch in Bezug auf deren Auslegung der Kontrolle des EuGH. Die Entscheidung über die Gültigkeit bzw. Nichtigkeit der Bestimmungen des Beitrittsvertrages ist dem Gerichtshof daraufhin entzogen.[358] Damit zeigt sich ein stark eingeschränktes Kontrollrecht des Gerichtshofs im Rahmen der Wertesicherung, womit erneut der politische Charakter des Beitrittsverfahrens zu Tage tritt.

---

[351]   *Herrnfeld*, in: Schwarze, EU-Kommentar, 4. Aufl. 2019, Art. 49 EUV Rn. 16.

[352]   *Herrnfeld*, in: Schwarze, EU-Kommentar, 4. Aufl. 2019, Art. 49 EUV Rn. 16.

[353]   *Klein*, in: Hailbronner/Klein/Magiera/Müller-Graff, Handkommentar zum Vertrag über die Europäische Union (EUV/EGV), 3. EL 1994, Art. O EUV Rn. 12; *Nettesheim*, EuR 2003, 36 (63); *Herrnfeld*, in: Schwarze, EU-Kommentar, 4. Aufl. 2019, Art. 49 EUV Rn. 16.

[354]   EuGH, Rs. C-93/78, Mattheus/Doego, Slg. 1978, 2203, Rn. 8.

[355]   *Bruha/Vogt*, VRÜ 1997, 477 (491); *Pechstein*, in: Streinz, EUV/AEUV, 3. Aufl. 2018, Art. 49 EUV Rn. 15; *Klein*, in: Hailbronner/Klein/Magiera/Müller-Graff, Handkommentar zum Vertrag über die Europäische Union (EUV/EGV), 3. EL 1994, Art. O EUV Rn. 12.

[356]   *Nettesheim*, EuR 2003, 36 (63 f.); *Šarčević*, EuR 2002, 461 (478).

[357]   *Ohler*, in: Grabitz/Hilf/Nettesheim, Das Recht der Europäischen Union, 62. EL 2017, Art. 49 EUV Rn. 28.

[358]   *Herrnfeld*, in: Schwarze, EU-Kommentar, 4. Aufl. 2019, Art. 49 EUV Rn. 17.

## V.   Würdigung

Mit einer Würdigung des Art. 49 EUV schließend wird nunmehr unter Hervorhebung einzelner Elemente die Effektivität der Wertesicherung beleuchtet.

### 1.   Demokratie und Rechtsstaatlichkeit in der Werteanalyse – Bewusste Ungenauigkeit oder unglückliche Verbindung?

Die Kommission folgt in ihren Berichten und Stellungnahmen zur Analyse der *Kopenhagener Kriterien* bzw. Werte dem Ansatz, Demokratie und Rechtsstaatlichkeit als einen gemeinsamen Prüfungspunkt zu behandeln. Es ist kritisch zu hinterfragen, inwieweit diese Zusammenführung der beiden Werte eine unglückliche Verbindung oder eine bewusste Ungenauigkeit der Kommission bei ihrer Analyse darstellt.

Für die Zusammenführung der Werte Demokratie und Rechtsstaatlichkeit bedient sich die Kommission in ihren Dokumenten dem verbindenden Element des Gewaltenteilungsgrundsatzes, um ihre Analyse nach Legislative, Exekutive und Judikative zu gliedern.[359] Diese Untergliederung ist zunächst naheliegend, handelt es sich bei dem Grundsatz der Gewaltenteilung um ein zentrales Element für das Funktionieren der Rechtsstaatlichkeit und Demokratie.[360] Diese Verbindung beider Werte in den Kommissionsdokumenten zu einem Heranführungskriterium wirkt dennoch künstlich und stößt zu Recht auf Kritik.[361] Die Stellungnahmen und Berichte zeigen, dass keine Unterscheidung zwischen Demokratie und Rechtsstaatlichkeit getroffen wird und die Kommission nicht klarstellt, was unter diesen beiden Werten zu verstehen ist.[362] Vielmehr deutet sich an, dass die Kommission bewusst keine eindeutige Zuordnung ihrer Prüfungspunkte zu Demokratie oder Rechtsstaatlichkeit anstrebt.[363] Dogmatisch handelt es sich aber, wie bereits dargestellt,[364] um zwei einzelne Werte, die sich ihren inhaltlichen Anforderungen nach unterscheiden.[365]

Mit dieser Verbindung – so scheint es – hat sich die Kommission für einen einfachen, pragmatischen, sogar nachlässigen Ansatz zur Prüfung dieser beiden Werte entschieden.[366] Die Kommission hat bewusst vermieden, eine inhaltliche Definition und Abgren-

---

[359]   Dabei ist die Legislative dem Begriff der Demokratie und die Judikative der Rechtsstaatlichkeit zuzuordnen. Nur bei der Exekutive fehlt eine klare Zuordnung, umfasst sie sowohl demokratische als auch rechtsstaatliche Elemente.

[360]   So bereits *Kochenov*, EU Enlargement and the Failure of Conditionality, 2008, S. 118.

[361]   *Kochenov*, EU Enlargement and the Failure of Conditionality, 2008, S. 118.

[362]   *Kochenov*, EU Enlargement and the Failure of Conditionality, 2008, S. 88.

[363]   *Ludwig*, Die Rechtsstaatlichkeit in der Erweiterungs-, Entwicklungs- und Nachbarschaftspolitik der Europäischen Union, 2011, S. 123 f.

[364]   Vgl. hierzu unter I. Die einzelnen Werte des Art. 2 S. 1 EUV in der Übersicht, S. 15 ff.

[365]   *Hoffmeister*, in: Ott/Inglis, Handbook on European Enlargement, 2002, S. 90 (93); ausführlich zu den einzelnen Werten vgl. hierzu unter I. Die einzelnen Werte des Art. 2 S. 1 EUV in der Übersicht, S. 15 ff.

[366]   Vgl. auch *Ludwig*, Die Rechtsstaatlichkeit in der Erweiterungs-, Entwicklungs- und Nachbarschaftspolitik der Europäischen Union, 2011, S. 124.

zung der beiden Werte vorzunehmen.[367] Gründe hierfür sind vor allem in der politischen Dimension der Werteunion und ihrer Sicherung zu sehen. Aufgrund der mitunter strittigen Kernmerkmale dieser beiden Prinzipien wäre die Kommission bei einer unionalen Definition und Abgrenzung dieser Werte zudem Gefahr gelaufen, von den übrigen Akteuren des Beitrittsverfahrens kritisiert zu werden.[368] Zum anderen eröffnet die bewusste Unschärfe in der Werteprüfung der Kommission gleichzeitig eine Flexibilität in der Heranführungsbewertung.

Mit diesem bewussten Verzicht auf eine klare Definition und Abgrenzung erweitert die Kommission ihren Handlungsspielraum bei ihrer Beurteilung durch die Berichterstattung.[369] Insoweit darf eine bewusste Ungenauigkeit der Kommission bei der Verbindung von Demokratie und Rechtsstaatlichkeit unterstellt werden, die gleichwohl zu Lasten von Klarheit und Transparenz geht. Vorzugswürdig ist deshalb, bei den zukünftigen Heranführungen von Beitrittsländern eine klare Abgrenzung und hinreichende Konturierung von Demokratie und Rechtsstaatlichkeit unional vorzugeben, damit deren praktische Wirksamkeit auch von den Mitgliedstaaten gewährleistet und gefördert werden kann.

## 2.    Diffuse und oberflächliche Wertekontrolle

Mit Blick auf die Kontrolle der Werte im Beitrittsverfahren zeigt sich, dass diesen in den Kommissionsdokumenten eine untergeordnete Rolle zukommt. Wie ist es sonst zu erklären, dass die Werte, als politische Kriterien, im Verhältnis zu den wirtschaftlichen Kriterien in den Berichten so unterrepräsentiert sind?[370] Hierbei darf zu Recht die Frage gestellt werden, ob dieses Verhältnis dem einer Werteunion entspricht. Die Analyse der Einhaltung der Werte eines Landes auf wenigen Seiten zu erörtern, stellt sich als problematisch dar. Es zeigt auf, dass die Kommission darauf nicht ihr Hauptaugenmerk richtet.[371]

Was die Analyse der einzelnen Werte im Detail betrifft, führt sich dieses Bild fort. Es überrascht, dass die Kommissionsanalyse der Werte bei diesem gewählten Prüfungsaufbau kein klares Bild jedes einzelnen Wertes ergibt. Insoweit drängt sich der Eindruck auf, dass die Werteanalyse wiederum nicht hinreichend klar und transparent erfolgt. Hat diese Form der Analyse vermeintlich positive Auswirkungen für die Werteprüfung der Kommission, läuft sie mit der Vereinheitlichung der beiden Werte indes Gefahr, wichtige Kernelemente der beiden Prinzipien zu übersehen.[372] Die Rechtsstaatlichkeit als bedeu-

---

[367]  *Hoffmeister*, in: Ott/Inglis, Handbook on European Enlargement, 2002, S. 90 (94); *Ludwig*, Die Rechtsstaatlichkeit in der Erweiterungs-, Entwicklungs- und Nachbarschaftspolitik der Europäischen Union, 2011, S. 124.

[368]  *Kochenov*, EU Enlargement and the Failure of Conditionality, 2008, S. 118.

[369]  *Kochenov*, EU Enlargement and the Failure of Conditionality, 2008, S. 118; vgl. auch *Ludwig*, Die Rechtsstaatlichkeit in der Erweiterungs-, Entwicklungs- und Nachbarschaftspolitik der Europäischen Union, 2011, S. 124.

[370]  Vgl. *Maresceau*, in: Maresceau/Lannon, The EU's Enlargement and Mediterranean Strategies, 2001, S. 3, 14 ff.

[371]  *Kochenov*, EU Enlargement and the Failure of Conditionality, 2008, S. 87; vgl. auch *Maresceau*, in: Maresceau/Lannon, The EU's Enlargement and Mediterranean Strategies, 2001, S. 3, 14 ff.

[372]  Ausführlich hierzu *Kochenov*, EU Enlargement and the Failure of Conditionality, 2008, S. 89 ff.

tender Wert wird, wie auch die Demokratie, keiner ausdrücklichen Analyse unterzogen.[373] Die Kommissionsdokumente schweigen zudem selbst zum Prinzip der Gewaltenteilung, dem sich die Kommission in ihren Dokumenten zwar bedient, eine Definition und formale Bewertung über die gegenseitige Kontrollen und das Mächtegleichgewicht in den Verfassungssystemen der Bewerberländern aber unterlässt.[374] Diese Aufteilung dient der Kommission indes als Strukturierung ihrer Prüfung.[375] Insoweit fehlt es, neben einer klaren Bestimmung des Erfordernisses, unter anderem auch an einer Kontrolle dieses Grundsatzes bei der praktischen Umsetzung in den Bewerberstaaten.

Ähnlich verhält es sich mit den Merkmalen des Vorrangs und Vorbehalts des Gesetzes, die ebenfalls zentrale Punkte der Rechtsstaatlichkeit darstellen. Auch hier lassen die Kommissionsdokumente eine klare Darstellung und Analyse dieser Punkte vermissen, wohingegen die Antikorruptionsmaßnahmen, die vornehmlich, aber nicht ausschließlich der Rechtsstaatlichkeit zuzuordnen sind, eine ausdrückliche und weiterreichende Erörterung erfahren.

Zusammenfassend bleibt festzuhalten, dass sich die für eine Heranführung an die Werteunion erforderliche umfassende Kontrolle der Werte in den Kommissionsdokumenten mitunter nur bedingt widerspiegelt. Insoweit wird der Kommission aufgrund ihrer Darstellungen in den Dokumenten wiederum eine teils unzureichende und intransparente Wertekontrolle diagnostiziert werden müssen. Diese stellt sich für die Etablierung und Förderung der Werteunion als hinderlich dar.

## 3.  Undurchsichtige Entscheidungsfindung der Kommission

Die Kommissionsdokumente sind Ausgangspunkt für die Entscheidungsfindung der Kommission zur Werteangleichung der Bewerberstaaten. Sie stellen sich als wenig stringent und anschaulich in der Beurteilung dar. Mit Blick auf einzelne Dokumente in ihrer Gesamtheit zeigt sich deren fehlende Einheitlichkeit. Die Analyseberichte der Kommission weisen hinsichtlich der Länder und bezüglich der einzelnen Jahrgänge einen unterschiedlichen Umfang und eine unterschiedliche Kontrolltiefe bei der Beurteilung der Werte auf.[376] Zeigen einige Berichte zum Teil detaillierte Ausführungen zu einzelnen Merkmalen mit Statistiken, ausführlichen Umschreibungen und Würdigungen, sind andere Berichte wiederum oberflächlich und allgemein gehalten, mitunter auch kurz und ohne hinreichende Belege.

In Bezug auf die Struktur der Kommissionsdokumente wurde bereits gezeigt, dass sich die Länderberichte in den Unterpunkten, wie Parlament, Exekutive, Judikative etc., decken. Im Detail fehlt den Untersuchungsergebnissen der Kommission dennoch eine allgemeine und wiederkehrende Struktur. Vielmehr sind diese inhaltlich nach den durch die

---

[373]  *Hoffmeister*, in: Ott/Inglis, Handbook on European Enlargement, 2002, S. 90 (93 f.); *Kochenov*, EU Enlargement and the Failure of Conditionality, 2008, S. 300 ff.

[374]  *Kochenov*, EU Enlargement and the Failure of Conditionality, 2008, S. 87 ff.; *Ludwig*, Die Rechtsstaatlichkeit in der Erweiterungs-, Entwicklungs- und Nachbarschaftspolitik der Europäischen Union, 2011, S. 124.

[375]  *Ludwig*, Die Rechtsstaatlichkeit in der Erweiterungs-, Entwicklungs- und Nachbarschaftspolitik der Europäischen Union, 2011, S. 124.

[376]  Eingehend *Kochenov*, EU Enlargement and the Failure of Conditionality, 2008, S. 300 ff.

Kommission identifizierten Reformproblemen der einzelnen Bewerberländer aufgebaut.[377] Folglich sind die Ausführungen der Kommission mitunter höchst unterschiedlich in Aufbau, Inhalt und in der Kontrolltiefe. Die einzelnen Dokumente weichen unterschiedlich stark in ihrer inhaltlichen Betrachtung ab. Stellen sich einzelne Faktoren als vorherrschendes Problem in einem Land dar, findet diese Problematik bei einem anderen Land mitunter keine oder nur eine geringe Würdigung. Diese Untersuchungsmethode lässt deshalb im Ergebnis eine einheitliche Bewertung vermissen und erschwert einen Vergleich des Werteniveaus der Beitrittsländer.[378]

Was die Entscheidungsfindung der Kommission im Detail angeht, zeigt sich, dass sie im Rahmen der politischen Kriterien regelmäßig vergleichbare Merkmale zur Untersuchung der Länder heranzieht. Aus ihren Beurteilungen wird dabei nicht erkennbar, welche Faktoren zwingend erforderlich sind, um eine Aufnahme der Beitrittsverhandlungen mit einem Mitgliedstaat zu eröffnen.[379] Ähnlich verhält es sich mit Blick auf die Zuerkennung der Beitrittsreife der Länder. Dies wird deutlich, wenn in den Abschlussberichten der Kommission die Beitrittsreife bescheinigt wird, dem Bewerberland indes bei einzelnen Kriterien eines Wertes aber vorher noch innerstaatliche Mängel bzw. dringender Reformbedarf diagnostiziert wurde.[380] Als weiteres Beispiel kann hier die Problematik der Ineffizienz des Justizsystems eines Landes herangezogen werden. Als tragender Pfeiler der Rechtsstaatlichkeit – aber auch zur Verwirklichung der Menschenrechte und Gleichheit – kommt diesem Kriterium zentrale Bedeutung zu. Insoweit legen einzelne Kommissionsdokumente nahe, dass bei vergleichbarem Niveau der Justiz der Länder mitunter eine unterschiedliche Abschlussbewertung vorgenommen wird.[381] Somit ist kritisch zu hinterfragen, welche Mindestanforderungen die Kommission bei den Punkten Demokratie und Rechtsstaatlichkeit sowie Menschenrechte und Minderheitenschutz aufstellt. Für die Union, ihre Mitgliedstaaten und Bewerberstaaten bedarf es daher Mindeststandards für die Erfüllung der Werte, bei denen offenkundig sein muss, inwieweit Defizite noch mit den unionalen Anforderungen vereinbar sind und ab wann ein Grad an Abweichung erreicht ist, der mit den Unionswerten unvereinbar ist.

Hieraus ist zu folgern, dass es der Kommission nicht auf einen absoluten einheitlichen Standard ankommt, sondern vielmehr dem Reformgang des Bewerberstaates Rechnung getragen wird und deshalb entsprechende Abweichungen vom Werteniveau im Ergebnis durch die Kommission akzeptiert werden.[382] Ab wann die Kriterien der Werte erfüllt sind, kann durch die Kommissionsdokumente nicht allgemeingültig beantwortet werden. In-

---

[377]  So auch *Kochenov*, EU Enlargement and the Failure of Conditionality, 2008, S. 86.

[378]  Zutreffend *Kochenov*, EU Enlargement and the Failure of Conditionality, 2008, S. 86.

[379]  So bereits schon *Ludwig*, Die Rechtsstaatlichkeit in der Erweiterungs-, Entwicklungs- und Nachbarschaftspolitik der Europäischen Union, 2011, S. 118.

[380]  Vgl. hierzu nur die Abschlussberichte zu Ungarn und Polen, nach denen mitunter erhebliche Probleme bzw. Missstände im Justizsystem oder bei den Antikorruptionsmaßnahmen bestanden, SEK (2003) 1205, 05.11.2003, S. 14 ff., SEK (2003) 1207, 05.11.2003, S. 14 ff.; vgl. auch *Ludwig*, Die Rechtsstaatlichkeit in der Erweiterungs-, Entwicklungs- und Nachbarschaftspolitik der Europäischen Union, 2011, S. 118.

[381]  Bereits schon *Ludwig*, Die Rechtsstaatlichkeit in der Erweiterungs-, Entwicklungs- und Nachbarschaftspolitik der Europäischen Union, 2011, S. 119 f.

[382]  Vgl. auch *Ludwig*, Die Rechtsstaatlichkeit in der Erweiterungs-, Entwicklungs- und Nachbarschaftspolitik der Europäischen Union, 2011, S. 119.

soweit wird zu Recht beanstandet, dass die Kriterien in der Praxis mitunter dehnbar ausgelegt werden.[383] Vereinzelt wird überspitzt von EU-Kriterien gesprochen, welche einen Unionsstandard propagieren, der nicht existiert.[384] Dem wird zugestanden werden müssen, dass die Kommission bei der Beurteilung der Kriterien eine gewisse Beliebigkeit aufweist, wodurch es an einem vergleichbaren Standard in der Bewertung eines Beitrittsantrags bzw. der Beitrittsreife mangeln kann.[385] Ein Fehlen von Unionsstandards bei der Werteprüfung der Kommission kann indes verneint werden.

Schlussendlich zeigen die Dokumente den Versuch einer einheitlichen Heranführung an die Werte durch die Kommission auf, die im Ergebnis zu Reformerfolgen führen, die Werte mitunter aber unterschiedlich erfolgreich verwirklichen. Der Heranführungsstrategie unter der Leitung der Kommission kommt dennoch eine entscheidende Steuerungswirkung für die Werteangleichung zu.[386]

## VI.  Fazit

Art. 49 EUV steuert mit den in Art. 2 S. 1 EUV verbindlichen Anforderungen für einen Beitritt zur Werteunion *„als Türwächter die Zukunft der EU"*.[387] Die strukturelle Ausgestaltung ermöglicht es ehemals kommunistischen Ländern, den Weg in die Wertegemeinschaft zu beschreiten. Mit der Kommission als zentraler Werteprüferin wurde diese Aufgabe einem unabhängigen und personell beständigen Organ übertragen. Die Norm gewährleistet, dass die mitgliedstaatliche Erweiterung nicht zur Desintegration der Werteunion führt.

Trotz berechtigter Kritik am Bewertungsverfahren wird mit Art. 49 EUV im Ergebnis eine nahezu vergleichbare Anhebung an das Werteniveau der Union ermöglicht. Dennoch wird deutlich, dass unterschiedliche Bewertungen und ein fehlender Mindeststandard im Beitrittsverfahren der tatsächlich praktischen Verwirklichung der Werteunion abträglich sind. Insoweit ist hier noch Verbesserungspotential bei der präventiven Sicherung der Werte durch die Kommission vorhanden. Erschwerte Bedingungen bei der Begriffsbestimmung und Abgrenzung sollten nicht zu einer intransparenten und oberflächlichen Werteprüfung führen. Eine nachlässige und mängelbehaftete Heranführung an die Werte im Wege des Beitrittsverfahrens birgt die Gefahr, der Ursprung einer Keimzelle zu werden, die eine Desintegration der Werteunion begünstigt. Der rechtliche Rahmen ist mit Art. 49 EUV als Grundlage indes hinreichend gegeben.

---

[383]  *Streinz*, in: Kirchhof/Papier/Schäffer, Festschrift für Detlef Merten, 2007, S. 395 (396); *Ludwig*, Die Rechtsstaatlichkeit in der Erweiterungs-, Entwicklungs- und Nachbarschaftspolitik der Europäischen Union, 2011, S. 121.

[384]  *Kochenov*, EU Enlargement and the Failure of Conditionality, 2008, S. 300; *Ludwig*, Die Rechtsstaatlichkeit in der Erweiterungs-, Entwicklungs- und Nachbarschaftspolitik der Europäischen Union, 2011, S. 121.

[385]  So auch schon *Ludwig*, Die Rechtsstaatlichkeit in der Erweiterungs-, Entwicklungs- und Nachbarschaftspolitik der Europäischen Union, 2011, S. 121.

[386]  *Ludwig*, Die Rechtsstaatlichkeit in der Erweiterungs-, Entwicklungs- und Nachbarschaftspolitik der Europäischen Union, 2011, S. 121 m.w.N.

[387]  *Vedder*, in: Grabitz/Hilf/Nettesheim, Das Recht der Europäischen Union, 40 EL. 2009, Art. 49 EUV Rn. 3.

## B.  Der Kooperations- und Kontrollmechanismus: Umgehung der Beitrittshürde

Mit Abschluss des Beitrittsverfahrens gem. Art. 49 EUV gewährt ein Mitgliedstaat, dass er *„die in Artikel 2 genannten Werte achtet und sich für ihre Förderung einsetzt"*. Hinsichtlich Bulgarien und Rumänien kam die Kommission, nachdem im Jahr 2002 der Europäische Rat Bulgarien und Rumänien die Aufnahme in die Europäische Union in Aussicht stellte, zu dem Schluss, dass diese bei ihrem Beitritt am 01.01.2007 noch weitere Fortschritte in den Bereichen Justizreform, der Bekämpfung von Korruption und organisierte Kriminalität erzielen müssen.[388] Um den beiden Ländern dennoch einen Beitritt zu eröffnen und gleichzeitig die Integrität der Wertegemeinschaft zu schützen, beschloss die Union, einen weiteren Sicherungsmechanismus einzurichten.[389] Dieser Kooperations- und Überwachungsmechanismus (CVM)[390] stellt als staatenspezifischer Sicherungsmechanismus ein Novum in der Union dar.[391] Er findet ausschließlich auf Bulgarien und Rumänien Anwendung und eröffnet der Union, wie noch zu sehen sein wird, weitreichende Einflussmöglichkeiten.[392] Aufgrund der Fortwirkung des Kontrollmechanismus zur Heranführung an das Werteniveau über das Beitrittsverfahren hinweg steht dieser einer vollwertigen EU-Mitgliedschaft entgegen, weshalb dieser zuvörderst als präventiver Sicherungsmechanismus der Werte zu verorten ist.

Nachfolgend gilt es zunächst das Erfordernis für diesen neuen Überwachungsmechanismus herauszuarbeiten (I.), bevor dessen rechtliche Ausgestaltung (II.) sowie das genaue Kooperations- und Kontrollverfahren (III.) beleuchtet wird. Nach einer Würdigung (IV.) dieses Mechanismus erfolgt ein abschließendes Fazit (V.).

## I.  Das Erfordernis für einen Überwachungsmechanismus

Nachfolgend wird erörtert, welcher Wert dem Verfahren (1.) unterliegt und welche Gründe (2., 3.) die Einführung eines länderspezifischen Kooperations- und Kontrollmechanismus in das bestehende Gefüge der Sicherungsmechanismen erforderlich machte.

## 1.  Rechtsstaatlichkeit als Anknüpfungspunkt

Der Mechanismus hat seine Grundlage in der Entscheidung 2006/298/EG[393] für die Erfüllung bestimmter Vorgaben in den Bereichen Justizreform und Korruptionsbekämpfung

---

[388]  KOM (2006) 549 endg., 26.09.2006.

[389]  Eingehend zur Heranführung ans Unionsrecht nach dem Beitritt Bulgariens und Rumäniens, *Trauner*, EIoP 2009, Special Issue 2, Vol. 13. Art. 21, 1 (1 ff.).

[390]  Council conclusions, 11911/07, 23.07.2007, S. 12; Europäische Kommission, MEMO/07/260, 27.06.2007.

[391]  *Gateva*, KFG Working Paper, No. 18, Oktober 2010, S. 6; vgl. auch *Trauner*, EIoP 2009, Special Issue 2, Vol. 13. Art. 21, 1 (1 ff.).

[392]  *v. Bogdandy/Ioannidis*, ZaöRV 2014, 283 (314); *Trauner*, EIoP 2009, Special Issue 2, Vol. 13. Art. 21, 1 (1 ff.).

[393]  ABl. EU Nr. L 354/56 v. 14.12.2006.

für Rumänien und in der Entscheidung 2006/929/EG[394] für Bulgarien ebenfalls für die Bereiche Justizreform und Korruptionsbekämpfung, ergänzt um die Bekämpfung des organisierten Verbrechens.

In ihren ersten beiden Erwägungsgründen legt die Kommission den Anknüpfungspunkt dieses staatenspezifischen Sicherungsmechanismus fest. Demgemäß führte sie aus, dass sich die Union *„auf dem Rechtsstaatsprinzip, das allen Mitgliedstaaten gemeinsam ist"* gründet und der durch die Verträge geschaffene Raum der Freiheit, der Sicherheit und des Rechts sowie der Binnenmarkt *„auf dem gegenseitigen Vertrauen, dass die Verwaltungs- und Gerichtsentscheidungen und die Verwaltungs- und Gerichtspraxis aller Mitgliedstaaten in jeder Hinsicht mit dem Rechtsstaatsprinzip im Einklang stehen"* beruht.[395] Anknüpfungspunkt dieses Sicherungsmechanismus ist folglich alleine der Wert der Rechtsstaatlichkeit i.S.d. Art. 2 S. 1 EUV (vormals ex-Art. 6 Abs. 1 EUV-Nizza).[396]

## 2.  Systemisches Defizit

Zu erörtern ist, ab wann Abweichungen vom Erfordernis der Rechtsstaatlichkeit durch den Bewerberstaat ein Hindernis für den Beitritt darstellen. Ausgangspunkt ist die Beurteilung der Beitrittsvorbereitungen durch die Kommission. In ihrem letzten Monitoring-Bericht über den Stand der Beitrittsvorbereitungen Bulgariens und Rumäniens vom 26.09.2006 referierte die Kommission zunächst vom Anlass zur Besorgnis aufgrund der unvollendeten Reformen des Justizwesens und der unzureichenden Bekämpfung von Korruption und organisierter Kriminalität.[397] In den weiteren Berichten zu den beiden Ländern umschreibt die Kommission die einzelnen Reformprobleme unter anderem als *„gewisse Defizite"*,[398] *„gewisse Mängel"*,[399] *„systematische Mängel"*[400] bzw. *„erhebliche Mängel"*.[401] Ferner nennt sie auch den Begriff *„systematische Defizite"* bei ihrer Einzelbeurteilung.[402] Damit beschreibt die Kommission schwere Einzelmängel der Rechtsstaatlichkeit, die in ihrer Vielzahl *„strukturelle Schwächen"* in Bezug auf Art. 2 S. 1 EUV darstellen.[403]

---

[394]  ABl. EU Nr. L 354/58 v. 14.12.2006.

[395]  Erster und zweiter Erwägungsgrund, ABl. EU Nr. L 354/56 v. 14.12.2006; ABl. EU Nr. L 354/58 v. 14.12.2006.

[396]  *v. Bogdandy/Ioannidis*, ZaöRV 2014, 283 (310 f.); *Carp*, Utrecht L. Rev. 2014, 1 (4 f.).

[397]  Die Kommission stellte fest, dass Bulgarien im Justizwesen noch erheblichen Reformbedarf aufweist, da unter anderem Probleme im Hinblick auf die effiziente Verwaltung der Judikative, der Transparenz und Leistungsfähigkeit der Gerichtsverfahren und bei der Durchführung von Strafprozessen bestehen. Darüber hinaus findet eine unzureichende Bekämpfung von Korruption und organisierter Kriminalität statt. Ähnliches bescheinigt die Kommission dem Justizwesen in Rumänien, dessen Funktionsfähigkeit unter anderem eine umfassende und konsistente Auslegung und Anwendung der geltenden Gesetze durch alle Gerichte noch nicht gewährleisten kann. Ebenso wird Rumänien eine unzureichende Bekämpfung von Korruption bescheinigt. Vgl. hierzu KOM (2006) 549 endg., 26.09.2006, S. 6 ff., 16 ff., 41 ff.

[398]  Europäische Kommission, MEMO/08/521, 23.07.2008; Europäische Kommission, MEMO/08/520, 23.07.2008.

[399]  Europäische Kommission, MEMO/11/95, 18.02.2011.

[400]  KOM (2011) 81 endg., 18.02.2011, S. 4.

[401]  KOM (2011) 459 endg., 20.07.2011, S. 3.

[402]  KOM (2012) 410 endg., 18.07.2012, S. 23.

[403]  *v. Bogdandy/Ioannidis*, ZaöRV 2014, 283 (286).

Wie hier bereits deutlich wird, zeigen die oben genannten differenten Umschreibungen der Kommission, dass es der Heranziehung eines einheitlichen „Rechtsbegriffs" bedarf, der es ermöglicht, derartig kritische Situationen für die Werte zu identifizieren und diese sogleich auch für die repressiven Sicherungsmechanismen zur Feststellung eines Werteverstoßes handhabbar zu machen. Daher gilt es bereits an dieser Stelle, die verwendeten Begrifflichkeiten aufzugreifen, um eine allgemeine Erörterung und Begriffsbestimmung eines Werteverstoßes herbeizuführen.

Erfolgversprechend zum Nachweis eines Werteverstoßes hat sich unter dem dogmatischen Begriff des „systemischen Defizits" ein entsprechender Terminus herausgebildet.[404] Dem Begriff „systemisch" bedient sich die biologisch-medizinische Diagnostik, um eine Betroffenheit des gesamten Organismus zum Ausdruck zu bringen.[405] Wird diese Begrifflichkeit zuvörderst dem Sanktionsverfahren als auch dem EU-Rahmen zur Stärkung des Rechtsstaatsprinzips entliehen,[406] kann diese gleichwohl für die übrigen Sicherungsmechanismen zur Identifizierung eines Werteverstoßes herangezogen werden. Der Begriff des *„systemischen"* bzw. auch *„systembedingten Defizits"* oder einer derartigen *„Verletzung"* ist dabei keine Neuschöpfung, sondern findet in seiner englischen Übersetzung mit *„systemic deficiency"* bereits schon durch den Gerichtshof Verwendung.[407] Einer ähnlichen Begrifflichkeit bedient sich sowohl der Europarat als auch der EGMR mit der Umschreibung des *„strukturellen"* oder *„systemischen"* Problems.[408] Daneben wird diese Begrifflichkeit inzwischen auch im europäischen Sekundärrecht[409] und mit *„systembedingte Gefahren"* im neuen EU-Rahmen zur Stärkung des Rechtsstaatsprinzips der Kommission angewandt.[410] Es handelt sich dabei unverkennbar um eine wiederkehrende Beschreibung einer erheblichen Verletzung mit struktureller Relevanz.

---

[404] *v. Bogdandy/Ioannidis*, ZaöRV 2014, 283 (283 ff.); *Schorkopf*, EuR 2016, 147 (151 ff.); *Scheppele*, VerfBlog, 2013/11/01; *Scheppele*, in: Closa/Kochenov, Reinforcing Rule of Law Oversight in the European Union, 2016, S. 105 (112 ff.); *v. Bogdandy*, ZaöRV 2019, 503 (516 ff.); *Closa/Kochenov/Weiler*, EUI Working Paper RSCAS 2014/25, 2014, S. 15 f.; *Kochenov*, HJRL 2015, 153 (165); *Franzius*, DÖV 2018, 381 (386); *Nickel*, EuR 2017, 663 (676); *van Vormizeele*, in: v. d. Groeben/Schwarze/Hatje, Europäisches Unionsrecht, 7. Aufl. 2015, Art. 7 EUV Rn. 10; *Pechstein*, in: Streinz, EUV/AEUV, 3. Aufl. 2018, Art. 7 EUV Rn. 2; *Schorkopf*, in: Grabitz/Hilf/Nettesheim, Das Recht der Europäischen Union, 61. EL 2017, Art. 7 EUV Rn. 33 spricht von systemischen Problemen.

[405] *Hofmeister*, DVBl. 2016, 869 (873).

[406] *v. Bogdandy/Ioannidis*, ZaöRV 2014, 283 (291 ff.).

[407] Vgl. EuGH, verb. Rs. C-404/15 und C-659/15 PPU, Aranyosi und Căldăraru, ECLI:EU:C:2016:198, Rn. 89 ff.; EuGH, Rs. C-216/18 PPU, Minister for Justice and Equality, ECLI:EU:C:2018:586; EuGH, verb. Rs. C-411/10 und C-493/10, N.S. u. a., Slg. 2011, I-13905, Rn. 94, 106; EuGH, Rs. C-4/11, Bundesrepublik Deutschland/Puid, ECLI:EU:C:2013:740, Rn. 36; *v. Bogdandy/Ioannidis*, ZaöRV 2014, 283 (291).

[408] Vgl. Supervision of the Execution of the Judgements and Decisions of the European Court of Human Rights, 6th Annual Report, of the Committee of Ministers 2012, Europarat April 2013, https://rm. coe.int/1680592ac8 (zuletzt abgerufen: 31.01.2021 um 10:55 Uhr); Supervision of the Execution of the Judgements and Decisions of the European Court of Human Rights, 11th Annual Report, of the Committee of Ministers 2017, Europarat März 2018, https://rm.coe.int/annual-report-2017/16807af92b (zuletzt abgerufen: 31.01.2021 um 10:55 Uhr); *v. Bogdandy/Ioannidis*, ZaöRV 2014, 283 (294 ff.) m.w.N.; *v. Bogdandy*, ZaöRV 2019, 503 (517).

[409] Vgl. Art. 3 Abs. 2 VO Nr. 604/2013, ABl. EU Nr. L 180/31 v. 29.06.2013; *v. Bogdandy/Ioannidis*, ZaöRV 2014, 283 (291).

[410] Europäische Kommission, IP/14/237, 11.03.2014; Europäische Kommission, MEMO/17/5368, 20.12.2017.

Dem Kriterium kommt ein quantitatives Element zu, das eine Bewertung als systemisch nur dann erlaubt, wenn das Fehlverhalten eines Mitgliedstaates eine gewisse Vielzahl von Verstößen aufweist, die ein Muster bzw. eine Charakteristik des Systems erkennen lassen.[411] Vereinzelte Grundrechtsverletzungen insbesondere durch gelegentliche justizielle Fehlurteile auf mitgliedstaatlicher Ebene kommen hierfür nicht in Betracht.[412] Vielmehr sind diese in jeder nationalen Rechts- und Verfahrensordnung praktische Realität, ihnen wird aber gleichermaßen durch das jeweilige nationale Justizsystem, den EuGH und den EGMR begegnet.[413]

Demnach bleibt zu erörtern, wann die Schwelle zu einem systemischen Defizit der Werte überschritten wird.[414] In Extremfällen wie Somalia oder Libyen, die als *„failed states"* ihre grundlegenden staatlichen Funktionen nicht mehr ausüben können, liegen offensichtlich systemische Defizite, sogar ein totales Staatsversagen vor.[415] Ein Militärputsch bzw. die revolutionäre Umgestaltung in einem Mitgliedstaat der Union stellen sich zweifelsohne ebenfalls als systemischer Mangel dar.[416] Innerhalb der EU wird regelmäßig kein derartig offenkundiger Fall vorliegen, so dass es zur besseren Anwendung des Begriffs des systemischen Defizits einer weiteren Konturierung bedarf.

Insoweit hat sich im Wege rechtsphilosophischer Untersuchungen eine Annäherung anhand der Bestimmung der Funktion des Rechts herausgebildet.[417] Mit der Bestimmung der Funktion des Rechts soll eine bessere Bewertung ermöglicht werden, ab wann sich ein staatliches Versagen als systemimmanent darstellt.[418] Die grundlegende Funktion des Rechts besteht demnach in der *„Stabilisierung normativer Erwartungen durch Regulierung ihrer zeitlichen, sachlichen und sozialen Generalisierung"* und eröffnet jedem Einzelnen in einer Gesellschaft damit das Wissen, was von anderen Personen erwartet bzw. nicht erwartet werden darf.[419] Das gesellschaftliche Vertrauen in das Recht bzw. in das Rechtssystem und damit in die Verhaltenserwartungen kann dabei seine soziale Funktion nur dann etablieren und aufrechterhalten, wenn sie grundsätzlich von allen Akteuren befolgt wird.[420] Verstöße Einzelner gegen Verbotsnormen führen damit noch nicht zu einer Schmälerung normativer Erwartungen in der Gesellschaft. Wird jedoch auf vielfältige Verstöße von sozialen Akteuren durch ein Rechtssystem nicht mehr ausreichend reagiert,

---

[411]  *Schorkopf*, EuR 2016, 147 (155); *Hofmeister*, DVBl. 2016, 869 (873); *v. Bogdandy/Ioannidis*, ZaöRV 2014, 283 (323); vgl. *Schmahl*, in: Calliess, Liber Amicorum für Torsten Stein, 2015, S. 834 (840 f.); *Giegerich*, in: Calliess, Liber Amicorum für Torsten Stein, 2015, S. 499 (529 f.); *v. Bogdandy*, ZaöRV 2019, 503 (524 ff.).

[412]  *v. Bogdandy/Ioannidis*, ZaöRV 2014, 283 (284); *Schmahl*, in: Calliess, Liber Amicorum für Torsten Stein, 2015, S. 834 (840); *Schorkopf*, EuR 2016, 147 (155); *Hofmeister*, DVBl. 2016, 869 (873).

[413]  *v. Bogdandy/Ioannidis*, ZaöRV 2014, 283 (284); *Schorkopf*, EuR 2016, 147 (155); *Hofmeister*, DVBl. 2016, 869 (873); *v. Bogdandy*, ZaöRV 2019, 503 (525 f.); vgl. *Schmahl*, in: Calliess, Liber Amicorum für Torsten Stein, 2015, S. 835 (840).

[414]  *Schorkopf*, EuR 2016, 147 (155 f.); vgl. auch *v. Bogdandy/Ioannidis*, ZaöRV 2014, 283 (298).

[415]  *v. Bogdandy/Ioannidis*, ZaöRV 2014, 283 (298).

[416]  *Schorkopf*, EuR 2016, 147 (156).

[417]  *v. Bogdandy/Ioannidis*, ZaöRV 2014, 283 (298 f.); *Schorkopf*, EuR 2016, 147 (156). Der Wert der Rechtsstaatlichkeit in seiner engen Verbundenheit zu den übrigen Werten und als tragendes Verfassungsprinzip kann hier als Ausgangspunkt für die Bestimmung auch der Abweichung aller anderen Werte dienen.

[418]  *Schorkopf*, EuR 2016, 147 (156).

[419]  *Luhmann*, Das Recht der Gesellschaft, 1995, S. 131 f. (151 f.); *Raz*, The Authority of Law, 2. ed. 2009, S. 222.

[420]  *v. Bogdandy/Ioannidis*, ZaöRV 2014, 283 (299 f.).

da die eigenen Einrichtungen der Judikative, Exekutive und Legislative zur Befolgung der Regelungen unfähig oder unwillig sind, schwindet das gesellschaftliche Vertrauen.[421] Ein Rechtssystem, das auf organisierter Kriminalität, fehlender Unabhängigkeit staatlicher Organe, mangelnder administrativer oder justizieller Kapazität, Korruption, Missachtung von Grundrechten oder fehlender Einhaltung des Gewaltenteilungsgrundsatzes fußt, weist somit ein systemimmanentes Defizit auf.[422]

Die Bestimmung, ab wann ein systemisches Defizit vorliegt, wird abhängig von der Perspektive der verschiedenen Akteure im Einzelnen variieren. Die rechtskräftige Feststellung eines rechtsstaatlichen Fehlverhaltens durch den EGMR oder den EuGH stellt sich als aussagekräftiges Indiz eines rechtsstaatlichen Defizits dar.[423] Zudem sind zur besseren Bestimmung dieser Schwelle sozialwissenschaftliche Erkenntnisse im Rahmen juristischer Anwendungsdiskurse als Indikator heranzuziehen.[424] Ein systemisches Defizit kann dann angenommen werden, wenn eine Abkehr vom Recht in wichtigen Bereichen der Gesellschaft erfolgt und sich dieser Befund im Wege einer vergleichenden Analyse bestätigen lässt.[425] Den Äußerungen relevanter Akteure in juristischen Anwendungsdiskursen kommt damit eine Indizwirkung zu.[426] Wichtige Indikatoren können dabei die Studien, wie etwa das „Worldwide Governance Indicators Projekt" (WGI) der Weltbank bzw. der Agentur der Europäischen Union für Grundrechte (FRA), die Studie „World Justice Project" oder Veröffentlichungen von Nichtregierungsorganisationen (NGOs) zur Situation der Rechtsstaatlichkeit eines Mitgliedstaates sein. Je mehr Institutionen ein strukturelles Problem feststellen, desto größer ist die Wahrscheinlichkeit für ein tatsächliches Vorliegen eines systemimmanenten Defizits.[427]

Im Ergebnis wird ein systemisches Defizit dann bejaht werden können, wenn das geltende mitgliedstaatliche Recht nach verbreiteter Auffassung seiner Kernfunktion nicht mehr nachkommt, bei einer bedeutenden Zahl sozialer Akteure die normativen Erwartungen an die Werte zu stabilisieren.[428] Dennoch fehlt der Begrifflichkeit des systemischen Defizits trotz aller Versuche der Konturierung die hinreichende Eindeutigkeit für eine zweifelsfreie Definition, die eine technisch saubere und gesicherte Subsumtion ermöglicht.[429] Die Bestimmung des Defizits bleibt eine Entscheidung des Einzelfalls, der eine politische Bewertung zugrunde liegt.[430] Allerdings gibt die Begrifflichkeit unter Heranziehung der Einschätzung internationaler und europäischer Institutionen, Rechtsverglei-

---

[421]   *Raz*, The Authority of Law, 2. ed. 2009, S. 222.

[422]   Eingehend *v. Bogdandy/Ioannidis*, ZaöRV 2014, 283 (299 f.); *Würtenberger*, in: Ziegerhofer/Ferz/Polaschek, Festschrift für Johannes W. Pichler, 2017, S. 467 (481).

[423]   Ausführlich *v. Bogdandy/Ioannidis*, ZaöRV 2014, 283 (301 ff.); *Schorkopf*, EuR 2016, 147 (156).

[424]   *v. Bogdandy/Ioannidis*, ZaöRV 2014, 283 (301); *Schorkopf*, EuR 2016, 147 (156); *v. Bogdandy*, ZaöRV 2019, 503 (546 f.)

[425]   *v. Bogdandy/Ioannidis*, ZaöRV 2014, 283 (300 f.); *Schorkopf*, EuR 2016, 147 (156).

[426]   *Schorkopf*, EuR 2016, 147 (156); *v. Bogdandy/Ioannidis*, ZaöRV 2014, 283 (301 f.). *v. Bogdandy*, ZaöRV 2019, 503 (547).

[427]   *v. Bogdandy*, ZaöRV 2019, 503 (546).

[428]   Vgl. *Schorkopf*, EuR 2016, 147 (156); *Würtenberger*, in: Ziegerhofer/Ferz/Polaschek, Festschrift für Johannes W. Pichler, 2017, S. 467 (481).

[429]   *v. Bogdandy/Ioannidis*, ZaöRV 2014, 283 (298).

[430]   So auch *Schorkopf*, EuR 2016, 147 (157); vgl. auch *Weber*, DÖV 2017, 741 (747).

chung und justizieller Urteile zumindest hinreichende Anhaltspunkte, um ein systemisches Defizit zu identifizieren und damit eine Verletzung der Werte zu beurteilen.

## 3. Unzulänglichkeiten bestehender Sicherungsmechanismen

Der Entschluss des Rates, Bulgarien und Rumänien im Jahre 2007 trotz deren offenkundiger systemischer Defizite bei der Rechtsstaatlichkeit den Beitritt zur Wertegemeinschaft zu gewähren, brachte die EU-Institutionen, insbesondere die Kommission, in Zugzwang. Wie sollte die Kommission als „Hüterin der Verträge" der EU deren zu Grunde liegenden Werte schützen, wenn die beiden Beitrittsländer an den rechtlichen Tatbestandsvoraussetzungen der Wertehürde des Art. 49 EUV zuvor gescheitert sind, der Beitritt jedoch politisch gewährt wurde.

Mit einem Inkrafttreten des Beitrittsvertrages wäre die Union auf ihre bestehenden repressiven Instrumentarien zur Wertesicherung beschränkt. Zur weiteren Sicherung der Rechtsstaatlichkeit eröffnete sich der Union nur noch das Sanktions- oder Vertragsverletzungsverfahren. Beide Verfahren sind offenkundig nicht auf die Unterstützung der noch unerledigten Fragen in Bezug auf Rechenschaftspflicht und Effizienz der Justiz und der Vollzugsbehörden der Beitrittsländer ausgelegt. Vielmehr ist das Vertragsverletzungsverfahren auf einzelne Unionsrechtsverstöße und das Sanktionsverfahren auf die schwerwiegende Verletzung der Werte in repressiver Hinsicht ausgerichtet. Ihre Sanktionierung trägt allerdings nicht dazu bei, die grundlegenden Schwächen der nationalen Institutionen zu beheben. Unterstützungs- und Kontrollmaßnahmen für die Rechtsstaatlichkeit stellen eine Problematik der Vorbeitrittsphase und damit der Heranführung dar und entziehen sich somit den repressiven Sicherungsmechanismen. Insoweit bedurfte es der Etablierung eines neuen präventiven Sicherungsmechanismus, der staatenspezifisch zur Anwendung gelangt und dessen rechtliche Ausgestaltung nachfolgend beleuchtet wird.

## II. Rechtliche Ausgestaltung

## 1. Rechtsgrundlage

Die Entscheidungen[431] der Kommission i.S.d. ex-Art. 249 Abs. 4 EGV-Nizza vom 13.12.2006 zur Einrichtung eines Verfahrens für die Zusammenarbeit und die Überprüfung der Fortschritte Rumäniens und Bulgariens sind – mit der Neuerung durch Lissabon aufgrund ihrer verbindlichen Form nun Beschlüsse i.S.d. Art. 288 Abs. 4 AEUV genannt[432] – Instrumente des EU-Sekundärrechts. Als solche müssen sich diese auf eine unionale Rechtsgrundlage stützen und zum Zwecke der Umsetzung einer Unionsvorschrift erlassen

---

[431] ABl. EU Nr. L 354/58 v. 14.12.2006; ABl. EU Nr. L 354/56 v. 14.12.2006.
[432] *Schroeder*, in: Streinz, EUV/AEUV, 3. Aufl. 2018, Art. 288 AEUV Rn. 117.

werden.[433] Insoweit nennt die Präambel dieser Entscheidungen der Kommission „*den Vertrag über den Beitritt der Republik Bulgarien und Rumäniens, insbesondere [...] Artikel 4 Absatz 3*" als auch die „*Akte über den Beitritt der Republik Bulgarien und Rumäniens, insbesondere [...] die Artikel 37 und 38*" als Grundlage.

Der Überwachungsmechanismus ist damit im mehrteiligen Vertragswerk kodifiziert. Er findet seine Grundlage im Vertrag zwischen den Mitgliedstaaten der EU und der Republik Bulgarien und Rumäniens über den Beitritt zur EU,[434] dem Protokoll über die Bedingungen und Einzelheiten der Aufnahme der Republik Bulgarien und Rumäniens in die EU[435] und den Akten über die Bedingungen des Beitritts der Republik Bulgarien und Rumäniens.[436] Hiermit liegt eine primärrechtliche Rechtsgrundlage i.S.d. Art. 51 EUV für den Beschluss der Kommission über den Kooperations- und Überwachungsmechanismus vor.[437]

## 2. Ziel und Vorgaben

Der staatenspezifische Überwachungsmechanismus dient dem kontrollierten Aufbau des Verwaltungs- und Justizsystems der beiden Länder, um einen funktionsfähigen Verwaltungs- und Rechtsapparat zur effektiven Durchsetzung des europäischen Rechts zu erreichen, die mit der EU-Mitgliedschaft einhergehenden Verpflichtungen zu erfüllen und somit die ordnungsgemäße Anwendung der Rechtsvorschriften, Maßnahmen und Programme der EU zu gewährleisten.[438] Die durch die Justizreform und Bekämpfung von Korruption und organisierter Kriminalität erreichten Fortschritte sollen den Bürgerinnen und Bürgern Bulgariens und Rumäniens sodann die Möglichkeit eröffnen, ihre Rechte als EU-Bürger in vollem Umfang wahrzunehmen.[439] Hierdurch soll letztlich den Beitrittsstaaten der Anschluss an die übrigen Mitgliedstaaten gewährt werden, so dass diese zu vollwertigen Mitgliedstaaten der Werteunion werden können.

Die entsprechenden Kriterien für die Reformvorgaben – auch Benchmarks genannt – sind erstmals offiziell im Monitoring-Bericht der Kommission über den Stand der Beitrittsvorbereitungen Bulgariens und Rumäniens vom 26.09.2006 erwähnt worden.[440] In

---

[433] *Schroeder*, in: Streinz, EUV/AEUV, 3. Aufl. 2018, Art. 288 AEUV Rn. 10; *Tudor*, Law Annals Titu Maiorescu University, 2015, 43 (45).

[434] ABl. EU Nr. L 157/11 v. 21.06.2005.

[435] ABl. EU Nr. L 157/29 v. 21.06.2005.

[436] ABl. EU Nr. L 157/203 v. 21.06.2005.

[437] v. *Bogdandy/Ioannidis*, ZaöRV 2014, 283 (310 Fn. 122); kritisch hierzu *Tudor*, Law Annals Titu Maiorescu University, 2015, 43 (45 ff.).

[438] Europäische Kommission, Kooperations- und Kontrollverfahren für Bulgarien und Rumänien, https://ec.europa.eu/info/policies/justice-and-fundamental-rights/effective-justice/rule-law/assistance-bulgaria-and-romania-under-cvm/cooperation-and-verification-mechanism-bulgaria-and-romania_de (zuletzt abgerufen: 31.01.2021 um 15:35 Uhr).

[439] Europäische Kommission, Kooperations- und Kontrollverfahren für Bulgarien und Rumänien, https://ec.europa.eu/info/policies/justice-and-fundamental-rights/effective-justice/rule-law/assistance-bulgaria-and-romania-under-cvm/cooperation-and-verification-mechanism-bulgaria-and-romania_de (zuletzt abgerufen: 31.01.2021 um 15:35 Uhr).

[440] KOM (2006) 549 endg., 26.09.2006, Ziff. 3.3; *Tudor*, Law Annals Titu Maiorescu University, 2015, 43 (44).

den Entscheidungen der Kommission zur Einrichtung eines Verfahrens für die Zusammenarbeit und die Überprüfung der Fortschritte Bulgariens und Rumäniens vom 13.12.2006 sind diese dann ausdrücklich als Vorgaben im Anhang angeführt.[441] In den Schlussfolgerungen des Rates wurde die Errichtung des Kooperations- und Kontrollmechanismus anschließend auch auf politischer Ebene vereinbart.[442]

Für die Bewertung der Fortschritte im Rahmen des Mechanismus sind für Rumänien[443] vier und für Bulgarien[444] sechs Benchmarks kodifiziert. Aus ihnen wird deutlich, dass die Länder erhebliche Defizite in einzelnen Bereichen der Rechtsstaatlichkeit aufweisen. Die unionalen Vorgaben sind weitreichend und vielfältig, mitunter weit gefasst, um abstrakt die Zielvorgaben festzuschreiben. Insoweit wird die genaue Umsetzung der Benchmarks den Staaten im Detail überlassen und damit die nationale Souveränität geschont.

## III. Das Kooperations- und Kontrollverfahren

Der Begriff „Kooperations- und Überwachungsmechanismus" macht bereits hinreichend deutlich, dass dieser sich aus zwei Komponenten zusammensetzt, einem Kooperations- und einem Überprüfungselement. Die Vorgaben sind Ausgangspunkt für die Überprüfung und Kooperation durch die Kommission.

---

[441] ABl. EU Nr. L 354/58 v. 14.12.2006; ABl. EU Nr. L 354/56 v. 14.12.2006.

[442] *Tudor*, Law Annals Titu Maiorescu University, 2015, 43 (44).

[443] ABl. EU Nr. L 354/56 v. 14.12.2006, Anhang. Für Rumänien sind folgende Benchmarks festgeschrieben: 1. Gewährleistung transparenterer und leistungsfähigerer Gerichtsverfahren durch Stärkung der Kapazitäten und Rechenschaftspflicht des Obersten Richterrats, Berichterstattung und Kontrolle der Auswirkungen neuer Zivil- und Strafprozessordnungen; 2. Einrichtung einer Behörde für Integrität mit folgenden Zuständigkeiten: Überprüfung von Vermögensverhältnissen, Unvereinbarkeiten und möglichen Interessenskonflikten und Verabschiedung verbindlicher Beschlüsse als Grundlage für abschreckende Sanktionen; 3. Konsolidierung bereits erreichter Fortschritte bei der Durchführung fachmännischer und unparteiischer Untersuchungen bei Korruptionsverdacht auf höchster Ebene; 4. Ergreifung weiterer Maßnahmen zur Prävention und Bekämpfung von Korruption, insbesondere in den Kommunalverwaltungen.

[444] ABl. EU Nr. L 354/60 v. 14.12.2006, Anhang; vgl. auch Europäische Kommission, MEMO/07/261, 27.06.2007. Für Bulgarien sind die notwendig zu erreichenden Benchmarks noch umfassender, insoweit lauten die Vorgaben: 1. Annahme von Verfassungsänderungen, um jegliche Zweifel an der Unabhängigkeit und Rechenschaftspflicht des Justizwesens auszuräumen; 2. Gewährleistung von transparenten und leistungsfähigen Gerichtsverfahren durch Annahme und Umsetzung eines neuen Gerichtsverfassungsgesetzes und einer neuen Zivilprozessordnung, Bericht über die Auswirkungen dieser neuen Gesetze sowie der Strafprozess- und der Verwaltungsgerichtsordnung mit besonderer Beachtung der vorgerichtlichen Phase; 3. Fortsetzung der Justizreform und Steigerung der Professionalität, der Rechenschaftspflicht und der Leistungsfähigkeit des Justizwesens, Bewertung der Folgen dieser Reform und jährliche Veröffentlichung der Ergebnisse; 4. Durchführung fachmännischer und unparteiischer Untersuchungen bei Korruptionsverdacht auf höchster Ebene sowie Berichterstattung darüber, Berichterstattung über interne Kontrollen öffentlicher Einrichtungen und über die Offenlegung der Vermögensverhältnisse hochrangiger Beamter; 5. Ergreifung weiterer Maßnahmen zur Prävention und Bekämpfung von Korruption, insbesondere an den Grenzen und in den Kommunalverwaltungen; 6. Umsetzung einer Strategie zur Bekämpfung des organisierten Verbrechens mit den Schwerpunkten Schwerverbrechen und Geldwäsche sowie zur systematischen Einziehung des Vermögens von Straftätern, Berichterstattung über neu eingeleitete und laufende Untersuchungen sowie Anklageerhebungen und Verurteilungen in diesen Bereichen.

## 1.   Kontrollorgan Europäische Kommission

Die Kommission hat sich zur Behebung der Unzulänglichkeiten Bulgariens und Rumäniens im Hinblick auf den Wert der Rechtsstaatlichkeit und somit zur Überprüfung der Fortschritte bei den Vorgaben hin zu den Unionsstandards verpflichtet.[445] Die Überprüfung erfolgt hierbei durch mehrere Komponenten, wie aus den Entscheidungen der Kommission vom 13.12.2006 für Rumänien und Bulgarien hervorgeht.[446]

In Art. 1 der Entscheidungen wird die jährliche Berichterstattung der beiden Länder an die Kommission über die Fortschritte bei der Erfüllung der Vorgaben bis zum 31. März jeden Jahres, für das erste Jahr spätestens bis zum 31.03.2007, festgeschrieben. Die Kommission kann jederzeit selbst Informationen über die grundlegenden Vorgaben einholen, sammeln und austauschen. Zu diesem Zweck hat die Kommission die jederzeit mögliche Entsendung von Expertenmissionen mit Fachleuten, denen die nationalen Behörden die erforderliche Unterstützung leisten müssen, verankert. Die gewonnenen Erkenntnisse, eigenen Stellungnahmen und Schlussfolgerungen der Überprüfung zu den beiden Ländern legt die Kommission nach Art. 2 der Entscheidungen in einem Bericht sowohl dem Europäischen Parlament als auch dem Rat erstmals im Juni 2007 und abhängig von der sich entwickelnden Situation, mindestens jedoch alle sechs Monate, vor.[447]

Damit bewertet die Kommission aufgrund von Analysen und Beobachtungen – unter Einbeziehung der Ergebnisse mit Kontakten der Mitgliedstaaten, der Zivilgesellschaft, internationaler Organisationen, unabhängiger Fachleute – regelmäßig die Fortschritte bei der Justizreform, der Bekämpfung von Korruption und organisierter Kriminalität.[448] Nach einer Bewertung der Umsetzung der Vorgaben gibt die Kommission weitere, regelmäßig detaillierte Hinweise zur Unterstützung des Reformprozesses.[449]

---

[445]   Europäische Kommission, MEMO/16/154, 27.01.2016.

[446]   ABl. EU Nr. L 354/58 v. 14.12.2006; ABl. EU Nr. L 354/56 v. 14.12.2006.

[447]   Die gesamten Fortschrittsberichte der einzelnen Jahre zu Bulgarien und Rumänien sind unter https://ec.europa.eu/info/policies/justice-and-fundamental-rights/effective-justice/rule-law/assistance-bulgaria-and-romania-under-cvm/reports-progress-bulgaria-and-romania_de (zuletzt abgerufen: 31.01.2021 um 15:35 Uhr) abrufbar.

[448]   Europäische Kommission, MEMO/17/131, 25.01.2017.

[449]   Vgl. nur KOM (2007) 378 endg., 27.06.2007, Nr. 4; KOM (2007) 377 endg., 27.06.2007, Nr. 4; KOM (2008) 495 endg., 23.07.2008, Nr. 2.3; KOM (2008) 494 endg., 23.07.2008.

## 2.   Finanzielle und technische Unterstützung

Die Kontrolle der Einhaltung der Vorgaben wird durch die Komponente der Zusammenarbeit ergänzt, welche durch eine finanzielle und technische Hilfe der Kommission gem. Art. 1 der Entscheidungen vom 13.12.2006 erfolgt.[450] Es liegt nahe, dass der Reformprozess von Bulgarien und Rumänien im Rahmen des Kooperations- und Kontrollmechanismus, vergleichbar dem Beitrittsverfahren nach Art. 49 EUV, aus den europäischen Struktur- und Investitionsfonds unterstützt wird.[451] Dabei sind die finanziellen und technischen Unterstützungen durch die Union weitreichend und umfassend.

Rumänien erhält erhebliche finanzielle Unterstützung aus dem Europäischen Sozialfonds (ESF)[452] zur Umsetzung ihrer Projekte in den Bereichen Justizreform und Korruptionsbekämpfung.[453] Dabei dienen die Mittel dem Auf- und Umbau der Ministerien für öffentliche Verwaltung, Justiz, Bildung und Gesundheit sowie speziell als Bestandteil der Korruptionsbekämpfung der Verbesserung der Vergabe von öffentlichen Aufträgen. Zudem erhält Rumänien Mittel aus dem Europäischen Fonds für regionale Entwicklung (EFRE)[454] für den Aufbau von Kapazitäten und technische Hilfe im öffentlichen Auftragswesen, zur Betrugsprävention in den Verwaltungsbehörden und für die Abteilung für Betrugsbekämpfung.

Bulgarien erhält ebenfalls aus dem ESF Mittel zum Auf- und Umbau der Justiz. Diese entfallen auf Maßnahmen zur Personalverwaltung und -schulung, Verbesserung der Transparenz und Leistungsfähigkeit sowie der E-Justiz. Zudem erhielt Bulgarien im Jahre 2016 technische Unterstützung unter der Schirmherrschaft des Dienstes zur Unterstützung von Strukturreformen (SRSS),[455] bei der Experten aus unterschiedlichen EU-Ländern einen Analysebericht über die Arbeitsweise der bulgarischen Staatsanwaltschaft mit Empfehlungen erstellten.[456]

---

[450]   ABl. EU Nr. L 354/58 v. 14.12.2006; ABl. EU Nr. L 354/56 v. 14.12.2006.

[451]   Vgl. KOM (2008) 63 endg., 04.02.2008, Annex; KOM (2008) 62 endg., 04.02.2008; Europäische Kommission, MEMO/17/131, 25.01.2017.

[452]   ABl. EU Nr. L 347/470 v. 20.12.2013; allgemein zum ESF vgl. *Puttler*, in: Calliess/Ruffert, EUV/AEUV, 5. Aufl. 2016, Art. 162 ff. AEUV; *Ross*, in: Schwarze, EU-Kommentar, 4. Aufl. 2019, Art. 162 ff. AEUV; *Eichenhofer*, in: Streinz, EUV/AEUV, 3. Aufl. 2018, Art. 162 ff. AEUV; vgl. auch Europäische Kommission, Europäischer Sozialfonds, http://ec.europa.eu/esf/home.jsp?langId=de (zuletzt abgerufen: 31.01.2021 um 15:35 Uhr).

[453]   Europäische Kommission, MEMO/17/131, 25.01.2017.

[454]   ABl. EU Nr. L 347/289 v. 20.12.2013; vgl. Europäisches Parlament, Europäischer Fonds für regionale Entwicklung (EFRE), http://www.europarl.europa.eu/factsheets/de/sheet/95/europaischer-fonds-fur-regionale-entwicklung-efre- (zuletzt abgerufen: 31.01.2021 um 15:35 Uhr).

[455]   Vgl. Europäische Kommission, Unterstützungsdienst für Strukturreformen, https://ec.europa.eu/info/departments/structural-reform-support-service_en (zuletzt abgerufen: 31.01.2021 um 15:35 Uhr).

[456]   Europäische Kommission, MEMO/17/131, 25.01.2017.

## 3.    Reaktionsmöglichkeiten bei Nichterfüllung

Der Verstoß gegen die speziellen Vorgaben des Kooperations- und Kontrollverfahrens entzieht sich der Ahndung des Unionsrechts, insbesondere ist dieser kein tauglicher Gegenstand des Vertragsverletzungsverfahrens.[457] Gleichwohl kann ein derartiger Verstoß gegen die Bestimmungen des Vertragswerks für Bulgarien und Rumänien nicht folgenlos bleiben. Deshalb sehen die Beitrittsakte dieser beiden Mitgliedstaaten spezifische Schutzmaßnahmen für die Union vor.[458] Für einen Verstoß gegen die Vorgaben eröffnet der 7. Erwägungsgrund, dass *„die Kommission Schutzmaßnahmen nach den Artikeln 37 und 38 der Beitrittsakte treffen"* kann, *„einschließlich der Aussetzung der Verpflichtung der Mitgliedstaaten, unter den im Gemeinschaftsrecht festgelegten Voraussetzungen rumänische Urteile und Gerichtsentscheidungen wie den Europäischen Haftbefehl anzuerkennen und zu vollstrecken".*[459] Selbstredend ist Gleiches für bulgarische Urteile und Gerichtsentscheidungen festgeschrieben.[460] Insofern gewährt die offene Formulierung des Art. 37 der Beitrittsakte der Kommission weitreichende Kompetenzen, da sie bei einem Verstoß bzw. der Gefahr eines Verstoßes gegen die in den Beitrittsverhandlungen eingegangenen Verpflichtungen und der damit einhergehenden Beeinträchtigung des Binnenmarkts *„für einen Zeitraum von bis zu drei Jahren nach dem Beitritt auf begründeten Antrag eines Mitgliedstaats oder auf eigene Initiative geeignete Maßnahmen erlassen"* kann.[461] Ähnlich regelt auch Art. 38 der Beitrittsakte in Bezug auf die gegenseitige Anerkennung für Bereiche des Straf- und Zivilrechts bei ernsten Mängeln oder der bestehenden Gefahren solcher, dass *„die Kommission für einen Zeitraum von bis zu drei Jahren nach dem Beitritt auf begründeten Antrag eines Mitgliedstaats oder auf eigene Initiative und nach Konsultation der Mitgliedstaaten angemessene Maßnahmen treffen und die Bedingungen und Einzelheiten ihrer Anwendung festlegen"* kann.[462] Diese Schutzmaßnahmen zur Sicherung der Rechtsstaatlichkeit innerhalb der Wertegemeinschaft sind von der Union nicht gegenüber Rumänien bzw. Bulgarien aktiviert worden.[463]

Zwar sehen die Schutzklauseln finanzielle Sanktionen bei einem Verstoß gegen den Kooperations- und Kontrollmechanismus explizit nicht vor. Diese werden aber gleichwohl gefordert.[464] Aus dem im Juli 2008 veröffentlichten Bericht der Kommission über die Verwaltung der EU-Fördergelder in Bulgarien geht hervor, dass OLAF Hinweise auf Fälle von Korruption und Betrug bei der Emission dieser EU-Mittel zwischen Verwaltung und Auftragnehmer feststellte, die das grundlegende Problem der fehlenden Leistungsfähig-

---

[457]   *v. Bogdandy/Ioannidis,* ZaöRV 2014, 283 (315).

[458]   ABl. EU Nr. L 354/58 v. 14.12.2006, Erwägungsgrund 5, 7, 8; ABl. EU Nr. L 354/56 v. 14.12.2006, Erwägungsgrund 5, 7, 8.

[459]   ABl. EU Nr. L 354/56 v. 14.12.2006, Erwägungsgrund 7.

[460]   ABl. EU Nr. L 354/58 v. 14.12.2006, Erwägungsgrund 7.

[461]   ABl. EU Nr. L 157/203 v. 21.06.2005.

[462]   ABl. EU Nr. L 157/203 v. 21.06.2005.

[463]   Vgl. insoweit die Fortschrittsberichte der Kommission zum CVM und die dazugehörigen Dokumente der Jahre 2007 bis 2018 zu Bulgarien und Rumänien, abrufbar unter https://ec.europa.eu/info/policies/justice-and-fundamental-rights/effective-justice/rule-law/assistance-bulgaria-and-romania-under-cvm/reports-progress-bulgaria-and-romania_de (zuletzt abgerufen: 31.01.2021 um 15:35 Uhr).

[464]   *v. Bogdandy/Ioannidis,* ZaöRV 2014, 283 (315).

keit der Verwaltungs- und Justizbehörden auf lokaler, regionaler und zentraler Ebene sowie Korruption auf hoher Ebene und organisierte Kriminalität in Bulgarien verdeutlicht.[465] Aufgrund dieser Vorfälle sind als Reaktion die Fördergelder aus mehreren EU-Finanzprogrammen eingefroren und die Akkreditierung für die Verwaltung der Gelder zweier bulgarischer Behörden entzogen worden.[466] Weitere finanzielle Sanktionen sind bisher nicht erfolgt.[467]

Damit besitzt die Kommission im Wege des Kooperations- und Kontrollmechanismus einen weiten Gestaltungsspielraum bei den Schutzmaßnahmen. Die bestehende Praxis zeigt indes, dass eine Anwendung dieser mangels Auswirkung auf die Union und ihre Mitgliedstaaten bisher nicht notwendig war. Demgegenüber bedurften die eheblichen Mängel der Verwaltungs- und Justizbehörden Bulgariens bei der Gewährleistung der unionsrechtskonformen Verteilung der Fördermittel einer finanziellen Sanktionierung.

## 4.  Änderung und Aufhebung des Überwachungsmechanismus

Der Kooperations- und Kontrollmechanismus zielt auf die Unterstützung beim kontrollierten Aufbau von Verwaltungs- und Justizsystemen der beiden Länder ab. Als Sicherungsmechanismus des Wertes der Rechtsstaatlichkeit erschöpft sich dessen Anwendung mit der Erreichung des unionalen Werteniveaus. Hierfür regelt der 9. Erwägungsgrund der CVM-Entscheidungen: *„Diese Entscheidung ist zu ändern, wenn die Bewertung durch die Kommission ergibt, dass die Vorgaben angepasst werden müssen. Diese Entscheidung ist aufzuheben, wenn alle Vorgaben zufriedenstellend erfüllt sind."*[468] Die Vorgaben für die beiden Länder sind über die Jahre nicht geändert, die Empfehlungen zu deren Umsetzung hingegen über den langen Zeitraum regelmäßig angepasst worden. Nach über einem Jahrzehnt des Bestehens des Kooperations- und Kontrollmechanismus deuten die Entwicklungen in den Fortschrittsberichten 2017,[469] 2018[470] und 2019,[471] gerade im Hinblick auf die aktuelle Justizreform in Rumänien,[472] noch kein Ende an. Die Beendigung des Sicherungsmechanismus bei zufriedenstellender Erfüllung der Vorgaben ist damit zeitlich ungewiss. Die Aufhebung erfolgt durch die Kommission mit vorheriger Unterrichtung des Rates.

---

[465]  KOM (2008) 496 endg., 23.07.2008, S. 3, 9 f.

[466]  KOM (2008) 495 endg., 23.07.2008, S. 4; KOM (2008) 496 endg., 23.07.2008, S. 3, 9 f.; eingehend *Trauner*, EIoP 2009, Special Issue 2, Vol. 13. Art. 21, 1 (9 f.); v. *Bogdandy/Ioannidis*, ZaöRV 2014, 283 (315).

[467]  Vgl. insoweit auch hier die Fortschrittsberichte der Kommission zum CVM und die dazugehörigen Dokumente der Jahre 2007 bis 2018 zu Bulgarien und Rumänien, abrufbar unter https://ec.europa.eu/ info/policies/justice-and-fundamental-rights/effective-justice/rule-law/assistance-bulgaria-and-romania-under-cvm/reports-progress-bulgaria-and-romania_de (zuletzt abgerufen: 31.01.2021 um 15:15 Uhr).

[468]  ABl. EU Nr. L 354/58 v. 14.12.2006; ABl. EU Nr. L 354/56, v. 14.12.2006.

[469]  Vgl. KOM (2017) 43 endg., 25.01.2017; KOM (2017) 44 endg., 25.01.2017; KOM (2017) 750 endg., 15.11.2017; KOM (2017) 751 endg., 15.11.2017.

[470]  Vgl. KOM (2018) 850 endg., 13.11.2018; KOM (2018) 851 endg., 13.11.2018.

[471]  Vgl. KOM (2019) 498 endg., 22.10.2019; KOM (2019) 499 endg., 22.10.2019.

[472]  Vgl. *Gotev*, Commission lauds Bulgaria, castigates Romania on judicial reform, Euractiv v. 13.11.2018, https://www.euractiv.com/section/justice-home-affairs/news/commission-lauds-bulgaria-castigates-romania-on-judicial-reform/ (zuletzt abgerufen: 31.01.2021 um 15:35 Uhr).

## IV.  Würdigung

Nachstehend erfolgt eine Würdigung des staatenspezifischen Kooperations- und Kontrollmechanismus.

### 1.   Aufweichung der rechtlichen Vorgaben des Beitrittsverfahrens

Die Heranführung an das unionale Werteniveau mit dem Beitrittsverfahren führte für Bulgarien und Rumänien zwar zu einer Aufnahme in die EU, jedoch nicht zu einer vollwertigen Mitgliedschaft, wie die Einschränkungen des Kooperations- und Kontrollmechanismus darlegen. Trotz erheblicher Mängel bei der Gewährleistung der Rechtsstaatlichkeit wurde ihnen der Beitritt gewährt. Zweifelsohne war dies eine politische Entscheidung. Gleichwohl zeigt dies, dass damit die rechtliche Hürde der Achtung und Förderung der Rechtsstaatlichkeit für den EU-Beitritt umgangen und die Heranführung in die Phase der Mitgliedschaft verschoben wurde. Bei konsequenter Anwendung des präventiven Sicherungsmechanismus des Beitrittsverfahrens hätten Bulgarien und Rumänien nicht im Jahre 2007 der Union beitreten dürfen.[473] Die Folge dieser Politik ist die Schaffung des länderspezifischen Kooperations- und Kontrollmechanismus, der einen Versuch der einzelfallgerechten Korrektur für nicht beitrittsreife Mitgliedstaaten darstellt.

Als vorübergehender Mechanismus zur Heranführung an das Werteniveau ausgestaltet, ist dieser nach über zehnjähriger Anwendung immer noch in Kraft und dessen Aufhebung nicht absehbar.[474] Bei Berücksichtigung der Fortschrittsberichte seit 2018 zeigen sich deutliche Rückschritte bei Rumänien, die eine Gefährdung der Werteunion bedeuten können.[475] Damit bleibt festzustellen, dass durch den Beitritt Bulgariens und Rumäniens die bis dahin bestehende Hürde des Beitrittsverfahrens zu Lasten des Wertes der Rechtsstaatlichkeit aufgeweicht wurde.

### 2.   Fehlende Durchsetzungskraft mangels Sanktionen

Der Kooperations- und Kontrollmechanismus sieht zwar keine Sanktionen vor. Dennoch wurden im Beitrittsvertrag von Bulgarien und Rumänien in den Artikeln 36 ff. Schutzklauseln, insbesondere mit Art. 38 der Beitrittsakte die Möglichkeit der Aussetzung der gegenseitigen Anerkennung gerichtlicher Entscheidungen in den Bereichen Zivil- und Strafrecht, kodifiziert, um die Einhaltung der Rechtsstaatlichkeit zu gewährleisten. Diese sind nie zur Anwendung gekommen. Selbst wenn deren Anwendung vor dem Hinter-

---

[473]   Vgl. *Gotev*, Romania and Bulgaria were not ready for accession, EU auditors confess, Euractiv v. 13.09.2016, https://www.euractiv.com/section/enlargement/news/auditors-romania-and-bulgaria-were-not-ready-for-accession/ (zuletzt abgerufen: 31.01.2021 um 15:35 Uhr); ABl. EU Nr. C 174/1 v. 26.07.2006.

[474]   Ausführlich hierzu *Pech/Wennerström/Leigh/Markowska/De Keyser/Rojo/Spanikova*, An EU mechanism on democracy, the rule of law and fundamental rights, EPRS, PE 579.328, April 2016, S. 87 ff., http://publications.europa.eu/resource/cellar/ffb708b9-1804-11e6-ba9a-01aa75ed71a1.0001.01/DOC_1 (zuletzt abgerufen: 31.01.2021 um 15:35 Uhr).

[475]   Vgl. KOM (2018) 851 endg., 13.11.2018.

grund der derzeitigen Entwicklungen in Rumänien in Erwägung gezogen würde, steht deren zeitlicher Anwendungsbereich entgegen. Eine Aktivierung war nur für die ersten drei Jahre nach dem Beitritt vorgesehen und endete damit im Jahre 2010.

Die übrigen repressiven Sicherungsmechanismen sind wenig geeignet, vorbeitrittsbezogene Heranführungen an das Werteniveau der Rechtsstaatlichkeit zu leisten. In Ermangelung einer fehlenden Durchsetzbarkeit durch die ausgelaufenen Schutzvorkehrungen bleibt nur die Option einer Beschränkung der EU-Finanzierung. Dies wurde bereits gegenüber Bulgarien im Jahre 2008 umgesetzt. Somit bleibt festzustellen, dass dieser Sicherungsmechanismus aufgrund einer beschränkten Sanktionsmöglichkeit über eine schwache Durchsetzbarkeit zu Gunsten der Rechtsstaatlichkeit verfügt.

## V.  Fazit

Der Kooperations- und Kontrollmechanismus stellt den ersten staatenspezifischen präventiven Sicherungsmechanismus dar. Für eine Übergangszeit konzipiert ist dieser seit über zehn Jahren in Anwendung. Die letzten Fortschrittsberichte der Jahre 2018 und 2019 zeigen deutlich auf, dass eine Beendigung, insbesondere für Rumänien, zeitlich nicht abzusehen ist. Die Fähigkeit dieses Sicherungsmechanismus, die systemischen Defizite bei der Rechtsstaatlichkeit im Wege der finanziellen und technischen Unterstützungen zu beheben, darf kritisch gesehen werden. Dennoch hat dieser auch zu einer Verbesserung im Justizsystem sowie zur Bekämpfung von Korruption und organisierter Kriminalität beigetragen. Die mit einem Beitritt zur Wertegemeinschaft der Union verbundene Öffnung des Binnenmarktes, die damit einhergehende Förderung und der wirtschaftliche Aufschwung ist als Triebfeder der Reformbemühungen potentieller Beitrittsaspiranten zu sehen. Die Tatsache, dass mit einem erfolgten Beitritt die Reformwilligkeit abebbt, muss die Union hier schmerzlich erkennen. Die tatsächlichen praktischen Auswirkungen der jahrelangen mangelnden Rechtsstaatlichkeit zweier Mitgliedstaaten auf die Werteunion lassen sich nur schwerlich abschätzen.

Es bleibt festzustellen, dass der staatenspezifische Kooperations- und Kontrollmechanismus kein zukunftsfähiges Modell zur Sicherung der Werte darstellt und dessen Anwendung mit Bulgarien und Rumänien wohl eine Ausnahme bleibt. Aufgrund der stark eingeschränkten Sanktionierungsmöglichkeiten im Rahmen dieses Mechanismus und der fehlenden Anwendbarkeit der übrigen repressiven Sicherungsmechanismen zur Heranführung an das Werteniveau hat sich die Union in eine ungünstige Situation manövriert. Eines weiteren präventiven Mechanismus zur Sicherung der Rechtsstaatlichkeit hätte es bei der konsequenten Anwendung des Art. 49 EUV auch gegenüber Bulgarien und Rumänien nicht bedurft. Die Werteunion ist daher gut beraten, auf die zwingende formelle und materielle Einhaltung der Rechtsstaatlichkeit gegenüber allen neuen Beitrittsländern zu bestehen. Die Bedeutung, der „Herrschaft des Rechts" auch tatsächliche praktische Wirksamkeit zukommen zu lassen, kann nicht hoch genug angesehen werden, um das Vertrauen in die Funktionsfähigkeit der Union und letztlich auch in ihre Sicherung der Werte zu bestätigen. Trotz der Fortschritte, die der Kooperations- und Kontrollmechanismus gebracht hat, ist dessen Wirksamkeit zur Erreichung des Werteniveaus als stark begrenzt anzusehen.

# § 4 Die repressiven Sicherungsmechanismen

Staaten, die bereits den Weg in die Europäische Union beschritten haben und damit zugleich fester Bestandteil dieses Gemeinwesens geworden sind, müssen weiterhin das durch Art. 2 EUV festgelegte Mindestmaß an Wertehomogenität gewährleisten. Zur Erhaltung und Förderung der erreichten Wertehomogenität wird im Folgenden untersucht, welche repressiven Sicherungsmechanismen das Primärrecht nach einem Beitritt zur Union beinhaltet und inwieweit diese zur Sicherung der Werte beitragen können. Dabei widmen sich die nachfolgenden Ausführungen zunächst dem Sanktionsverfahren nach Art. 7 EUV (A.), das typischerweise mit der Sicherung der Werte in Verbindung gebracht wird. Sodann wird das Vertragsverletzungsverfahren (B.) als originär vertragsschützendes Klageverfahren auf seine Sicherungsfähigkeit bzgl. der Werte untersucht. Abschließend erfolgt die Analyse „Der EU-Rahmen zur Stärkung des Rechtsstaatsprinzips" unter Punkt C.

## A.   Das Sanktionsverfahren: (K)eine „nuclear option"?

Als erstes Verfahren zur repressiven Sicherung der Werte ist das Sanktionsverfahren i.S.d. Art. 7 EUV zu nennen. Dieses typischerweise mit den Werten assoziierte Verfahren bezeichnete der ehemalige Kommissionspräsident *José Manuel Barroso* im Zusammenhang mit den zunehmenden rechtsstaatlichen Herausforderungen in den Mitgliedstaaten unzutreffend als *„nuclear option".*[476] Die von ihm gewählte Bezeichnung des Art. 7 EUV verklärt den Charakter dieses Sicherungsmechanismus, dessen Handlungsspektrum sich umfassender darstellt und auch vorbeugend zur Sicherung der Werte beitragen kann.[477]

Im Folgenden werden Inhalt, Aufbau und Regelungswirkung des Sanktionsverfahrens erörtert. Hierzu wird nach einem kurzen Überblick (I.) über die Genese (1.) und die Struktur (2.) dieses Mechanismus dessen materielle und formelle Anforderungen (II. und III.) jeder Verfahrensstufe sowie deren Rechtsfolgen dargestellt. Im Anschluss erfolgt die Erörterung der Justiziabilität des Verfahrens (IV.) und dessen Konkurrenzverhältnis zu Art. 60 WVK (V.). Nach der Einordnung der Vorfeldmaßnahme im Verhältnis zu den übrigen Verfahrensstufen (VI.) sowie einer Würdigung des Mechanismus (VII.) wird mit einem Fazit (VIII.) abgeschlossen.

---

[476]  *Barroso*, Rede zur Lage der Union 2013, 11.09.2013, https://ec.europa.eu/commission/presscorner/detail/de/SPEECH_13_684 (zuletzt abgerufen: 31.01.2021 um 16:45 Uhr).

[477]  Bereits schon *Pech/Scheppele*, VerfBlog 2018/3/06.

## I.   Überblick

Voranzustellen ist der Gesetzeswortlaut des Art. 7 EUV, der festlegt:

*„(1) Auf begründeten Vorschlag eines Drittels der Mitgliedstaaten, des Europäischen Parlaments oder der Europäischen Kommission kann der Rat mit der Mehrheit von vier Fünfteln seiner Mitglieder nach Zustimmung des Europäischen Parlaments feststellen, dass die eindeutige Gefahr einer schwerwiegenden Verletzung der in Artikel 2 genannten Werte durch einen Mitgliedstaat besteht. Der Rat hört, bevor er eine solche Feststellung trifft, den betroffenen Mitgliedstaat und kann Empfehlungen an ihn richten, die er nach demselben Verfahren beschließt.*

*Der Rat überprüft regelmäßig, ob die Gründe, die zu dieser Feststellung geführt haben, noch zutreffen.*

*(2) Auf Vorschlag eines Drittels der Mitgliedstaaten oder der Europäischen Kommission und nach Zustimmung des Europäischen Parlaments kann der Europäische Rat einstimmig feststellen, dass eine schwerwiegende und anhaltende Verletzung der in Artikel 2 genannten Werte durch einen Mitgliedstaat vorliegt, nachdem er den betroffenen Mitgliedstaat zu einer Stellungnahme aufgefordert hat.*

*(3) Wurde die Feststellung nach Absatz 2 getroffen, so kann der Rat mit qualifizierter Mehrheit beschließen, bestimmte Rechte auszusetzen, die sich aus der Anwendung der Verträge auf den betroffenen Mitgliedstaat herleiten, einschließlich der Stimmrechte des Vertreters der Regierung dieses Mitgliedstaats im Rat. Dabei berücksichtigt er die möglichen Auswirkungen einer solchen Aussetzung auf die Rechte und Pflichten natürlicher und juristischer Personen.*

*Die sich aus den Verträgen ergebenden Verpflichtungen des betroffenen Mitgliedstaats sind für diesen auf jeden Fall weiterhin verbindlich.*

*(4) Der Rat kann zu einem späteren Zeitpunkt mit qualifizierter Mehrheit beschließen, nach Absatz 3 getroffene Maßnahmen abzuändern oder aufzuheben, wenn in der Lage, die zur Verhängung dieser Maßnahmen geführt hat, Änderungen eingetreten sind.*

*(5) Die Abstimmungsmodalitäten, die für die Zwecke dieses Artikels für das Europäische Parlament, den Europäischen Rat und den Rat gelten, sind in Artikel 354 des Vertrags über die Arbeitsweise der Europäischen Union festgelegt.“*

## 1.   Genese

Die sukzessive Entwicklung von einer Wirtschafts- hin zur jetzigen Wertegemeinschaft bedurfte mit Blick auf die Einhaltung und Stärkung demokratischer und rechtsstaatlicher Grundsätze sowie des Menschenrechtsschutzes deren Absicherung durch die parallele Kodifizierung unionaler Verfahrensvorschriften. Zur Wahrung dieser Grundsätze wurden über die Jahre unterschiedliche Vorschläge für die Entwicklung einer Sanktionsnorm vorgebracht.[478] Die Bemühungen zur Absicherung gipfelten im Vertrag von Amsterdam mit der unionsrechtlichen Verankerung der Sanktionsnorm in ex-Art. 7 EUV-

---

[478]   Einen ausführlichen Überblick hierzu gibt *Schorkopf*, Homogenität in der Europäischen Union, 2000, S. 135 ff.; *Schorkopf*, in: Grabitz/Hilf/Nettesheim, Das Recht der Europäischen Union, 61. EL 2017, Art. 7 EUV Rn. 1 ff.

Amsterdam.[479] Hiermit fand zum einen die Besinnung auf die Werte und zum anderen ihre Bedeutung für die Union als Wertegemeinschaft eine Betonung.[480] Hintergrund dieser Kodifizierung war die Sorge eines „Werteverlustes" innerhalb der Union aufgrund der bevorstehenden Erweiterungen der EU um ehemalige Staaten des Ostblocks,[481] deren demokratische und rechtsstaatliche Stabilität als ungewiss galt.[482] Somit kam der Sanktionsvorschrift des ex-Art. 7 EUV-Amsterdam auch bewusst eine Signalwirkung gegenüber potentiellen neuen Mitgliedstaaten zu.[483]

Die historische Entwicklung dieses Mechanismus ist auch in Beziehung zum damals bereits bestehenden Vertragsverletzungsverfahren zu setzen. Der Maastrichter Vertrag enthielt keine selbständige Bestimmung zur Sanktionierung von Mitgliedstaaten für den Fall, dass ein mitgliedstaatlicher Verstoß gegen die Grundlage der Verträge vorliegt.[484] Ein Rückgriff bot sich nur auf das allgemeine Völkervertragsrecht an, welches nach Art. 60 Abs. 2 i.V.m. Abs. 3 lit. b) WVK[485] die Möglichkeit der Suspendierung bzw. Beendigung von multilateralen Verträgen eröffnete, für die Gemeinschaft jedoch keine praktische Relevanz besaß.[486]

Zunächst sah ex-Art. 7 EUV-Amsterdam ein zweistufig ausgestaltetes Verfahren vor. Die erste Stufe eröffnete die Feststellung der Verletzung der Grundsätze i.S.d. ex-Art. 6 Abs. 1 EUV-Amsterdam, auf dessen Grundlage auf der zweiten Stufe eine Sanktion gegen den betreffenden Mitgliedstaat verhängt werden konnte. Jedoch führte nur die tatsächliche Verletzung der Werte – und nicht bereits die bloße Gefährdung dieser – zu einer Maßnahme nach ex-Art. 7 EUV-Amsterdam. Aufgrund dessen wurde mit dem Vertrag von Nizza ein zusätzliches vorgelagertes Verfahren als Vorfeldmaßnahme mit Absatz 1

---

[479] ABl. EG Nr. C 340 v. 10.11.1997.

[480] Vgl. *Nowak*, in: Pechstein/Nowak/Häde, Frankfurter Kommentar, 2017, Art. 7 EUV Rn. 2; *Schorkopf*, Homogenität in der Europäischen Union, 2000, S. 141 ff.; *Schorkopf*, in: Grabitz/Hilf/Nettesheim, Das Recht der Europäischen Union, 61. EL 2017, Art. 7 EUV Rn. 1 ff.; *Becker*, in: Schwarze, EU-Kommentar, 4. Aufl. 2019, Art. 7 EUV Rn. 1; *van Vormizeele*, in: v. d. Groeben/Schwarze/Hatje, Europäisches Unionsrecht, 7. Aufl. 2015, Art. 7 EUV Rn. 2.

[481] Zum Begriff vgl. Brockhaus, Ostblock, http://brockhaus.de/ecs/enzy/article/ostblock (zuletzt abgerufen: 31.01.2021 um 16:45 Uhr): „*Ostblock, früher im Zusammenhang mit dem Ost-West-Konflikt in den Staaten der westlichen Welt gebräuchliches Schlagwort für alle europäischen und asiatischen Staaten, die nach dem Zweiten Weltkrieg unter sowjetische Hegemonie gerieten (Mitglieder des Rats für gegenseitige Wirtschaftshilfe beziehungsweise des Warschauer Pakts), begrifflich v. a. auf das östliche Europa bezogen.*"

[482] Vgl. *van Vormizeele*, in: v. d. Groeben/Schwarze/Hatje, Europäisches Unionsrecht, 7. Aufl. 2015, Art. 7 EUV Rn. 2.

[483] Vgl. *Stumpf*, in: Schwarze, EU-Kommentar, 2. Aufl. 2009, Art. 7 EUV Rn. 1; *Thun-Hohenstein*, Der Vertrag von Amsterdam, 1997, S. 25; *van Vormizeele*, in: v. d. Groeben/Schwarze/Hatje, Europäisches Unionsrecht, 7. Aufl. 2015, Art. 7 EUV Rn. 2 f.; *Ruffert*, in: Calliess/Ruffert, EUV/AEUV, 5. Aufl. 2016, Art. 7 EUV Rn. 1 f.

[484] Vgl. *Pechstein*, in: Streinz, EUV/AEUV, 3. Aufl. 2018, Art. 7 EUV Rn. 1. Diese aus historischer Sicht gewachsene Verbundenheit der beiden Sanktionsverfahren wird auch bei der Auslegung der einzelnen Tatbestandsmerkmale des Art. 7 EUV immer wieder vergleichend herangezogen.

[485] Wiener Übereinkommen über das Recht der Verträge vom 23.05.1969, UNTS Vol. 1155 S. 331.

[486] *Pechstein*, in: Streinz, EUV/AEUV, 3. Aufl. 2018, Art. 7 EUV Rn. 1; zur Frage des Rückgriffs auf das allgemeine Völkervertragsrecht nach Schaffung des Art. 7 EUV siehe ausführlich unter V. Konkurrenzverhältnis zu Art. 60 Abs. 2 lit. a) i.V.m. Abs. 3 lit. b) WVK, S. 128 ff.

eingeführt.[487] Maßgeblicher Hintergrund dieser Kodifizierung waren die negativen Erfahrungen aus den Sanktionsmaßnahmen der 14 anderen EU-Mitgliedstaaten gegen Österreich im Jahre 2000.[488] Diese richteten sich gegen die Regierungsbeteiligung der national-konservativen Freiheitlichen Partei Österreichs (FPÖ), waren jedoch nicht von der Regelung des ex-Art. 7 EUV-Amsterdam gedeckt und erfolgten bilateral zwischen den beteiligten Mitgliedstaaten.[489]

Abgesehen von kleineren Modifikationen und Erweiterungen des Gesetzeswortlauts ist ex-Art. 7 EUV-Nizza weitgehend durch den Vertrag von Lissabon übernommen worden.[490]

## 2.   Aufbau

Mit Art. 7 EUV liegt nun primärrechtlich eine Unionsnorm vor, die unterschiedliche Verfahrensstufen vereint und die gegenüber etablierten Mitgliedstaaten der EU zur Anwendung gebracht werden kann. Insoweit entfiel mit dem Lissabonner Reformvertrag die für eine Sanktionierung der Mitgliedstaaten im Anwendungsbereich des EG-Vertrages notwendige parallele Ergänzungsvorschrift nach ex-Art. 309 EGV-Nizza.[491]

In ihrer aktuellen Fassung sieht die Norm einen dreistufigen Mechanismus als Reaktion auf schwerwiegende Verletzungen der Werte vor.[492] Die erste Stufe betrifft die Vorfeldmaßnahme bzw. das Frühwarnverfahren, das zur Feststellung der Gefahr einer schwerwiegenden Verletzung der Werte der Union dient. Auf der zweiten Stufe erfolgt die Feststellung der tatsächlichen Verletzung, an die sich auf der dritten Stufe die Verhängung von konkreten Sanktionen anschließen kann.

---

[487]   *Pechstein*, in: Streinz, EUV/AEUV, 3. Aufl. 2018, Art. 7 EUV Rn. 5; *Geiger*, in: Geiger/Khan/Kotzur, EUV/AEUV, 6. Aufl. 2017, Art. 7 EUV Rn. 1; *Ruffert*, in: Calliess/Ruffert, EUV/AEUV, 5. Aufl. 2016, Art. 7 EUV Rn. 2; *Nowak*, in: Pechstein/Nowak/Häde, Frankfurter Kommentar, 2017, Art. 7 EUV Rn. 2.

[488]   Ausführlich zur Problematik der Sanktionsmaßnahme gegen Österreich *Schmahl*, EuR 2000, 819 (819 ff.); *Schönborn*, Die Causa Austria, 2005, S. 1 ff.; *Schorkopf*, DVBl. 2000, 1036 (1036 ff.); *Hummer/Obwexer*, EuZW 2000, 485 (485 ff.); *Schauer*, in: Busek/Schauer, Eine europäische Erregung, 2003, S. 189 ff.; für einen Überblick der Neuerungen mit dem Vertrag von Nizza vgl. nur *Epiney/Abt/Mosters*, DVBl. 2001, 941 (941 ff.).

[489]   *Hatje*, EuR 2001, 143 (172 f.); *Nowak*, in: Pechstein/Nowak/Häde, Frankfurter Kommentar, 2017, Art. 7 EUV Rn. 3; *Schorkopf*, DVBl. 2000, 1036 (1036); *Ruffert*, in: Calliess/Ruffert, EUV/AEUV, 5. Aufl. 2016, Art. 7 EUV Rn. 34 m.w.N.

[490]   Wichtige Änderungen im Rahmen des „Art. 7"-Verfahrens waren u. a. der Wegfall der Anhörung der unabhängigen Persönlichkeiten nach Absatz 1 sowie die Ersetzung des Absatzes 5 und 6 nach Nizza durch einen neuen Absatz 5, der auf die Abstimmungsmodalität nach Art. 354 AEUV verweist. Vgl. für einen Überblick der Änderungen *Schorkopf*, in: Grabitz/Hilf/Nettesheim, Das Recht der Europäischen Union, 61. EL 2017, Art. 7 EUV Rn. 5 ff.; eingehend *Träbert*, Sanktionen der Europäischen Union gegen ihre Mitgliedstaaten, 2010, S. 404 ff.

[491]   *Becker*, in: Schwarze, EU-Kommentar, 4. Aufl. 2019, Art. 7 EUV Rn. 1.

[492]   *Ruffert*, in: Calliess/Ruffert, EUV/AEUV, 5. Aufl. 2016, Art. 7 EUV Rn. 7.

Art. 7 EUV benennt neben den Tatbestandsvoraussetzungen und Verfahrensanforderungen auch Sanktionierungsmöglichkeiten von Werteverstößen. Sie stellt damit die einzige Norm im unionalen Vertragswerk dar, welche die Einschränkungen von mitgliedstaatlichen Rechten aus Gründen der Verletzung der Werte explizit vorsieht.[493]

## II. Die Vorfeldmaßnahmen des Art. 7 Abs. 1 EUV

In Bezug auf die Vorfeldmaßnahme nach Art. 7 Abs. 1 UAbs. 1 S. 1, 2 EUV werden zunächst die materiellen Anforderungen (1.) des Bestehens der eindeutigen Gefahr einer schwerwiegenden Verletzung der Werte durch einen Mitgliedstaat vor den Verfahrenserfordernissen (2.) erörtert, um nach Darstellung der Überprüfungspflicht (3.) den Blick auf die Rechtsfolgenseite (4.) der Maßnahme zu richten.

## 1. Anforderungen des Art. 7 Abs. 1 UAbs. 1 EUV

### a. Bestehen einer eindeutigen Gefahr für die Werte

Als materielle Voraussetzung zur Einleitung der Vorfeldmaßnahme bedarf es gem. Art. 7 Abs. 1 UAbs. 1 S. 1 EUV des Bestehens einer eindeutigen Gefahr für die Werte. Diese Feststellung zur vorbeugenden Sicherung der Werte macht bereits deutlich, dass eine Bezeichnung des Art. 7 EUV als „nuclear option" zu kurz greift.

### aa) Werte des Art. 2 EUV

Art. 7 Abs. 1 UAbs. 1 S. 1 EUV verweist als Tatbestandsvoraussetzung, ähnlich wie Art. 49 EUV, auf die „*in Artikel 2 genannten Werte*". Diese unpräzise Formulierung ist systematisch-teleologisch zu Gunsten der in Art. 2 S. 1 EUV genannten Verfassungsprinzipien zu reduzieren.[494]

Der Gesetzestext spricht des Weiteren von einer Gefahr „*der [...] Werte*" und legt nach der verwendeten Formulierung im Plural nahe, dass eine gleichzeitige Verletzung mehrerer Werte für die Vorfeldmaßnahme vorliegen muss.[495] Das Einschreiten bei einer drohenden Verletzung nur eines Wertes ist vom Wortlaut nicht angezeigt. Insoweit stellt sich die Frage, ob nicht bereits die Gefahr einer schwerwiegenden Verletzung nur eines Wertes ausreichen muss. Im Hinblick auf die fundamentale Bedeutung jedes einzelnen Wertes für sich, deren Gleichwertigkeit untereinander sowie im Interesse der praktischen Anwend-

---

[493] *Ruffert*, in: Calliess/Ruffert, EUV/AEUV, 5. Aufl. 2016, Art. 7 EUV Rn. 3; *Schorkopf*, Homogenität in der Europäischen Union, 2000, S. 104 ff.; *Schorkopf*, in: Grabitz/Hilf/Nettesheim, Das Recht der Europäischen Union, 61. EL 2017, Art. 7 EUV Rn. 11; *van Vormizeele*, in: v. d. Groeben/Schwarze/Hatje, Europäisches Unionsrecht, 7. Aufl. 2015, Art. 7 EUV Rn. 5; *Becker*, in: Schwarze, EU-Kommentar, 4. Aufl. 2019, Art. 7 EUV Rn. 3.

[494] Vgl. auch *Schorkopf*, in: Grabitz/Hilf/Nettesheim, Das Recht der Europäischen Union, 61. EL 2017, Art. 7 EUV Rn. 30.

[495] *Nowak*, in: Pechstein/Nowak/Häde, Frankfurter Kommentar, 2017, Art. 7 EUV Rn. 7; *Pechstein*, in: Streinz, EUV/AEUV, 3. Aufl. 2018, Art. 7 EUV Rn. 6.

barkeit im Rahmen des Art. 7 EUV ist bereits die Verletzung nur eines Wertes für die Erfüllung der Voraussetzung ausreichend.[496] Dass in der Praxis regelmäßig die gleichzeitige Gefahr einer Verletzung von mehreren Werten durch den betroffenen Mitgliedstaat vorliegen wird,[497] steht dieser Auslegung nicht entgegen.

### bb) Eindeutige Gefahr

Für die Sicherung der Werte der Union kommt es entscheidend auf die Qualifikation des Gefahrenbegriffs an, zumal dieser auch dem Beurteilungsspielraum des Rates seine Grenzen setzt.

Sowohl der EU- als auch der AEU-Vertrag schweigen zur Terminologie der „Gefahr".[498] Insoweit bietet sich zunächst ein Vergleich des deutschen Wortlauts des Art. 7 Abs. 1 UAbs. 1 S. 1 EUV mit anderen Amtssprachen in der Union an. Entgegen der deutschen Sprachfassung spricht die englische Fassung von „risk", die französische Fassung von „risque" und die niederländische Fassung wiederum von „gevaar". Zwar werden die Begriffe Gefahr und Risiko im allgemeinen Sprachgebrauch mitunter synonym verwendet. Jedoch verdeutlicht der unterschiedliche Wortlaut einen grundsätzlich inkongruenten Regelungsgehalt.[499] Unter Risiko ist allgemeingültig die Möglichkeit zu verstehen, dass eine Handlung oder Aktivität einen Schaden oder Verlust zur Folge hat oder mit anderen Nachteilen verbunden ist. Hingegen bezeichnet die Gefahr eine unmittelbare und konkrete Bedrohung.[500] Bei einem Risiko sind die Folgen ungewiss, wobei ein sicherer Verlust nicht vorliegt.[501] Nach dieser Umschreibung zeigt sich eine abweichende Begriffsbedeutung, demgemäß sich die Gefahr als ein „Mehr" gegenüber dem Risiko darstellt.

Der Vergleich führt damit zu keiner weiteren Präzisierung, sondern deutet auf ein breites Begriffsverständnis im Unionsrecht hin. Eine zukünftige Konturierung dieser Begrifflichkeit durch den Gerichtshof ist unwahrscheinlich. Dessen Rechtmäßigkeitskontrolle ist gem. Art. 269 Abs. 1 AEUV auf die Verfahrensbestimmungen im Rahmen des Art. 7 EUV beschränkt.[502]

Mit Blick auf die deutsche Sprachfassung kann für die Definition der Gefahr die Begriffsbedeutung aus dem deutschen Staats- und Verwaltungsrecht herangezogen wer-

---

[496]   *Schorkopf*, Homogenität in der Europäischen Union, 2000, S. 148 f.; *Schmahl*, EuR 2000, 819 (822); *Hummer/Obwexer*, EuZW 2000, 485 (487); *Ruffert*, in: Calliess/Ruffert, EUV/EGV, 3. Aufl. 2007, Art. 7 EUV Rn. 4; *Pechstein*, in: Streinz, EUV/AEUV, 3. Aufl. 2018, Art. 7 EUV Rn. 6; *Schorkopf*, in: Grabitz/Hilf/Nettesheim, Das Recht der Europäischen Union, 61. EL 2017, Art. 7 EUV Rn. 30; *Nowak*, in: Pechstein/Nowak/Häde, Frankfurter Kommentar, 2017, Art. 7 EUV Rn. 7; *van Vormizeele*, in: v. d. Groeben/Schwarze/Hatje, Europäisches Unionsrecht, 7. Aufl. 2015, Art. 7 EUV Rn. 10; KOM (2003) 606 endg., 15.10.2003, Ziff. 1.4.3., S. 8 f.

[497]   *Nowak*, in: Pechstein/Nowak/Häde, Frankfurter Kommentar, 2017, Art. 7 EUV Rn. 7; *Pechstein*, in: Streinz, EUV/AEUV, 3. Aufl. 2018, Art. 7 EUV Rn. 6.

[498]   So auch *Nowak*, in: Pechstein/Nowak/Häde, Frankfurter Kommentar, 2017, Art. 7 EUV Rn. 10.

[499]   Andernfalls müsste sowohl die englische als auch die französische Fassung auf den Begriff „danger" lauten bzw. die deutsche und niederländische Fassung auf Risiko.

[500]   Brockhaus, Enzyklopädie in 30 Bänden, Band 23, 21. Aufl. 2006, Stichwort „Risiko", S. 199.

[501]   Brockhaus, Enzyklopädie in 30 Bänden, Band 23, 21. Aufl. 2006, Stichwort „Risiko", S. 199.

[502]   *Nowak*, in: Pechstein/Nowak/Häde, Frankfurter Kommentar, 2017, Art. 7 EUV Rn. 10.

den.[503] Demnach ist hierunter eine Sachlage zu verstehen, in der bei ungehindertem Ablauf des objektiv zu erwartenden Geschehens in absehbarer Zeit mit hinreichender Wahrscheinlichkeit ein Schaden für ein Schutzgut eintreten wird.[504] In der Literatur findet sich eine vergleichbare Annäherung zur Bestimmung des Gefahrenbegriffs des Art. 7 Abs. 1 UAbs. 1 S. 1 EUV, die von einer Situation ausgeht, in welcher im Wege einer Wahrscheinlichkeitsprognose bei kritischer Beurteilung der Gegenwart eine Entwicklung erwartet wird, die mit an Sicherheit grenzender Wahrscheinlichkeit zu einer schwerwiegenden Verletzung der Werte führt.[505]

Unter Berücksichtigung des zusätzlich einschränkenden Kriteriums der Eindeutigkeit, dürfen bei der Begriffsbestimmung an die Auslegung des Gefahrenbegriffs selbst nicht zu hohe Anforderungen gestellt werden. Dies gebietet zudem auch die Entstehungsgeschichte der Vorfeldmaßnahme mit der „Causa Österreich", die als niedrigste Eingriffsschwelle ihrem Sinn und Zweck nach zur Eröffnung einer frühzeitigen Reaktionsmöglichkeit auf eine Wertemissachtung gerichtet ist.[506]

Die in den einzelnen Amtssprachen der Unionsverträge unterschiedlich verwendeten Begrifflichkeiten unterstreichen ein weites Begriffsverständnis. Für die Feststellung der Gefahrenlage ist demzufolge eine Auslegung aus der Schnittmenge zwischen Risiko und Gefahr heranzuziehen, wodurch eine nicht allzu strenge Anforderung an die Prognoseentscheidung über den hypothetischen Geschehensablauf zu stellen ist.[507]

Demgemäß ist unter einer Gefahr im Sinne des Art. 7 Abs. 1 UAbs. 1 S. 1 EUV abstrakt eine Prognose über den ungehinderten Fortgang von Ereignissen zu verstehen, die in absehbarer Zeit wahrscheinlich bzw. ohne große Zweifel zu einer Verletzung der Werte führen werden.[508] Die prognostische Entscheidung muss sich dabei auf der Grundlage von Tatsachen und nicht von Mutmaßungen ergeben.[509]

Durch das bereits angesprochene einschränkende Attribut „*eindeutig*" werden zudem erhöhte Anforderungen an die Feststellung der Gefahr und somit an die Prognose des

---

[503] *Kassner*, Die Unionsaufsicht, 2003, S. 128; *Träbert*, Sanktionen der Europäischen Union gegen ihre Mitgliedstaaten, 2010, S. 248.

[504] Vgl. *Schenke*, Polizei- und Ordnungsrecht, 10. Aufl. 2018, § 3 Rn. 69 f.; *Berner/Köhler/Käß*, Polizeiaufgabengesetz, 20. Aufl. 2010, Art. 2 PAG Rn. 20; *Schmidbauer*, in: Schmidbauer/Steiner, PAG/POG, 5. Auflage 2020, Art. 2 PAG Rn. 13; *Schoch*, in: Schoch, Besonderes Verwaltungsrecht, 2018, S. 94 f. Rn. 279.

[505] *Kassner*, Die Unionsaufsicht, 2003, S. 130; *Kluth*, in: Calliess/Ruffert, EUV/EGV, 2. Aufl. 2002, Art. 7 EUV Rn. 6; *Heintschel v. Heinegg*, in: Vedder/Heintschel v. Heinegg, Europäisches Unionsrecht, 2. Aufl. 2018, Art. 7 EUV Rn. 9; *Träbert*, Sanktionen der Europäischen Union gegen ihre Mitgliedstaaten, 2010, S. 248; *Serini*, Sanktionen der Europäischen Union bei Verstoß eines Mitgliedstaates gegen das Demokratie- oder Rechtsstaatsprinzip, 2009, S. 195.

[506] Vgl. *Pache/Schorkopf*, NJW 2001, 1377 (1383 f.); vgl. auch *Epiney/Abt/Mosters*, DVBl. 2001, 941 (951).

[507] Vgl. auch *Serini*, Sanktionen der Europäischen Union bei Verstoß eines Mitgliedstaates gegen das Demokratie- oder Rechtsstaatsprinzip, 2009, S. 195 f.; *Träbert*, Sanktionen der Europäischen Union gegen ihre Mitgliedstaaten, 2010, S. 248 f.

[508] Ähnlich auch *Nowak*, in: Pechstein/Nowak/Häde, Frankfurter Kommentar, 2017, Art. 7 EUV Rn. 10 m.w.N.; *Kluth*, in: Calliess/Ruffert, EUV/EGV, 2. Aufl. 2002, Art. 7 EUV Rn. 6.

[509] *Epiney/Abt/Mosters*, DVBl. 2001, 941 (951); *Pache/Schorkopf*, NJW 2001, 1377 (1383 f.); *Heintschel v. Heinegg*, in: Vedder/Heintschel v. Heinegg, Europäisches Unionsrecht, 2. Aufl. 2018, Art. 7 EUV Rn. 9.

Rates gestellt.[510] Hierdurch erfolgt eine klare Einschränkung des Beurteilungsspielraums des Rates, dessen politische Erwägungen nicht völlig beseitigt werden.[511] Jeder Gefahr wohnt die Eventualität inne, dass diese in eine Verletzung umschlagen kann, jedoch nicht muss.[512] Insoweit ist die Terminologie *„eindeutig"* unglücklich gewählt, da diese grundsätzlich nur *ex post* bewertet werden kann.[513] Eine Verletzung der Werte muss sich folglich hinreichend abzeichnen, um sie als *„eindeutig"* prognostizieren zu können.[514] Zur Feststellung der Eindeutigkeit der Gefahr wird daher sowohl ein zeitliches (*„in absehbarer Zeit"*) als auch ein qualitatives Moment (*„Wahrscheinlichkeit der Rechtsgutsverletzung"*) bei der Prognoseentscheidung gefordert.[515]

Zur Erfüllung des qualitativen Faktors bedarf es mithin konkreter Erkenntnisse und Anhaltspunkte hinsichtlich der Sachlage im Mitgliedstaat, womit rein potenzielle Gefahren dem Anwendungsbereich des Art. 7 Abs. 1 UAbs. 1 S. 1 EUV entzogen sind.[516] In Bezug auf den zeitlichen Faktor bedarf es der Herausbildung erster Vorzeichen einer Gefährdung der Werte, die beispielsweise in Form von Rassismus oder Fremdenfeindlichkeit zu Tage treten können.[517] Die Umsetzung in der Praxis wird sich demgegenüber wiederum als schwieriger und weniger eindeutig gestalten dürfen, was bereits die Geschichte der „Causa Österreich" zeigt.[518]

Somit ist festzuhalten, dass die prognostische Entscheidung über die zukünftige Entwicklung hin zu einer eindeutigen Gefahr für die Werte letztlich nicht abstrakt determiniert werden kann. Sie bleibt immer eine Entscheidung des konkreten Einzelfalls, deren Folgeabschätzung von den Fähigkeiten des Rates und dessen Opportunitätserwägungen

---

[510]   *Ruffert*, in: Calliess/Ruffert, EUV/AEUV, 5. Aufl. 2016, Art. 7 EUV Rn. 8; *Pechstein*, in: Streinz, EUV/AEUV, 3. Aufl. 2018, Art. 7 EUV Rn. 7; *Serini*, Sanktionen der Europäischen Union bei Verstoß eines Mitgliedstaates gegen das Demokratie- oder Rechtsstaatsprinzip, 2009, S. 197; *Träbert*, Sanktionen der Europäischen Union gegen ihre Mitgliedstaaten, 2010, S. 249; *Heintschel v. Heinegg*, in: Vedder/Heintschel v. Heinegg, Europäisches Unionsrecht, 2. Aufl. 2018, Art. 7 EUV Rn. 9; *Nowak*, in: Pechstein/Nowak/Häde, Frankfurter Kommentar, 2017, Art. 7 EUV Rn. 10.

[511]   *Schorkopf*, in: Grabitz/Hilf/Nettesheim, Das Recht der Europäischen Union, 61. EL 2017, Art. 7 EUV Rn. 21; *Träbert*, Sanktionen der Europäischen Union gegen ihre Mitgliedstaaten, 2010, S. 249; *Heintschel v. Heinegg*, in: Vedder/Heintschel v. Heinegg, Europäisches Unionsrecht, 2. Aufl. 2018, Art. 7 EUV Rn. 9.

[512]   *Serini*, Sanktionen der Europäischen Union bei Verstoß eines Mitgliedstaates gegen das Demokratie- oder Rechtsstaatsprinzip, 2009, S. 197.

[513]   *Kassner*, Die Unionsaufsicht, 2003, S. 130.

[514]   Vgl. KOM (2003) 606 endg., 15.10.2003, S. 8.

[515]   *Schorkopf*, in: Grabitz/Hilf/Nettesheim, Das Recht der Europäischen Union, 61. EL 2017, Art. 7 EUV Rn. 21; *van Vormizeele*, in: v. d. Groeben/Schwarze/Hatje, Europäisches Unionsrecht, 7. Aufl. 2015, Art. 7 EUV Rn. 7; *Heintschel v. Heinegg*, in: Vedder/Heintschel v. Heinegg, Europäisches Unionsrecht, 2. Aufl. 2018, Art. 7 EUV Rn. 9; *Serini*, Sanktionen der Europäischen Union bei Verstoß eines Mitgliedstaates gegen das Demokratie- oder Rechtsstaatsprinzip, 2009, S. 197; vgl. auch KOM (2003) 606 endg., 15.10.2003, S. 8; auch schon *Kluth*, in: Calliess/Ruffert, EUV/EGV, 2. Aufl. 2002, Art. 7 EUV Rn. 6.

[516]   *Kassner*, Die Unionsaufsicht, 2003, S. 131; *Nowak*, in: Pechstein/Nowak/Häde, Frankfurter Kommentar, 2017, Art. 7 EUV Rn. 10. Die Kommission führte als Beispiel für klare Anhaltspunkte einer „eindeutigen Gefahr" i.S.d. Art. 7 Abs. 1 UAbs. 1 S. 1 EUV die Annahme eines Gesetzes, das für den Kriegsfall die Verfahrensgarantien außer Kraft setzt, an, vgl. KOM (2003) 606 endg., 15.10.2003, S. 8.

[517]   KOM (2003) 606 endg., 15.10.2003, S. 8.

[518]   *Träbert*, Sanktionen der Europäischen Union gegen ihre Mitgliedstaaten, 2010, S. 249.

abhängt.[519] Dennoch kann eine Feststellung der eindeutigen Gefahrenlage i.S.d. Art. 7 Abs. 1 UAbs. 1 S. 1 EUV erfolgen, wenn sich eine tatsächliche Verletzung der Werte bei ungehindertem Geschehensablauf in naher Zukunft unter hoher Wahrscheinlichkeit abzeichnet.[520]

## b. Schwerwiegende Verletzung durch einen Mitgliedstaat

Neben einer eindeutigen Gefahrenlage bedarf es zur Einleitung der Vorfeldmaßnahme der Voraussetzung der *„schwerwiegenden Verletzung [...] durch einen Mitgliedstaat"*.

## aa) Schwerwiegende Verletzung

Im Rahmen der Unionsverträge findet sich vielfach der Terminus *„Verletzung"* wieder. Neben dem Art. 7 EUV sind hier vorrangig das Vertragsverletzungsverfahren nach Art. 259 AEUV sowie die Nichtigkeitsklage nach Art. 263 AEUV zu nennen. Hierbei dienen als Anknüpfungspunkt für die Feststellung einer Pflichtverletzung regelmäßig Sekundärrechtsakte. Dies steht jedoch einer Anlehnung an die Rechtsprechung des EuGH zur besseren Begriffsbestimmung nicht entgegen.[521] Eine Verletzung im Rahmen der unionalen Klageverfahren liegt nach dem Verständnis der Rechtsprechung dann vor, wenn der Mitgliedstaat durch sein Handeln gegen die ihm obliegenden Rechtspflichten verstößt.[522] Von einer Verletzung gegen die Rechtspflichten der Werte ist folglich auszugehen, wenn in einem Mitgliedstaat zu Lasten der Werte negativ inhaltlich abgewichen wird.[523]

Daneben umfasst der Tatbestand des Art. 7 Abs. 1 EUV ein weiteres materielles Kriterium, wonach die Gefahr einer *„schwerwiegenden"* Verletzung bestehen muss. Im Rahmen der englischen Fassung wurde mit *„serious breach"* bzw. in der französischen Fassung mit *„violation grave"* eine übereinstimmende Formulierung gewählt, die besondere Anforderungen an die Art und Weise der Verletzungshandlung stellt.

Die Verwendung der zusätzlichen adjektivischen Umschreibung „schwerwiegend" verlangt nach dem allgemeinen Verständnis die Überschreitung einer gewissen Erheblich-

---

[519] *Serini*, Sanktionen der Europäischen Union bei Verstoß eines Mitgliedstaates gegen das Demokratie- oder Rechtsstaatprinzip, 2009, S. 196; *Schauer*, in: Busek/Schauer, Eine europäische Erregung, 2003, S. 189 (209); vgl. auch *Kassner*, Die Unionsaufsicht, 2003, S. 130.

[520] *Nowak*, in: Pechstein/Nowak/Häde, Frankfurter Kommentar, 2017, Art. 7 EUV Rn. 10; *van Vormizeele*, in: v. d. Groeben/Schwarze/Hatje, Europäisches Unionsrecht, 7. Aufl. 2015, Art. 7 EUV Rn. 7; *Serini*, Sanktionen der Europäischen Union bei Verstoß eines Mitgliedstaates gegen das Demokratie- oder Rechtsstaatprinzip, 2009, S. 197 f.; *Heintschel v. Heinegg*, in: Vedder/Heintschel v. Heinegg, Europäisches Unionsrecht, 2. Aufl. 2018, Art. 7 EUV Rn. 9; *Kassner*, Die Unionsaufsicht, 2003, S. 131; *Ruffert*, in: Calliess/Ruffert, EUV/AEUV, 5. Aufl. 2016, Art. 7 EUV Rn. 8; *Schorkopf*, in: Grabitz/Hilf/Nettesheim, Das Recht der Europäischen Union, 61. EL 2017, Art. 7 EUV Rn. 21; *Becker*, in: Schwarze, EU-Kommentar, 4. Aufl. 2019, Art. 7 EUV Rn. 5.

[521] So bereits *Träbert*, Sanktionen der Europäischen Union gegen ihre Mitgliedstaaten, 2010, S. 250 m.w.N.

[522] EuGH, Rs. C-31/69, Kommission/Italien, Slg. 1970, 25, Rn. 9.

[523] *Schorkopf*, Homogenität in der Europäischen Union, 2000, S. 147; *Stumpf*, in: Schwarze, EU-Kommentar, 2. Aufl. 2009, Art. 7 EUV Rn. 4; *Schorkopf*, in: Grabitz/Hilf/Nettesheim, Das Recht der Europäischen Union, 61. EL 2017, Art. 7 EUV Rn. 30; *van Vormizeele*, in: v. d. Groeben/Schwarze/Hatje, Europäisches Unionsrecht, 7. Aufl. 2015, Art. 7 EUV Rn. 10; *Pechstein*, in: Streinz, EUV/AEUV, 3. Aufl. 2018, Art. 7 EUV Rn. 13; *Träbert*, Sanktionen der Europäischen Union gegen ihre Mitgliedstaaten, 2010, S. 251; kritisch hierzu *Nowak*, in: Pechstein/Nowak/Häde, Frankfurter Kommentar, 2017, Art. 7 EUV Rn. 8, Fn. 32.

keitsschwelle.[524] Zur Bestimmung der *schwerwiegenden* Verletzung gegenüber einer „marginalen" bzw. „gewöhnlichen" Verletzung bietet es sich an, Art. 7 EUV in einen Zusammenhang mit dem Vertragsverletzungsverfahren nach Art. 258 AEUV zu setzen.[525] Das Erfordernis der *schwerwiegenden* Verletzung impliziert, dass es auch Verletzungen im Sinne der Unionsverträge gibt, die noch nicht ausreichen, um eine Vorfeldmaßnahme bzw. einen Feststellungsbeschluss einzuleiten.[526]

Liegt gerade nur eine einzelne geringfügige und letztlich „einfache" Verletzungshandlung gegen die Verträge – im Wege der Missachtung des primären oder sekundären Unionsrechts durch einen Mitgliedstaat – vor, ist für die Schlichtung derartiger Verstöße das Vertragsverletzungsverfahren nach Art. 258 AEUV einschlägig.[527] Das Unionsrecht bietet für die Unterbindung dieser einzelnen „einfachen" Verstöße ein eigenes unionsinternes Rechtsschutzsystem, dessen Ausgestaltung und Funktion jedoch auf der Bedingung der grundsätzlichen Einhaltung des europäischen Wertefundaments fußt.[528] Dies führt im Umkehrschluss nicht dazu, dass Verletzungshandlungen des sekundären Unionsrechts nicht auch gleichzeitig die Werte berühren können. Jedoch bedarf es für das Vorliegen einer *schwerwiegenden Verletzung* einer tiefgreifenden Abkehr von den Werten und nicht nur einer mitunter bloßen punktuellen Beeinträchtigung.[529] Hierfür ist insbesondere der Umfang des Verstoßes im Ganzen in den Blick zu nehmen.[530]

Für die Beurteilung gilt es deshalb, die spezifischen Umstände des Einzelfalls, wie etwa den Gegenstand der Verletzung, deren Intensität und Folgen zu berücksichtigen.[531] Ergibt sich hieraus das Fehlen der grundsätzlichen Zustimmung zur Integration in das System der europäischen Wertegemeinschaft durch den betreffenden Mitgliedstaat, greift das unionsinterne Rechtsschutzsystem nach Art. 258 ff. AEUV zu kurz.[532] Wenn die Beeinträchtigung nicht mehr nur das unionsinterne Regelungssystem erfasst, sondern final auf das Wertefundament „durchschlägt" und damit den Wesens- bzw. Kerngehalt der ge-

---

[524] Vgl. auch *v. Sydow*, in: v. d. Groeben/Schwarze, Kommentar zum EU-/EG-Vertrag, 6. Aufl. 2003, Art. 7 EUV Rn. 25.

[525] So bereits zutreffend *Schorkopf*, Homogenität in der Europäischen Union, 2000, S 150; *Schorkopf*, in: Grabitz/Hilf/Nettesheim, Das Recht der Europäischen Union, 61. EL 2017, Art. 7 EUV Rn. 32; *Schmahl*, EuR 2000, 819 (823); wohl auch *v. Sydow*, in: v. d. Groeben/Schwarze, Kommentar zum EU-/EG-Vertrag, 6. Aufl. 2003, Art. 7 EUV Rn. 25; kritisch hingegen *Pechstein*, in: Streinz, EUV/AEUV, 3. Aufl. 2018, Art. 7 EUV Rn. 14.

[526] *v. Sydow*, in: v. d. Groeben/Schwarze, Kommentar zum EU-/EG-Vertrag, 6. Aufl. 2003, Art. 7 EUV Rn. 25.

[527] *Hummer/Obwexer*, EuZW 2000, 485 (487).

[528] *Schmahl*, EuR 2000, 819 (823) m.w.N.

[529] *Stumpf*, in: Schwarze, EU-Kommentar, 2. Aufl. 2009, Art. 7 EUV Rn. 4; *Schmahl*, EuR 2000, 819 (823); *Heintschel v. Heinegg*, in: Vedder/Heintschel v. Heinegg, Europäisches Unionsrecht, 2. Aufl. 2018, Art. 7 EUV Rn. 10; *van Vormizeele*, in: v. d. Groeben/Schwarze/Hatje, Europäisches Unionsrecht, 7. Aufl. 2015, Art. 7 EUV Rn. 10; *Schorkopf*, in: Grabitz/Hilf/Nettesheim, Das Recht der Europäischen Union, 63. EL 2017, Art. 7 EUV Rn. 32.

[530] *van Vormizeele*, in: v. d. Groeben/Schwarze/Hatje, Europäisches Unionsrecht, 7. Aufl. 2015, Art. 7 EUV Rn. 10.

[531] *v. Sydow*, in: v. d. Groeben/Schwarze, Kommentar zum EU-/EG-Vertrag, 6. Aufl. 2003, Art. 7 EUV Rn. 26 ff.; Vgl. KOM (2003) 606 endg., 15.10.2003, S. 8 f.

[532] Vgl. *Hummer/Obwexer*, EuZW 2000, 485 (487).

schützten Werte antastet, liegt eine Überschreitung der Erheblichkeitsschwelle vor, die als *„schwerwiegende Verletzung"* i.S.d. Art. 7 Abs. 1 EUV zu qualifizieren ist.[533]

Von einer schwerwiegenden Verletzung des Wesens- bzw. Kerngehaltes ist dabei stets auszugehen, wenn die rechtlichen Gewährleistungen eines Wertes suspendiert oder aufgehoben werden bzw. dessen rechtlicher Regelungsgehalt derart faktisch eingeschränkt wird, dass es sich nur noch um eine leere Hülse handelt.[534] Respektive ist für die Feststellung eine gewisse Intensität der Verletzung gefordert, die über eine Negierung der Werte durch einzelne punktuelle Verletzungen hinausgeht und zu einem System ergreifenden Wertedefizit im betroffenen Mitgliedstaat führt.[535] Ob eine Verletzung und damit eine Abweichung zu Lasten der Werte vorliegt, ist somit im Wege eines Vergleichs des Ist-Zustandes mit dem Soll-Zustand zu bewerten.[536]

Wann genau in der Praxis eine Werteverletzung erfolgt, lässt sich hierdurch nur schwerlich feststellen. Zum Nachweis einer Verletzung hat sich, wie bereits erörtert,[537] der dogmatische Begriff des „systemischen Defizits" herausgebildet.[538] Dieser lässt sich für die Beurteilung des Art. 7 EUV heranziehen. Wird das durch einen Wert verankerte Verfassungsprinzip derart beeinträchtigt, dass die Abweichung hiervon nicht nur die Ausnahme, sondern vielfach die Regel darstellt und es damit in seiner Kernfunktion suspendiert ist, deutet dies auf ein systemisches Defizit und damit eine Werteverletzung hin. Als Indizwirkung für einen Werteverstoß sind insbesondere die Erkenntnisse, Urteile und Berichte relevanter Akteure im juristischen Anwendungsdiskurs wie dem EuGH, EGMR, der FRA, der Venedig-Kommission, aber auch die Veröffentlichungen von NGOs heranzuziehen.

Festzustellen bleibt, dass eine Verletzung i.S.d. Art. 7 Abs. 1 UAbs. 1 S. 1 EUV aufgrund eines systemischen Defizits immer dann angenommen werden kann, wenn von dem durch die Werte festgeschriebenen Minimum an rechtlicher Gewährleistung und damit seinem Kern negativ abgewichen wird, so dass dieser Wert in seiner Funktion auf-

---

[533]  *Schorkopf*, Homogenität in der Europäischen Union, 2000, S. 150; *Hummer/Obwexer*, EuZW 2000, 485 (487); *Schmahl*, EuR 2000, 819 (823); *Stein*, in: Götz/Selmer/Wolfrum, Liber amicorum Günther Jaenicke, 1998, S. 871 (893); *Haratsch/Koenig/Pechstein*, Europarecht, 12. Aufl. 2020, Rn. 119, 122; *Schorkopf*, in: Grabitz/Hilf/Nettesheim, Das Recht der Europäischen Union, 63. EL 2017, Art. 7 EUV Rn. 32; ähnlich auch *Becker*, in: Schwarze, EU-Kommentar, 4. Aufl. 2019, Art. 7 EUV Rn. 8.

[534]  *Schmahl*, EuR 2000, 819 (823); *Stein*, in: Götz/Selmer/Wolfrum, Liber amicorum Günther Jaenicke, 1998, S. 871 (893 f.); *Serini*, Sanktionen der Europäischen Union bei Verstoß eines Mitgliedstaates gegen das Demokratie- oder Rechtsstaatprinzip, 2009, S. 124; *Träbert*, Sanktionen der Europäischen Union gegen ihre Mitgliedstaaten, 2010, S. 255.

[535]  *Ruffert*, in: Calliess/Ruffert, EUV/AEUV, 5. Aufl. 2016, Art. 7 EUV Rn. 5; *Heintschel v. Heinegg*, in: Vedder/Heintschel v. Heinegg, Europäisches Unionsrecht, 2. Aufl. 2018, Art. 7 EUV Rn. 10; *Hummer*, EuR 2015, 625 (625 ff.); vgl. auch KOM (2003) 606 endg., 15.10.2003, S. 8.

[536]  *Schorkopf*, Homogenität in der Europäischen Union, 2000, S. 148; *Schorkopf*, in: Grabitz/Hilf/Nettesheim, Das Recht der Europäischen Union, 61. EL 2017, Art. 7 EUV Rn. 30.

[537]  Vgl. hierzu oben 2. Systemisches Defizit, S. 57 ff.

[538]  *v. Bogdandy/Ioannidis*, ZaöRV 2014, 283 (283 ff.); *Schorkopf*, in: Grabitz/Hilf/Nettesheim, Das Recht der Europäischen Union, 65. EL 2018, Art. 7 EUV Rn. 33; *Scheppele*, VerfBlog, 2013/11/01; *Scheppele*, in: Closa/Kochenov, Reinforcing Rule of Law Oversight in the European Union, 2016, S. 105 (112 ff.); *Closa/Kochenov/Weiler*, EUI Working Paper RSCAS 2014/25, 2014, S. 15 f.; *Kochenov*, HJRL 2015, 153 (165); *Franzius*, DÖV 2018, 381 (386); *Nickel*, EuR 2017, 663 (676); *van Vormizeele*, in: v. d. Groeben/Schwarze/Hatje, Europäisches Unionsrecht, 7. Aufl. 2015, Art. 7 EUV Rn. 10; *Pechstein*, in: Streinz, EUV/AEUV, 3. Aufl. 2018, Art. 7 EUV Rn. 2.

gehoben ist.[539] Bei gleichzeitiger Verletzung mehrerer Werte darf eine gewisse Schwere der Verletzung unterstellt werden.[540]

### bb) Durch einen Mitgliedstaat

Die Verletzungshandlungen haben *„durch einen Mitgliedstaat"* zu erfolgen. Zur Herleitung des zurechenbaren Verhaltens kann wiederum eine Anlehnung an die Rechtsprechung des Gerichtshofs im Rahmen des Vertragsverletzungsverfahrens Aufschluss geben. Diesbezüglich kann die Verletzungshandlung sowohl durch ein Tun als auch durch ein bloßes Unterlassen des Mitgliedstaates verwirklicht werden, wenn eine Rechtspflicht zum Tätigwerden besteht.[541] Erfasst sind nur diejenigen Handlungen und Unterlassungen der Organe bzw. untergeordneten Einheiten, die auch als Verhalten dem Mitgliedstaat zurechenbar und somit auf diesen zurückzuführen sind.[542] Anerkannt sind als Verletzung im Rahmen des Art. 258 AEUV sowohl normatives als auch administratives staatliches Fehlverhalten.[543]

Beim Sanktionsverfahren nach Art. 7 EUV kann nichts anderes gelten. Unerheblich ist daher die Form, in welcher die mitgliedstaatliche Verletzung erfolgt.[544] Ein Mitgliedstaat kann eine Verletzung der Werte sowohl durch Rechtssetzung, Judikation, staatliches Handeln und Verwaltungsakte als auch durch rein faktisches Tun bzw. Unterlassen vollziehen.[545] Zurechenbar ist einem Mitgliedstaat jedes in dessen Verantwortungsbereich fallende staatliche Verhalten. So kann bei einem föderal strukturierten Mitgliedstaat eine Zurechnung der Gliedstaaten nicht entfallen. Die innerstaatliche Organisation darf als Rechtfertigung für einen Vertragsverstoß nicht herangezogen werden. Deshalb kann ein

---

[539] *Schorkopf*, in: Grabitz/Hilf/Nettesheim, Das Recht der Europäischen Union, 63. EL 2017, Art. 7 EUV Rn. 30; *Träbert*, Sanktionen der Europäischen Union gegen ihre Mitgliedstaaten, 2010, S. 251.

[540] *Nowak*, in: Pechstein/Nowak/Häde, Frankfurter Kommentar, 2017, Art. 7 EUV Rn. 11.

[541] Vgl. EuGH, Rs. C-31/69, Kommission/Italien, Slg. 1970, 25, Rn. 9; EuGH, Rs. C-265/95, Kommission/Frankreich, Slg. 1997, I-6959, 6990 ff.; vgl. hierzu auch die Anmerkung von *Meier*, EuZW 1998, 84 (87 f.); *Karpenstein*, in: Grabitz/Hilf/Nettesheim, Das Recht der Europäischen Union, 65. EL 2018, Art. 258 AEUV Rn. 65; *Nowak*, in: Pechstein/Nowak/Häde, Frankfurter Kommentar, 2017, Art. 7 EUV Rn. 9.

[542] *Hummer/Obwexer*, EuZW 2000, 485 (487); *Stumpf*, in: Schwarze, EU-Kommentar, 2. Aufl. 2009, Art. 7 EUV Rn. 4; *Träbert*, Sanktionen der Europäischen Union gegen ihre Mitgliedstaaten, 2010, S. 250; *Nowak*, in: Pechstein/Nowak/Häde, Frankfurter Kommentar, 2017, Art. 7 EUV Rn. 9; *Pechstein*, in: Streinz, EUV/AEUV, 3. Aufl. 2018, Art. 7 EUV Rn. 13.

[543] Vgl. *Karpenstein*, in: Grabitz/Hilf/Nettesheim, Das Recht der Europäischen Union, 65. EL 2018, Art. 258 AEUV Rn. 62; *Wunderlich*, in: v. d. Groeben/Schwarze/Hatje, Europäisches Unionsrecht, 7. Aufl. 2015, Art. 258 AEUV Rn. 7; *Schwarze/Wunderlich*, in: Schwarze, EU-Kommentar, 4. Aufl. 2018, Art. 258 AEUV Rn. 5.

[544] *Pechstein*, in: Streinz, EUV/AEUV, 3. Aufl. 2018, Art. 7 EUV Rn. 13; *Nowak*, in: Pechstein/Nowak/Häde, Frankfurter Kommentar, 2017, Art. 7 EUV Rn. 9.

[545] *Stumpf*, in: Schwarze, EU-Kommentar, 2. Aufl. 2009, Art. 7 EUV Rn. 4; *Pechstein*, in: Streinz, EUV/AEUV, 3. Aufl. 2018, Art. 7 EUV Rn. 13; *van Vormizeele*, in: v. d. Groeben/Schwarze/Hatje, Europäisches Unionsrecht, 7. Aufl. 2015, Art. 7 EUV Rn. 10; *Nowak*, in: Pechstein/Nowak/Häde, Frankfurter Kommentar, 2017, Art. 7 EUV Rn. 9.

Bundesstaat für die Verstöße seiner Gliedstaaten gegen das Wertefundament in die Verantwortung genommen werden.[546]

Ähnlich verhält es sich bei Verletzungshandlungen durch Private. Grundsätzlich fällt deren Verhalten nicht in den Verantwortungsbereich der Mitgliedstaaten und lässt damit eine Zurechnung entfallen. Eine dem Mitgliedstaat zurechenbare Verletzung durch private Dritte kommt aber in Betracht, wenn deren Handlungen eine aus Art. 2 S. 1 EUV bestehende Rechtspflicht des Mitgliedstaates betreffen, zu deren Aufrechterhaltung ihn die Werte verpflichten und die infolge der mitgliedstaatlichen Untätigkeit verletzt wird.[547] Die Gefahr einer Verletzung der Werte durch Unterlassen des Mitgliedstaates zeichnet sich exemplarisch ab, wenn Dritte durch ihr Handeln Menschenrechtsverletzungen vornehmen bzw. die demokratische Grundordnung abschaffen und der betreffende Mitgliedstaat dagegen nicht einschreitet.[548]

Als Anknüpfungspunkt für die Beurteilung einer Verletzungshandlung verlangt Art. 7 Abs. 1, 2 EUV eine „*Verletzung der in Artikel 2 genannten Werte*". Art. 7 Abs. 1 und 2 EUV ermöglicht damit, das Verhalten des Mitgliedstaates insgesamt zu bewerten.[549] Dies lässt sich zum einen aus dem Wortlaut schlussfolgern, der keinerlei Einschränkungen auf den Bereich der Verträge fordert. Solche Einschränkungen sind dem Unionsrecht nicht fremd: Im Unterschied zu Art. 7 Abs. 1 und 2 EUV ist der Anwendungsbereich der Grundrechtecharta nach Art. 51 Abs. 1 S. 1 GRCh auf die Durchführung des Unionsrechts beschränkt. Auch das Diskriminierungsverbot aus Art. 18 AEUV gilt nur im Anwendungsbereich der Unionsverträge.[550] Zum anderen kommt dem grundlegenden Charakter der Werte als fundamentale Prinzipen für die Verfassungen der Mitgliedstaaten, insbesondere vor dem Hintergrund des Art. 49 EUV, ein derart umfassender Geltungsbereich zu, dass deren Erhaltung nicht auf die Zuständigkeit des Unionsrechts beschränkt sein kann, sondern jegliches Handeln des mitgliedstaatlichen Verantwortungsbereichs umfasst.[551] Ansonsten würde die in Art. 2 EUV verankerte Bekenntnis und Absicht zur Schaffung einer homogenen Union, die sich demokratischen und rechtsstaatlichen Grundprinzipien verpflichtet hat, unterlaufen. Zudem würden defizitäre Rechts- bzw. Verfassungsstrukturen im autonomen Bereich eines Verletzerstaates das Wertefundament der EU tangieren und Defizite in der unionsrechtlichen Ordnung herbeiführen.[552]

---

[546] Ein Mitgliedstaat kann sich nach ständiger Rechtsprechung des EuGH nicht auf seine interne Verfassungsordnung berufen, um sich vor Vertragsverstößen zu rechtfertigen, vgl. EuGH, Rs. C-77/69, Kommission/Belgien, Slg. 1970, 237, S. 243; EuGH, Rs. C-52/75, Kommission/Belgien, Slg. 1976, 277, S. 285; EuGH, Rs. C-297/95, Kommission/Deutschland, Slg. 1996, I-6739, S. 6744; EuGH, Rs. C-107/96, Kommission/Spanien, Slg. 1997, I-3193, S. 3199.

[547] *Pechstein*, in: Streinz, EUV/AEUV, 3. Aufl. 2018, Art. 7 EUV Rn. 13.

[548] *Träbert*, Sanktionen der Europäischen Union gegen ihre Mitgliedstaaten, 2010, S. 250.

[549] Ebenso *Schorkopf*, Homogenität in der Europäischen Union, 2000, S. 148; *v. Bogdandy/Ioannidis*, ZaöRV 2014, 283 (292); *Nowak*, in: Pechstein/Nowak/Häde, Frankfurter Kommentar, 2017, Art. 7 EUV Rn. 9; *Brauneck*, NVwZ 2018, 1423 (1428).

[550] *v. Bogdandy/Ioannidis*, ZaöRV 2014, 283 (292).

[551] Vgl. auch schon *Schorkopf*, Homogenität in der Europäischen Union, 2000, S. 148; *Träbert*, Sanktionen der Europäischen Union gegen ihre Mitgliedstaaten, 2010, S. 252.

[552] *v. Bogdandy/Ioannidis*, ZaöRV 2014, 283 (290); vgl. auch *Brauneck*, NVwZ 2018, 1423 (1428).

Die Verwirklichung eines Verstoßes durch den betroffenen Mitgliedstaat ist aufgrund der umfassenden Wirkung der Werte mit ihren vielfältigen Ausprägungen im Unionsrecht im Ganzen in den Blick zu nehmen, aber jeweils im Einzelnen zu kontrollieren.[553] Die Werteverletzung kann dabei durch eine abgrenzbare schwerwiegende Einzelverletzung des Mitgliedstaates erfolgen und durch eine Vielzahl von Einzelvorgängen, die erst kumulativ in ihrer Gesamtheit den Kernbereich eines Wertes berühren, indem das Mindestniveau eines Wertes unterschritten wird.[554]

Letztlich gilt, dass – ungeachtet des Bereichs, in dem die schwerwiegende Verletzung durch einen Mitgliedstaat erfolgt – die Vorfeld- bzw. Sanktionsmaßnahme des Art. 7 EUV eingreifen kann, solange sie dem betroffenen Mitgliedstaat zurechenbar ist.[555] Dies gilt ferner für die Sphäre der ausschließlichen Zuständigkeit des Mitgliedstaates, solange ein Wertebezug besteht.

## 2.    Frühwarnverfahren, Art. 7 Abs. 1 EUV – erste Verfahrensstufe

Neben den materiell-rechtlichen Voraussetzungen steht die Einleitung der Vorfeldmaßnahme unter verfahrensrechtlichen Anforderungen. Bei der Sicherung der Werte kommt es auf die Effektivität des Verfahrensablaufs an. Insbesondere bedarf es einer entsprechenden Verfahrenseinleitung auf Unionsebene und einer Beschlussfassung des Rates, die im Folgenden beleuchtet werden.

### a.    Vorschlagsrecht

Für die Einleitung des Verfahrens nach Art. 7 Abs. 1 UAbs. 1 S. 1 EUV bedarf es des Vorschlags *„eines Drittels der Mitgliedstaaten, des Europäischen Parlaments oder der Europäischen Kommission"*. Die klare Aufteilung zwischen Initiativkompetenz einerseits und Entscheidungskompetenz des Rates andererseits ist als verfahrensrechtliche Absicherung zu verstehen, die vor einer überhasteten Einleitung des Sanktionsverfahrens schützen soll, eine gegenseitige Kontrolle der Organe gewährleistet und letztlich Ausdruck des institutionellen Gleichgewichts ist.[556]

Als „Hüterin der Verträge" kommt der Kommission naturgemäß im Rahmen des Art. 7 EUV eine tragende Rolle zu. In dieser ihr zugewiesenen Rolle verfügt sie grundsätzlich über die notwendigen Ressourcen hinsichtlich der Informationsbeschaffung bzw. der Mittel für die frühzeitige Erkennung möglicher Gefahren für die Werte.[557] Dieses Initiativ-

---

[553]   *Holterhus/Kornack*, EuGRZ 2014, 389 (397).

[554]   *Holterhus/Kornack*, EuGRZ 2014, 389 (397).

[555]   *Schmahl*, EuR 2000, 819 (822); *Schorkopf*, Homogenität in der Europäischen Union, 2000, S. 148; *Kassner*, Die Unionsaufsicht, 2003, S. 32; KOM (2003) 606 endg., 15.10.2003, S. 5; *Nowak*, in: Pechstein/Nowak/Häde, Frankfurter Kommentar, 2017, Art. 7 EUV Rn. 9.

[556]   In diesem Sinne vgl. auch *Schorkopf*, Homogenität in der Europäischen Union, 2000, S. 144 f.; *Träbert*, Sanktionen der Europäischen Union gegen ihre Mitgliedstaaten, 2010, S. 261.

[557]   *Träbert*, Sanktionen der Europäischen Union gegen ihre Mitgliedstaaten, 2010, S. 257.

recht übt sie im Wege der Beschlussfassung nach Art. 250 AEUV aus, wonach es einer Mehrheit ihrer Mitglieder bedarf.[558]

Daneben ist auch das Europäische Parlament vorschlagsberechtigt. Als direkt demokratisch legitimiertes Organ, dessen Mitglieder unabhängig von mitgliedstaatlicher Kollegialität agieren können, besteht somit ein begrüßenswerter Gegenpol zu den naturgemäß solidarisch enger verbundenen vorschlagsberechtigten Ministern der Mitgliedstaaten.[559]

Das genaue Stimmerfordernis durch die Abgeordneten des Parlaments wurde mit Art. 7 Abs. 5 EUV hinreichend spezifiziert. Dieser schreibt fest, dass es für die Abstimmungsmodalitäten im Rahmen des Art. 7 EUV auf die Bestimmungen des Art. 354 AEUV ankommt.[560] Insoweit regelt Art. 354 UAbs. 4 AEUV, dass eine doppelte qualifizierte Mehrheit durch das Europäische Parlament für die Initiative zur Feststellung der Gefahrenlage benötigt wird.[561]

Für das Initiativrecht der Vertragsstaaten bedarf es eines Vorschlags von mindestens einem Drittel der EU-Mitgliedstaaten gem. Art. 7 Abs. 1 UAbs. 1 S. 1 EUV. Der betroffene Mitgliedstaat ist bei der Berechnung des Drittels der Mitgliedstaaten nicht zu berücksichtigen (vgl. Art. 354 UAbs. 1 S. 1 AEUV).[562] Als „Herren der Verträge" muss ihnen die Aufgabe der Sicherung ihrer Werte vor Gefährdungen selbstverständlich auch selbst zuteilwerden. Das Quorum zur Initiierung dieses Verfahrens darf aufgrund seiner besonderen politischen Bedeutung und seiner weitreichenden Sanktionsmöglichkeiten als angemessen beurteilt werden.[563]

Über eine Pflicht der Vorschlagsberechtigten zur Einleitung eines Verfahrens schweigt der Normtext. Aufgrund der fundamentalen Bedeutung der Werte für die Union wird nach dem Sinn und Zweck der Vorfeldmaßnahme im Rahmen des Art. 7 EUV einerseits und der systematischen Aufteilung zwischen Vorschlagsberechtigten und dem Rat als Entscheidungsträger andererseits eine Vorschlagspflicht anzunehmen sein.[564] Die eindeutige Ermessenszuweisung an den Rat durch die Formulierung „kann" dient überdies als ausreichendes Korrektiv.

---

[558] v. Sydow, in: v. d. Groeben/Schwarze/Hatje, Europäisches Unionsrecht, 7. Aufl. 2015, Art. 250 AEUV Rn. 13 ff.; Martenczuk, in: Grabitz/Hilf/Nettesheim, Das Recht der Europäischen Union, 61. EL 2017, Art. 250 AEUV Rn. 4 f.; Kugelmann, in: Streinz, EUV/AEUV, 3. Aufl. 2018, Art. 250 AEUV Rn. 1 f.

[559] Vgl. Dashwood, ELRev. 2001, 215 (233).

[560] Der Wortlaut von Art. 7 Abs. 5 EUV besagt insoweit: „Die Abstimmungsmodalitäten, die für die Zwecke dieses Artikels für das Europäische Parlament, den Europäischen Rat und den Rat gelten, sind in Artikel 354 des Vertrags über die Arbeitsweise der Europäischen Union festgelegt."

[561] v. Sydow, in: v. d. Groeben/Schwarze, Kommentar zum EU-/EG-Vertrag, 6. Aufl. 2003, Art. 7 EUV Rn. 61; van Vormizeele, in: v. d. Groeben/Schwarze/Hatje, Europäisches Unionsrecht, 7. Aufl. 2015, Art. 354 AEUV Rn. 8; vgl. auch Art. 74e GO-EP.

[562] Schorkopf, in: Grabitz/Hilf/Nettesheim, Das Recht der Europäischen Union, 61. EL 2017, Art. 7 EUV Rn. 20; van Vormizeele, in: v. d. Groeben/Schwarze/Hatje, Europäisches Unionsrecht, 7. Aufl. 2015, Art. 354 AEUV Rn. 4.

[563] Ebenso Träbert, Sanktionen der Europäischen Union gegen ihre Mitgliedstaaten, 2010, S. 258.

[564] So bereits Schorkopf, Homogenität in der Europäischen Union, 2000, S. 145 f.; im Ergebnis ebenso Träbert, Sanktionen der Europäischen Union gegen ihre Mitgliedstaaten, 2010, S. 261.

## b. Begründungserfordernis

Als weitere verfahrensrechtliche Anforderung kann die Vorfeldmaßnahme nach Art. 7 Abs. 1 UAbs. 1 S. 1 EUV durch einen der Initiativberechtigten nur auf *„begründeten Vorschlag"* eingeleitet werden. Ein ähnliches Begründungserfordernis wird auch im Vertragsverletzungsverfahren nach Art. 258 AEUV von der Kommission gefordert.

Das Begründungserfordernis verpflichtet die Vorschlagsberechtigten, sich über die tatsächliche Sachlage in dem betreffenden Mitgliedstaat zu informieren und substantiiert die relevanten Tatsachen zusammenzutragen, die den Vorwurf einer Gefahrenlage stützen können.[565] Der Sicherungsmechanismus wird ein Stück weit gegen eine übereilte Inanspruchnahme geschützt,[566] indem die umfassenden Recherchearbeiten und deren detaillierte Darlegung zur Beurteilung der Gefahrenlage eines Mitgliedstaates eine zeitliche Zäsur bedingen.[567] Zudem gewährt das Begründungserfordernis eine Eingrenzung des mitunter strittigen Sachverhalts und die Konturierung der Gefährdungen für die Werte.[568] Hierdurch werden dem betroffenen Mitgliedstaat die strittigen Tatsachen und deren Einschätzungen zusammengefasst dargelegt, damit dieser – ggf. erstmalig – davon Kenntnis erlangen kann.[569] Dies ist zwingende Voraussetzung für den betroffenen Mitgliedstaat, um sich zu den Vorwürfen im Rahmen der Stellungnahme des Art. 7 Abs. 1 UAbs. 1 S. 2 EUV äußern zu können.[570] Des Weiteren wird dem betroffenen Mitgliedstaat hierdurch ermöglicht, frühzeitig auf die Vorwürfe zu reagieren und deren Ursachen zu überprüfen sowie eine weitere Gefährdung für die Werte zu unterbinden.[571] Das Begründungserfordernis kann zu einer frühzeitigen Aufklärung und Lösung von Gefahren für die Werte beitragen und sich positiv auf den zeitlichen Faktor auswirken.

## c. Zustimmungserfordernis des Europäischen Parlaments

Der Rat kann die Feststellung über das Bestehen einer Gefahrenlage gem. Art. 7 Abs. 1 UAbs. 1 S. 1 EUV erst *„nach Zustimmung des Europäischen Parlaments"* treffen. Dies ähnelt dem Beitrittsverfahren nach Art. 49 Abs. 1 EUV, bei dem es ebenfalls einer vorherigen Beteiligung des Europäischen Parlaments im Wege der Zustimmung zur Aufnahme neuer Mitgliedstaaten in die EU bedarf. Demnach ist die parallele Ausgestaltung des parlamentarischen Zustimmungserfordernisses bereits in der Vorfeldmaßnahme systemgerecht. Beide Verfahren dienen der Sicherung der Werte und stehen somit in einer spiegelbildlichen Verbindung zueinander.[572] Die weitreichenden und institutionell bedeutsamen Rechtsfolgen sollen auf einem möglichst breiten unionalen Konsens fußen, für deren Grundlage die Beteiligung des direkt demokratisch legitimierten Parlaments sinnvolle Voraussetzung ist.

---

[565] *Schorkopf*, in: Grabitz/Hilf/Nettesheim, Das Recht der Europäischen Union, 61. EL 2017, Art. 7 EUV Rn. 20.

[566] *Dashwood*, ELRev. 2001, 215 (233); *Becker*, in: Schwarze, EU-Kommentar, 4. Aufl. 2019, Art. 7 EUV Rn. 6; *Schorkopf*, in: Grabitz/Hilf/Nettesheim, Das Recht der Europäischen Union, 61. EL 2017, Art. 7 EUV Rn. 20.

[567] So auch *Träbert*, Sanktionen der Europäischen Union gegen ihre Mitgliedstaaten, 2010, S. 262.

[568] *Schorkopf*, in: Grabitz/Hilf/Nettesheim, Das Recht der Europäischen Union, 61. EL 2017, Art. 7 EUV Rn. 20.

[569] *Träbert*, Sanktionen der Europäischen Union gegen ihre Mitgliedstaaten, 2010, S. 262.

[570] *Schorkopf*, in: Grabitz/Hilf/Nettesheim, Das Recht der Europäischen Union, 61. EL 2017, Art. 7 EUV Rn. 20.

[571] *Träbert*, Sanktionen der Europäischen Union gegen ihre Mitgliedstaaten, 2010, S. 262.

[572] *Schorkopf*, Homogenität in der Europäischen Union, 2000, S. 152.

In zeitlicher Hinsicht hat die parlamentarische Zustimmung nach dem Wortlaut des Art. 7 Abs. 1 UAbs. 1 S. 1 EUV vor dem Ratsbeschluss zu erfolgen und ist damit zwingende Voraussetzung für dessen Feststellung.[573]

Dem Wortlaut entsprechend bedarf der Zustimmungsbeschluss – wie auch das Vorschlagsrecht – gem. Art. 7 Abs. 5 EUV, Art. 354 UAbs. 4 AEUV der Mehrheit von zwei Dritteln der abgegebenen Stimmen bei Anwesenheit der Mehrheit der Mitglieder.[574]

### d. Anhörungserfordernis

Bevor der Rat die Feststellung über das Vorliegen einer Gefahr der schwerwiegenden Verletzung der Werte trifft, bedarf es der Anhörung des betroffenen Mitgliedstaates gem. Art. 7 Abs. 1 UAbs. 1 S. 2 EUV. Hierdurch wird dem unionsrechtlichen Grundsatz der loyalen Zusammenarbeit der Mitgliedstaaten gem. Art. 4 Abs. 3 EUV Rechnung getragen und den rechtsstaatlichen Grundsätzen der Gemeinschaft entsprochen.[575]

Hierbei macht der Wortlaut „Der Rat hört, bevor er eine solche Feststellung trifft, den betroffenen Mitgliedstaat und kann Empfehlungen an ihn richten [...]" bereits deutlich, dass es nicht im Ermessen des Rates steht, den Mitgliedstaat anzuhören. Vielmehr handelt es sich um eine Voraussetzung für den späteren Feststellungsbeschluss. Anders verhält es sich bei der Empfehlung, die der Rat an den Mitgliedstaat richten „kann". Zugleich wird mit der zwingenden Anhörung auch der prozessökonomischen Komponente durch die Möglichkeit des frühzeitigen Einschreitens gegen eine Gefahr für die Verfassungsprinzipien durch den Mitgliedstaat entsprochen.[576]

### e. Feststellungsmodalität – Rat

Nach Unterbreitung des Vorschlags „kann der Rat mit der Mehrheit von vier Fünfteln seiner Mitglieder [...] feststellen, dass die eindeutige Gefahr [...] besteht". Insoweit ist zu klären, in welcher Zusammensetzung der Rat diesen Beschluss fasst und welches Stimmerfordernis hierfür nötig ist.

Der Wortlaut des Art. 7 Abs. 1 UAbs. 1 S. 1 EUV nennt unspezifisch nur den „Rat". Hierbei handelt es sich um den Rat für Allgemeine Angelegenheiten i.S.d. Art. 13 Abs. 1 S. 2, 3. Spiegelstrich i.V.m. Art. 16 Abs. 6 UAbs. 2 EUV, der sich aus Vertretern der Regierungen der Mitgliedstaaten auf Ministerebene zusammensetzt.

Der Rat trifft seinen Entschluss gem. Art. 7 Abs. 1 UAbs. 1 S. 1 EUV mit „der Mehrheit von vier Fünfteln seiner Mitglieder". Damit geht dieses Erfordernis über eine normale qualifizierte Mehrheit hinaus und setzt eine Art „superqualifizierte" Mehrheit voraus.[577] Diese hohe Eingriffsschwelle ist auf die Entstehungsgeschichte der Vorfeldmaßnahme zurückzuführen. Aufgrund der verschiedenen Änderungsvorschläge der Mitgliedstaaten zu den Mehrheitserfordernissen des Art. 7 EUV in der Fassung von Lissabon und deren

---

[573] *Schorkopf*, in: Grabitz/Hilf/Nettesheim, Das Recht der Europäischen Union, 61. EL 2017, Art. 7 EUV Rn. 24.

[574] Siehe hierzu bereits die Ausführungen im Rahmen des Vorschlagsrechts unter a. Vorschlagsrecht, S. 84 ff.

[575] So bereits *Hatje*, EuR 2001, 143 (173); *Nowak*, in: Pechstein/Nowak/Häde, Frankfurter Kommentar, 2017, Art. 7 EUV Rn. 12.

[576] Vgl. *Hatje*, EuR 2001, 143 (173).

[577] *Dashwood*, ELRev. 2001, 215 (233).

schlechten Erfahrungen in der „Causa Österreich" ist diese Regelung als Versuch eines Kompromisses zu sehen.[578]

Inwieweit diese „superqualifizierte" Mehrheit des Frühwarnverfahrens zur Vermeidung der Schwerfälligkeit und Erhöhung der Flexibilität des „Art. 7 EUV"-Verfahrens bei der Sicherung der Werte beitragen kann, erscheint fraglich. Dieses Mehrheitserfordernis stellt vielmehr eine hohe Hürde dar, die einer frühzeitigen Initiierung bei Gefährdung der Werte entgegensteht.[579]

Die Verweisung von Art. 7 Abs. 5 EUV auf den Art. 354 AEUV stellt eindeutig fest, dass dem betroffenen Mitgliedstaat im Rahmen der Feststellungsmodalitäten des Art. 7 Abs. 1 UAbs. 1 S. 1 EUV weder ein Beteiligungs- noch ein Stimmrecht zukommt.

## 3.    Überprüfungspflicht des Art. 7 Abs. 1 UAbs. 2 EUV

Als Sicherungsmechanismus dient die Vorfeldmaßnahme zur Einleitung frühzeitiger Gegenmaßnahmen, um einer Realisierung der Verletzung der Werte zuvorzukommen. Ziel ist die Rückkehr zur Einhaltung und Förderung der Werte durch den betroffenen Mitgliedstaat. So wurde mit Art. 7 Abs. 1 UAbs. 2 EUV festgeschrieben: *„Der Rat überprüft regelmäßig, ob die Gründe, die zu dieser Feststellung geführt haben, noch zutreffen."* Besteht die Verpflichtung des Rates, die Gründe für eine fortbestehende Gefahrenlage nach Art. 7 Abs. 1 UAbs. 1 EUV zu überprüfen und festzustellen, bedarf es demgegenüber auch der in Art. 7 Abs. 1 UAbs. 2 EUV kodifizierten Verpflichtung, die eventuellen Gegenmaßnahmen zu überwachen, die eine Rückkehr zum wertetreuen Normalzustand des betreffenden Mitgliedstaates bedingen.[580] Demgemäß ist der Rat zu regelmäßigen Überprüfungen, ob die Gefahrenlage noch besteht, verpflichtet.[581] Welche zeitlichen Abstände hierbei gelten, geht nicht aus der Norm hervor. Aufgrund der politischen „Bloßstellung" des betroffenen Mitgliedstaates durch den Feststellungsbeschluss kann eine Überprüfung in einem halbjährlichen bis maximal jährlichen Turnus verlangt werden.[582]

---

[578]  Vgl. exemplarisch hierzu den Änderungsvorschlag der belgischen Delegation zu Art. 7 EUV, der einen qualifizierten Mehrheitsbeschluss des Rates für die Feststellung der Gefahrenlage vorsah, CONFER 4739/00, 02.05.2000; Änderungsvorschlag der österreichischen Delegation zu Art. 7 EUV, der einen einstimmigen Mehrheitsbeschluss des Rates für die Feststellung der Gefahrenlage vorsah, CONFER 4748/00, 07.06.2000; weiterführend hierzu *Träbert*, Sanktionen der Europäischen Union gegen ihre Mitgliedstaaten, 2010, S. 269 f.

[579]  Vgl. hierzu ausführlich unter 2. Die Vorfeldmaßnahme: Ein wirksames Frühwarnverfahren? S. 133.

[580]  *Schorkopf*, in: Grabitz/Hilf/Nettesheim, Das Recht der Europäischen Union, 61. EL 2017, Art. 7 EUV Rn. 25.

[581]  *Becker*, in: Schwarze, EU-Kommentar, 4. Aufl. 2019, Art. 7 EUV Rn. 7.

[582]  So auch *Becker*, in: Schwarze, EU-Kommentar, 4. Aufl. 2019, Art. 7 EUV Rn. 7.

## 4.  Rechtsfolge: Feststellungsbeschluss, Empfehlungen

Die Vorfeldmaßnahme nach Art. 7 Abs. 1 UAbs. 1 EUV ermöglicht den Erlass eines Feststellungsbeschlusses nach Satz 1 bzw. einer Empfehlung nach Satz 2 an den betreffenden Mitgliedstaat. Der Erlass steht nach dem Wortlaut „kann" im alleinigen Ermessen des Rates.

Dem Vorfeldbeschluss kommt eine Feststellungswirkung dahingehend zu, dass die Maßnahmen und Handlungen des betreffenden Mitgliedstaates zu einer eindeutigen Gefahr für die schwerwiegende Verletzung der Werte der EU geführt haben.[583] Der Beschluss führt zu keinen materiell-rechtlichen Auswirkungen auf die Mitwirkungsrechte des betreffenden Mitgliedstaates.[584] Die unionsrechtliche Kontrolle dieses Beschlusses im Wege der Nichtigkeitsklage gem. Art. 263 AEUV ist in Ermangelung der operativen Auswirkungen daher zweifelhaft und durch die Unionsgerichtsbarkeit noch nicht entschieden worden.[585] Gleichwohl erzeugt dieser sowohl auf politischer Ebene als auch in der europäischen Öffentlichkeit ein wirkungsvolles Signal der Ausgrenzung und auch der Herabwürdigung des betreffenden Mitgliedstaates.[586]

Dies wird ferner in Bezug auf die Vermutungsregel des Protokolls Nr. 24 des Vertrages von Lissabon über die Gewährung von Asyl für Staatsangehörige von Mitgliedstaaten der EU verdeutlicht.[587] Dieses Protokoll ist gem. Art. 51 EUV fester Bestandteil der Verträge und damit gleichwertig zum Primärrecht.[588] Das Protokoll legt fest, dass die Mitgliedstaaten angesichts der Tatsache ihres Beitritts zur Union im Wege des Art. 49 EUV bereits ein Schutzniveau an Rechtsstaatlichkeit, Demokratie sowie an Grundrechten aufweisen und damit eine wertetreue Homogenität darstellen. Deshalb gelten sie untereinander auch als sichere Herkunftsländer. Die Ausnahmefälle sind vom Protokoll dargelegt und erwähnen unter Punkt c) den Beschluss nach dem Verfahren gem. Art. 7 Abs. 1 EUV. Demnach entfällt für den betroffen Mitgliedstaat bereits mit Einleitung des Frühwarnverfahrens die geltende Vermutung, ein sicheres Herkunftsland zu sein.[589] Diese außerordentliche Folge des Beschlusses verdeutlicht die weitreichende Bedeutung des Verfahrens.

Daneben eröffnet Art. 7 Abs. 1 UAbs. 1 S. 2 EUV dem Rat auch, „Empfehlungen" an den Mitgliedstaat zu richten. Dies steht nach dem Wortlaut „kann Empfehlungen an ihn richten" in dessen Ermessen, so dass dem Feststellungsbeschluss keinerlei Empfehlungen an den Mitgliedstaat folgen müssen.[590] Hierbei ist zu beachten, dass eine Empfehlung nicht alternativ, sondern nur zusätzlich zum Feststellungsbeschluss gegenüber dem be-

---

[583]  *Schorkopf*, in: Grabitz/Hilf/Nettesheim, Das Recht der Europäischen Union, 61. EL 2017, Art. 7 EUV Rn. 26.

[584]  *Pechstein*, in: Streinz, EUV/AEUV, 3. Aufl. 2018, Art. 7 EUV Rn. 9.

[585]  *Nowak*, in: Pechstein/Nowak/Häde, Frankfurter Kommentar, 2017, Art. 7 EUV Rn. 14.

[586]  So auch *Träbert*, Sanktionen der Europäischen Union gegen ihre Mitgliedstaaten, 2010, S. 285.

[587]  ABl. EU Nr. C 326/47 v. 26.10.2012, S. 305 f.

[588]  *Kokott*, in: Streinz, EUV/AEUV, 3. Aufl. 2018, Art. 51 EUV Rn. 1; *Hofstötter*, in: v. d. Groeben/ Schwarze/Hatje, Europäisches Unionsrecht, 7. Aufl. 2015, Art. 51 EUV Rn. 1, 8; *Dörr*, in: Grabitz/ Hilf/Nettesheim, Das Recht der Europäischen Union, 45. EL 2011, Art. 51 EUV Rn. 1; *Schmalenbach*, in: Calliess/Ruffert, EUV/AEUV, 5. Aufl. 2016, Art. 51 EUV Rn. 3.

[589]  *Schorkopf*, in: Grabitz/Hilf/Nettesheim, Das Recht der Europäischen Union, 61. EL 2017, Art. 7 EUV Rn. 27.

[590]  Ebenso *Träbert*, Sanktionen der Europäischen Union gegen ihre Mitgliedstaaten, 2010, S. 285.

troffenen Mitgliedstaat ausgesprochen werden kann.[591] Dies verdeutlicht bereits die Formulierung des Satzes 2.

Insoweit darf bereits bezweifelt werden, ob eine Empfehlung überhaupt sinnvoll ergehen kann, ohne dass eine vorherige Feststellung der Wertegefährdung gegenüber dem Mitgliedstaat erfolgt ist.[592] Dies ist auch konsequent, denn mitunter kann bereits die Feststellung des Rates beim betreffenden Mitgliedstaat die gewünschte Wirkung erzielen, um diesen zur Einhaltung und Förderung der Werte zu bewegen. Es ist ohnehin vorstellbar, dass schon eine europaweite Bekanntmachung der Feststellung des Rates den betroffenen Mitgliedstaat derartig unter Druck zu setzen vermag, dass dieser sowohl eine Isolierung als auch das Ergehen von Folgemaßnahme im Wege des Suspendierungsverfahrens befürchtet und Maßnahmen zur Abstellung der Wertegefährdung unternimmt.

Die erfolgversprechende Lösung stellt ein Feststellungsbeschluss kumulativ mit konkreten Empfehlungen zur Unterbindung der Gefährdung der Werte dar.[593] Hierdurch kann dem Mitgliedstaat zielgerichtet und eindeutig aufgezeigt werden, welche Maßnahmen eingeleitet werden müssen, damit möglichst zeitnah die Gefährdung eingestellt werden kann.[594]

In diesem Zusammenhang ist noch der Begriff der „Empfehlungen" i.S.d. Vorschrift zu erörtern und welche Wirkung diesen zukommt. Eine Legaldefinition fehlt in den Verträgen. Art. 288 Abs. 1, 5 AEUV legt fest, dass es sich um ein unverbindliches und deshalb „weiches" Handlungsinstrument der EU handelt.[595] Demzufolge sind die Empfehlungen weder „direkt" verpflichtend für den betreffenden Mitgliedstaat noch unmittelbar anwendbar, weshalb sie auch keine durchsetzbaren Rechte vor den nationalen Gerichten begründen.[596] Folglich fehlt es an einer operativen Wirkung. Ein Vorgehen im Wege der Nichtigkeitsklage nach Art. 263 AEUV ist dem betroffenen Mitgliedstaat damit verwehrt.[597]

Ihre „Rechtswirkung" ist dennoch nicht ohne rechtliche Relevanz. Ergehen im Zusammenhang mit Art. 7 Abs. 1 EUV Empfehlungen an den betreffenden Mitgliedstaat, dürfen diese vom Adressaten nicht einfach ignoriert werden. Vielmehr müssen diese ernsthaft geprüft und auch angewendet werden, wenn sie nicht mit ausreichender Be-

---

[591]  *Hau*, Sanktionen und Vorfeldmaßnahmen zur Absicherung der europäischen Grundwerte, 2002, S. 175; *Pechstein*, in: Streinz, EUV/AEUV, 3. Aufl. 2018, Art. 7 EUV Rn. 9; *Nowak*, in: Pechstein/Nowak/Häde, Frankfurter Kommentar, 2017, Art. 7 EUV Rn. 14; a.A. *Träbert*, Sanktionen der Europäischen Union gegen ihre Mitgliedstaaten, 2010, S. 413 f.; *Ruffert*, in: Calliess/Ruffert, EUV/AEUV, 5. Aufl. 2016, Art. 7 EUV Rn. 12.

[592]  *Träbert*, Sanktionen der Europäischen Union gegen ihre Mitgliedstaaten, 2010, S. 414.

[593]  In diesem Sinne wohl auch *Träbert*, Sanktionen der Europäischen Union gegen ihre Mitgliedstaaten, 2010, S. 286; *Schorkopf*, in: Grabitz/Hilf/Nettesheim, Das Recht der Europäischen Union, 61. EL 2017, Art. 7 EUV Rn. 26.

[594]  *Schorkopf*, in: Grabitz/Hilf/Nettesheim, Das Recht der Europäischen Union, 61. EL 2017, Art. 7 EUV Rn. 26.

[595]  *Ruffert*, in: Calliess/Ruffert, EUV/AEUV, 5. Aufl. 2016, Art. 288 AEUV Rn. 95; *Schroeder*, in: Streinz, EUV/AEUV, 3. Aufl. 2018, Art. 288 AEUV Rn. 130.

[596]  *Schroeder*, in: Streinz, EUV/AEUV, 3. Aufl. 2018, Art. 288 AEUV Rn. 128; *Nettesheim*, in: Grabitz/Hilf/Nettesheim, Das Recht der Europäischen Union, 48. EL 2012, Art. 288 AEUV Rn. 205; *Geismann*, in: v. d. Groeben/Schwarze/Hatje, Europäisches Unionsrecht, 7. Aufl. 2015, Art. 288 AEUV Rn. 66.

[597]  *Nowak*, in: Pechstein/Nowak/Häde, Frankfurter Kommentar, 2017, Art. 7 EUV Rn. 14.

gründung zurückgewiesen werden können.[598] Diese „indirekte" rechtliche Wirkung der Empfehlungen wird zudem auch aus der allgemeinen Pflicht zur Unionstreue i.S.d. Art. 4 Abs. 3 EUV vermittelt.[599]

Der Inhalt der Empfehlungen muss im Hinblick auf die Zielrichtung der Einhaltung der Werte selbstverständlich zur Beseitigung der Gefahrenlage geeignet und weder rechtswidrig noch völlig untauglich sein.[600] Zur frühzeitigen Beendigung des Konflikts sollten sich die unionalen Empfehlungen auf Maßnahmen beschränken, die zur Beseitigung der Gefahrenlage durch den Mitgliedstaat beitragen.[601] Die Empfehlung des Rates kann dabei etwaige Empfehlungen der Antragsteller oder konsolidierter Experten berücksichtigen.[602] Sie kann als Maßstab zur Beurteilung der zukünftigen Entwicklung der Werte gefährdenden Situation im Mitgliedstaat dienen.[603] Die Befolgung der Empfehlung gibt Aufschluss über die Beendigung der Wertegefahr und ein weiteres Vorgehen der Union im Wege des Feststellungs- und Sanktionsverfahrens.[604]

Zur Erteilung der Empfehlungen des Rates bedarf es gem. Art. 7 Abs. 1 UAbs. 1 S. 2 EUV „demselben Verfahren" wie beim Feststellungsbeschluss, nämlich „der Mehrheit von vier Fünfteln seiner Mitglieder" gem. Art. 7 Abs. 1 UAbs. 1 S. 1 EUV.[605]

## III.  Das Feststellungs- und Sanktionsverfahren nach Art. 7 Abs. 2 bis 5 EUV

Neben der ersten Stufe des Sanktionsverfahrens eröffnet die zweite Verfahrensstufe nach Absatz 2: „[dem] Europäische[n] Rat einstimmig fest[zu]stellen, dass eine schwerwiegende und anhaltende Verletzung der in Artikel 2 genannten Werte durch einen Mitgliedstaat vorliegt". Dieser Feststellung kann sich, wie noch im Folgenden zu erörtern wird, nach Art. 7 Abs. 3 EUV die dritte Stufe des weitreichenden Suspendierungs- bzw. Sanktionsverfahrens anschließen.

---

[598]  *Nettesheim*, in: Grabitz/Hilf/Nettesheim, Das Recht der Europäischen Union, 48. EL 2012, Art. 288 AEUV Rn. 206; *Geismann*, in: v. d. Groeben/Schwarze/Hatje, Europäisches Unionsrecht, 7. Aufl. 2015, Art. 288 AEUV Rn. 66 ff.

[599]  *Nettesheim*, in: Grabitz/Hilf/Nettesheim, Das Recht der Europäischen Union, 48. EL 2012, Art. 288 AEUV Rn. 206.

[600]  Die noch in der Vorgängernorm des ex-Art. 7 Abs. 1 UAbs. 1 S. 1 EUV-Nizza bestehende Anforderung der „geeignete[n] Empfehlungen" wurde im Wege des Reformvertrages durch „Empfehlungen" ersetzt, da es natürlich unzweifelhaft ist, dass der Rat rechtskonform Empfehlungen zur Unterbindung der Gefahr für die Werte erteilt, denen die Eignung zur Wahrung der Unionswerte innewohnt; so auch *Träbert,* Sanktionen der Europäischen Union gegen ihre Mitgliedstaaten, 2010, S. 414.

[601]  So bereits *Serini,* Sanktionen der Europäischen Union bei Verstoß eines Mitgliedstaates gegen das Demokratie- oder Rechtsstaatsprinzip, 2009, S. 190.

[602]  *Schorkopf,* in: Grabitz/Hilf/Nettesheim, Das Recht der Europäischen Union, 61. EL 2017, Art. 7 EUV Rn. 26.

[603]  *Kluth,* in: Calliess/Ruffert, EUV/EGV, 2. Aufl. 2002, Art. 7 EUV Rn. 10; *Serini,* Sanktionen der Europäischen Union bei Verstoß eines Mitgliedstaates gegen das Demokratie- oder Rechtsstaatsprinzip, 2009, S. 190.

[604]  *Serini,* Sanktionen der Europäischen Union bei Verstoß eines Mitgliedstaates gegen das Demokratie- oder Rechtsstaatsprinzip, 2009, S. 191.

[605]  Vgl. zu den notwendigen Mehrheitserfordernissen für den Erlass der Empfehlungen bereits die Ausführungen zum Feststellungsbeschluss unter e. Feststellungsmodalität – Rat, S. 87 f.

## 1.     Anforderungen des Art. 7 Abs. 2 EUV

Dem Feststellungsbeschluss nach Art. 7 Abs. 2 EUV und dem Sanktionsbeschluss nach Art. 7 Abs. 3 EUV sind gemein, *„dass eine schwerwiegende und anhaltende Verletzung der [...] Werte durch einen Mitgliedstaat"* vorliegen muss.

### a.     Schwerwiegende Verletzung der Werte durch einen Mitgliedstaat

Art. 7 Abs. 2 EUV setzt eine tatsächliche Verletzung der Werte durch einen Mitgliedstaat voraus.[606] Die Formulierung *„schwerwiegende"* Verletzung i.S.d. Art. 7 Abs. 2 EUV gestaltet sich dabei wortgleich mit der Anforderung an die Gefahrenlage i.S.d. Art. 7 Abs. 1 UAbs. 1 S. 1 EUV. Insoweit kann hier für die Auslegung dieser Anforderung im Sanktions- bzw. Suspendierungsbeschluss nichts anderes gelten.[607]

Erwähntermaßen bedarf es einer gewissen Intensität der Verletzung. Beispielsweise ist diese Intensität noch nicht gegeben, wenn eine Missachtung bestimmter Grundrechte eines Bürgers vorliegt. Vielmehr muss der Kern eines Wertes durch die Gesamtheit der Rechtsordnung des betroffenen Mitgliedstaates erschüttert sein.[608] Vorstehend kann die Verletzungshandlung dabei unabhängig von der Form erfolgen,[609] muss aber dem betreffenden Mitgliedstaat zurechenbar sein.[610] Die als Ausformung der grundlegenden Werte bestehenden Rechtsnormen des Unionsrechts, Völkerrechts, der Grundrechtecharta als auch die Rechtsprechung gewährleisten eine hinreichend klare Bestimmbarkeit, die für die Feststellung der Tatbestandsvoraussetzungen des Art. 7 Abs. 2 EUV heranzuziehen sind.[611] Für die Bestimmung der tatsächlichen Schwere der Werteverletzung lässt sich wiederum der dogmatische Begriff des systemischen Defizits fruchtbar machen.[612]

### b.     Anhaltend

Mit dem Erfordernis der *„anhaltende[n]"* Verletzungshandlung im Verfahren nach Art. 7 Abs. 2 ff. EUV kommt neben dem qualitativen Merkmal „schwerwiegend" nun zusätzlich ein quantitatives Element hinzu. Einer ähnlichen Terminologie bedient sich auch die englische Fassung, die von *„persistant breach"* spricht, bzw. die französische Fassung mit *„violation [...] et persistante"*. Insoweit muss aufgrund des gleichförmigen Sprachgebrauchs eine fortwährende Beeinträchtigung der Werte bestehen.

---

[606]   *Nowak*, in: Pechstein/Nowak/Häde, Frankfurter Kommentar, 2017, Art. 7 EUV Rn. 16; *Pechstein*, in: Streinz, EUV/AEUV, 3. Aufl. 2018, Art. 7 EUV Rn. 12.

[607]   Vgl. hierzu die eingehenden Ausführungen unter b. Schwerwiegende Verletzung durch einen Mitgliedstaat, S. 79 ff.

[608]   *Holterhus/Kornack*, EuGRZ 2014, 389 (397); *v. Sydow*, in: v. d. Groeben/Schwarze, Kommentar zum EU-/ EG-Vertrag, 6. Aufl. 2003, Art. 7 EUV Rn. 16.

[609]   *Pechstein*, in: Streinz, EUV/AEUV, 3. Aufl. 2018, Art. 7 EUV Rn. 13; *Schorkopf*, in: Grabitz/Hilf/Nettesheim, Das Recht der Europäischen Union, 61. EL 2017, Art. 7 EUV Rn. 30; *Nowak*, in: Pechstein/Nowak/Häde, Frankfurter Kommentar, 2017, Art. 7 EUV Rn. 9.

[610]   *Heintschel v. Heinegg*, in: Vedder/Heintschel v. Heinegg, Europäisches Unionsrecht, 2. Aufl. 2018, Art. 7 EUV Rn. 11.

[611]   Vgl. hierzu oben I. Die einzelnen Werte des Art. 2 S. 1 EUV in der Übersicht, S. 15 ff.

[612]   Eingehend oben unter 2. Systemisches Defizit, S. 57 ff.

Zur Überwindung dieser Eingriffsschwelle bedarf es neben einer gewissen Dauerhaftigkeit auch noch der Gegenwärtigkeit der Verletzungshandlung.[613] Art. 7 Abs. 2 EUV kann nicht auf zeitlich zurückliegende Verletzungen angewendet werden.[614] Kehrt ein Mitgliedstaat nach schweren Verletzungen der Werte wieder zu einem vertragsgemäßen Verhalten zurück, bleibt dem Rat daher ein Vorgehen im Wege der rückwirkenden Anwendung von Art. 7 Abs. 2 EUV verwehrt.[615]

Der Begriff „anhaltend" kann von den Verletzungshandlungen, die nur einmalige bzw. kurzfristige Einzelfälle darstellen, negativ abgegrenzt werden.[616] Infolgedessen ist für dieses quantitative Kriterium die Aufrechterhaltung der Verletzung über eine gewisse Zeitspanne hinweg notwendig.[617] Wie lange der Verstoß gegen die Werte andauern muss, um diesen als „anhaltend" qualifizieren zu können, geht nicht aus den Verträgen hervor. Es wird hier auf die Umstände des Einzelfalls einerseits sowie auf den Beurteilungsspielraum der beauftragten Organe andererseits ankommen.[618] Je stärker die Verletzungshandlung in die Werte eingreift und diese suspendiert, desto geringere Anforderungen sind an die zeitliche Dauer des Eingriffs zu stellen und umgekehrt.[619] Diese wechselseitige Abhängigkeit bei der Beurteilung verlangt bereits die Zusammenschau des kumulativen Erfordernisses der „schwerwiegenden" und „anhaltenden" Verletzung.[620] Die Heranziehung der Begrifflichkeit des systemischen Defizits erfasst gleichermaßen eine gewisse Dauerhaftigkeit der Verletzung, da eine strukturelle Verfestigung der Verletzung regelmäßig einen zeitlichen Faktor bedingt. Ein Indiz für eine anhaltende Verletzung ist nach Auffassung der Kommission darin zu erkennen, dass ein Mitgliedstaat aufgrund derselben Handlung mehrfach innerhalb einer kurzen Zeitspanne vor internationalen Gerichten bzw. durch nicht gerichtliche Organe wie der Parlamentarischen Versammlung des Europarats oder der Menschenrechtskommission der Vereinten Nationen verurteilt wurde.[621]

Durch die Verwendung der unbestimmten Merkmale wird den betrauten Organen im Rahmen des Art. 7 Abs. 2 ff. EUV ein gewisser Beurteilungsspielraum gewährt, welcher

---

[613] *Becker*, in: Schwarze, EU-Kommentar, 4. Aufl. 2019, Art. 7 EUV Rn. 8; *Schorkopf*, in: Grabitz/Hilf/Nettesheim, Das Recht der Europäischen Union, 61. EL 2017, Art. 7 EUV Rn. 34; *van Vormizeele*, in: v. d. Groeben/Schwarze/Hatje, Europäisches Unionsrecht, 7. Aufl. 2015, Art. 7 EUV Rn. 10.

[614] KOM (2003) 606 endg., 15.10.2003, S. 9.

[615] *Schorkopf*, Homogenität in der Europäischen Union, 2000, S. 151.

[616] *v. Sydow*, in: v. d. Groeben/Schwarze, Kommentar zum EU-/EG-Vertrag, 6. Aufl. 2003, Art. 7 EUV Rn. 36; *Schmahl*, EuR 2000, 819 (823); *Schorkopf*, in: Grabitz/Hilf/Nettesheim, Das Recht der Europäischen Union, 61. EL 2017, Art. 7 EUV Rn. 34; *Becker*, in: Schwarze, EU-Kommentar, 4. Aufl. 2019, Art. 7 EUV Rn. 8; *Heintschel v. Heinegg*, in: Vedder/Heintschel v. Heinegg, Europäisches Unionsrecht, 2. Aufl. 2018, Art. 7 EUV Rn. 18.

[617] Ebenso *Schorkopf*, Homogenität in der Europäischen Union, 2000, S. 151; *Heintschel v. Heinegg*, in: Vedder/Heintschel v. Heinegg, Europäisches Unionsrecht, 2. Aufl. 2018, Art. 7 EUV Rn. 18; *Träbert*, Sanktionen der Europäischen Union gegen ihre Mitgliedstaaten, 2010, S. 295; vgl. auch KOM (2003) 606 endg., 15.10.2003, S. 9.

[618] *Schmahl*, EuR 2000, 819 (823); vgl. auch *v. Sydow*, in: v. d. Groeben/Schwarze, Kommentar zum EU-/EG-Vertrag, 6. Aufl. 2003, Art. 7 EUV Rn. 37 ff.

[619] So bereits *Schmahl*, EuR 2000, 819 (823).

[620] In diesem Sinne wohl auch *Träbert*, Sanktionen der Europäischen Union gegen ihre Mitgliedstaaten, 2010, S. 296.

[621] KOM (2003) 606 endg., 15.10.2003, S. 9.

der politischen Dimension der Norm Rechnung trägt. Die kumulativen Anforderungen an die Art und Weise der Verletzungshandlung stellen im Hinblick auf die mit Art. 7 Abs. 2, 3 EUV zur Verfügung stehenden weitreichenden Rechtsfolgen eine konsequente und spiegelbildliche Entsprechung dar.

## 2.   Feststellungsbeschluss, Art. 7 Abs. 2 EUV – zweite Verfahrensstufe

Ähnlich zur Vorfeldmaßnahme nach Art. 7 Abs. 1 EUV ist auch das Feststellungsverfahren nach Absatz 2 EUV ausgestaltet. Demgemäß *„kann der Europäische Rat einstimmig feststellen, dass eine schwerwiegende und anhaltende Verletzung der in Artikel 2 genannten Werte durch einen Mitgliedstaat vorliegt"*. Das Vorschlags- und Entscheidungsrecht ist hierbei wiederum zwischen den Organen und Mitgliedstaaten im Sinne einer wechselseitigen Kontrolle aufgeteilt. Wie genau dieses Verfahren ausgestaltet ist und welche Unterschiede zum Frühwarnverfahren bestehen, ist Gegenstand der folgenden Ausführungen.

### a.   Vorschlagsrecht

Der Feststellungsbeschluss des Rates nach Art. 7 Abs. 2 EUV darf nur auf *„Vorschlag eines Drittels der Mitgliedstaaten oder der Europäischen Kommission"* ergehen. Anders als beim Frühwarnverfahren nach Absatz 1 steht dem Europäischen Parlament hier kein Initiativrecht zu. Gleichwohl erfolgt durch das Vorschlagsrecht im Rahmen der Vorfeldmaßnahme nach Absatz 1 als auch durch das Zustimmungsrecht nach Absatz 2 eine gewisse Kompensation. Die Anforderungen an die Vorschlagsberechtigten weichen im Rahmen des Art. 7 Abs. 2 EUV ebenfalls von denen in Absatz 1 ab. Für den Vorschlag ist nach Art. 7 Abs. 2 EUV keine Begründung vorgesehen.

Das Vorschlagsrecht kommt den Mitgliedstaaten als „Herren der Verträge" zu. Wie auch bei der Vorfeldmaßnahme bedarf es bei Art. 7 Abs. 2 EUV einer Mehrheit von mindestens einem Drittel der Mitgliedstaaten. Demgemäß sind neun Mitgliedstaaten zur Einleitung erforderlich, wobei der betroffene Mitgliedstaat bei der Berechnung außen vor bleibt.[622]

Des Weiteren ist die Kommission nach Art. 7 Abs. 2 EUV vorschlagsberechtigt. Als „Hüterin der Verträge" gem. Art. 17 Abs. 1 EUV ist es unumgänglich, dass auch ihr für dieses besondere Verfahren ein Initiativrecht eingeräumt wird.

### b.   Zustimmungserfordernis des Europäischen Parlaments

Die Feststellung des Rates, dass der betroffene Mitgliedstaat schwerwiegend und anhaltend die in Art. 2 S. 1 EUV genannten Werte verletzt, kann nur nach *„Zustimmung des Europäischen Parlaments"* erfolgen. Damit ersetzt das zwingende Zustimmungs- und somit Vetorecht die für das Parlament anfänglich vorgesehene Beteiligung im Rahmen des Vorschlags- und Anhörungsrechts.[623] Das Zustimmungserfordernis ist auch hier spiegel-

---

[622]  Vgl. hierzu bereits die Ausführungen unter a. Vorschlagsrecht, S. 84 f.

[623]  *Schorkopf*, Homogenität in der Europäischen Union, 2000, S. 151; *Verhoeven*, ELRev. 1998, 217 (222); *Schorkopf*, in: Grabitz/Hilf/Nettesheim, Das Recht der Europäischen Union, 61. EL 2017, Art. 7 EUV Rn. 35; *Becker*, in: Schwarze, EU-Kommentar, 4. Aufl. 2019, Art. 7 EUV Rn. 9.

bildlich zur Beteiligung des Parlaments im Beitrittsverfahren nach Art. 49 Abs. 1 EUV zu sehen.[624]

Nach dem Wortlaut des Art. 7 Abs. 2 EUV sowie dem Sinn und Zweck des parlamentarischen Zustimmungserfordernisses hat das Einverständnis,[625] wie auch im Frühwarnverfahren nach Absatz 1, chronologisch vor dem Feststellungsbeschluss und nach der Stellungnahme des betroffenen Mitgliedstaates zu erfolgen.[626] Hierdurch findet die Auffassung des Parlaments beim Rat die ausreichende Berücksichtigung. Dies wiederum wahrt das institutionelle Gleichgewicht.[627] Die Beteiligung des Parlaments als unabhängiges und demokratisch legitimiertes Organ dient schließlich auch als Korrektiv gegen überstürzte Vorschläge.

## c.  Aufforderung zur Abgabe einer Stellungnahme

Art. 7 Abs. 2 EUV stellt den Beschluss des Europäischen Rates unter die weitere Bedingung, dass dieser nur dann „einstimmig feststellen [kann], dass eine schwerwiegende und anhaltende Verletzung [...] vorliegt, nachdem er den betroffenen Mitgliedstaat zu einer Stellungnahme aufgefordert hat".

Entgegen der Formulierung nach Art. 7 Abs. 1 UAbs. 1 S. 2 EUV („Der Rat hört, [...], den betroffenen Mitgliedstaat [an]") nutzt der Unionsvertrag hier die Begrifflichkeit der „Stellungnahme". Die in den Unionsverträgen verwendete Terminologie zur Schaffung rechtlichen Gehörs ist dabei inkohärent.[628] So bedient sich Art. 258 f. AEUV und Art. 288 Abs. 5 AEUV der „Stellungnahme", Art. 49 Abs. 1 EUV, Art. 81 Abs. 3 AEUV, Art. 129 Abs. 3, 4 AEUV und Art. 153 f. AEUV wiederum sprechen von „Anhörung" bzw. „(ge)hört", weshalb nach Art. 7 Abs. 2 EUV dem Mitgliedstaat in gleicher Weise rechtliches Gehör[629] verschafft werden muss und damit dem Erfordernis der loyalen Zusammenarbeit i.S.d. Art. 4 Abs. 3 EUV unter den Mitgliedstaaten Genüge getan wird.[630]

Dem Wortlaut der Norm ist weiterhin zu entnehmen, dass bereits die Aufforderung zur Stellungnahme ausreichend ist und der Rat auch ohne eine Äußerung des betroffenen Mitgliedstaates seinen Feststellungsbeschluss treffen kann. Fehlt es trotz Aufforderung zur Abgabe an einer Stellungnahme des Mitgliedstaates, wird hierdurch der weitere Verfah-

---

[624]  Vgl. bereits *Schorkopf*, Homogenität in der Europäischen Union, 2000, S. 152.

[625]  Der parlamentsinterne Verfahrensablauf richtet sich nach den Bestimmungen des Art. 74e GO-EP, ABl. EU Nr. L 116 v. 05.05.2011.

[626]  Vgl. hierzu die Ausführungen oben unter c. Zustimmungserfordernis des Europäischen Parlaments, S. 86 f.; *v. Sydow*, in: v. d. Groeben/Schwarze, Kommentar zum EU-/EG-Vertrag, 6. Aufl. 2003, Art. 7 EUV Rn. 60; *Becker*, in: Schwarze, EU-Kommentar, 4. Aufl. 2019, Art. 7 EUV Rn. 9; *Ruffert*, in: Calliess/Ruffert, EUV/AEUV, 5. Aufl. 2016, Art. 7 EUV Rn. 17.

[627]  *Schorkopf*, Homogenität in der Europäischen Union, 2000, S. 154; *Schorkopf*, in: Grabitz/Hilf/Nettesheim, Das Recht der Europäischen Union, 61. EL 2017, Art. 7 EUV Rn. 35.

[628]  *Schorkopf*, Homogenität in der Europäischen Union, 2000, S. 155.

[629]  *Ruffert*, in: Calliess/Ruffert, EUV/AEUV, 5. Aufl. 2016, Art. 7 EUV Rn. 16; *Schorkopf*, Homogenität in der Europäischen Union, 2000, S. 155; *Pechstein*, in: Streinz, EUV/AEUV, 3. Aufl. 2018, Art. 7 EUV Rn. 15; *Schorkopf*, in: Grabitz/Hilf/Nettesheim, Das Recht der Europäischen Union, 61. EL 2017, Art. 7 EUV Rn. 37; *v. Sydow*, in: v. d. Groeben/Schwarze, Kommentar zum EU-/EG-Vertrag, 6. Aufl. 2003, Art. 7 EUV Rn. 58; *Becker*, in: Schwarze, EU-Kommentar, 4. Aufl. 2019, Art. 7 EUV Rn. 9.

[630]  *Nowak*, in: Pechstein/Nowak/Häde, Frankfurter Kommentar, 2017, Art. 7 EUV Rn. 18.

rensablauf nicht unterbunden. Ein dahingehendes Einwirkungsrecht steht dem betroffenen Mitgliedstaat nicht zu, da andernfalls Sinn und Zweck der Sanktionsnorm des Art. 7 EUV in Frage gestellt werden würde.[631] Fehlt es aufgrund einer unbegründeten Verzögerung an einer Stellungnahme des betroffenen Mitgliedstaates, verwirkt dieser sein Anhörungsrecht.[632] Im Umkehrschluss bedeutet dies nicht, dass der Rat ohne Abwarten nach Aufforderung zur Stellungnahme dazu übergehen kann, umgehend eine Beschlussfassung anzusetzen.[633] Vielmehr ist dem betroffenen Mitgliedstaat für eine ordnungsgemäße Durchführung des Verfahrens eine angemessene Frist einzuräumen,[634] deren Länge abhängig vom Einzelfall mit Blick auf die Komplexität, Schwere und Dringlichkeit der Werteverletzung zu bestimmen ist.[635]

Die Aufforderung zur Stellungnahme hat nach dem Wortlaut des Art. 7 Abs. 2 a.E. EUV im Wege des Personalpronomens *„er"* mit Bezugnahme auf den Europäischen Rat durch diesen zu erfolgen.[636] Das Gremium der Staats- und Regierungschefs ist somit für die Aufforderung verantwortlich.[637]

### d.   Feststellungsmodalität – Europäischer Rat

Nach Einleitung des Verfahrens und unter Mitwirkung der Verfahrensbeteiligten *„kann der Europäische Rat einstimmig feststellen, dass eine [...] Verletzung [...] vorliegt".* Damit schließt dieses Verfahren im Einklang mit der Vorfeldmaßnahme nach Art. 7 Abs. 1 EUV ebenfalls durch einen Feststellungsbeschluss ab.

### aa)  Ratszusammensetzung – Staats- und Regierungschefs

Für den Erlass des Feststellungsbeschlusses ist nach Art. 7 Abs. 2 EUV der Europäische Rat zuständig. Damit kommt ihm neben dem Anhörungserfordernis erstmalig eine Zuständigkeit im Rahmen des Art. 7 EUV zu. Nach Art. 15 Abs. 2 EUV nehmen im Europäischen Rat neben den Staats- und Regierungschefs der Mitgliedstaaten auch der Präsident des Europäischen Rates, der Präsident der Kommission sowie der Hohe Vertreter der Union für Außen- und Sicherheitspolitik teil.

---

[631]  *Schmahl*, EuR 2000, 819 (824, Fn. 38); *Schorkopf*, Homogenität in der Europäischen Union, 2000, S. 155; *Pechstein*, in: Streinz, EUV/AEUV, 3. Aufl. 2018, Art. 7 EUV Rn. 15; vgl. *Stumpf*, in: Schwarze, EU-Kommentar, 2. Aufl. 2009, Art. 7 EUV Rn. 5.

[632]  *Ruffert*, in: Calliess/Ruffert, EUV/AEUV, 5. Aufl. 2016, Art. 7 EUV Rn. 16; vgl. auch *Stumpf*, in: Schwarze, EU-Kommentar, 2. Aufl. 2009, Art. 7 EUV Rn. 5.

[633]  So auch *Becker*, in: Schwarze, EU-Kommentar, 4. Aufl. 2019, Art. 7 EUV Rn. 9; *Träbert*, Sanktionen der Europäischen Union gegen ihre Mitgliedstaaten, 2010, S. 304; *Pechstein*, in: Streinz, EUV/AEUV, 3. Aufl. 2018, Art. 7 EUV Rn. 15; *Stumpf*, in: Schwarze, EU-Kommentar, 2. Aufl. 2009, Art. 7 EUV Rn. 5.

[634]  *Stumpf*, in: Schwarze, EU-Kommentar, 2. Aufl. 2009, Art. 7 EUV Rn. 5; *Pechstein*, in: Streinz, EUV/AEUV, 3. Aufl. 2018, Art. 7 EUV Rn. 15.

[635]  *Schorkopf*, Homogenität in der Europäischen Union, 2000, S. 155 f.; *Becker*, in: Schwarze, EU-Kommentar, 4. Aufl. 2019, Art. 7 EUV Rn. 9; *Ruffert*, in: Calliess/Ruffert, EUV/AEUV, 5. Aufl. 2016, Art. 7 EUV Rn. 16; *van Vormizeele*, in: v. d. Groeben/Schwarze/Hatje, Europäisches Unionsrecht, 7. Aufl. 2015, Art. 7 EUV Rn. 12.

[636]  *Schmahl*, EuR 2000, 819 (824).

[637]  *Schmahl*, EuR 2000, 819 (824).

Die Feststellung der Verfehlung der Wertehomogenität durch einen Mitgliedstaat kann dem mit umfassenden politischen Befugnissen ausgestatteten Gremium, dem Europäischen Rat, zugedacht werden.[638] Es ist systematisch stringent, dass die EU-Mitgliedstaaten als „Herren der Verträge" durch ihre gewählten Staats- und Regierungschefs für die Feststellung einer Verletzung ihrer Werte zuständig sind und die Kontrolle hierüber ausüben.[639] Die weitere Beteiligung durch den Präsidenten der Kommission und des Europäischen Parlaments ausschließlich im Vorfeld des Beschlusses ist in Bezug auf die Berücksichtigung der europarechtlichen Belange begrüßenswert. Diese führt auch nicht zu einer geringeren Entscheidungs- und Handlungsfähigkeit des Gremiums beim Beschluss, als es durch den Rat in der Zusammensetzung der Staats- und Regierungschefs der Fall wäre.[640]

## bb) Einstimmigkeitserfordernis

Die besondere Bedeutung des Feststellungsbeschlusses zeigt sich offenkundig an dem Mehrheitserfordernis der Abstimmung.[641] Gemäß Art. 7 Abs. 2 EUV ist der Beschluss nur „einstimmig" zu treffen. Damit wird für den Feststellungsbeschluss von der in Art. 15 Abs. 4 EUV vorgesehenen Ausnahme des grundsätzlichen Abstimmungsmodus „Konsens" Gebrauch gemacht. Das Einstimmigkeitsprinzip verlangt von den EU-Mitgliedstaaten eine einheitliche Auffassung in Bezug auf die Feststellung der schwerwiegenden und anhaltenden Verletzung der Werte. Für die Abstimmungsmodalität gilt wiederum Art. 7 Abs. 5 EUV i.V.m. Art. 354 UAbs. 1 AEUV. Insoweit stellt Art. 354 UAbs. 1 S. 1 AEUV klar, die Abstimmung des Europäischen Rates erfolgt im Rahmen des Art. 7 EUV ohne Berücksichtigung der Stimme des Vertreters des betroffenen Mitgliedstaates. Zwar stehen dem betroffenen Mitgliedstaat im Zeitpunkt der Beschlussfassung noch alle Rechte aus seiner Unionsmitgliedschaft zu. Die Versagung des Stimmrechts ist jedoch erforderlich, damit dem betroffenen Mitgliedstaat kein Vetorecht eröffnet wird, das dieses Verfahren ad absurdum führen würde.[642]

Die Hürde des Einstimmigkeitserfordernisses für den Feststellungsbeschluss erscheint auf den ersten Blick systemgerecht.[643] Dieser ermöglicht als Grundvoraussetzung die weitere Aussetzung von Mitgliedschaftsrechten. Aufgrund der weitreichenden Suspendierungs- bzw. Sanktionsmöglichkeiten des Art. 7 Abs. 2 f. EUV darf es den übrigen Mitgliedstaaten nicht ohne Weiteres ermöglicht werden, eine Sanktionierung gegen ein anderes Mitglied durchzuführen. Vielmehr muss dem Missbrauch dieses Mechanismus durch

---

[638]   *Ruffert*, in: Calliess/Ruffert, EUV/AEUV, 5. Aufl. 2016, Art. 7 EUV Rn. 17; *Pechstein*, in: Streinz, EUV/AEUV, 3. Aufl. 2018, Art. 7 EUV Rn. 15; *Becker*, in: Schwarze, EU-Kommentar, 4. Aufl. 2019, Art. 7 EUV Rn. 9; *van Vormizeele*, in: v. d. Groeben/Schwarze/Hatje, Europäisches Unionsrecht, 7. Aufl. 2015, Art. 7 EUV Rn. 12; *Träbert*, Sanktionen der Europäischen Union gegen ihre Mitgliedstaaten, 2010, S. 307.

[639]   Vgl. auch *Yamato/Stephan*, DÖV 2014, 58 (64).

[640]   Kritisch hingegen *Schorkopf*, Homogenität in der Europäischen Union, 2000, S. 157.

[641]   *Pechstein*, in: Streinz, EUV/AEUV, 3. Aufl. 2018, Art. 7 EUV Rn. 15.

[642]   So bereits *Schorkopf*, Homogenität in der Europäischen Union, 2000, S. 158; *Träbert*, Sanktionen der Europäischen Union gegen ihre Mitgliedstaaten, 2010, S. 308.

[643]   Vgl. hierzu etwa Art. 14 Abs. 2 EUV, Art. 17 Abs. 5 EUV, Art. 22 Abs. 1 UAbs. 2 EUV, Art. 31 Abs. 1 EUV, Art. 42 Abs. 2 EUV sowie Art. 50 Abs. 2 EUV.

ein zu geringes Mehrheitserfordernis vorgebeugt und im Falle der Anwendung von einer breiten Basis der Mitgliedstaaten getragen werden.

Das Erfordernis der Einstimmigkeit ist in einer stetig wachsenden Union mit zunehmendem Beitritt differierender Staaten in Bezug auf den sensiblen Bereich der Gewährleistung fundamentaler Verfassungsprinzipien kritisch zu sehen.[644] Das Einstimmigkeitserfordernis führt dazu, dass dessen praktische Anwendung nahezu ausgeschlossen ist und damit das Funktionieren dieses Mechanismus hemmt.[645] Dass ein geringeres Mehrheitserfordernis aus teleologischen Gesichtspunkten für die Effektivität des Verfahrens sinnvoller wäre, ist nicht von der Hand zu weisen. Zu denken wäre hier an ein doppelt qualifiziertes Mehrheitserfordernis, dessen geringere Hürde für die Erreichung des Beschlusses zweckmäßiger erscheint und wiederum das Stimmrecht des betroffenen Mitgliedstaates unangetastet lässt.[646] Unter dem Gesichtspunkt der Praktikabilität dieses Mechanismus wird man sich für eine Änderung zu Gunsten dieses reduzierten Mehrheitserfordernisses aussprechen müssen.

Eine gewisse Aufweichung erfährt das strenge Erfordernis der Einstimmigkeit hingegen durch die Regelung des Art. 7 Abs. 5 EUV i.V.m. Art. 354 UAbs. 1 S. 2 AEUV.[647] Demnach ist es nicht erforderlich, dass alle Mitgliedstaaten eine ausdrückliche Zustimmung zum Beschluss aussprechen. Vielmehr gewährt Art. 354 UAbs. 1 S. 2 AEUV den Mitgliedstaaten auch die Enthaltung.[648] Vor dem Hintergrund wirtschaftlicher Verbindungen, gleichgelagerter politischer Gesinnungen der Regierungen oder enger geschichtlicher Verbundenheit einzelner Mitgliedstaaten untereinander kann eine Zustimmung schwierig sein. Die Möglichkeit der Enthaltung ist als politische Handlungsoption deshalb begrüßenswert. Letztlich bedarf es für das Zustandekommen des Feststellungsbeschlusses keiner Gegenstimme eines Mitgliedstaates.[649]

### cc) Ermessensentscheidung

Die Entscheidung, diese Verletzung offiziell im Wege eines Feststellungbeschlusses zu benennen, liegt nach dem Wortlaut *„kann der Europäische Rat einstimmig feststellen"* in dessen alleinigem Ermessen.[650] Demnach ist dieser nicht verpflichtet einen Beschluss zu fassen, auch wenn die Tatbestandsvoraussetzungen durch den betroffenen Mitgliedstaat

---

[644]  Eingehend hierzu unter 3. Fehlende Praktikabilität des Einstimmigkeit, S. 134 ff.

[645]  Ebenso *Verhoeven*, ELRev. 1998, 217 (222).

[646]  A.A. *Träbert*, Sanktionen der Europäischen Union gegen ihre Mitgliedstaaten, 2010, S. 308, die für einen Beschluss mit einem qualifizierten Mehrheitserfordernis plädiert.

[647]  *Schorkopf*, Homogenität in der Europäischen Union, 2000, S. 158.

[648]  *Ruffert*, in: Calliess/Ruffert, EUV/AEUV, 5. Aufl. 2016, Art. 7 EUV Rn. 17; *Becker*, in: Schwarze, EU-Kommentar, 4. Aufl. 2019, Art. 7 EUV Rn. 9; *Schorkopf*, in: Grabitz/Hilf/Nettesheim, Das Recht der Europäischen Union, 61. EL 2017, Art. 7 EUV Rn. 38.

[649]  *Träbert*, Sanktionen der Europäischen Union gegen ihre Mitgliedstaaten, 2010, S. 309.

[650]  KOM (2003) 606 endg., 15.10.2003, S. 6; *Schorkopf*, Homogenität in der Europäischen Union, 2000, S. 158; *Schorkopf*, in: Grabitz/Hilf/Nettesheim, Das Recht der Europäischen Union, 61. EL 2017, Art. 7 EUV Rn. 39; *Schmahl*, EuR 2000, 819 (824); *Stumpf*, in: Schwarze, EU-Kommentar, 2. Aufl. 2009, Art. 7 EUV Rn. 5; *Heintschel v. Heinegg*, in: Vedder/Heintschel v. Heinegg, Europäisches Unionsrecht, 2. Aufl. 2018, Art. 7 EUV Rn. 20.

erfüllt sind.[651] Die Gründe für ein Absehen von einem solchen Beschluss sind vielfältig. Zu nennen sind die Befürchtung des Europäischen Rates, dass es durch den Beschluss zu einer Verschärfung der Krisenlage in dem betroffenen Mitgliedstaat kommen könnte, die einer Einhaltung der Werte abträglich wäre, die Gefahr einer Spaltung der Wertegemeinschaft oder Befürchtungen des Austritts eines Mitgliedstaates.[652] Aber auch das in Aussicht stellen einer offiziellen „Verurteilung" im Wege des Feststellungsbeschlusses kann bereits im Einzelfall dazu führen, ein wertetreues Verhalten des betroffenen Mitgliedstaates herbeizuführen und damit den Erlass des Beschlusses obsolet zu machen. Die Gewährung des Ermessens im Entscheidungsprozess des Europäischen Rates verdeutlicht die besondere politische Dimension dieses Suspendierungs- bzw. Sanktionsverfahrens.[653] Die Ermessensentscheidung des Europäischen Rates hat dabei nach den allgemeinen Regeln und deshalb dem Grundsatz der Verhältnismäßigkeit zu folgen.[654]

Selbst im Falle einer schwerwiegenden und anhaltenden Verletzung der Werte durch einen Mitgliedstaat liegt keine Einschränkung des Entscheidungsspielraums des Europäischen Rates in Form einer Ermessensreduzierung auf Null vor.[655] Zwar ist von einem Wettstreit zwischen dem eingeräumten Ermessen des Europäischen Rates auf der einen Seite und dem Schutz der fundamentalen Werte – Achtung der Menschenwürde, Freiheit, Demokratie, Rechtsstaatlichkeit – für den Bestand und die Funktionsfähigkeit der Union auf der anderen Seite auszugehen.[656] Demgegenüber bleibt nach der Wortwahl der Norm mit „*kann*" hierfür kaum Raum.[657] Einer Ermessensreduzierung stehen zudem die strengen Anforderungen dieses Verfahrens entgegen.[658] Ein anderes Ergebnis erscheint auch widersinnig: So wäre bei jeder Verwirklichung des Tatbestands des Art. 7 Abs. 2 EUV eine Ermessensreduzierung grundsätzlich geboten und damit kaum ein Fall vorstellbar, in welchem dem Europäischen Rat ein uneingeschränkter Ermessensspielraum zugestanden werden könnte.[659] Das von den „Herren der Verträge" eingeräumte Ermessen würde leer-

---

[651]  *Heintschel v. Heinegg*, in: Vedder/Heintschel v. Heinegg, Europäisches Unionsrecht, 2. Aufl. 2018, Art. 7 EUV Rn. 20; *Schorkopf*, Homogenität in der Europäischen Union, 2000, S. 159; *Träbert*, Sanktionen der Europäischen Union gegen ihre Mitgliedstaaten, 2010, S. 310.

[652]  *Schorkopf*, Homogenität in der Europäischen Union, 2000, S. 159.

[653]  *Bergmann*, in: Bergmann/Lenz, Der Amsterdamer Vertrag, 1998, S. 23 (34); KOM (2003) 606 endg., 15.10.2003, S. 6; *Schorkopf*, in: Grabitz/Hilf/Nettesheim, Das Recht der Europäischen Union, 61. EL 2017, Art. 7 EUV Rn. 39; *Ruffert*, in: Calliess/Ruffert, EUV/AEUV, 5. Aufl. 2016, Art. 7 EUV Rn. 14; *Heintschel v. Heinegg*, in: Vedder/Heintschel v. Heinegg, Europäisches Unionsrecht, 2. Aufl. 2018, Art. 7 EUV Rn. 20.

[654]  *Stumpf*, in: Schwarze, EU-Kommentar, 2. Aufl. 2009, Art. 7 EUV Rn. 5; *Träbert*, Sanktionen der Europäischen Union gegen ihre Mitgliedstaaten, 2010, S. 310.

[655]  *Schorkopf*, Homogenität in der Europäischen Union, 2000, S. 159; *Träbert*, Sanktionen der Europäischen Union gegen ihre Mitgliedstaaten, 2010, S. 310; vgl. *Heintschel v. Heinegg*, in: Vedder/Heintschel v. Heinegg, Europäisches Unionsrecht, 2. Aufl. 2018, Art. 7 EUV Rn. 20.

[656]  So bereits *Schorkopf*, Homogenität in der Europäischen Union, 2000, S. 159; *van Vormizeele*, in: v. d. Groeben/Schwarze/Hatje, Europäisches Unionsrecht, 7. Aufl. 2015, Art. 7 EUV Rn. 11.

[657]  *van Vormizeele*, in: v. d. Groeben/Schwarze/Hatje, Europäisches Unionsrecht, 7. Aufl. 2015, Art. 7 EUV Rn. 11.

[658]  *Heintschel v. Heinegg*, in: Vedder/Heintschel v. Heinegg, Europäisches Unionsrecht, 2. Auf. 2018, Art. 7 EUV Rn. 20.

[659]  Vgl. *Schorkopf*, Homogenität in der Europäischen Union, 2000, S. 159; *Heintschel v. Heinegg*, in: Vedder/Heintschel v. Heinegg, Europäisches Unionsrecht, 2. Aufl. 2018, Art. 7 EUV Rn. 20.

laufen. Dies kann nicht im Interesse der Vertragsgestalter liegen, die frei über die Maßnahme entscheiden wollen.[660]

### e.    Rechtsfolge: Feststellung

Das Verfahren nach Art. 7 Abs. 2 EUV sieht am Ende einen Feststellungsbeschluss durch den Europäischen Rat vor. Damit wird erstmals durch die EU in Vertretung des Europäischen Rates festgestellt, dass der betroffene Mitgliedstaat tatsächlich schwerwiegend und anhaltend die Werte der Union verletzt oder nicht verletzt hat. Dieser Beschluss entfaltet als öffentliche Bekanntgabe eine verbindliche Feststellungswirkung, welche die Rechtslage jedoch unberührt lässt.[661] Dem betroffenen Mitgliedstaat werden mithin keine direkten rechtlichen Handlungspflichten auferlegt.

Gegenüber den Organen der Union und den Mitgliedstaaten entfaltet der Feststellungsbeschluss hingegen Bindungswirkung. Nach Art. 7 Abs. 2 EUV kommt seiner Wirkung damit ein realer Mehrwert zu. Wendet man den Blick von den rechtlichen Wirkungen hin zu den politisch realen Folgen, zeichnet sich dessen Wirkung ab. Insoweit lässt sich feststellen, dass dem Feststellungsbeschluss vor allem eine weitreichende politische Durchgriffswirkung beizumessen ist.[662] Denn er führt zu einer Deklassierung des betroffenen Mitgliedstaats, zu dessen Ansehensverlust und letztlich zu einer Ausgrenzung gegenüber den wertetreuen Vertragsstaaten.

Darüber hinaus kommt dem Feststellungsbeschluss noch eine konstitutive Wirkung zu.[663] Für den Erlass des Sanktionsbeschlusses nach Absatz 3 im Rahmen der dritten Stufe bedarf es der zwingenden Voraussetzung des Vorliegens eines Feststellungsbeschlusses nach Art. 7 Abs. 2 EUV.[664] Fehlt es an einem solchen, ist den Unionsorganen ein weiteres Vorgehen nach Art. 7 Abs. 3 EUV verwehrt.

Schließlich hat der Feststellungsbeschluss auch Auswirkungen auf den Bereich des Asylrechts. Wie bereits im Rahmen des Beschlusses nach Art. 7 Abs. 1 EUV erörtert,[665] ergibt sich auch mit dem Feststellungsbeschluss nach Absatz 2 eine Aberkennung des betroffenen Mitgliedstaates als sicheres Herkunftsland.[666]

---

[660]    Ebenso *Träbert*, Sanktionen der Europäischen Union gegen ihre Mitgliedstaaten, 2010, S. 310.

[661]    *Stumpf*, in: Schwarze, EU-Kommentar, 2. Aufl. 2009, Art. 7 EUV Rn. 7; *Pechstein*, in: Streinz, EUV/AEUV, 3. Aufl. 2018, Art. 7 EUV Rn. 16.

[662]    *Stumpf*, in: Schwarze, EU-Kommentar, 2000, Art. 7 EUV Rn. 15; *Schorkopf*, Homogenität in der Europäischen Union, 2000, S. 160 f.

[663]    *van Vormizeele*, in: v. d. Groeben/Schwarze/Hatje, Europäisches Unionsrecht, 7. Aufl. 2015, Art. 7 EUV Rn. 13; *Nowak*, in: Pechstein/Nowak/Häde, Frankfurter Kommentar, 2017, Art. 7 EUV Rn. 19.

[664]    *Schorkopf*, in: Grabitz/Hilf/Nettesheim, Das Recht der Europäischen Union, 61. EL 2017, Art. 7 EUV Rn. 40; *Pechstein*, in: Streinz, EUV/AEUV, 3. Aufl. 2018, Art. 7 EUV Rn. 17; *van Vormizeele*, in: v. d. Groeben/Schwarze/Hatje, Europäisches Unionsrecht, 7. Aufl. 2015, Art. 7 EUV Rn. 13; *Ruffert*, in: Calliess/Ruffert, EUV/AEUV, 5. Aufl. 2016, Art. 7 EUV Rn. 18; *Nowak*, in: Pechstein/Nowak/Häde, Frankfurter Kommentar, 2017, Art. 7 EUV Rn. 19; *Becker*, in: Schwarze, EU-Kommentar, 4. Aufl. 2019, Art. 7 EUV Rn. 10; *Heintschel v. Heinegg*, in: Vedder/Heintschel v. Heinegg, Europäisches Unionsrecht, 2. Aufl. 2018, Art. 7 EUV Rn. 23.

[665]    Vgl. hierzu bereits ausführlich unter 4. Rechtsfolge: Feststellungsbeschluss, Empfehlungen S. 89 ff.

[666]    *Pernice*, CMLRev. 1999, 703 (736 f.); *Schmahl*, EuR 2000, 819 (827); *Schorkopf*, Homogenität in der Europäischen Union, 2000, S. 160.

Demnach ist die potentielle Wirkung dieses Feststellungsbeschlusses nicht zu unterschätzen, der aufgrund seines Anpassungsdrucks eine positive Wirkung zur Einhaltung der Werte verspricht.[667]

## 3.  Sanktionsbeschluss, Art. 7 Abs. 3 EUV – dritte Verfahrensstufe

Hat die Vorfeldmaßnahme bzw. der Feststellungsbeschluss nicht dazu geführt, dass der betroffene Mitgliedstaat die schwerwiegende und anhaltende Werteverletzung abstellt, verbleibt dem Rat auf der dritten Stufe die finale Möglichkeit der Sanktionierung. Art. 7 Abs. 3 S. 1 EUV räumt die Befugnis ein, *„bestimmte Rechte auszusetzen, die sich aus der Anwendung der Verträge auf den betroffenen Mitgliedstaat herleiten, einschließlich der Stimmrechte des Vertreters der Regierung dieses Mitgliedstaats im Rat"*. Entgegen der von *José Manuel Barroso* wenig hilfreichen Umschreibung eines Stimmrechtsentzugs als *„nuclear option"*, gilt es hier, den Sanktionsbeschluss einer umfassenden Erörterung zuzuführen. Insbesondere werden die besonderen Erfordernisse sowie die weitreichenden Sanktionsmöglichkeiten auf ihre Effektivität zur Sicherung der Werte untersucht.

### a.  Feststellungsmodalität – Rat

Art. 7 Abs. 3 S. 1 EUV legt fest, dass *„der Rat"* nach dem Feststellungsbeschluss *„mit qualifizierter Mehrheit beschließen [kann]"*, ob und wie eine Sanktionierung erfolgt.

### aa)  Ratszusammensetzung – Ministerrat

Auf der dritten Verfahrensstufe wird alleine der *„Rat"* ermächtigt, konkrete Sanktionen zu beschließen.[668] Sonstige Antragssteller oder Verfahrensbeteiligungen durch Stellungnahmen sieht Art. 7 Abs. 3 EUV nicht vor.[669]

Art. 7 Abs. 3 S. 1 EUV nimmt nach seinem Wortlaut Bezug auf den Rat i.S.d. Art. 13 Abs. 1 S. 2, 3. Spiegelstrich i.V.m. Art. 16 EUV und legt dessen Zuständigkeit fest. Demnach handelt es sich um den Rat in der Zusammensetzung auf Ministerebene gem. Art. 16 Abs. 2 EUV.[670] Die jeweils fachbezogenen zuständigen Minister tagen in Vertretung der Mitgliedstaaten.[671] Diese Ratszusammensetzung fügt sich in die bestehende Systematik des Art. 7 EUV ein, der im Rahmen der Vorfeldmaßnahme nach Absatz 1 ebenfalls den Ministerrat als Beschlussorgan vorsieht.[672]

---

[667]  Ebenso *Schorkopf*, Homogenität in der Europäischen Union, 2000, S. 160 f.

[668]  *Ruffert*, in: Calliess/Ruffert, EUV/AEUV, 5. Aufl. 2016, Art. 7 EUV Rn. 19; *Pechstein*, in: Streinz, EUV/AEUV, 3. Aufl. 2018, Art. 7 EUV Rn. 18; *Becker*, in: Schwarze, EU-Kommentar, 4. Aufl. 2019, Art. 7 EUV Rn. 10.

[669]  *Ruffert*, in: Calliess/Ruffert, EUV/AEUV, 5. Aufl. 2016, Art. 7 EUV Rn. 19 f.; *van Vormizeele*, in: v. d. Groeben/Schwarze/Hatje, Europäisches Unionsrecht, 7. Aufl. 2015, Art. 7 EUV Rn. 13.

[670]  *Schorkopf*, in: Grabitz/Hilf/Nettesheim, Das Recht der Europäischen Union, 61. EL 2017, Art. 7 EUV Rn. 41; *Geiger*, in: Geiger/Khan/Kotzur, EUV/AEUV, 6. Aufl. 2017, Art. 7 EUV Rn. 12.

[671]  *Ziegenhorn*, in: Grabitz/Hilf/Nettesheim, Das Recht der Europäischen Union, 51. EL 2013, Art. 16 EUV Rn. 30 ff.; *Calliess*, in: Calliess/Ruffert, EUV/AEUV, 5. Aufl. 2016, Art. 16 EUV Rn. 6 ff.

[672]  So auch *Schorkopf*, in: Grabitz/Hilf/Nettesheim, Das Recht der Europäischen Union, 61. EL 2017, Art. 7 EUV Rn. 41.

## bb) Qualifiziertes Mehrheitserfordernis, Art. 7 Abs. 5 EUV

Der Rat fasst seinen Beschluss nach Art. 7 Abs. 3 UAbs. 1 S. 1 EUV mit *„qualifizierter Mehrheit".*[673] Der hierbei über die Verweisungsnorm des Art. 7 Abs. 5 EUV maßgebliche Art. 354 UAbs. 1 S. 1 AEUV ist bezüglich der Einbeziehung der Stimme des betroffenen Mitgliedstaates nicht eindeutig.[674] Ähnlich wie bei den Beschlüssen nach Art. 7 Abs. 1, 2 EUV kann auch für den Sanktionsbeschluss nichts anderes gelten. Demnach ist der betroffene Mitgliedstaat nicht stimmberechtigt und wird bei der Berechnung des Sanktionsbeschlusses nicht berücksichtigt.[675] Die Kettenverweisung von Art. 7 Abs. 5 EUV auf Art. 354 UAbs. 2 AEUV, der auf die Regelung des Art. 238 Abs. 3 lit. b) AEUV Bezug nimmt, sieht vor, dass mit einer besonderen qualifizierten Mehrheit *„von mindestens 72 % derjenigen Mitglieder des Rates, die die beteiligten Mitgliedstaaten vertreten, sofern die von ihnen vertretenen Mitgliedstaaten zusammen mindestens 65 % der Bevölkerung der beteiligten Mitgliedstaaten ausmachen",* den Beschluss zu fassen haben.[676] Insoweit spricht die Literatur auch von einer doppelten qualifizierten Mehrheit.[677]

Anders als die Vorfeldmaßnahme und der Feststellungsbeschluss bedarf der Sanktionsbeschluss nach Art. 7 Abs. 3 UAbs. 1 S. 1 EUV damit einer zusätzlichen qualifizierten Mehrheit. Dies lässt erkennen, dass die „Herren der Verträge" im Rahmen des Art. 7 EUV gestufte Mehrheitserfordernisse bewusst kodifiziert haben.[678] Insoweit bleibt zu erörtern, ob dies dem Sinn und Zweck dieser Regelung – der Umsetzung einer Feststellung durch Sanktionierung – entgegensteht.[679]

Durch das zusätzliche Erfordernis der Repräsentation von 65 % der Bevölkerung bei der Beschlussfassung könnte eine Erleichterung der Umsetzung des Feststellungsbeschlusses im Wege der Sanktionierung nicht erfolgt sein.[680] Mit der Feststellung der Verletzung

---

[673]  *Pechstein*, in: Streinz, EUV/AEUV, 3. Aufl. 2018, Art. 7 EUV Rn. 18; *van Vormizeele*, in: v. d. Groeben/Schwarze/Hatje, Europäisches Unionsrecht, 7. Aufl. 2015, Art. 7 EUV Rn. 13; *Becker*, in: Schwarze, EU-Kommentar, 4. Aufl. 2019, Art. 7 EUV Rn. 12; *Geiger*, in: Geiger/Khan/Kotzur, EUV/AEUV, 6. Aufl. 2017, Art. 7 EUV Rn. 13.

[674]  In Art. 354 UAbs. 1 S. 1 EUV wurde auch für die dritte Verfahrensstufe festgeschrieben, dass für *„die Zwecke des Artikels 7 des Vertrags über die Europäische Union über die Aussetzung bestimmter mit der Zugehörigkeit zur Union verbundener Rechte [...] das Mitglied [...] des Rates, das den betroffenen Mitgliedstaat vertritt, nicht stimmberechtigt [ist]".*

[675]  *Träbert*, Sanktionen der Europäischen Union gegen ihre Mitgliedstaaten, 2010, S. 425; *van Vormizeele*, in: v. d. Groeben/Schwarze/Hatje, Europäisches Unionsrecht, 7. Aufl. 2015, Art. 7 EUV Rn. 13; *Ruffert*, in: Calliess/Ruffert, EUV/AEUV, 5. Aufl. 2016, Art. 7 EUV Rn. 21; *Becker*, in: Schwarze, EU-Kommentar, 4. Aufl. 2019, Art. 7 EUV Rn. 12.

[676]  Bei derzeit 27 Mitgliedstaaten, abzüglich des Verletzerstaates, setzt das Mehrheitserfordernis von 72 % dieser 26 EU-Staaten eine Mehrheit von mindestens 20 Mitgliedstaaten voraus. Darüber hinaus müssen die zustimmenden Mitgliedstaaten mindestens 65 % der Bevölkerung der beteiligten Mitgliedstaaten der Union repräsentieren. Bei einer gegenwärtigen Bevölkerungsanzahl von ca. 446,75 Millionen Einwohnern in der Europäischen Union ist mithin eine Repräsentation von mindestens 290,39 Millionen dieser Einwohner durch die zustimmenden Mitgliedstaaten im Rat nötig.

[677]  Vgl. *van Vormizeele*, in: v. d. Groeben/Schwarze/Hatje, Europäisches Unionsrecht, 7. Aufl. 2015, Art. 7 EUV Rn. 13; *Schorkopf*, in: Grabitz/Hilf/Nettesheim, Das Recht der Europäischen Union, 61. EL 2017, Art. 7 EUV Rn. 42.

[678]  *Träbert*, Sanktionen der Europäischen Union gegen ihre Mitgliedstaaten, 2010, S. 316.

[679]  Vgl. auch *Schorkopf*, Homogenität in der Europäischen Union, 2000, S. 163.

[680]  So bereits auch *Schorkopf*, Homogenität in der Europäischen Union, 2000, S. 163.

ist bereits die entscheidende Hürde im Rahmen von Art. 7 EUV genommen und gleichzeitig auch das weitere Vorgehen nahezu vorgezeichnet. In Bezug auf den Sanktionsbeschluss ist allerdings zu berücksichtigen, dass die in Art. 7 Abs. 3 UAbs. 1 S. 1 a.E. EUV explizit genannte Aussetzung der mitgliedstaatlichen Stimmrechte derart weitreichende Auswirkungen auf den betroffenen Mitgliedstaat hat, dass ein dahingehender Beschluss den anderen Mitgliedstaaten nicht zu „einfach" eröffnet werden darf. Es liegt hierbei nahe, die Legitimation eines Sanktionsbeschlusses über das zusätzliche Erfordernis der Repräsentation einer europäischen Bevölkerungsmehrheit abzusichern. Die doppelte Qualifizierung des Sanktionsbeschlusses darf als Kompromiss zwischen dem strengeren Einstimmigkeitserfordernis im Feststellungsbeschluss nach Art. 7 Abs. 2 EUV und dem weniger strengen „vier Fünftel"-Mehrheitserfordernis angesehen werden. Diese höheren Anforderungen an den Beschluss sind gleichwohl mit dem Sinn und Zweck des Sanktionsverfahrens vereinbar.[681] Aufgrund des zu diesem Verfahrenszeitpunkt bereits vorliegenden Feststellungsbeschlusses wird unterstellt, dass sich auch in der Praxis eine entsprechende Mehrheit im Rat für einen Suspendierungs- bzw. Sanktionierungsbeschluss findet.[682]

Anders als im Rahmen von Art. 7 Abs. 1 und 2 EUV können Stimmenthaltungen einer qualifizierten Mehrheit des Sanktionsbeschlusses entgegenstehen. Hierfür ist neben einer fehlenden Regelung in Bezug auf Art. 7 Abs. 3 EUV im Rahmen des Art. 354 UAbs. 2, 3 AEUV die ausdrückliche Nennung nur von Art. 7 Abs. 2 EUV durch Art. 354 UAbs. 1 S. 2 AEUV anzuführen.[683] Diese Auffassung findet zudem eine Stütze in dem Erfordernis der Repräsentation einer Mehrheit von 65 % der Gesamtbevölkerung der Union, die bei einer breiten Front der Enthaltung durch die Mitgliedstaaten ebenfalls scheitern könnte.

### cc)  Ermessen

Der Wortlaut des Art. 7 Abs. 3 UAbs. 1 S. 1 EUV *„kann [...] beschließen"* stellt die Entscheidung des Rates über den Sanktionsbeschluss in dessen alleiniges Ermessen. Damit folgt nicht jedem Feststellungsbeschluss auch zwangsläufig ein Sanktionsbeschluss des Rates i.S.d. Art. 7 Abs. 3 EUV.[684] Hinsichtlich des Sanktionsbeschlusses besteht wiederum ein Entscheidungsspielraum, der sowohl ein Entschließungs- als auch ein Auswahlermes-

---

[681]  Ebenso *Schorkopf,* Homogenität in der Europäischen Union, 2000, S. 163; *Träbert,* Sanktionen der Europäischen Union gegen ihre Mitgliedstaaten, 2010, S. 316.

[682]  *Träbert,* Sanktionen der Europäischen Union gegen ihre Mitgliedstaaten, 2010, S. 425.

[683]  *Ruffert,* in: Calliess/Ruffert, EUV/AEUV, 5. Aufl. 2016, Art. 7 EUV Rn. 21.

[684]  *Pechstein,* in: Streinz, EUV/AEUV, 3. Aufl. 2018, Art. 7 EUV Rn. 17; *Hummer,* in: Hummer, Die Europäischen Union nach dem Vertrag von Amsterdam, 1998, S. 71 (94); *Stumpf,* in: Schwarze, EU-Kommentar, 2. Aufl. 2009, Art. 7 EUV Rn. 6; *Serini,* Sanktionen der Europäischen Union bei Verstoß eines Mitgliedstaates gegen das Demokratie- oder Rechtsstaatsprinzip, 2009, S. 133; *Träbert,* Sanktionen der Europäischen Union gegen ihre Mitgliedstaaten, 2010, S. 318.

sen umfasst.[685] Dies unterstreicht abermals den politischen Charakter des Sanktionsverfahrens, für welches sich die Vertragsstaaten eine maximale Flexibilität vorbehalten woll-
ten.[686] Die Ausübung des Entschließungs- und Auswahlermessens durch den Rat hat dabei
den Grundsätzen der Verhältnismäßigkeit zu entsprechen.[687]

Das Entschließungsermessen eröffnet dem Rat unabhängig von den Gründen, die zum
Feststellungsbeschluss des Europäischen Rates führten, die Möglichkeit, eine Abwägung
zu treffen, ob eine Aussetzung von Rechten seiner Ansicht nach zur Einhaltung der Werte
zielführend ist oder ob bereits der durch den Erlass des Feststellungsbeschlusses erzeugte
öffentliche Druck ausreicht, um den betroffenen Mitgliedstaat zu einem wertetreuen Verhalten zu bewegen.[688]

Hat sich der Rat zu einer Sanktionierung des betroffenen Mitgliedstaates entschlossen,
steht ihm im Wege des Auswahlermessens ein weiter Spielraum über die Art und Weise
der Sanktionierung offen. Das Auswahl- bzw. Gestaltungsermessen des Rates gilt dabei
nicht schrankenlos. Begrenzt durch den kompetenzbezogenen Verhältnismäßigkeitsgrundsatz gem. Art. 5 Abs. 1, 4 UAbs. 1 EUV darf nicht über *„das zur Erreichung der Ziele
der Verträge"* (Sicherung und Förderung der Werte) *„erforderliche Maß hinaus"* gehandelt
werden.[689]

Diesem Rechtsgrundsatz kommt in Bezug auf die Art und Reichweite der möglichen
Sanktionen ein wichtiges Korrektiv zu. Jeder Sanktionsbeschluss muss sich an den der
Verhältnismäßigkeit zu Grunde liegenden Merkmalen messen lassen.[690] Demnach müssen
die angestrebten Sanktionen für die Behebung der Verletzung der Werte zunächst geeignet sein. Zugleich muss der Sanktionsbeschluss das mildeste und effektivste Mittel darstellen. Schließlich muss die Aussetzung der Rechte dem Umfang nach in einem angemesse-

---

[685] *Becker*, in: Schwarze, EU-Kommentar, 4. Aufl. 2019, Art. 7 EUV Rn. 11; *Heintschel v. Heinegg*,
in: Vedder/Heintschel v. Heinegg, Europäisches Unionsrecht, 2. Aufl. 2018, Art. 7 EUV Rn. 24; *van Vormizeele*, in: v. d. Groeben/Schwarze/Hatje, Europäisches Unionsrecht, 7. Aufl. 2015, Art. 7 EUV Rn. 14; *Ha-
ratsch/Koenig/Pechstein*, Europarecht, 12. Aufl. 2020, Rn. 123; *Schmahl*, EuR 2000, 819 (826); *Träbert*, Sanktionen der Europäischen Union gegen ihre Mitgliedstaaten, 2010, S. 318 f.; *Pechstein*, in: Streinz,
EUV/AEUV, 3. Aufl. 2018, Art. 7 EUV Rn. 17 ff.

[686] *Heintschel v. Heinegg*, in: Vedder/Heintschel v. Heinegg, Europäisches Unionsrecht, 2. Aufl. 2018, Art. 7
EUV Rn. 24; *Geiger*, in: Geiger/Khan/Kotzur, EUV/AEUV, 6. Aufl. 2017, Art. 7 EUV Rn. 13; *Stumpf*, in:
Schwarze, EU-Kommentar, 2. Aufl. 2009, Art. 7 EUV Rn. 6.

[687] *Becker*, in: Schwarze, EU-Kommentar, 4. Aufl. 2019, Art. 7 EUV Rn. 11; *Nowak*, in: Pechstein/Nowak/Häde,
Frankfurter Kommentar, 2017, Art. 7 EUV Rn. 19; *van Vormizeele*, in: v. d. Groeben/Schwarze/Hatje, Euro-
päisches Unionsrecht, 7. Aufl. 2015, Art. 7 EUV Rn. 14; *Schmahl*, EuR 2000, 819 (826); *Yamato/Stephan*,
DÖV 2014, 58 (64); *Träbert*, Sanktionen der Europäischen Union gegen ihre Mitgliedstaaten, 2010, S. 319;
*Kassner*, Die Unionsaufsicht, 2003, S. 138 f.; *Pechstein*, in: Streinz, EUV/AEUV, 3. Aufl. 2018, Art. 7 EUV
Rn. 19.

[688] So auch *Träbert*, Sanktionen der Europäischen Union gegen ihre Mitgliedstaaten, 2010, S. 318 f.

[689] Ausführlich zum Verhältnismäßigkeitsgrundsatz *Trstenjak/Beysen*, EuR 2012, 265 (267 ff.); zur kompetenz-
rechtlichen Bedeutung des Verhältnismäßigkeitsgrundsatzes im Rahmen des Art. 5 Abs. 4 EUV siehe *Saurer*,
JZ 2014, 281 (281 ff.).

[690] *Calliess*, in: Calliess/Ruffert, EUV/AEUV, 5. Aufl. 2016, Art. 5 EUV Rn. 44; *Kadelbach*, in: v. d. Groe-
ben/Schwarze/Hatje, Europäisches Unionsrecht, 7. Aufl. 2015, Art. 5 EUV Rn. 51 ff.; *Trstenjak/Beysen*, EuR
2012, 265 (269 ff.); *Becker*, in: Schwarze, EU-Kommentar, 4. Aufl. 2019, Art. 7 EUV Rn. 11; vgl. auch
*Schmahl*, EuR 2000, 819 (826).

nen Verhältnis zur Werteverletzung stehen.[691] Je schwerer und intensiver der dem betroffenen Mitgliedstaat zur Last gelegte Verstoß gegen die Werte wiegt, desto weitreichender können die Beschneidungen der Rechte des Mitgliedstaates sein und umgekehrt.[692] Dabei darf durch den Rat nicht außer Acht gelassen werden, wie schwerwiegend eine Sanktionierung erfolgen muss, um den betroffenen Mitgliedstaat zu einer Beseitigung der Werteverletzung zu bewegen bzw. inwieweit der betroffene Mitgliedstaat bereits Maßnahmen zur Unterbindung und Aufhebung der Verletzung getroffen hat.[693] Eine besondere Einschränkung erfährt der Verhältnismäßigkeitsgrundsatz durch die Berücksichtigungspflicht des Rates hinsichtlich der Auswirkungen für die Rechte und Pflichten natürlicher und juristischer Personen nach Art. 7 Abs. 3 UAbs. 1 S. 2 EUV.[694] Schranken ergeben sich zudem aus dem Unionsrecht selbst sowie aus dem begrenzten Anwendungsbereich des Art. 7 EUV.[695]

Damit ist festzuhalten, dass dem Rat zwar in Bezug auf die hochpolitische Entscheidung des Sanktionsbeschlusses ein Ermessensspielraum zuerkannt wurde, dieser jedoch nicht unbegrenzt gilt.[696] Einer einzelfallgerechten und verhältnismäßigen Sanktionierung des Rates gegenüber dem betroffenen Mitgliedstaat steht dies jedoch nicht im Wege.

## b.  Rechtsfolge: Sanktionen

Die Wirksamkeit des Art. 7 EUV zur Sicherung der Werte beurteilt sich unter anderem auch nach der Reichweite der möglichen aussetzbaren Rechte. Art. 7 EUV sieht auf der Rechtsfolgenseite unter Absatz 3 Unterabsatz 1 Satz 1 vor, dass der Rat *„bestimmte Rechte [...], die sich aus der Anwendung der Verträge [...] herleiten, einschließlich der Stimmrechte des Vertreters der Regierung dieses Mitgliedstaats im Rat"*, aussetzen kann. Im Folgenden wird daher zunächst die Reichweite mit den maßgebenden sanktionsfähigen Rechten aufgezeigt, bevor sich deren Bedingung für die Aussetzung, fortbestehenden Pflichten und Abänderungsbefugnissen zugewandt wird.

### aa)  Reichweite der sanktionsfähigen Rechte

Die Sanktion, *„bestimmte Rechte auszusetzen"*, beinhaltet, dass dem betroffenen Mitgliedstaat keine Ansprüche mehr auf die ihm bis dahin vertraglich zugesicherte Rechtsposition

---

[691]  *Becker,* in: Schwarze, EU-Kommentar, 4. Aufl. 2019, Art. 7 EUV Rn. 11; *Nowak,* in: Pechstein/Nowak/Häde, Frankfurter Kommentar, 2017, Art. 7 EUV Rn. 19; vgl. *van Vormizeele,* in: v. d. Groeben/Schwarze/Hatje, Europäisches Unionsrecht, 7. Aufl. 2015, Art. 7 EUV Rn. 14.

[692]  Vgl. bereits *Schmahl,* EuR 2000, 819 (826).

[693]  *Becker,* in: Schwarze, EU-Kommentar, 4. Aufl. 2019, Art. 7 EUV Rn. 11.

[694]  *Schmahl,* EuR 2000, 819 (826); *van Vormizeele,* in: v. d. Groeben/Schwarze/Hatje, Europäisches Unionsrecht, 7. Aufl. 2015, Art. 7 EUV Rn. 14; *Haratsch/Koenig/Pechstein,* Europarecht, 12. Aufl. 2020, Rn. 123; *Heintschel v. Heinegg,* in: Vedder/Heintschel v. Heinegg, Europäisches Unionsrecht, 2. Aufl. 2018, Art. 7 EUV Rn. 25; *Ruffert,* in: Calliess/Ruffert, EUV/AEUV, 5. Aufl. 2016, Art. 7 EUV Rn. 26; siehe zu der mit der Schutzklausel aufgeworfenen Problematik unter cc) Berücksichtigungspflicht nach Art. 7 Abs. 3 UAbs. 1 S. 2 EUV, S. 113 ff.

[695]  *van Vormizeele,* in: v. d. Groeben/Schwarze/Hatje, Europäisches Unionsrecht, 7. Aufl. 2015, Art. 7 EUV Rn. 14.

[696]  A.A. *Bergmann,* in: Bergmann/Lenz, Der Amsterdamer Vertrag, 1998, S. 23 (34).

zustehen.[697] Das Aussetzen hat einen vorübergehenden Charakter und umfasst einen zeitlich begrenzten Rahmen.[698] Dies entspricht auch der Regelung in Art. 7 Abs. 4 EUV, die eine Änderung und Aufhebung der Sanktion festschreibt und damit im Einklang mit dem zeitlich begrenzten Faktor einer Sanktionierung nach Absatz 3 steht.[699]

Die Formulierung „bestimmte Rechte" legt bereits nahe, dass eine Aussetzung aller Rechte des Mitgliedstaates durch einen Beschluss nicht ermöglicht werden soll. Der Wortlaut macht ferner deutlich, dass nur einzelne konkrete, letztlich einzelne bestimmbare Rechte für die Suspendierung durch den Rat benannt werden können.[700] Die Aussetzung aller Rechte ist nach dem Wortlaut insoweit nicht eröffnet.[701] Eine dahingehende Auslegung, sämtliche Rechte des betroffenen Mitgliedstaates zusammengenommen als noch „bestimmte" einzelne Rechte zu bewerten,[702] wirkt zudem künstlich und überdehnt den Wortlaut des Art. 7 Abs. 3 UAbs. 1 S. 1 EUV. Ein Vergleich mit der englischen Sprachfassung verdeutlicht dies, die anschaulich von „certain of the rights" spricht.[703] Dies deckt sich ferner mit dem Sinn und Zweck des Art. 7 EUV, der mit dem gestuften Verfahrensablauf auf die Sicherung und Einhaltung der Werte unter Erhaltung der Union abzielt. Der festgeschriebene Verhältnismäßigkeitsgrundsatz beschränkt die möglichen Rechtsfolgen auf den betroffenen Mitgliedstaat im Rahmen von Vorfeldmaßnahme, Feststellungs- und Sanktionsbeschluss auf das angemessene Maß und würdigt somit die Souveränität der Mitgliedstaaten, wodurch den Verfahrensstufen ein Erziehungs- und kein Ausschlusscharakter zukommt.[704] Die Aussetzung aller vertraglich zugesicherten Rechtspositionen würde überdies einer Suspendierung der Mitgliedschaft in der Union gleichkommen,[705] dessen Regelungsbereich von Art. 7 EUV nicht umfasst ist, wie nachfolgend gezeigt wird.[706]

Mit der Umschreibung „die sich aus der Anwendung der Verträge auf den betroffenen Mitgliedstaat herleiten" wird die Reichweite der sanktionsfähigen Rechte dargelegt. Die Formulierung: „auf den betroffenen Mitgliedstaat herleiten" erfasst somit alle sich aus dem

---

[697]  Schorkopf, Homogenität in der Europäischen Union, 2000, S. 166.

[698]  v. Sydow, in: v. d. Groeben/Schwarze, Kommentar zum EU-/EG-Vertrag, 6. Aufl. 2003, Art. 7 EUV Rn. 75; Schorkopf, Homogenität in der Europäischen Union, 2000, S. 166; Ruffert, in: Calliess/Ruffert, EUV/AEUV, 5. Aufl. 2016, Art. 7 EUV Rn. 24.

[699]  Ebenso Träbert, Sanktionen der Europäischen Union gegen ihre Mitgliedstaaten, 2010, S. 320.

[700]  Schorkopf, Homogenität in der Europäischen Union, 2000, S. 167; Träbert, Sanktionen der Europäischen Union gegen ihre Mitgliedstaaten, 2010, S. 321; Becker, in: Schwarze, EU-Kommentar, 4. Aufl. 2019, Art. 7 EUV Rn. 10; wohl auch Heintschel v. Heinegg, in: Vedder/Heintschel v. Heinegg, Europäisches Unionsrecht, 2. Aufl. 2018, Art. 7 EUV Rn. 24; Bitterlich, in: Lenz/Borchardt, EU-Verträge, 6. Aufl. 2012, Art. 7 EUV, Rn. 7.

[701]  A.A. wohl Ruffert, in: Calliess/Ruffert, EUV/AEUV, 5. Aufl. 2016, Art. 7 EUV Rn. 24.

[702]  Hau, Sanktionen und Vorfeldmaßnahmen zur Absicherung der europäischen Grundwerte, 2002, S. 62 f.

[703]  So auch Hau, Sanktionen und Vorfeldmaßnahmen zur Absicherung der europäischen Grundwerte, 2002, S. 63.

[704]  Vgl. Hau, Sanktionen und Vorfeldmaßnahmen zur Absicherung der europäischen Grundwerte, 2002, S. 63; v. Sydow, in: v. d. Groeben/Schwarze, Kommentar zum EU-/EG-Vertrag, 6. Aufl. 2003, Art. 7 EUV Rn. 75; Nowak, in: Pechstein/Nowak/Häde, Frankfurter Kommentar, 2017, Art. 7 EUV Rn. 19.

[705]  So auch Träbert, Sanktionen der Europäischen Union gegen ihre Mitgliedstaaten, 2010, S. 321.

[706]  Siehe hierzu nachfolgend unter c. Sanktionsgrenzen, S. 119 ff.

unionalen Vertragsrecht abzuleitenden Rechte.[707] Die Sanktionswahl umfasst nach der Terminologie *„aus der Anwendung der Verträge"* sowohl den EU-Vertrag als auch den AEU-Vertrag, die als rechtlich gleichrangige Verträge gem. Art. 1 Abs. 3 S. 1, 2 EUV Grundlage der Union sind. Einer vor dem Vertrag von Lissabon notwendigen ergänzenden Regelung i.S.d. des ex-Art. 309 EGV für den EG-Vertrag bedarf es folglich nicht mehr.[708] Dies bedeutet zugleich, dass der Rat bei der Aussetzung mitgliedstaatlicher Rechte auf alle aus der Anwendung der Verträge abzuleitenden Rechte beschränkt und eine darüber hinausgehende Sanktionierung nicht von Art. 7 Abs. 3 EUV gedeckt ist.[709] Die aus der *„Anwendung"* der Verträge abzuleitenden Rechte umfassen auch mittelbar Rechte aus den europäischen Gesetzgebungsakten.[710]

## bb) Einzelne sanktionsfähige Rechte

Für die Wahl der sanktionsfähigen Rechte kommen neben den ausdrücklich erwähnten Stimmrechten unter anderem auch Teilhaberechte, institutionelle und finanzielle Rechte in Betracht.

## (1) Stimmrechte

Als auszusetzende Rechte werden in Art. 7 Abs. 3 UAbs. 1 S. 1 a.E. EUV explizit die *„Stimmrechte des Vertreters der Regierungen dieses Mitgliedstaates im Rat"* erwähnt. Das Stimmrecht bildet allgemein das Recht, an einem Beschlussprozess mit einem bestimmten Stimmgewicht teilnehmen zu können. Die Aussetzung des Stimmrechts im Rat hat zur Folge, dass die getroffenen Entscheidungen für den betroffenen Mitgliedstaat bindend sind, ohne dass dieser vorher formal stimmrechtlich Einfluss nehmen konnte.[711] Die ausdrückliche Nennung des Stimmrechtsentzugs in Art. 7 Abs. 3 UAbs. 1 S. 1 EUV verdeutlicht dessen herausgehobene Stellung als Sanktionsmaßnahme für die Union.[712] Der Willensbildungsprozess innerhalb der Union soll von den Werten und Zielen der Union ge-

---

[707]  *Schorkopf*, Homogenität in der Europäischen Union, 2000, S. 166; *Träbert*, Sanktionen der Europäischen Union gegen ihre Mitgliedstaaten, 2010, S. 320; *Becker*, in: Schwarze, EU-Kommentar, 4. Aufl. 2019, Art. 7 EUV Rn. 10; *Nowak*, in: Pechstein/Nowak/Häde, Frankfurter Kommentar, 2017, Art. 7 EUV Rn. 19; *van Vormizeele*, in: v. d. Groeben/Schwarze/Hatje, Europäisches Unionsrecht, 7. Aufl. 2015, Art. 7 EUV Rn. 13; *Schorkopf*, in: Grabitz/Hilf/Nettesheim, Das Recht der Europäischen Union, 61. EL 2017, Art. 7 EUV Rn. 43; *Heintschel v. Heinegg*, in: Vedder/Heintschel v. Heinegg, Europäisches Unionsrecht, 2. Aufl. 2018, Art. 7 EUV Rn. 24; *Ruffert*, in: Calliess/Ruffert, EUV/AEUV, 5. Aufl. 2016, Art. 7 EUV Rn. 24.

[708]  Vgl. zur alten Rechtslage exemplarisch *Stumpf*, in: Schwarze, EU-Kommentar, 2. Aufl. 2009, Art. 7 EUV Rn. 6 ff.; *Schorkopf*, in: Grabitz/Hilf/Nettesheim, Das Recht der Europäischen Union, 37. EL 2008, Art. 7 EUV Rn. 36; *Schorkopf*, in: Grabitz/Hilf/Nettesheim, Das Recht der Europäischen Union, 37. EL 2008, Art. 309 EGV Rn. 1; *Träbert*, Sanktionen der Europäischen Union gegen ihre Mitgliedstaaten, 2010, S. 426.

[709]  *Heintschel v. Heinegg*, in: Vedder/Heintschel v. Heinegg, Europäisches Unionsrecht, 2. Aufl. 2018, Art. 7 EUV Rn. 24.

[710]  *Schorkopf*, Homogenität in der Europäischen Union, 2000, S. 166 f.; *Becker*, in: Schwarze, EU-Kommentar, 4. Aufl. 2019, Art. 7 EUV Rn. 10.

[711]  *Schorkopf*, Homogenität in der Europäischen Union, 2000, S. 167; *Träbert*, Sanktionen der Europäischen Union gegen ihre Mitgliedstaaten, 2010, S. 322; *Ruffert*, in: Calliess/Ruffert, EUV/AEUV, 5. Aufl. 2016, Art. 7 EUV Rn. 24.

[712]  *Kassner*, Die Unionsaufsicht, 2003, S. 152.

tragen sein und vor der Einflussnahme Werte gefährdender Mitgliedstaaten geschützt werden.[713]

Art. 7 Abs. 3 UAbs. 1 S. 1 EUV spricht indes nur von den Stimmrechten im „Rat" und damit vom Ministerrat i.S.d. Art. 16 EUV. Anerkannt ist, dass diese einzelne Nennung nicht abschließend zu verstehen ist und die Stimmrechtsentziehung auch auf den Europäischen Rat i.S.d. Art. 15 EUV Anwendung finden kann.[714] Dieser speziell erwähnte Anwendungsfall bedarf vielmehr einer Berücksichtigung des Gesamtkontextes der Norm, die eine Aussetzung „bestimmte[r]Rechte [...], einschließlich der Stimmrechte [...] im Rat" nur exemplifiziert.[715] Die Beschränkung auf das Entscheidungsgremium „Rat" würde auch dem Sinn und Zweck einer umfänglichen Sicherung der Werte zuwiderlaufen, da eine Einflussnahme durch den Werte gefährdenden Mitgliedstaat auch im Entscheidungsgremium Europäischer Rat erfolgen könnte.[716] Ein solcher Stimmrechtsentzug des betroffenen Mitgliedstaates würde aufgrund des großen öffentlichen und politischen Interesses an dessen Tagungen zudem ein wirkungsvolles Signal in Bezug auf die Sicherung der Wertehomogenität darstellen.[717]

Damit kommen für die Aussetzung letztendlich sämtliche Stimmrechte des betroffenen Mitgliedstaates in Betracht, die ihm im Rahmen des Europäischen Rates bzw. des Rates nach den Unionsverträgen grundsätzlich zustehen.[718] Der Entzug des Stimmrechts umfasst hierbei alle wichtigen Sphären des Unionsrechts. In Bezug auf den Rat kommen daher unter anderem ein Stimmrechtsentzug des betroffenen Mitgliedstaates bei der uni-

---

[713]   Vgl. *v. Sydow*, in: v. d. Groeben/Schwarze, Kommentar zum EU-/EG-Vertrag, 6. Aufl. 2003, Art. 7 EUV Rn. 71.

[714]   *van Vormizeele*, in: v. d. Groeben/Schwarze/Hatje, Europäisches Unionsrecht, 7. Aufl. 2015, Art. 7 EUV Rn. 13; *Pechstein*, in: Streinz, EUV/AEUV, 3. Aufl. 2018, Art. 7 EUV Rn. 19; *Schorkopf*, Homogenität in der Europäischen Union, 2000, S. 167 f.; *Schorkopf*, in: Grabitz/Hilf/Nettesheim, Das Recht der Europäischen Union, 61. EL 2017, Art. 7 EUV Rn. 43; *Bitterlich*, in: Lenz/Borchardt, EU-Verträge, 6. Aufl. 2012, Art. 7 EUV Rn. 7; *Serini*, Sanktionen der Europäischen Union bei Verstoß eines Mitgliedstaates gegen das Demokratie- oder Rechtsstaatsprinzip, 2009, S. 133; *Träbert*, Sanktionen der Europäischen Union gegen ihre Mitgliedstaaten, 2010, S. 322 f.; wohl auch *Heintschel v. Heinegg*, in: Vedder/Heintschel v. Heinegg, Europäisches Unionsrecht, 2. Aufl. 2018, Art. 7 EUV Rn. 24.

[715]   *Verhoeven*, ELRev. 1998, 217 (222); *Schorkopf*, Homogenität in der Europäischen Union, 2000, S. 168; *Träbert*, Sanktionen der Europäischen Union gegen ihre Mitgliedstaaten, 2010, S. 323; *Schorkopf*, in: Grabitz/Hilf/Nettesheim, Das Recht der Europäischen Union, 61. EL 2017, Art. 7 EUV Rn. 43; vgl. auch *Pechstein*, in: Streinz, EUV/AEUV, 3. Aufl. 2018, Art. 7 EUV Rn. 19; *van Vormizeele*, in: v. d. Groeben/Schwarze/Hatje, Europäisches Unionsrecht, 7. Aufl. 2015, Art. 7 EUV Rn. 13; *Kassner*, Die Unionsaufsicht, 2003, S. 152.

[716]   Dieses Gremium der Staats- und Regierungschefs tritt mindestens zweimal pro Halbjahr zusammen (Art. 15 Abs. 2 EUV) und legt die Ausrichtung der EU-Politik sowie die gemeinsame Außen- und Sicherheitspolitik fest und ernennt und bestimmt Kandidaten für wichtige Positionen, wie etwa die Kommission, wodurch ein hinreichender Einfluss auf die Einhaltung und Förderung der Werte nicht auszuschließen ist.

[717]   *Schorkopf*, Homogenität in der Europäischen Union, 2000, S. 167 f.; *Träbert*, Sanktionen der Europäischen Union gegen ihre Mitgliedstaaten, 2010, S. 323.

[718]   *van Vormizeele*, in: v. d. Groeben/Schwarze/Hatje, Europäisches Unionsrecht, 7. Aufl. 2015, Art. 7 EUV Rn. 13; *Bitterlich*, in: Lenz/Borchardt, EU-Verträge, 6. Aufl. 2012, Art. 7 EUV Rn. 7; *Schorkopf*, in: Grabitz/Hilf/Nettesheim, Das Recht der Europäischen Union, 61. EL 2017, Art. 7 EUV Rn. 43; vgl. auch *Heintschel v. Heinegg*, in: Vedder/Heintschel v. Heinegg, Europäisches Unionsrecht, 2. Aufl. 2018, Art. 7 EUV Rn. 24.

onalen Rechtsetzung (Art. 16 Abs. 1 S. 1 EUV), der Festlegung der politischen Leitung und Koordinierung der Union (Art. 16 Abs. 1 S. 2 EUV), der Haushaltsbefugnis (Art. 16 Abs. 1 S. 1 EUV) und beim Abschluss von Übereinkünften der Union mit internationalen Organisationen oder Drittländern (Art. 218 AEUV) in Betracht.[719] Als zentrales Entscheidungsgremium stellt sich neben einem vollständigen Stimmrechtsentzug ein Entzug in den Bereichen Gesetzgebung und Haushaltsbefugnisse als ein wirkungsvoller Einschnitt für den betroffenen Mitgliedstaat im institutionellen Rahmen des Rates dar.

Dem Europäischen Rat als politischem Leitorgan obliegen ebenfalls weitreichende Aufgaben, die im Wege eines vollständigen oder teilweisen Stimmrechtsentzugs des betroffenen Mitgliedstaates zugänglich sind. Neben einem Stimmrechtsentzug in Bezug auf die Festlegung politischer Leitlinien und strategischer Impulse (Art. 15 Abs. 1 EUV), der GASP (Art. 22 Abs. 1, Art. 26 Abs. 1 EUV) und für den Raum der Freiheit, der Sicherheit und des Rechts (Art. 68 AEUV) sind hier insbesondere auch die Bereiche mit inhaltlichen Befugnissen zu nennen, wie die vertragsändernden Befugnisse nach Art. 48 Abs. 6, 7 EUV.[720]

Letztlich sind die Möglichkeiten der Gestaltung des Stimmrechtsentzugs nahezu unbegrenzt und können teilweise, aber auch vollständig erfolgen. Dabei ist der Stimmrechtsentzug nicht zwingend, sondern kann zu Gunsten des Ausschlusses anderer Rechte unberücksichtigt bleiben.[721]

Ergeht ein Stimmrechtsentzug gegenüber dem betroffenen Mitgliedstaat im Wege des Sanktionsbeschlusses, hat dies wiederum Folgen für die Abstimmungsmodalität, die durch Art. 7 Abs. 5 EUV i.V.m. Art. 354 AEUV eine klarstellende Regelung erfuhr. Die Ratsmehrheiten müssen hierbei neu berechnet werden. Für den Beschluss des Rates gilt wiederum die Bestimmung des Art. 354 UAbs. 3 i.V.m. Art. 238 Abs. 3 lit. b) bzw. lit. a) AEUV ohne Berücksichtigung des betroffenen Mitgliedstaates nach Art. 354 UAbs. 1 AEUV.[722] Eine Einstimmigkeit im Europäischen Rat kann ohne die Stimme des betroffenen Mitgliedstaates erlangt werden.[723] Hierdurch wird trotz Anwendung des Art. 7 EUV die Be-

---

[719]  Ausführlich zu den Zuständigkeiten des Rates vgl. *Jacqué*, in: v. d. Groeben/Schwarze/Hatje, Europäisches Unionsrecht, 7. Aufl. 2015, Art. 16 EUV Rn. 2 ff.; *Haratsch/Koenig/Pechstein*, Europarecht, 12. Aufl. 2020, Rn. 272 f.; *Ziegenhorn*, in: Grabitz/Hilf/Nettesheim, Das Recht der Europäischen Union, 51. EL 2013, Art. 16 EUV Rn. 24 ff.; *Calliess*, in: Calliess/Ruffert, EUV/AEUV, 5. Aufl. 2016, Art. 16 EUV Rn. 2 ff.

[720]  Ausführlich zu den Zuständigkeiten des Europäischen Rates vgl. *Haratsch/Koenig/Pechstein*, Europarecht, 12. Aufl. 2020, Rn. 261 f.; *Lenski*, in: v. d. Groeben/Schwarze/Hatje, Europäisches Unionsrecht, 7. Aufl. 2015, Art. 15 EUV Rn. 5 ff.; *Calliess*, in: Calliess/Ruffert, EUV/AEUV, 5. Aufl. 2016, Art. 15 EUV Rn. 3 ff.; *Kumin*, in: Grabitz/Hilf/Nettesheim, Das Recht der Europäischen Union, 45. EL 2011, Art. 15 EUV Rn. 67 ff.

[721]  *Heintschel v. Heinegg*, in: Vedder/Heintschel v. Heinegg, Europäisches Unionsrecht, 2. Aufl. 2018, Art. 7 EUV Rn. 24.

[722]  *van Vormizeele*, in: v. d. Groeben/Schwarze/Hatje, Europäisches Unionsrecht, 7. Aufl. 2015, Art. 7 EUV Rn. 13. Ausführlich zur Berechnung der Mehrheiten bei Stimmrechtsaussetzung vgl. *Träbert*, Sanktionen der Europäischen Union gegen ihre Mitgliedstaaten, 2010, S. 428 f.; *Obwexer*, in: Streinz, EUV/AEUV, 3. Aufl. 2018, Art. 238 AEUV Rn. 21 ff.

[723]  So auch *v. Sydow*, in: v. d. Groeben/Schwarze, Kommentar zum EU-/EG-Vertrag, 6. Aufl. 2003, Art. 7 EUV Rn. 72.

schlussfassung innerhalb der Union nicht behindert und deren Funktionsfähigkeit gewährleistet.[724]

## (2)  Teilnahmerechte

Neben dem Entzug von Stimmrechten kommt die Aussetzung von Teilnahmerechten in Betracht.[725] Ein Stimmrechtsentzug des betroffenen Mitgliedstaates lässt das Anwesenheitsrecht durch personelle Vertretung in den Ratsversammlungen unberührt.[726] Einen Ausschluss der Delegation des Verletzerstaates bereits auf die Verhandlungen der Sitzungen des Europäischen Rates und des Rates zu erstrecken, erscheint erfolgversprechend, um dessen Einfluss zu minimieren und diesen zu sanktionieren.[727] Die Aussetzung des Anwesenheitsrechts kann für den betroffenen Mitgliedstaat weitreichende negative Auswirkungen haben, da die Teilnahmeuntersagung in den Organen, Ausschüssen und Arbeitsgruppen zu einem Informations-, Einfluss- und letztlich zum Gestaltungsverlust führt.[728]

Abgesehen von einer völligen Teilnahmeuntersagung eröffnet der Sanktionsbeschluss auch weit weniger einschneidende Schritte, beispielsweise die Aussetzung des Anwesenheits- oder Rederechts in den Sitzungen der Unionsgremien.[729] Hierdurch wird ebenfalls unterbunden, dass der Verletzerstaat Einfluss auf den Verhandlungsprozess nehmen kann und somit den Entscheidungsprozess der übrigen Mitgliedstaaten in seinem Interesse mitprägt.[730] Zu denken wäre auch an die Verweigerung des Rechts zur Übernahme des Vorsitzes im Rat (Art. 16 Abs. 9 EUV) oder im Europäischen Rat (Art. 15 Abs. 5 EUV), um hierdurch eine öffentlichkeitswirksame Selbstdarstellung zu verhindern.[731]

---

[724]  Vgl. *v. Sydow*, in: v. d. Groeben/Schwarze, Kommentar zum EU-/EG-Vertrag, 6. Aufl. 2003, Art. 7 EUV Rn. 72.

[725]  *Verhoeven*, ELRev. 1998, 217 (222); *Schmahl*, EuR 2000, 819 (825); *Hummer/Obwexer*, EuZW 2000, 485 (488); *v. Sydow*, in: v. d. Groeben/Schwarze, Kommentar zum EU-/EG-Vertrag, 6. Aufl. 2003, Art. 7 EUV Rn. 70; *Kassner*, Die Unionsaufsicht, 2003, S. 137 f.; *Schorkopf*, DVBl. 2000, 1036 (1039); *Schorkopf*, Homogenität in der Europäischen Union, 2000, S. 168; *Serini*, Sanktionen der Europäischen Union bei Verstoß eines Mitgliedstaates gegen das Demokratie- oder Rechtsstaatsprinzip, 2009, S. 133; *Träbert*, Sanktionen der Europäischen Union gegen ihre Mitgliedstaaten, 2010, S. 324; *Schorkopf*, in: Grabitz/Hilf/Nettesheim, Das Recht der Europäischen Union, 61. EL 2017, Art. 7 EUV Rn. 43; *Heintschel v. Heinegg*, in: Vedder/Heintschel v. Heinegg, Europäisches Unionsrecht, 2. Aufl. 2018, Art. 7 EUV Rn. 24; *van Vormizeele*, in: v. d. Groeben/Schwarze/Hatje, Europäisches Unionsrecht, 7. Aufl. 2015, Art. 7 EUV Rn. 13; *Ruffert*, in: Calliess/Ruffert, EUV/AEUV, 5. Aufl. 2016, Art. 7 EUV Rn. 24.

[726]  *Schorkopf*, Homogenität in der Europäischen Union, 2000, S. 168.

[727]  Ob auch ein Ausschluss der Abgeordneten des betroffenen Mitgliedstaates im Europäischen Parlament von den auszusetzenden Stimm- oder Teilhaberechten und letztlich vom Sanktionsumfang des Art. 7 Abs. 3 UAbs. 1 S. 1 EUV gedeckt ist, ist ausführlich im Rahmen der Sanktionsgrenzen zu berücksichtigen, vgl. unter c. Sanktionsgrenzen S. 119 ff.

[728]  So auch schon *Träbert*, Sanktionen der Europäischen Union gegen ihre Mitgliedstaaten, 2010, S. 324.

[729]  *Schorkopf*, Homogenität in der Europäischen Union, 2000, S. 168; *Träbert*, Sanktionen der Europäischen Union gegen ihre Mitgliedstaaten, 2010, S. 324.

[730]  *Träbert*, Sanktionen der Europäischen Union gegen ihre Mitgliedstaaten, 2010, S. 324.

[731]  *Schorkopf*, DVBl. 2000, 1036 (1039 f.); *Schmahl*, EuR 2000, 819 (825); *Schorkopf*, Homogenität in der Europäischen Union, 2000, S. 169; *Serini*, Sanktionen der Europäischen Union bei Verstoß eines Mitgliedstaates gegen das Demokratie- oder Rechtsstaatsprinzip, 2009, S. 133.

Die Versagung der Teilnahmerechte gibt dem Rat umfassende Maßnahmen an die Hand, einzelfallbezogen gegen den betroffenen Mitgliedstaat vorzugehen. Die Beteiligungsrechte können – abhängig vom Umfang und von der Schwere der Werteverstöße – entweder vollständig oder teilweise suspendiert werden.[732]

## (3)  Institutionelle Rechte

Des Weiteren lassen sich institutionelle Rechte im Wege des Sanktionsbeschlusses aussetzen. Neben der Untersagung an Personalentscheidungen mitzuwirken, ist auch an die Aussetzung von Klagerechten des betroffenen Mitgliedsstaates zu denken.

Die Normierungsrechte der Mitgliedstaaten gelten für bestimmte unionale Gremien. Hierdurch wird ihnen entscheidender Einfluss auf die personelle Besetzung ihrer Unionsorgane eröffnet.[733] So wählt der Europäische Rat seinen Präsidenten gem. Art. 15 Abs. 5 EUV, schlägt einen Kandidaten für das Amt des Kommissionspräsidenten vor, Art. 17 Abs. 7 UAbs. 1 S. 1 EUV, ist für die Ernennung des Hohen Vertreters der Union für Außen- und Sicherheitspolitik (Art. 18 Abs. 1 S. 1 EUV) zuständig und wählt sowie ernennt gem. Art. 283 Abs. 2 UAbs. 2 AEUV den Präsidenten, den Vizepräsidenten als auch die weiteren Mitglieder des Direktoriums der Europäischen Zentralbank.[734]

Die Mitgliedstaaten nehmen im Rat gem. Art. 17 Abs. 7 UAbs. 2 S. 1 EUV im Einvernehmen mit dem Kommissionspräsidenten die Liste der Persönlichkeiten an, die er als Mitglieder der Kommission vorschlägt. Sie ernennen die Mitglieder des Rechnungshofs (Art. 286 Abs. 2 S. 2 AEUV), des Wirtschafts- und Sozialausschusses (Art. 302 Abs. 1 S. 2 AEUV) sowie des Ausschusses der Regionen (Art. 305 Abs. 3 S. 3 AEUV) und legen Vergütungen gem. Art. 243 S. 1 AEUV fest.[735]

Diese Normierungsrechte eröffnen dem Verletzerstaat wiederum eine gewisse Einflussnahme auf die unionalen Gremien, weshalb auf diesem Wege mögliche Auswirkungen auf die Einhaltung und Förderung der Werte nicht völlig auszuschließen sind.[736] Eine Aussetzung dieser Rechte darf daher als adäquates Mittel zur Sanktionierung beurteilt werden.[737] Daneben wird als *ultima ratio* die formal mögliche Aussetzung der Klagebe-

---

[732]  Einen Überblick zu den in Betracht kommenden Teilnahmerechten, die einer Suspendierung zugänglich sind, gibt *Schorkopf*, Homogenität in der Europäischen Union, 2000, S. 168 f.

[733]  *Calliess*, in: Calliess/Ruffert, EUV/AEUV, 5. Aufl. 2016, Art. 15 EUV Rn. 15; *Haratsch/Koenig/Pechstein*, Europarecht, 12. Aufl. 2020, Rn. 262; *Schorkopf*, Homogenität in der Europäischen Union, 2000, S. 179.

[734]  *Lenski*, in: v. d. Groeben/Schwarze/Hatje, Europäisches Unionsrecht, 7. Aufl. 2015, Art. 15 EUV Rn. 7; *Kumin*, in: Grabitz/Hilf/Nettesheim, Das Recht der Europäischen Union, 45. EL 2011, Art. 15 EUV Rn. 87; *Calliess*, in: Calliess/Ruffert, EUV/AEUV, 5. Aufl. 2016, Art. 15 EUV Rn. 15; *Schorkopf*, Homogenität in der Europäischen Union, 2000, S. 179; *Träbert*, Sanktionen der Europäischen Union gegen ihre Mitgliedstaaten, 2010, S. 337; *Haratsch/Koenig/Pechstein*, Europarecht, 12. Aufl. 2020, Rn. 262.

[735]  *Ziegenhorn*, in: Grabitz/Hilf/Nettesheim, Das Recht der Europäischen Union, 51. EL 2013, Art. 16 EUV Rn. 29; *Schorkopf*, Homogenität in der Europäischen Union, 2000, S. 179; *Träbert*, Sanktionen der Europäischen Union gegen ihre Mitgliedstaaten, 2010, S. 337; *Haratsch/Koenig/Pechstein*, Europarecht, 12. Aufl. 2020, Rn. 273; *Calliess*, in: Calliess/Ruffert, EUV/AEUV, 5. Aufl. 2016, Art. 16 EUV Rn. 5.

[736]  *Träbert*, Sanktionen der Europäischen Union gegen ihre Mitgliedstaaten, 2010, S. 338.

[737]  So bereits *Träbert*, Sanktionen der Europäischen Union gegen ihre Mitgliedstaaten, 2010, S. 338; vgl. auch *Schorkopf*, Homogenität in der Europäischen Union, 2000, S. 179.

rechtigung des Verletzerstaates für die Verfahren nach Art. 259, Art. 263 Abs. 2, Art. 265 Abs. 1 AEUV diskutiert.[738]

## (4)  Finanzielle Rechte

Als ein weiteres sanktionsfähiges Recht ist die Nichtgewährung von Finanzmitteln der Union gegenüber dem betroffenen Mitgliedstaat anzuführen.[739] Die EU verfügt über einen eigenen Haushalt, der sich vollständig aus Eigenmitteln finanziert (vgl. Art. 311 Abs. 1, 2 AEUV).[740] Zur Förderung der politischen Ziele hat die EU verschiedene Fonds gebildet, die als Finanzinstrumente der monetären Unterstützung dieser Aufgaben dienen.[741] Exemplarisch zu nennen sind hier European Innovation Council (EIC), EFRE, ESF, der Kohäsionsfonds zur Förderung des nachhaltigen Wachstums in der Union sowie der Europäische Garantiefonds für die Landwirtschaft zur Bewahrung und Bewirtschaftung der natürlichen Ressourcen.[742] Alle europäischen Strukturfonds und Förderprogramme kommen letztlich für die Aussetzung von Zahlungen als Sanktionierung des Verletzerstaates in Betracht.

Für die Mitgliedstaaten, insbesondere diejenigen, die im Wege der Osterweiterung der Jahre 2004 und 2007 der Union beigetreten sind, spielen diese europäischen Fonds und Programme eine wichtige Rolle zur Angleichung an das Homogenitätsniveau der Union. Das hohe Volumen dieser Fonds und Programme sowie deren Auszahlungssummen an die einzelnen Mitgliedstaaten verdeutlichen deren besondere Bedeutung, aber auch die finanziellen Anreize, die eine Mitgliedschaft in der Union unter anderem mit sich bringt.[743] Die Aussetzung der finanziellen Ansprüche eines Mitgliedstaates macht sich für diesen unmittelbar bemerkbar und ist daher als ein taugliches Sanktionsmittel einzuord-

---

[738]   *Verhoeven*, ELRev. 1998, 217 (223); *Schmahl*, EuR 2000, 819 (828); *Schönborn*, Die Causa Austria, 2005, S. 117; *Ruffert*, in: Calliess/Ruffert, EUV/AEUV, 5. Aufl. 2016, Art. 7 EUV Rn. 25; *Becker*, in: Schwarze, EU-Kommentar, 4. Aufl. 2019, Art. 7 EUV Rn. 10; *Serini*, Sanktionen der Europäischen Union bei Verstoß eines Mitgliedstaates gegen das Demokratie- oder Rechtsstaatsprinzip, 2009, S. 134; zur ausführlichen Erörterung der Aussetzbarkeit von Klagerechten des Verletzerstaates nach Art. 7 Abs. 3 UAbs. 1 S. 1 EUV vgl. unter cc) Aussetzung von Klagerechten, S. 122 f.

[739]   *Barents*, MJ 1997, 332 (335); *Verhoeven*, ELRev. 1998, 217 (222 f.); *Schorkopf*, Homogenität in der Europäischen Union, 2000, S. 177 f.; *Hummer/Obwexer*, EuZW 2000, 485 (488); *Schmahl*, EuR 2000, 819 (826); *Serini*, Sanktionen der Europäischen Union bei Verstoß eines Mitgliedstaates gegen das Demokratie- oder Rechtsstaatsprinzip, 2009, S. 133 f.; *Ruffert*, in: Calliess/Ruffert, EUV/AEUV, 5. Aufl. 2016, Art. 7 EUV Rn. 25; *Bitterlich*, in: Lenz/Borchardt, EU-Verträge, 6. Aufl. 2012, Art. 7 EUV Rn. 8; *Schwartz*, in: v. d. Groeben/Schwarze, Kommentar zum EU-/EG-Vertrag, 6. Aufl. 2003, Art. 309 EGV Rn. 25; *Stumpf*, in: Schwarze, EU-Kommentar, 2. Aufl. 2009, Art. 309 EGV Rn. 6; *Schorkopf*, in: Grabitz/Hilf/Nettesheim, Das Recht der Europäischen Union, 40. Aufl. 2009, Art. 309 EGV Rn. 4.

[740]   Ausführlich hierzu *Bergmann*, in: Bergmann, Handlexikon der Europäischen Union, 5. Aufl. 2015, „Haushalt der Europäischen Union".

[741]   Für einen ausführlichen Überblick über die Fonds der EU siehe *Bergmann*, in: Bergmann, Handlexikon der Europäischen Union, 5. Aufl. 2015, „Fonds der Europäischen Union".

[742]   Vgl. hierzu auch die Nennung in Art. 175 AEUV.

[743]   Der vom Rat gebilligte EU-Haushalt für das Jahr 2020 hat ein auszahlungsfähiges Volumen von 168,7 Milliarden Euro. Hierbei fließt der größte Anteil der Mittel in die Förderprogramme; vgl. Rat der EU, EU-Haushalt 2020, 25.11.2019, https://www.consilium.europa.eu/en/press/press-releases/2019/11/25/eu-budget-for-2020-council-endorses-deal-with-parliament/ (zuletzt abgerufen: 31.01.2021 um 18:36 Uhr).

nen.[744] Das Volumen der Auszahlungen und die Breite der finanziellen Ansprüche der Mitgliedstaaten aus den verschiedenen Fonds eröffnen mithin eine Vielzahl unterschiedlicher Sanktionsmöglichkeiten, die entsprechend der Verfehlung des Verletzerstaates einzelfallgerecht erfolgen können. Hierbei ist Art. 7 Abs. 3 UAbs. 1 S. 2 EUV gebührend zu berücksichtigen.[745] Die Finanzinstrumente, die unter anderem der Förderung strukturschwacher Regionen und bestimmter Wirtschaftszweige dienen, können mitunter weitreichende Auswirkungen auf natürliche und juristische Personen haben. Insoweit ist diesen im Rahmen der Berücksichtigungspflicht entsprechend Rechnung zu tragen.[746] Letztendlich darf die Aussetzung finanzieller Ansprüche von Mitgliedstaaten in Übereinstimmung mit der Literatur als besonders effektiv und zielführend zur Einhaltung der Werte beurteilt werden.[747]

Ein weiterer Bereich, der für eine Aussetzung finanzieller Ansprüche eines Mitgliedstaates in Betracht kommt, ist die Darlehens- und Bürgschaftsvergabe seitens der Europäischen Investitionsbank (Art. 308 f. AEUV).[748] Als Kreditbank mit dem Ziel, eine ausgewogene und reibungslose Entwicklung des Binnenmarktes gem. Art. 309 Abs. 1 S. 1 AEUV zu fördern, könnte eine Untersagung der Gewährung von Darlehen und Bürgschaften gegenüber dem betroffenen Mitgliedstaat als sanktionsfähiges Recht in Rede stehen. Eine Berührung der Belange der natürlichen und juristischen Personen ist hierbei besonders naheliegend (vgl. Art. 309 Abs. 1 lit. b) AEUV), weshalb die Tauglichkeit dieses Mittels zweifelhaft ist und sich an der Frage der Berücksichtigungspflicht messen lassen muss.[749] Liegen keine unmittelbaren Berührungspunkte für die Unionsbürger vor, wie dies im Rahmen größerer Darlehensvergaben für mehrere Mitgliedstaaten i.S.d. Art. 309 Abs. 1 lit. c) AEUV denkbar wäre, ist ihr eine grundsätzliche Anwendbarkeit als Sanktionsmittel nicht abzusprechen.[750]

### cc)  Berücksichtigungspflicht nach Art. 7 Abs. 3 UAbs. 1 S. 2 EUV

Wie vorstehend erwähnt, legt Art. 7 Abs. 3 UAbs. 1 S. 2 EUV fest, dass der Sanktionsbeschluss des Rates „die möglichen Auswirkungen einer solchen Aussetzung auf die Rechte und Pflichten natürlicher und juristischer Personen" zu berücksichtigen hat. Das Sanktionsverfahren dient anerkanntermaßen der Beachtung und Förderung der Werte durch die

---

[744] So bereits *Schorkopf*, Homogenität in der Europäischen Union, 2000, S. 177; im Ergebnis wohl auch *Schmahl*, EuR 2000, 819 (826); *Träbert*, Sanktionen der Europäischen Union gegen ihre Mitgliedstaaten, 2010, S. 340 f.

[745] *Ruffert*, in: Calliess/Ruffert, EUV/AEUV, 5. Aufl. 2016, Art. 7 EUV Rn. 26.

[746] Hierzu näher unter cc) Berücksichtigungspflicht nach Art. 7 Abs. 3 UAbs. 1 S. 2 EUV, S. 113 ff.

[747] *Schmahl*, EuR 2000, 819 (826); *Schorkopf*, Homogenität in der Europäischen Union, 2000, S. 177; *Träbert*, Sanktionen der Europäischen Union gegen ihre Mitgliedstaaten, 2010, S. 340.

[748] *Schorkopf*, Homogenität in der Europäischen Union, 2000, S. 177 f.; *Träbert*, Sanktionen der Europäischen Union gegen ihre Mitgliedstaaten, 2010, S. 341 f.

[749] So bereits *Schorkopf*, Homogenität in der Europäischen Union, 2000, S. 178; *Träbert*, Sanktionen der Europäischen Union gegen ihre Mitgliedstaaten, 2010, S. 341.

[750] Wohl auch *Träbert*, Sanktionen der Europäischen Union gegen ihre Mitgliedstaaten, 2010, S. 341 f., die jedoch bei der Vergabe von Darlehen an mehrere Mitgliedstaaten unter Verweigerung der finanziellen Förderung des Verletzerstaates die Gefahr eines Schadens für die wertetreuen Mitgliedstaaten und den gemeinsamen Markt sieht.

Mitgliedstaaten und macht diese zum Rechtssubjekt des Verfahrens. Obgleich auch mittelbare Auswirkungen in anderen Rechtskreisen nicht auszuschließen sind, wird den Besonderheiten des Unionsrechts und dessen Wirkung auf ihre Bürger hiermit Rechnung getragen. Schließlich umfasst das Unionsrecht nicht nur die Rechtsverhältnisse der Mitgliedstaaten und Unionsorgane, sondern gewährt auch den natürlichen und juristischen Personen weitreichende subjektive Rechte[751] in Form von europäischen Grundrechten im Wege der Grundrechtecharta (Art. 6 EUV), Grundfreiheiten nach Art. 28 ff., Art. 39 ff., Art. 49 ff., Art. 56 ff. AEUV und finanziellen Leistungen wie beispielsweise im Bereich des Agrarrechts durch Strukturfonds.[752] Die Berücksichtigungspflicht ist hierbei nicht auf die natürlichen und juristischen Personen des Verletzerstaates beschränkt, sondern dient vielmehr allen natürlichen und juristischen Personen und somit auch solchen, die eine Staatsbürgerschaft eines anderen Mitgliedstaates innehaben bzw. dort ansässig sind.[753] Demnach sollen diese vor den Folgen der Sanktionsmaßnahmen geschützt werden und nicht für die Verfehlungen des Mitgliedstaates einstehen müssen.[754]

Es ist evident, dass sämtliche Sanktionsmaßnahmen im Rahmen des Unionsrechts gegenüber dem betroffenen Mitgliedstaat nicht ohne jegliche Auswirkungen auf die natürlichen und juristischen Personen erfolgen können.[755] Die sog. „Unionsbürger-Schutzklausel"[756] schützt nicht vor jeglichen Auswirkungen des Sanktionsbeschlusses. Vielmehr verlangt der Wortlaut vom Rat, dass dieser die Auswirkungen auf den Personenkreis „berücksichtigt", was im Umkehrschluss bedeuten kann, dass grundsätzlich auch weitreichende und signifikante Auswirkungen auf die natürlichen und juristischen Personen durch Beschluss gedeckt sind.[757] Gleichwohl ist einschränkend anzuführen, dass der

---

[751]  *Ruffert*, in: Calliess/Ruffert, EUV/AEUV, 5. Aufl. 2016, Art. 7 EUV Rn. 26; *Schmahl*, EuR 2000, 819 (826) m.w.N.; *Schorkopf*, Homogenität in der Europäischen Union, 2000, S. 169; *Träbert*, Sanktionen der Europäischen Union gegen ihre Mitgliedstaaten, 2010, S. 326; *Becker*, in: Schwarze, EU-Kommentar, 4. Aufl. 2019, Art. 7 EUV Rn. 11.

[752]  *Kubicki*, EuR 2006, 489 (489); *Huber*, EuR 2013, 637 (637); *Kluth*, in: Calliess/Ruffert, EUV/AEUV, 5. Aufl. 2016, Art. 20 AEUV Rn. 11 ff.; *Schönberger*, in: Grabitz/Hilf/Nettesheim, Das Recht der Europäischen Union, 48. EL 2012, Art. 20 AEUV Rn. 49 ff.; *Magiera*, in: Streinz, EUV/AEUV, 3. Aufl. 2018, Art. 20 AEUV Rn. 31 ff.; vgl. ausführlich zu den Unionsbürgerrechten *Reich*, Bürgerrechte in der Europäischen Union, 1999, S. 62 ff.

[753]  *Schorkopf*, Homogenität in der Europäischen Union, 2000, S. 169; *Schmahl*, EuR 2000, 819 (826); *Träbert*, Sanktionen der Europäischen Union gegen ihre Mitgliedstaaten, 2010, S. 326; *Stein*, in: Götz/Selmer/Wolfrum, Liber amicorum Günther Jaenicke, 1998, S. 871, (895 f.).

[754]  *Bergmann*, in: Bergmann/Lenz, Der Amsterdamer Vertrag, 1998, S. 23 (34).

[755]  Vgl. *Schorkopf*, Homogenität in der Europäischen Union, 2000, S. 169 f.; *Ruffert*, in: Calliess/Ruffert, EUV/AEUV, 5. Aufl. 2016, Art. 7 EUV Rn. 26; *Stein*, in: Götz/Selmer/Wolfrum, Liber amicorum Günther Jaenicke, 1998, S. 871 (895 f.).

[756]  *Schmahl*, EuR 2000, 819 (826); *van Vormizeele*, in: v. d. Groeben/Schwarze/Hatje, Europäisches Unionsrecht, 7. Aufl. 2015, Art. 7 EUV Rn. 14; *Schorkopf*, in: Grabitz/Hilf/Nettesheim, Das Recht der Europäischen Union, 61. EL 2017, Art. 7 EUV Rn. 44; *Heintschel v. Heinegg*, in: Vedder/Heintschel v. Heinegg, Europäisches Unionsrecht, 2. Aufl. 2018, Art. 7 EUV Rn. 25.

[757]  *Langrish*, ELRev. 1998, 3 (15); *Schorkopf*, Homogenität in der Europäischen Union, 2000, S. 170; *van Vormizeele*, in: v. d. Groeben/Schwarze/Hatje, Europäisches Unionsrecht, 7. Aufl. 2015, Art. 7 EUV Rn. 14. In diese Richtung wohl auch *Schmahl*, EuR 2000, 819 (826); *Pechstein*, in: Streinz, EUV/AEUV, 3. Aufl. 2018, Art. 7 EUV Rn. 20; a.A. Parlament, nach dem keine Rechte der Unionsbürger beeinträchtigt werden dürfen, ABl. EG Nr. C 371 v. 08.12.1997, S. 103; kritisch bereits auch *Bruha/Vogt*, VRÜ, 1997, 477 (494).

Rat im Wege der Folgenabschätzung verpflichtet ist, das jeweils mildeste Mittel im Sinne des Verhältnismäßigkeitsgrundsatzes zu wählen.[758] Es lässt sich daher folgern, dass der Rat bei der Wahl der Sanktionen auf die Aussetzung derjenigen Rechte verpflichtet ist, die den Mitgliedstaat im Wesentlichen treffen. Sein Ermessen ist mithin als vorrangig gebunden zu interpretieren.[759] Inwieweit die Auswirkungen auf den geschützten Personenkreis zu berücksichtigen sind und welches Mittel das mildeste ist, bleibt eine Frage des Einzelfalls, bei der dem Rat ein gewisser Ermessensspielraum zusteht.

Ob hierbei ein Kernbereich an unionalen Rechten des Personenkreises existiert, der einem Eingriff durch die Sanktionsmaßnahme zwingend entzogen ist, ist umstritten.[760] Für einen Kernbestand unantastbarer Rechte besteht mangels eines ausdrücklichen Anknüpfungspunktes im Wortlaut des Art. 7 Abs. 3 EUV bereits kein Raum. Eine solche Interpretation ist abzulehnen, da ohnehin die Möglichkeit des Erlasses von Sanktionsmaßnahmen ohne unmittelbare Auswirkungen auf die natürlichen und juristischen Personen besteht.[761]

Letztlich ist bei der Wahl der Mittel diejenige Sanktionsmaßnahme vorrangig zu beschließen, die primär den betroffenen Mitgliedstaat trifft.[762] Von alternativen Maßnahmen, die den geschützten Personenkreis tangieren, ist vorrangig abzusehen. Bedarf es hingegen zur Sicherung der Werte tiefgreifendere Maßnahmen, die mitunter Folgen für die natürlichen und juristischen Personen bereithalten, muss auf dasjenige Mittel mit der geringstmöglichen Eingriffswirkung zurückgegriffen werden. Bleiben allerdings alle Maßnahmen erfolglos, kann der Rat als letzte Konsequenz jedwede Sanktionsmaßnahme beschließen, die sämtliche aus der Unionsmitgliedschaft erwachsenen Rechte erfasst und ggf. auch tiefgreifend in die einzelnen Rechte der natürlichen und juristischen Personen eingreift bzw. diese suspendiert.[763] In einem solchen Fall muss ein Vergleich der betroffenen subjektiven Rechte mit dem Umfang der mitgliedstaatlichen Werteverfehlungen zeigen, inwieweit die Berücksichtigung verhältnismäßig ist. Die absolute Grenze stellen die Werte selbst dar und damit insbesondere deren Rechtsstaatlichkeits-, Demokratie-, Grundrechts- und Würde-Gewährleistungen.

---

[758] *Schmahl*, EuR 2000, 819 (826); *Schorkopf*, in: Grabitz/Hilf/Nettesheim, Das Recht der Europäischen Union, 61. EL 2017, Art. 7 EUV Rn. 44; *van Vormizeele*, in: v. d. Groeben/Schwarze/Hatje, Europäisches Unionsrecht, 7. Aufl. 2015, Art. 7 EUV Rn. 14; *Träbert*, Sanktionen der Europäischen Union gegen ihre Mitgliedstaaten, 2010, S. 326; vgl. auch *Verhoeven*, ELRev. 1998, 217 (223).

[759] *Schorkopf*, Homogenität in der Europäischen Union, 2000, S. 166 f.; *Geiger*, in: Geiger/Khan/Kotzur, EUV/AEUV, 6. Aufl. 2017, Art. 7 EUV Rn. 13; *Heintschel v. Heinegg*, in: Vedder/Heintschel v. Heinegg, Europäisches Unionsrecht, 2. Aufl. 2018, Art. 7 EUV Rn. 25.

[760] Einen Kernbereich befürwortend *Verhoeven*, ELRev. 1998, 217 (223); *Träbert*, Sanktionen der Europäischen Union gegen ihre Mitgliedstaaten, 2010, S. 321.

[761] Zutreffend bereits *Schorkopf*, Homogenität in der Europäischen Union, 2000, S. 180; *Schorkopf*, in: Grabitz/Hilf, Das Recht der Europäischen Union, 40. EL. 2009, Art. 309 EGV Rn. 5.

[762] *Becker*, in: Schwarze, EU-Kommentar, 4. Aufl. 2019, Art. 7 EUV Rn. 11; *Träbert*, Sanktionen der Europäischen Union gegen ihre Mitgliedstaaten, 2010, S. 326; *Verhoeven*, ELRev. 1998, 217 (223); *Schorkopf*, in: Grabitz/Hilf/Nettesheim, Das Recht der Europäischen Union, 61. EL 2017, Art. 7 EUV Rn. 44; *van Vormizeele*, in: v. d. Groeben/Schwarze/Hatje, Europäisches Unionsrecht, 7. Aufl. 2015, Art. 7 EUV Rn. 14.

[763] So bereits *Schorkopf*, Homogenität in der Europäischen Union, 2000, S. 179 f.; a.A. *Kassner*, Die Unionsaufsicht, 2003, S. 153 f.

## dd) Fortbestehen der mitgliedstaatlichen Vertragsverpflichtungen

Art. 7 Abs. 3 UAbs. 2 EUV normiert, dass trotz Ergehen des Sanktionsbeschlusses die *"sich aus den Verträgen ergebenden Verpflichtungen des betroffenen Mitgliedstaats [...] für diesen auf jeden Fall weiterhin verbindlich"* sind. Die sich aus einer Mitgliedschaft in der Union erwachsenen Verpflichtungen bestehen für den betroffenen Mitgliedstaat damit ungehindert fort.[764] Diese Kodifizierung ist deklaratorischer Natur und gibt nur das Selbstverständnis wieder,[765] dass sich ein Verletzerstaat einer Suspendierung durch Vernachlässigung seiner Verpflichtungen nicht erwehren kann, die er mit dem freiwilligen Beitritt zur Wertegemeinschaft verbindlich übernommen hat.[766]

Gegenmaßnahmen durch Repressalien bzw. Retorsionen sind durch diese Regelung klarstellend untersagt.[767] Die einseitige Aufkündigung der Verpflichtungen aus der Gemeinschaft würde dem supranationalen System der EU die Grundlage entziehen und das Sanktionsverfahren ad absurdum führen. Nur so kann das System der Sanktionierung zur Einhaltung der Werte beitragen und letztlich den Frieden in Europa sichern. Eine gewisse Kompensation wird dem betroffenen Mitgliedstaat dafür im Gegenzug durch die verfahrensrechtliche Klärung im Rechtsweg zu den Unionsgerichten eröffnet.[768]

## ee) Abänderungsbefugnis des Rates

Eine vorübergehende Suspendierung von Rechten bedarf notwendigerweise der Möglichkeit der späteren Korrektur durch deren Abänderung bzw. Aufhebung. Insoweit kodifiziert Art. 7 Abs. 4 EUV, dass der Rat *"zu einem späteren Zeitpunkt mit qualifizierter Mehrheit beschließen [kann], nach Absatz 3 getroffene Maßnahmen abzuändern oder aufzuheben, wenn in der Lage, die zur Verhängung dieser Maßnahmen geführt hat, Änderungen eingetreten sind"*.

Der Rat bleibt auch hier für die Einschätzung der Veränderungen der Werte gefährdenden Lage im betroffenen Mitgliedstaat sowie für den Erlass des Änderungs- bzw. Auf-

---

[764] *v. Sydow*, in: v. d. Groeben/Schwarze, Kommentar zum EU-/EG-Vertrag, 6. Aufl. 2003, Art. 7 EUV Rn. 76; *Thun-Hohenstein*, Der Vertrag von Amsterdam, 1997, S. 24; *Schorkopf*, Homogenität in der Europäischen Union, 2000, S. 170 f.; *Schorkopf*, in: Grabitz/Hilf/Nettesheim, Das Recht der Europäischen Union, 61. EL 2017, Art. 7 EUV Rn. 45; *Bitterlich*, in: Lenz/Borchardt, EU-Verträge, 6. Aufl. 2012, Art. 7 EUV Rn. 9; *Heintschel v. Heinegg*, in: Vedder/Heintschel v. Heinegg, Europäisches Unionsrecht, 2. Aufl. 2018, Art. 7 EUV Rn. 26; detailliert *Kassner*, Die Unionsaufsicht, 2003, S. 144 ff.

[765] *Schorkopf*, Homogenität in der Europäischen Union, 2000, S. 171; *Träbert*, Sanktionen der Europäischen Union gegen ihre Mitgliedstaaten, 2010, S. 327; *Heintschel v. Heinegg*, in: Vedder/Heintschel v. Heinegg, Europäisches Unionsrecht, 2. Aufl. 2018, Art. 7 EUV Rn. 26.

[766] *Schorkopf*, Homogenität in der Europäischen Union, 2000, S. 171; *Träbert*, Sanktionen der Europäischen Union gegen ihre Mitgliedstaaten, 2010, S. 327.

[767] *Ruffert*, in: Calliess/Ruffert, EUV/AEUV, 5. Aufl. 2016, Art. 7 EUV Rn. 27; *Schorkopf*, Homogenität in der Europäischen Union, 2000, S. 171; *Schorkopf*, in: Grabitz/Hilf/Nettesheim, Das Recht der Europäischen Union, 61. EL 2017, Art. 7 EUV Rn. 45; *Träbert*, Sanktionen der Europäischen Union gegen ihre Mitgliedstaaten, 2010, S. 328; *v. Sydow*, in: v. d. Groeben/Schwarze, Kommentar zum EU-/EG-Vertrag, 6. Aufl. 2003, Art. 7 EUV Rn. 76.

[768] Vgl. *v. Sydow*, in: v. d. Groeben/Schwarze, Kommentar zum EU-/EG-Vertrag, 6. Aufl. 2003, Art. 7 EUV Rn. 76. Eine gerichtliche Überprüfung der Verfahrensbestimmung vor dem EuGH wird im Wege des Art. 269 AEUV gewährt. Ausführlich hierzu vgl. IV. Justiziabilität der Sanktionierung, S. 125 ff.

hebungsbeschlusses zuständig.[769] Er fällt diesen Beschluss, ebenso wie bereits den Sanktionsbeschluss, mit einer qualifizierten Mehrheit.[770]

Die Entscheidung über die Änderung bzw. Aufhebung steht – im Einklang mit dem Sanktionsbeschluss und dessen identischer Wortwahl „*kann*" – auch hier im alleinigen Ermessen des Rates. Damit kommt dem Rat wieder ein Ermessensspielraum in Bezug auf die erneute Einschätzung der Werte gefährdenden Lage im Mitgliedstaat sowie bei der Wahl der Reaktionsmöglichkeiten zu.[771] Insoweit stellt sich die Frage, ob der weite Ermessensspielraum nicht doch begrenzt ist, wenn Reformbemühungen im betroffenen Mitgliedstaat bereits zu Verbesserungen bei der Einhaltung der Werte geführt haben.[772] Ein Festhalten an den Sanktionen ohne Änderungs- bzw. Aufhebungsbeschluss könnte den Frieden innerhalb der Union stören und letztlich dem Ziel der Einhaltung und Förderung der Werte abträglich sein.[773] Eine dahingehende Reduzierung des Ermessens des Rates zur Abschwächung oder Aufhebung der Sanktionsmaßnahmen ist naheliegend. Dies gebietet zum einen der für die Ermessensentscheidung tragende Grundsatz der Verhältnismäßigkeit im engeren Sinne,[774] zum anderen aber auch der Grundsatz zur Unionstreue[775] gem. Art. 4 Abs. 3 EUV in seiner Ausformung der Integrations- und Loyalitätspflicht der Mitgliedstaaten und Organe untereinander.[776] Überdies würde bei der Rückkehr des Verletzerstaates zur Einhaltung der Werte unter gleichzeitiger Aufrechterhaltung der Sanktionsmaßnahme der eigentliche Schutzzweck dieses Verfahrens unterlaufen.[777]

[769]  *Bergmann*, in: Bergmann/Lenz, Der Amsterdamer Vertrag, 1998, S. 23 (34 f.); *Schmahl*, EuR 2000, 819 (827) m.w.N.; *Geiger*, in: Geiger/Khan/Kotzur, EUV/AEUV, 6. Aufl. 2017, Art. 7 EUV Rn. 15; zur Frage der Zusammensetzung des Rates siehe die Ausführungen oben aa) Ratszusammensetzung – Ministerrat, S. 101.

[770]  Zum qualifizierten Mehrheitsbeschluss siehe oben bb) Qualifiziertes Mehrheitserfordernis, Art. 7 Abs. 5 EUV, S. 102 f.

[771]  *Heintschel v. Heinegg*, in: Vedder/Heintschel v. Heinegg, Europäisches Unionsrecht, 2. Aufl. 2018, Art. 7 EUV Rn. 27; *Pechstein*, in: Streinz, EUV/AEUV, 3. Aufl. 2018, Art. 7 EUV Rn. 21; *Nowak*, in: Pechstein/Nowak/Häde, Frankfurter Kommentar, 2017, Art. 7 EUV Rn. 20; *Ruffert*, in: Calliess/Ruffert, EUV/AEUV, 5. Aufl. 2016, Art. 7 EUV Rn. 23.

[772]  *Schorkopf*, Homogenität in der Europäischen Union, 2000, S. 171; *Träbert*, Sanktionen der Europäischen Union gegen ihre Mitgliedstaaten, 2010, S. 328.

[773]  So auch *Träbert*, Sanktionen der Europäischen Union gegen ihre Mitgliedstaaten, 2010, S. 328; im Ergebnis wohl auch *Heintschel v. Heinegg*, in: Vedder/Heintschel v. Heinegg, Europäisches Unionsrecht, 2. Aufl. 2018, Art. 7 EUV Rn. 27.

[774]  So auch *Ruffert*, in: Calliess/Ruffert, EUV/AEUV, 5. Aufl. 2016, Art. 7 EUV Rn. 23; wohl auch *Becker*, in: Schwarze, EU-Kommentar, 4. Aufl. 2019, Art. 7 EUV Rn. 13.

[775]  Zur Unionstreue als Integrations- und Loyalitätspflicht vgl. *Unruh*, EuR 2002, 41 (59 ff.); *Obwexer*, in: v. d. Groeben/Schwarze/Hatje, Europäisches Unionsrecht, 7. Aufl. 2015, Art. 4 EUV Rn. 67 f.; *Calliess/Kahl/Puttier*, in: Calliess/Ruffert, EUV/AEUV, 5. Aufl. 2016, Art. 4 EUV Rn. 34 ff.

[776]  Entsprechend bereits schon *Schorkopf*, Homogenität in der Europäischen Union, 2000, S. 171; *Schorkopf*, in: Grabitz/Hilf/Nettesheim, Das Recht der Europäischen Union, 61. EL 2017, Art. 7 EUV Rn. 46; *Träbert*, Sanktionen der Europäischen Union gegen ihre Mitgliedstaaten, 2010, S. 328 f.; *Hau*, Sanktionen und Vorfeldmaßnahmen zur Absicherung der europäischen Grundwerte, 2002, S. 95 f.; *van Vormizeele*, in: v. d. Groeben/Schwarze/Hatje, Europäisches Unionsrecht, 7. Aufl. 2015, Art. 7 EUV Rn. 15; *Becker*, in: Schwarze, EU-Kommentar, 4. Aufl. 2019, Art. 7 EUV Rn. 14.

[777]  Ebenso *Träbert*, Sanktionen der Europäischen Union gegen ihre Mitgliedstaaten, 2010, S. 329; *Heintschel v. Heinegg*, in: Vedder/Heintschel v. Heinegg, Europäisches Unionsrecht, 2. Aufl. 2018, Art. 7 EUV Rn. 27; wohl auch *Becker*, in: Schwarze, EU-Kommentar, 4. Aufl. 2019, Art. 7 EUV Rn. 13.

Die Norm gewährt bei Änderungen der Lage, die getroffenen „*Maßnahmen abzuändern oder aufzuheben*". Durch eine Aufhebung würde die getroffene Suspendierung vollständig erlöschen. Die Wortwahl „*abzuändern*" ist indifferent und eröffnet neben einer Reduzierung der Sanktion auch eine Verschärfung derselben.[778] Darüber hinaus ist der Wechsel bzw. die Erweiterung der Sanktionsmittel vom Wortlaut umfasst.[779] Ändert sich die Lage im betroffenen Mitgliedstaat nach dem Sanktionsbeschluss weiterhin zu Lasten der Werte, steht dem Rat die Möglichkeit der Ausweitung der Sanktionierung zu bzw. die Möglichkeit, die Wahl der auszusetzenden Mittel zu ändern, um nach seinem Ermessen eine Beendigung der Verletzungen herbeizuführen. Dies deckt sich mit Sinn und Zweck dieser Regelung, der die gleiche Beschlussmodalität zu Grunde gelegt wird wie dem Sanktionsbeschluss nach Art. 7 Abs. 3 UAbs. 1 S. 1 EUV.[780]

Für einen Abänderungsbeschluss bedarf es der Veränderung der tatsächlichen Lage im betroffenen Mitgliedstaat. Auch die dem Beschluss vorgeschaltete Überprüfung dieser Lage steht im Ermessen des Rates. Eine zeitnahe und regelmäßige Überprüfung ist nicht vorgeschrieben und erscheint aufgrund der Schwere der Sanktionsmaßnahmen systematisch unzulänglich.[781] Wie gezeigt, gilt die Abänderungsbefugnis unter den Einschränkungen, die sich aus dem Schutzzweck der Norm und dem bestehenden Loyalitätsverhältnis zwischen Union und Mitgliedstaat ergeben. Folglich ist abhängig vom jeweiligen Einzelfall eine Untersuchung der Werte gefährdenden Lage im betroffenen Mitgliedstaat innerhalb gewisser Zeitabstände zu verlangen.[782] Was hierbei als angemessener Zeitabstand gilt, ist wiederum von den Besonderheiten der Schwere und des Umfangs der Werteverletzung des einzelnen Falls abhängig. Mithin kann keine generelle Aussage getroffen werden, jedoch erscheint eine halbjährliche Überprüfung als Richtwert durchaus vertretbar.

### ff)   Zwischenergebnis

Die Sanktionen erstrecken sich auf sämtliche aus der Unionsmitgliedschaft fließenden Rechte des betroffenen Mitgliedstaates. Abhängig von der Schwere und des Umfangs der Werteverletzung stehen dem Rat verschiedene sanktionsfähige Maßnahmen mit unterschiedlicher Härte zur Verfügung. Die vielfältigen Kombinationsmöglichkeiten der unterschiedlichen Maßnahmen eröffnen ein weites Repertoire an Reaktionen des Rates im Rahmen des Art. 7 Abs. 3 EUV. Neben den Stimm- und Teilnahmerechten sind insbesondere die finanziellen Rechte als Mittel der Wahl für die Wiederherstellung der Wertehomogenität innerhalb der Union von großer Bedeutung. Dem Auswahlermessen des Rates

---

[778] *Becker*, in: Schwarze, EU-Kommentar, 4. Aufl. 2019, Art. 7 EUV Rn. 13; *Schorkopf*, Homogenität in der Europäischen Union, 2000, S. 172; *Heintschel v. Heinegg*, in: Vedder/Heintschel v. Heinegg, Europäisches Unionsrecht, 2. Aufl. 2018, Art. 7 EUV Rn. 27; *van Vormizeele*, in: v. d. Groeben/Schwarze/Hatje, Europäisches Unionsrecht, 7. Aufl. 2015, Art. 7 EUV Rn. 15; *Träbert*, Sanktionen der Europäischen Union gegen ihre Mitgliedstaaten, 2010, S. 329; *Nowak*, in: Pechstein/Nowak/Häde, Frankfurter Kommentar, 2017, Art. 7 EUV Rn. 20.

[779] So auch *Becker*, in: Schwarze, EU-Kommentar, 4. Aufl. 2019, Art. 7 EUV Rn. 13; *Träbert*, Sanktionen der Europäischen Union gegen ihre Mitgliedstaaten, 2010, S. 329.

[780] *Träbert*, Sanktionen der Europäischen Union gegen ihre Mitgliedstaaten, 2010, S. 329.

[781] *Becker*, in: Schwarze, EU-Kommentar, 4. Aufl. 2019, Art. 7 EUV Rn. 14.

[782] Ebenso *Becker*, in: Schwarze, EU-Kommentar, 4. Aufl. 2019, Art. 7 EUV Rn. 14; wohl auch *Ruffert*, in: Calliess/Ruffert, EUV/AEUV, 5. Aufl. 2016, Art. 7 EUV Rn. 22 f.

sind hierbei Grenzen gesetzt, indem die Auswirkungen auf die Rechte und Pflichten der natürlichen und juristischen Personen von ihm berücksichtigt werden müssen und die Wahl auf das mildeste Mittel fallen muss. Vor dem Hintergrund der Rechtssicherheit und des Vertrauensschutzes innerhalb der Union erscheint die Sanktionierung der Stimm- und Teilnahmerechte sowie der institutionellen Rechte vorzugswürdig.

## c. Sanktionsgrenzen

Die weitreichenden Kompetenzen, die der Sanktionsbeschluss dem Rat eröffnet, gelten nicht grenzenlos. Der Wortlaut *„bestimmte Rechte auszusetzen"* verdeutlicht dies bereits. Der Regelungsumfang des Sanktionsbeschlusses unterliegt vielmehr den vertragsimmanenten Grenzen des Unionsrechts,[783] wie im Folgenden näher erörtert wird.

## aa) Nationales Ratifikationserfordernis

Alle unionalen Regelungsmaterien, die für das Inkrafttreten des Unionsrechtsaktes eine mitgliedstaatliche Ratifikation erfordern, unterfallen nicht dem Sanktionsbeschluss des Rates.[784] Das betrifft die Vertragsänderung nach Art. 48 Abs. 4 UAbs. 2 EUV, das Abkommen zur Aufnahme eines neuen Mitgliedstaates in die Union nach Art. 49 Abs. 2 EUV, den freiwilligen Austritt eines Mitgliedstaates aus der Union gem. Art. 50 Abs. 1 EUV, den Bereich der gemeinsamen Sicherheits- und Verteidigungspolitik nach Art. 42 Abs. 2 S. 3 EUV, Bestimmungen der Nichtdiskriminierung nach Art. 25 Abs. 2 S. 2 AEUV und der Einführung neuer Kategorien von Eigenmitteln nach Art. 311 UAbs. 3 S. 3 AEUV. Diese notwendigen mitgliedstaatlichen Verfassungsentscheidungen ergehen auf der Grundlage des Völkerrechts, das der EU in ihrer supranationalen Ausgestaltung zu Grunde liegt und stellen mithin keine Rechte dar, die den Mitgliedstaaten aus den Unionsverträgen erwachsen und damit der Sanktionierung durch den Rat zugänglich sind.[785]

## bb) Erstreckung auf weitere EU-Organe und Einrichtungen

Neben der Aussetzung der Stimm- und Teilnahmerechte im Rat und Europäischen Rat ist zu untersuchen, ob auch die Rechte der Abgeordneten des betroffenen Mitgliedstaates im Europäischen Parlament, der Mitglieder der Kommission als auch des Gerichtshofs und weiterer EU-Organe und Einrichtungen vom Sanktionsbeschluss erfasst sind, was im Ergebnis jedoch abzulehnen ist.

---

[783] *Schorkopf*, in: Grabitz/Hilf/Nettesheim, Das Recht der Europäischen Union, 61. EL 2017, Art. 7 EUV Rn. 47.

[784] *Schorkopf*, Homogenität in der Europäischen Union, 2000, S. 172; *Schorkopf*, in: Grabitz/Hilf/Nettesheim, Das Recht der Europäischen Union, 61. EL 2017, Art. 7 EUV Rn. 47; *Pechstein/Koenig*, Die Europäische Union, 2. Aufl. 1998, Rn. 489.

[785] *Schorkopf*, Homogenität in der Europäischen Union, 2000, S. 172 f.

## (1) Europäisches Parlament und Bedienstete der EU

Der Wortlaut des Art. 7 Abs. 3 UAbs. 1 S. 1 EUV macht bereits deutlich, dass nur Rechte, die sich aus der *„Anwendung der Verträge auf den betroffenen Mitgliedstaat herleiten"*, der Aussetzung zugänglich sind. Demgemäß ist bereits in grammatikalischer Hinsicht fraglich, ob die Abgeordnetenrechte des Europäischen Parlaments unter die aussetzungsfähigen Rechte fallen.

Das Europäische Parlament setzt sich nach Art. 14 Abs. 2 UAbs. 1 S. 1 EUV aus Vertretern der Unionsbürger zusammen. Dessen Mitglieder werden gem. Art. 14 Abs. 3 EUV in allgemeinen, unmittelbaren, freien und geheimen Wahlen direkt durch die Bürger der EU gewählt.[786] Damit ist das Europäische Parlament das einzige Unionsorgan, das unmittelbar von den Unionsbürgern gewählt und mithin legitimiert wird.[787] Jeder einzelne Mitgliedstaat leitet aus der Mitgliedschaft in der EU selbst Rechte her, die eine Vertretung durch seine Staatsangehörigen innerhalb der europäischen Organe und Institutionen eröffnen.[788] Die parlamentarischen Interessen der Abgeordneten, die Zusammenschlüsse in europäischen Fraktionen und die von den Parlamentariern wahrgenommenen Aufgaben dienen rein der EU und nicht den Interessen ihrer nationalen Herkunftsstaaten.[789] Ein Herleiten von Rechten des betroffenen Mitgliedstaates aus den Unionsverträgen ist bereits nach dem Wortlaut nicht gegeben.

Des Weiteren sprechen auch systematisch-teleologische Gesichtspunkte gegen eine Erstreckung auf die Abgeordneten des betroffenen Mitgliedstaates im Europäischen Parlament.[790] Mit der Erstreckung würde dessen unmittelbar demokratisch legitimiertes Handeln beeinflussbar werden, indem den direkt gewählten Abgeordneten temporär ihre Aufgabe entzogen und in der Folge die Zusammensetzung des Europäischen Parlaments zur Disposition des Rates gestellt wird.[791] Die damit einhergehende Schwächung der organisationsrechtlichen Stellung des Parlaments würde letzten Endes zur Beeinträchtigung

---

[786] *Schmahl*, EuR 2000, 819 (826 f.); *Bieber*, in: v. d. Groeben/Schwarze/Hatje, Europäisches Unionsrecht, 7. Aufl. 2015, Art. 14 EUV Rn. 49 ff.; *Hölscheidt*, in: Grabitz/Hilf/Nettesheim, Das Recht der Europäischen Union, 61. EL 2017, Art. 14 EUV Rn. 48 ff.; *Huber*, in: Streinz, EUV/AEUV, 3. Aufl. 2018, Art. 14 EUV Rn. 36 ff.; vgl. schon *Stein*, in: Götz/Selmer/Wolfrum, Liber amicorum Günther Jaenicke, 1998, S. 871 (895).

[787] *Haratsch/Koenig/Pechstein*, Europarecht, 12. Aufl. 2020, Rn. 230; vgl. *Winkler*, JRP 2000, 308 (310 f.); *Huber*, in: Streinz, EUV/AEUV, 3. Aufl. 2018, Art. 14 EUV Rn. 7; *Bieber*, in: v. d. Groeben/Schwarze/Hatje, Europäisches Unionsrecht, 7. Aufl. 2015, Art. 14 EUV Rn. 49; *Kluth*, in: Calliess/Ruffert, EUV/AEUV, 5. Aufl. 2016, Art. 14 EUV Rn. 39.

[788] *Schorkopf*, Homogenität in der Europäischen Union, 2000, S. 173.

[789] *Kassner*, Die Unionsaufsicht, 2003, S. 157; *Kluth*, in: Calliess/Ruffert, EUV/AEUV, 5. Aufl. 2016, Art. 14 EUV Rn. 39, 43 f.; *Bieber*, in: v. d. Groeben/Schwarze/Hatje, Europäisches Unionsrecht, 7. Aufl. 2015, Art. 14 EUV Rn. 2, 51.

[790] *Schmahl*, EuR 2000, 819 (826 f.); *Schorkopf*, Homogenität in der Europäischen Union, 2000, S. 181; *Kassner*, Die Unionsaufsicht, 2003, S. 157; *Träbert*, Sanktionen der Europäischen Union gegen ihre Mitgliedstaaten, 2010, S. 340; wohl auch *Schwartz*, in: v. d. Groeben/Schwarze, Kommentar zum EU-/EG-Vertrag, 6. Aufl. 2003, Art. 309 EGV Rn. 27.

[791] *Schmahl*, EuR 2000, 819 (826 f.); *Schorkopf*, Homogenität in der Europäischen Union, 2000, S. 181; *Träbert*, Sanktionen der Europäischen Union gegen ihre Mitgliedstaaten, 2010, S. 340.

des institutionellen Gleichgewichts der Organe innerhalb der Union führen.[792] Gegen eine Verletzung der Werte durch rechtsstaatlich bzw. demokratisch bedenkliche Mandatserlangung einzelner Abgeordneter des betroffenen Mitgliedstaates im Parlament stehen diesem hinreichend eigene Kompetenzen zur Verfügung.[793]

Somit bleibt festzustellen, dass sich die Sanktionsmaßnahmen des Rates nach Art. 7 Abs. 3 EUV nicht auf die parlamentarischen Abgeordneten des Verletzerstaates erstrecken. Ebenso ist auch eine Einbeziehung nationaler Beamter des betroffenen Mitgliedstaates im Dienste der EU nicht von der Aussetzung nach Art. 7 Abs. 3 EUV gedeckt.[794] Grund hierfür ist deren unmittelbare europäischen Interessenvertretung und bloße nationalstaatliche Herkunftsanknüpfung.

## (2)  Kommission

Die Europäische Kommission ist als Unionsorgan zur Förderung der allgemeinen Interessen der Union verpflichtet. Sie ist – anders als der Rat – ein rein europäisches Gremium.[795] Ihre Mitglieder werden aufgrund ihrer allgemeinen Befähigung und ihres Einsatzes für Europa nach Art. 17 Abs. 3 UAbs. 2 EUV ausgewählt. Dabei müssen die Mitglieder volle Gewähr für ihre Unabhängigkeit bieten und dürfen nach Art. 17 Abs. 3 UAbs. 3 S. 1, 2 EUV Weisungen einer Regierung, eines Organs, einer Einrichtung oder jeder anderen Stelle weder einholen noch entgegennehmen, weshalb sie – anders als die Mitglieder des Rates – weisungsunabhängig sind.[796] Daraus folgt, dass es sich bei der Mitgliederbesetzung der Kommission auch nicht um aussetzungsfähige „Rechte" i.S.d. Art. 7 Abs. 3 UAbs. 1 S. 1 EUV handeln kann.[797] Die Erstreckung des Sanktionsbeschlusses über die Staatsangehörigkeit einer natürlichen Person zum betroffenen Mitgliedstaat in einem europäischen Gremium ist nicht von Art. 7 EUV gedeckt.[798]

## (3)  Gerichtshof

Ähnlich verhält es sich auch bei der Besetzung des Gerichtshofs der Europäischen Union. Die Richter des EuGH und des EuG sichern die Wahrung des Rechts bei der Auslegung und Anwendung der Unionsverträge gem. Art. 19 Abs. 1 S. 2 EUV. Als europäisches Organ sind die Richter unabhängig und keine Stellvertreter ihrer Mitgliedstaaten, wodurch

---

[792]  *Schorkopf*, Homogenität in der Europäischen Union, 2000, S. 181; *Schmahl*, EuR 2000, 819 (826); *Kassner*, Die Unionsaufsicht, 2003, S. 157; *Träbert*, Sanktionen der Europäischen Union gegen ihre Mitgliedstaaten, 2010, S. 340.

[793]  Ausführlich hierzu *Schorkopf*, Homogenität in der Europäischen Union, 2000, S. 181 f.

[794]  Einhegend *Schorkopf*, Homogenität in der Europäischen Union, 2000, S. 173; *Schorkopf*, in: Grabitz/Hilf, Das Recht der Europäischen Union, 40 EL. 2009, Art. 309 EGV Rn. 6.

[795]  *Schmidt/v. Sydow*, in: v. d. Groeben/Schwarze/Hatje, Europäisches Unionsrecht, 7. Aufl. 2015, Art. 17 EUV Rn. 1; *Ruffert*, in: Calliess/Ruffert, EUV/AEUV, 5. Aufl. 2016, Art. 17 EUV Rn. 2; *Kugelmann*, in: Streinz, EUV/AEUV, 3. Aufl. 2018, Art. 17 EUV Rn. 12 ff.

[796]  *Kugelmann*, in: Streinz, EUV/AEUV, 3. Aufl. 2018, Art. 17 EUV Rn. 79; *Schmidt/v. Sydow*, in: v. d. Groeben/Schwarze/Hatje, Europäisches Unionsrecht, 7. Aufl. 2015, Art. 17 EUV Rn. 98; *Ruffert*, in: Calliess/Ruffert, EUV/AEUV, 5. Aufl. 2016, Art. 17 EUV Rn. 52 ff.

[797]  *Schorkopf*, Homogenität in der Europäischen Union, 2000, S. 173; *Winkler*, JRP 2000, 308 (311); *Kassner*, Die Unionsaufsicht, 2003, S. 156; *Ruffert*, in: Calliess/Ruffert, EUV/AEUV, 5. Aufl. 2016, Art. 7 EUV Rn. 24.

[798]  *Schorkopf*, Homogenität in der Europäischen Union, 2000, S. 173; *Kassner*, Die Unionsaufsicht, 2003, S. 156.

auch hier keine Anknüpfung an mitgliedstaatliche Interessen vorliegt.[799] Als eine die Exekutive und Legislative kontrollierende dritte Gewalt[800] unterliegen die Richter zum einen besonderer Verfahren, im Wege derer sie zur Verantwortung gezogen werden können,[801] zum anderen würde die Einflussnahme des Rates gegen den Gewaltenteilungsgrundsatz verstoßen. Eine Erstreckung des Sanktionsbeschlusses auf die Besetzung der Gerichte ist hier ebenfalls ausgeschlossen.[802]

## (4) Sonstige EU-Organe und Einrichtungen

Das vorstehend Erörterte gilt auch für die weiteren Gremien der Union, wie die Europäische Zentralbank gem. Art. 282 ff. AEUV, den Europäischen Rechnungshof nach Art. 285 ff. AEUV, den Wirtschafts- und Sozialausschuss i.S.d. Art. 301 ff. AEUV, den Ausschuss der Regionen nach Art. 305 ff. AEUV sowie die Europäische Investitionsbank nach Art. 308 ff. AEUV.[803] Ein Ausschluss der Rechte der Mitglieder dieser Gremien ist aufgrund der fehlenden unmittelbaren Interessenvertretung für ihren Mitgliedstaat ebenfalls zu verneinen.

## cc) Aussetzung von Klagerechten

Wie vorstehend erwähnt, kommt auch die Aussetzung von Klagerechten des betroffenen Mitgliedstaates in Betracht.[804] Wird wiederum der Wortlaut des Art. 7 Abs. 3 UAbs. 1 S. 1 EUV als Ausgangspunkt herangezogen, spricht dieser eindeutig dafür, die Aussetzung der Klagerechte nach Art. 259, Art. 263 Abs. 2, Art. 265 Abs. 1 AEUV zu erfassen.[805] Diese Rechte werden jedem Mitgliedstaat erst durch das Primärrecht verliehen.[806] Im Folgenden zeigt sich gleichwohl, dass eine Aussetzung eine rein theoretische Erwägung bleibt und im Ergebnis abzulehnen ist.

Einer tatsächlichen Aussetzung der mitgliedstaatlichen Klagerechte könnten teleologische Gesichtspunkte der Norm entgegenstehen. Eine Verweigerung, die Frage der Rechtmäßigkeit eines Suspendierungsbeschlusses des Rates nach Art. 7 Abs. 3 UAbs. 1 S. 1 EUV

---

[799] *Kassner*, Die Unionsaufsicht, 2003, S. 157.

[800] *Wegener*, in: Calliess/Ruffert, EUV/AEUV, 5. Aufl. 2016, Art. 19 EUV Rn. 4; *Gaitanides*, in: v. d. Groeben/Schwarze/Hatje, Europäisches Unionsrecht, 7. Aufl. 2015, Art. 19 EUV Rn. 3; *Kassner*, Die Unionsaufsicht, 2003, S. 157; vgl. *Mayer*, in: Grabitz/Hilf/Nettesheim, Das Recht der Europäischen Union, 41. EL 2010, Art. 19 EUV Rn. 3, 5.

[801] Die Richter des EuGH unterliegen hierbei der Satzung des Gerichtshofs, ABl. EU Nr. C 83 v. 30.03.2010, S. 210 ff.

[802] *Kassner*, Die Unionsaufsicht, 2003, S. 157.

[803] *Kassner*, Die Unionsaufsicht, 2003, S. 158.

[804] In der Literatur hat diese Thematik bereits kritische Diskussionen erfahren, vgl. *Pechstein/Koenig*, Die Europäische Union, 3, Auf. 2000, Rn. 469; *Schmahl*, EuR 2000, 819 (828); *Hummer/Obwexer*, europa blätter 2000, 93 (101); *Winkler*, JRP 2000, 308 (311); *Griller/Droutsas/Falkner/Forgó/Nentwich*: The Treaty of Amsterdam, 2000, S. 182 f.; *Kassner*, Die Unionsaufsicht, 2003, S. 154 f.; *Rossi/Ruffert*, in: Calliess/Ruffert, EUV/EGV, 3. Aufl. 2007, Art. 309 EGV Rn. 3; *Stumpf*, in: Schwarze, EU-Kommentar, 2000, Art. 309 EGV Rn. 7; *Röttinger*, in: Lenz, EG-Vertrag, 2. Aufl. 1999, Art. 309 EGV Rn. 6; *Bitterlich*, in: Lenz/Borchardt, EU- und EG-Vertrag, 3. Aufl. 2003, Art. 309 EGV Rn. 6.

[805] Vgl. schon *Bitterlich*, in: Lenz/Borchardt, EU- und EG-Vertrag, 3. Aufl. 2003, Art. 309 EGV Rn. 6.

[806] Ebenso *Schmahl*, EuR 2000, 819 (828); *Träbert*, Sanktionen der Europäischen Union gegen ihre Mitgliedstaaten, 2010, S. 338.

durch den betroffenen Mitgliedstaat vor dem EuGH zu erörtern, erscheint aus rechtsstaatlichen Erwägungen bedenklich.[807] Inwieweit diese Bedenken mit der weithin verbreiteten
Auffassung einer nur eingeschränkten Anwendung des Mittels als *ultima ratio* ausgeräumt
werden können,[808] ist mehr als fraglich.

Für eine Ablehnung der Aussetzung des Klagerechts spricht zunächst der Art. 2 S. 1
EUV, der die Rechtsstaatlichkeit der Union selbst festschreibt.[809] Der Grundsatz der
Rechtsstaatlichkeit verpflichtet die Union als Rechtsgemeinschaft[810] auch zur Gewährung
und Einhaltung eines Rechtsschutzsystems. Die Aussetzung der unionalen Klagerechte
stünde dem entgegen. Eine Rechtsgemeinschaft wie die Union, die einen sich durch Werte
gefährdende Maßnahmen zwar rechtswidrig verhaltenden Mitgliedstaat sanktioniert,
diesem dabei zugleich eine gerichtliche Wahrung seiner Rechte vor dem EuGH untersagt,
würde somit nicht mit dem in Art. 2 S. 1 EUV kodifizierten Rechtsstaatprinzip konform
gehen.[811] Letztlich könnte sich der Rat damit auch teilweise der Unterwerfung seines
Sanktionsbeschlusses unter die unionale Gerichtsbarkeit entziehen.[812] Die Berücksichtigung des vorangegangenen Werte missachtenden Verhaltens des betroffenen Mitgliedstaates kann über die Einschränkung der Justiziabilität nicht hinweghelfen. Die Aussetzung des Klagerechts selbst als *ultima ratio* für angemessen zu erklären, widerspricht zudem auch dem Regelungszweck des Art. 7 EUV, dient dieser doch dazu, die Werte in der
Union zu schützen.[813] Eine Herabsetzung des Mindestgehalts an rechtsstaatlichen
Grundsätzen durch Beschneidung der justiziellen Überprüfung sekundärrechtlicher Maßnahmen des Rates ist daher weder im Sinne des Art. 2 S. 1 EUV noch vom Regelungszweck des Art. 7 EUV gedeckt.[814]

---

[807]  *Röttinger*, in: Lenz, EG-Vertrag, 2. Aufl. 1999, Art. 309 EGV Rn. 6; *Stumpf*, in: Schwarze, EU-Kommentar,
2000, Art. 309 EGV Rn. 7; *Schmahl*, EuR 2000, 819 (828); *Kassner*, Die Unionsaufsicht, 2003, S. 155; *Bitterlich*, in: Lenz/Borchardt, EU- und EG-Vertrag, 3. Aufl. 2003, Art. 309 EGV Rn. 6; *Schwartz*, in: v. d. Groe-
ben/Schwarze, Kommentar zum EU-/EG-Vertrag, 6. Aufl. 2003, Art. 309 EGV Rn. 27.

[808]  *Schorkopf*, Homogenität in der Europäischen Union, 2000, S. 179; *Schorkopf*, in: Grabitz/Hilf, Das Recht der
Europäischen Union, 40 EL. 2009, Art. 309 EGV Rn. 4; *Kluth*, in: Calliess/Ruffert, EUV/EGV, 2. Aufl. 2002,
Art. 309 EGV Rn. 3; *Ruffert*, in: Calliess/Ruffert, EUV/AEUV, 5. Aufl. 2016, Art. 7 EUV Rn. 25; *Pech-
stein/Koenig*, Die Europäische Union, 3. Auf. 2000, Rn. 469.

[809]  *Röttinger*, in: Lenz, EG-Vertrag, 2. Aufl. 1999, Art. 309 EGV Rn. 6; *Schmahl*, EuR 2000, 819 (828); *Stumpf*, in:
Schwarze, EU-Kommentar, 2000, Art. 309 EGV Rn. 7; *Kassner*, Die Unionsaufsicht, 2003, S. 155; *Schwartz*,
in: v. d. Groeben/Schwarze, Kommentar zum EU-/EG-Vertrag, 6. Aufl. 2003, Art. 309 EGV Rn. 27; *Träbert*,
Sanktionen der Europäischen Union gegen ihre Mitgliedstaaten, 2010, S. 328 f.; differenzierend hingegen
*Ruffert*, in: Calliess/Ruffert, EUV/AEUV, 5. Aufl. 2016, Art. 7 EUV Rn. 25, der einen Rechtsverstoß gegen
die Rechtsstaatlichkeit nur insoweit für gegeben hält, wenn das Klagerecht dem Schutz der Rechtssphäre des
betroffenen Mitgliedstaates und nicht dem Zweck der objektiven Rechtskontrolle dient.

[810]  Vgl. *Iglesias*, NJW 1999, 1 (1 ff.); *Zuleeg*, in: Blomeyer/Schachtschneider, Die Europäische Union als Rechtsgemeinschaft, 1995, S. 9 (9 ff.); *Terhechte*, EuR 2008, 143 (143 ff.).

[811]  Ebenso *Kassner*, Die Unionsaufsicht, 2003, S. 155; *Träbert*, Sanktionen der Europäischen Union gegen ihre
Mitgliedstaaten, 2010, S. 339; differenzierter hierzu *Kluth*, in: Calliess/Ruffert, EUV/EGV, 2. Aufl. 2002,
Art. 309 EGV Rn. 3.

[812]  *Kassner*, Die Unionsaufsicht, 2003, S. 155.

[813]  So wohl auch *Schmahl*, EuR 2000, 819 (828); *Kassner*, Die Unionsaufsicht, 2003, S. 155.

[814]  Entsprechend auch *Schmahl*, EuR 2000, 819 (828); *Stumpf*, in: Schwarze, EU-Kommentar, 2000, Art. 309
EGV Rn. 7; *Röttinger*, in: Lenz, EG-Vertrag, 2. Aufl. 1999, Art. 309 EGV Rn. 6; *Kassner*, Die Unionsaufsicht,
2003, S. 155 f.; *Träbert*, Sanktionen der Europäischen Union gegen ihre Mitgliedstaaten, 2010, S. 339.

## dd) Ausschluss aus der Union

Verfehlen die angewendeten Beugemittel ihre Wirkung, stellt sich die Frage, ob in letzter Konsequenz auch ein Ausschluss des betroffenen Mitgliedstaates aus der EU durch einen Sanktionsbeschluss nach Art. 7 Abs. 3 UAbs. 1 S. 1 EUV gedeckt ist.[815]

Die Formulierung des Art. 7 Abs. 3 UAbs. 1 S. 1 EUV, „*bestimmte Rechte auszusetzen*", legt bereits nahe, dass ein Ausscheiden nicht vorgesehen ist. Auch können nicht alle Rechte des Mitgliedstaates auf einmal mit dem Sanktionsbeschluss ausgesetzt werden, sondern vielmehr nur einzelne Rechte, die inhaltlich durch den Rat festgelegt werden müssen.[816] Ob auch eine dem Ausschluss vergleichbare Wirkung durch Suspendierung der gesamten Rechte des betroffenen Mitgliedstaats aus den Unionsverträgen im Wege der Bestimmung jedes einzelnen aussetzungsfähigen Rechts des Rates im Sanktionsbeschluss noch gedeckt ist, überdehnt den Wortlaut und ist abzulehnen.[817]

Gegen einen Ausschluss aus der Union bzw. aller einzelnen Rechte spricht neben der Terminologie „*bestimmte Rechte*" auch die in Art. 7 Abs. 3 UAbs. 2 EUV kodifizierte Verpflichtung des betroffenen Mitgliedstaates, dass die „*sich aus den Verträgen ergebenden Verpflichtungen [...] für diesen auf jeden Fall weiterhin verbindlich*" bleiben.[818] Dies zeigt, dass die Mitgliedschaft innerhalb der Union nicht zur Disposition stehen soll. Darüber hinaus fehlt es für einen Ausschluss aus der Union auch am Regelungszweck der Norm.[819] Sinn und Zweck des Art. 7 EUV ist die Sicherung und Wiederherstellung eines Mindestmaßes an Wertehomogenität innerhalb der Union.[820] Die Suspendierung bezweckt als Beugemittel die Einhaltung der Werte und forciert die Rückkehr zur Wertetreue sowie den Zusammenhalt der Wertegemeinschaft. Eine Herauslösung des Verletzerstaates aus der Mitgliedschaft der Union stünde diesem Integrationsziel entgegen und würde zudem die Sicherheit und den Frieden in Europa gefährden.[821] Damit bleibt nach Art. 7 Abs. 3 EUV ein Ausschluss auch eines auf Dauer gravierend Werte gefährdenden Mitgliedstaates aus der Union verwehrt.[822]

---

[815]  Vgl. bereits *Griller/Droutsas/Falkner/Forgó/Nentwich*: The Treaty of Amsterdam, 2000, S. 183 f.

[816]  *Schorkopf*, Homogenität in der Europäischen Union, 2000, S. 167 (173); *Schorkopf*, in: Grabitz/ Hilf/Nettesheim, Das Recht der Europäischen Union, 61. EL 2017, Art. 7 EUV Rn. 47; *Träbert*, Sanktionen der Europäischen Union gegen ihre Mitgliedstaaten, 2010, S. 321; *Kassner*, Die Unionsaufsicht, 2003, S. 158.

[817]  *Träbert*, Sanktionen der Europäischen Union gegen ihre Mitgliedstaaten, 2010, S. 321; wohl auch *Schorkopf*, Homogenität in der Europäischen Union, 2000, S. 167 (173); a.A. *Kassner*, Die Unionsaufsicht, 2003, S. 158.

[818]  *Schorkopf*, Homogenität in der Europäischen Union, 2000, S. 167 (173); *Träbert*, Sanktionen der Europäischen Union gegen ihre Mitgliedstaaten, 2010, S. 321.

[819]  *Schorkopf*, Homogenität in der Europäischen Union, 2000, S. 167 (173); *Stein*, in: Götz/Selmer/Wolfrum, Liber amicorum Günther Jaenicke, 1998, S. 871 (882); *Träbert*, Sanktionen der Europäischen Union gegen ihre Mitgliedstaaten, 2010, S. 322; zum abschließenden Charakter des Art. 7 EUV vgl. auch *Schmahl*, EuR 2000, 819 (830); *Verhoeven*, ELRev. 1998, 217 (223).

[820]  *Ruffert*, in: Calliess/Ruffert, EUV/AEUV, 5. Aufl. 2016, Art. 7 EUV Rn. 1 ff.; *Pechstein*, in: Streinz, EUV/AEUV, 3. Aufl. 2018, Art. 7 EUV Rn. 2; *Schorkopf*, in: Grabitz/Hilf/Nettesheim, Das Recht der Europäischen Union, 61. EL 2017, Art. 7 EUV Rn. 11.

[821]  *Schorkopf*, Homogenität in der Europäischen Union, 2000, S. 167 (173); *Träbert*, Sanktionen der Europäischen Union gegen ihre Mitgliedstaaten, 2010, S. 321 f.; *Schorkopf*, in: Grabitz/Hilf/Nettesheim, Das Recht der Europäischen Union, 61. EL 2017, Art. 7 EUV Rn. 47; vgl. auch *Schmahl*, EuR 2000, 819 (829 f.); *Verhoeven*, ELRev. 1998, 217 (223); a.A. *Kassner*, Die Unionsaufsicht, 2003, S. 159.

[822]  *Hanschel*, NVwZ 2012, 995 (999).

## ee)  Zwischenergebnis

Dem Sanktionsbeschluss des Rates nach Art. 7 Abs. 3 S. 1 EUV sind hinreichende Grenzen gesetzt. Neben der bereits in Satz 2 festgeschriebenen Berücksichtigungspflicht hält das Unionsrecht weitere vertragsimmanente Einschränkungen bereit. Abgesehen von den Beschränkungen des Sanktionsbeschlusses hinsichtlich der Unionsorgane, des Europäischen Parlaments, der Kommission und des Gerichtshofs ist hier insbesondere die absolute Grenze der Sanktionsvorschrift in Bezug auf den Ausschluss des betroffenen Mitgliedstaats aus der Union zu sehen.

## IV.  Justiziabilität der Sanktionierung

Im Wege des Reformvertrages von Lissabon ist die Regelung des ex-Art. 46 lit. e) EUV-Nizza in die Norm des Art. 269 AEUV überführt worden.[823] Nach dem Wortlaut des Art. 269 Abs. 1 AEUV ist der *„Gerichtshof [...] für Entscheidungen über die Rechtmäßigkeit eines nach Artikel 7 des Vertrags über die Europäische Union erlassenen Rechtsakts des Europäischen Rates oder des Rates nur auf Antrag des von einer Feststellung des Europäischen Rates oder des Rates betroffenen Mitgliedstaats und lediglich im Hinblick auf die Einhaltung der in dem genannten Artikel vorgesehenen Verfahrensbestimmungen zuständig"*.

Von der Gerichtsbarkeit des EuGH sind mit der Bezugnahme auf die gesamte Norm des Art. 7 EUV gem. Art. 269 Abs. 1 Hs. 1 AEUV sowohl die Rechtsakte des Rates nach Art. 7 Abs. 1, 3 und 4 EUV als auch die Rechtsakte des Europäischen Rates gem. Art. 7 Abs. 2 EUV umfasst. Rechtsakte in diesem Sinne stellen nur diejenigen Handlungen dar, die eine rechtliche Wirkung entfalten, wodurch bereits Empfehlungen nach Art. 7 Abs. 1 UAbs. 1 S. 2 EUV der gerichtlichen Kontrolle entzogen sind.[824]

Der Jurisdiktionsgewalt des Gerichtshofs unterliegt nach Art. 269 Abs. 1 a.E. AEUV nur *„die Einhaltung der in dem genannten Artikel vorgesehenen Verfahrensbestimmungen"* und somit ausschließlich die formellen Bedingungen der Verfahren.[825] Hierunter fällt die Überprüfung, ob die ordnungsgemäßen Anträge, die notwendigen Mitwirkungsrechte des betroffenen Mitgliedstaates im Wege der Anhörung bzw. Gelegenheit zur Stellungnahme, die Erteilung der erforderlichen Zustimmung durch das Europäische Parlament sowie die ordnungsgemäße Besetzung und Stimmenmehrheit im Rat und des Europäischen Rates vorliegen.[826]

---

[823]  *Ruffert*, in: Calliess/Ruffert, EUV/AEUV, 5. Aufl. 2016, Art. 269 AEUV Rn. 1; *Pache*, in: Vedder/Heintschel v. Heinegg, Europäisches Unionsrecht, 2. Aufl. 2018, Art. 269 AEUV Rn. 1; *Schorkopf*, in: Grabitz/Hilf/Nettesheim, Das Recht der Europäischen Union, 45. EL 2011, Art. 269 AEUV Rn. 1; *Puffer-Mariette*, in: v. d. Groeben/Schwarze/Hatje, Europäisches Unionsrecht, 7. Aufl. 2015, Art. 269 AEUV Rn. 1.

[824]  *Schwarze/Wunderlich*, in: Schwarze, EU-Kommentar, 4. Aufl. 2019, Art. 269 AEUV Rn. 2.

[825]  *Ruffert*, in: Calliess/Ruffert, EUV/AEUV, 5. Aufl. 2016, Art. 269 AEUV Rn. 3; *Träbert*, Sanktionen der Europäischen Union gegen ihre Mitgliedstaaten, 2010, S. 290; *Schorkopf*, in: Grabitz/Hilf/Nettesheim, Das Recht der Europäischen Union, 45. EL 2011, Art. 269 AEUV Rn. 3.

[826]  *Schorkopf*, in: Grabitz/Hilf/Nettesheim, Das Recht der Europäischen Union, 45. EL 2011, Art. 269 AEUV Rn. 4; *Pache*, in: Vedder/Heintschel v. Heinegg, Europäisches Unionsrecht, 2. Aufl. 2018, Art. 269 AEUV

Eine vollständige Rechtmäßigkeitskontrolle der Verfahrensstufen wird dem EuGH auch nach dem Lissabonner Vertrag nicht eröffnet. Hierdurch soll der vormalige Rechtszustand der begrenzten Gerichtsbarkeit beibehalten werden.[827] Von den „reinen Verfahrensbestimmungen" ausgenommen sind demgemäß die Feststellung der Gefahr einer schwerwiegenden Verletzung der Werte gem. Art. 7 Abs. 1 UAbs. 2 S. 1 EUV, die Entscheidung über deren tatsächliche Verletzung nach Art. 7 Abs. 2 EUV und auch die Entscheidungen, ob die Gründe für die entsprechenden Feststellungen noch gegeben sind bzw. sich die Lage, die zur Verhängung der Maßnahmen führte, geändert hat (Art. 7 Abs. 1 UAbs. 2 und Abs. 4 EUV).[828]

Inwieweit die Pflicht zur kontinuierlichen Überprüfung der Gründe des Feststellungsbeschlusses nach Art. 7 Abs. 1 UAbs. 2 EUV als auch die Begründung der Initiative nach Art. 7 Abs. 1 UAbs. 1 EUV der gerichtlichen Kontrolle unterliegen, erscheint weniger eindeutig.[829] Die Kontrolle der turnusmäßigen Überwachung nach Art. 7 Abs. 1 UAbs. 2 EUV umfasst zwar in Bezug auf die Ursachen der Gefährdung eine politische Komponente. Indes stellt die Frage der Regelmäßigkeit einen verfahrensrechtlichen Aspekt dar. Nach Sinn und Zweck dieser Norm unterliegen alle verfahrensrechtlichen Aspekte der gerichtlichen Kontrolle und somit auch die Frage der turnusmäßigen Überwachung.[830]

Die Überprüfung der Begründung der Initiative nach Art. 7 Abs. 1 UAbs. 1 S. 1 EUV umfasst demgegenüber Erwägungen politischer Natur, da es sich um die Ursachenanalyse für einen Vorschlag zur Feststellung einer eindeutigen Gefahr handelt. Einer gerichtlichen Kontrolle kann nach dem Wortlaut und dem Regelungsziel der Verfahrensnorm des Art. 269 Abs. 1 AEUV nur die Angemessenheit der Begründung durch die Prüfung der Minimalanforderungen anhand Substanz, Schlüssigkeit und Verständlichkeit unterzogen werden.[831]

Die eingeschränkte gerichtliche Kontrollkompetenz, insbesondere bei der zentralen Frage, ob eine festgestellte Werteverletzung durch den betroffenen Mitgliedstaat tatsäch-

---

Rn. 3; *Ruffert*, in: Calliess/Ruffert, EUV/AEUV, 5. Aufl. 2016, Art. 269 AEUV Rn. 3; ausführlich hierzu *Puffer-Mariette*, in: v. d. Groeben/Schwarze/Hatje, Europäisches Unionsrecht, 7. Aufl. 2015, Art. 269 AEUV Rn. 8 ff.; *Borchardt*, in: Lenz/Borchardt, EU-Verträge, 6. Aufl. 2012, Art. 269 AEUV Rn. 2; *Pechstein*, in: Pechstein/Nowak/Häde, Frankfurter Kommentar, 2017, Art. 269 AEUV Rn. 4.

[827]  *Schorkopf*, in: Grabitz/Hilf/Nettesheim, Das Recht der Europäischen Union, 61. EL 2017, Art. 7 EUV Rn. 50.

[828]  *van Vormizeele*, in: v. d. Groeben/Schwarze/Hatje, Europäisches Unionsrecht, 7. Aufl. 2015, Art. 7 EUV Rn. 16; *Schorkopf*, in: Grabitz/Hilf/Nettesheim, Das Recht der Europäischen Union, 61. EL 2017, Art. 7 EUV Rn. 51; *Pache*, in: Vedder/Heintschel v. Heinegg, Europäisches Unionsrecht, 2. Aufl. 2018, Art. 269 AEUV Rn. 3.

[829]  *Pache*, in: Vedder/Heintschel v. Heinegg, Europäisches Unionsrecht, 2. Aufl. 2018, Art. 269 AEUV Rn. 3.

[830]  So auch *Schorkopf*, in: Grabitz/Hilf/Nettesheim, Das Recht der Europäischen Union, 45. EL 2011, Art. 269 AEUV Rn. 4; *Pechstein*, in: Pechstein/Nowak/Häde, Frankfurter Kommentar, 2017, Art. 269 AEUV Rn. 4; a.A. *Pache*, in: Vedder/Heintschel v. Heinegg, Europäisches Unionsrecht, 2. Aufl. 2018, Art. 269 AEUV Rn. 3.

[831]  So bereits *Pache*, in: Vedder/Heintschel v. Heinegg, Europäisches Unionsrecht, 2. Aufl. 2018, Art. 269 AEUV Rn. 3; *Puffer-Mariette*, in: v. d. Groeben/Schwarze/Hatje, Europäisches Unionsrecht, 7. Aufl. 2015, Art. 269 AEUV Rn. 12; *Schwarze/Wunderlich*, in: Schwarze, EU-Kommentar, 4. Aufl. 2019, Art. 269 AEUV Rn. 5 m.w.N.; im Ergebnis wohl auch *Schorkopf*, in: Grabitz/Hilf/Nettesheim, Das Recht der Europäischen Union, 61. EL 2017, Art. 7 EUV Rn. 52; ablehnend *Cremer*, in: Calliess/Ruffert, EUV/EGV, 3. Aufl. 2007, Art. 46 EUV Rn. 9.

lich materiell-rechtlich vorliegt, erscheint in einer Rechtsgemeinschaft mit ihrer klaren Verbürgung auf die Rechtsstaatlichkeit zunächst befremdlich.[832] Einschränkend sei erwähnt, dass die Überprüfung der Einhaltung der Formalia auch die Kontrolle über die angemessene Begründung der Maßnahmen umfasst, die zum einen zu einer „Entschleunigung" des Verfahrens führt und zum anderen eine Rationalisierung bewirkt. Hierdurch wird der betroffene Mitgliedstaat vor Willkür geschützt, was maßgeblich zu dessen Rechtsschutz beiträgt.[833] Unter Einbeziehung der Systematik wäre es demgegenüber nur stringent, dem Gerichtshof eine vollständige Kontrolle über das Vorliegen einer eindeutigen Gefahr bzw. der schwerwiegenden Werteverletzung und der verhängten Sanktionen zuzugestehen, wie dies bereits vor dem Vertrag von Lissabon vereinzelt gefordert wurde.[834]

Die Kontrolle der Rechtmäßigkeit der Verfahrensbestimmungen ist nach Art. 269 Abs. 1 AEUV einschränkend „nur auf Antrag des [...] betroffenen Mitgliedstaats" möglich. Nur der im Wege der Beschlüsse des Europäischen Rats oder des Rates nach Art. 7 EUV betroffene Mitgliedstaat kann eine gerichtliche Kontrolle der Verfahrensbedingungen herbeiführen. Weder Kommission, Rat, Europäischer Rat oder Europäisches Parlament noch mittelbar Betroffenen steht daneben ein Antragsrecht zu.[835] Damit dient dieses Verfahren nicht der Überprüfung der Rechtmäßigkeit des Sanktionsverfahrens im allgemeinen öffentlichen Interesse, sondern dem Rechtsschutz des unmittelbar betroffenen Mitgliedstaates.[836]

Gemäß Art. 269 Abs. 2 S. 1 AEUV muss die Klage „binnen eines Monats nach der jeweiligen Feststellung gestellt werden". Nach dem Wortlaut fehlt es zwar an einer ausdrücklichen Einbeziehung des Aussetzungs- und Änderungsbeschlusses i.S.d. Art. 7 Abs. 3 und 4 EUV hinsichtlich der Frist. Hier darf jedoch nichts anderes als für die Feststellungsbeschlüsse gelten.[837] Die Monatsfrist beginnt mit der Feststellung des Europäischen Rates bzw. des Rates, also bereits mit der förmlichen Beschlussfassung.[838] Der Zeitpunkt der Veröffentlichung der Beschlüsse ist für die Monatsfrist nicht entscheidend.

Art. 269 Abs. 2 S. 2 AEUV regelt weiterhin eine Entscheidungsfrist von einem Monat, innerhalb derer der Gerichtshof eine Entscheidung getroffen haben muss. Unter Berücksichtigung der mit einem Beschluss i.S.d. Art. 7 EUV eröffneten weitreichenden Folgen für

---

[832]　Vgl. bereits *Pache*, in: Vedder/Heintschel v. Heinegg, Europäisches Unionsrecht, 2. Aufl. 2018, Art. 269 AEUV Rn. 2.

[833]　*Schorkopf*, in: Grabitz/Hilf/Nettesheim, Das Recht der Europäischen Union, 61. EL 2017, Art. 7 EUV Rn. 52; *Träbert*, Sanktionen der Europäischen Union gegen ihre Mitgliedstaaten, 2010, S. 331.

[834]　*Schorkopf*, Homogenität in der Europäischen Union, 2000, S. 192 f.; *Pache*, in: Vedder/Heintschel v. Heinegg, Europäisches Unionsrecht, 2. Aufl. 2018, Art. 269 AEUV Rn. 2; vgl. ABl. EG Nr. C 371 v. 08.12.1997, S. 99 (103).

[835]　*Puffer-Mariette*, in: v. d. Groeben/Schwarze/Hatje, Europäisches Unionsrecht, 7. Aufl. 2015, Art. 269 AEUV Rn. 5; *Schorkopf*, in: Grabitz/Hilf/Nettesheim, Das Recht der Europäischen Union, 45. EL 2011, Art. 269 AEUV Rn. 2; *Ruffert*, in: Calliess/Ruffert, EUV/AEUV, 5. Aufl. 2016, Art. 269 AEUV Rn. 2.

[836]　*Träbert*, Sanktionen der Europäischen Union gegen ihre Mitgliedstaaten, 2010, S. 431.

[837]　*Puffer-Mariette*, in: v. d. Groeben/Schwarze/Hatje, Europäisches Unionsrecht, 7. Aufl. 2015, Art. 269 AEUV Rn. 6.

[838]　*Schorkopf*, in: Grabitz/Hilf/Nettesheim, Das Recht der Europäischen Union, 45. EL 2011, Art. 269 AEUV Rn. 8; *Puffer-Mariette*, in: v. d. Groeben/Schwarze/Hatje, Europäisches Unionsrecht, 7. Aufl. 2015, Art. 269 AEUV Rn. 6; wohl auch *Pechstein*, in: Streinz, EUV/AEUV, 3. Aufl. 2018, Art. 269 AEUV Rn. 1.

den betroffenen Mitgliedstaat ist von einer gewissen Eilbedürftigkeit auszugehen.[839] Die kurze Entscheidungsfrist ist daher zu begrüßen und sorgt für schnellere Rechtsklarheit sowie Rechtssicherheit innerhalb der Union.

Die Norm begründet keine originäre Zuständigkeit des Gerichtshofs in Bezug auf Art. 7 EUV.[840] Stattdessen legt sie einschränkende Kontrollkriterien des Gerichtshofs für die einschlägigen Klageverfahren gegen Beschlüsse im Wege der Nichtigkeitsklage i.S.d. Art. 263 AEUV, der Untätigkeitsklage i.S.d. Art. 265 AEUV und des Vertragsverletzungsverfahrens i.S.d Art. 259 AEUV fest.[841] Mit Auflösung der Säulenstruktur und der vormaligen Trennung der EU und der EG durch den Vertag von Lissabon ist mit Art. 7 EUV eine Sanktionsnorm geschaffen worden, deren Beschlüsse einheitlich geltend der Rechtmäßigkeitskontrolle des Gerichtshofs unterfallen und nicht mehr intergouvernementales Handeln darstellen.[842] Die Neustrukturierung der Verträge eröffnet dem betroffenen Mitgliedstaat damit einen Rechtsschutz über die einschlägigen Klageverfahren nach Art. 259 ff. AEUV.

## V. Konkurrenzverhältnis zu Art. 60 Abs. 2 lit. a) i.V.m. Abs. 3 lit. b) WVK

Bleibt die Sanktionierung nach Art. 7 Abs. 3 EUV erfolglos und hält der betreffende Mitgliedstaat an seinen schwerwiegenden Werte verletzenden Maßnahmen fest, stellt sich die Frage, ob die übrigen wertetreuen Mitgliedstaaten eine Trennung vom Verletzerstaat einseitig herbeiführen können. Eine Rechtsgrundlage für den einseitigen Ausschluss eines Mitgliedstaates aus der Union ist dem Primärrecht fremd.[843]

Dass der Austritt aus der Union grundsätzlich möglich ist, regelt Art. 50 EUV. Die Norm hat mit dem Lissabonner Reformvertrag Eingang in die Unionsverträge gefunden[844] und trägt zur Schaffung von Rechtsklarheit in dieser seit langem umstrittenen Frage bei.[845]

---

[839] *Träbert,* Sanktionen der Europäischen Union gegen ihre Mitgliedstaaten, 2010, S. 432.

[840] Eine originäre Zuständigkeit bejaht *Schorkopf,* in: Grabitz/Hilf/Nettesheim, Das Recht der Europäischen Union, 45. EL 2011, Art. 269 AEUV Rn. 6; *Pechstein,* in: Streinz, EUV/AEUV, 3. Aufl. 2018, Art. 269 AEUV Rn. 1; *Borchardt,* in: Lenz/Borchardt, EU-Verträge, 6. Aufl. 2012, Art. 269 AEUV Rn. 1.

[841] *Puffer-Mariette,* in: v. d. Groeben/Schwarze/Hatje, Europäisches Unionsrecht, 7. Aufl. 2015, Art. 269 AEUV Rn. 2; *Pache,* in: Vedder/Heintschel v. Heinegg, Europäisches Unionsrecht, 2. Aufl. 2018, Art. 269 AEUV Rn. 5; *Kotzur,* in: Geiger/Khan/Kotzur, EUV/AEUV, 6. Aufl. 2017, Art. 269 AEUV Rn. 1; *Pechstein,* in: Pechstein/Nowak/Häde, Frankfurter Kommentar, 2017, Art. 269 AEUV Rn. 2.

[842] *Pache,* in: Vedder/Heintschel v. Heinegg, Europäisches Unionsrecht, 2. Aufl. 2018, Art. 269 AEUV Rn. 5; *Puffer-Mariette,* in: v. d. Groeben/Schwarze/Hatje, Europäisches Unionsrecht, 7. Aufl. 2015, Art. 269 AEUV Rn. 2.

[843] *Pache/Rösch,* NVwZ 2008, 473 (479); *Schmahl,* EuR 2000, 819 (828 f.); *Hanschel,* NVwZ 2012, 995 (999) m.w.N.; *Schroeder,* Grundkurs Europarecht, 6. Aufl. 2019, § 2 Rn. 38.

[844] *Pache/Rösch,* NVwZ 2008, 47 (479); *Calliess,* in: Calliess/Ruffert, EUV/AEUV, 5. Aufl. 2016, Art. 50 EUV Rn. 1 f.; *Meng,* in: v. d. Groeben/Schwarze/Hatje, Europäisches Unionsrecht, 7. Aufl. 2015, Art. 50 EUV Rn. 1; *Dörr,* in: Grabitz/Hilf/Nettesheim, Das Recht der Europäischen Union, 45. EL 2011, Art. 50 EUV Rn. 6.

[845] *Hatje/Kindt,* NJW 2008, 1761 (1763); *Meng,* in: v. d. Groeben/Schwarze/Hatje, Europäisches Unionsrecht, 7. Aufl. 2015, Art. 50 EUV Rn. 2 f.; *Dörr,* in: Grabitz/Hilf/Nettesheim, Das Recht der Europäischen Union, 45. EL 2011, Art. 50 EUV Rn. 3; *Streinz,* in: Streinz, EUV/AEUV, 3. Aufl. 2018, Art. 50 EUV Rn. 3.

Von dieser Regelung haben das Vereinigte Königreich Großbritannien und Nordirland erstmalig Gebrauch gemacht.[846]

Die einvernehmliche Trennung eines Mitgliedstaates von den übrigen Mitgliedstaaten steht im Ergebnis zur alleinigen Disposition des austrittswilligen Staates und ist von dessen Mitwirkung im Wege eines Austrittsgesuchs an den Europäischen Rat gem. Art. 50 Abs. 2 S. 1 EUV abhängig. Damit stellt dies keinen Sanktionsmechanismus dar. Das Gleiche gilt auch für einen möglichen Ausschluss im Wege der Vertragsrevision nach Art. 48 EUV. Auch dieser setzt für eine Vertragsänderung eine freiwillige Zustimmung aller Vertragsstaaten voraus, wodurch ein Ausschluss gegen den Willen des betroffenen Mitgliedstaates von den übrigen Mitgliedern nicht erwirkt werden kann.[847]

Damit bleibt zu erörtern, ob für das Ausschlussrecht eine Rechtsgrundlage außerhalb des Unionsrechts besteht. In Betracht kommt letztlich nur ein Rückgriff auf die Regelung des Art. 60 Abs. 2 WVK.[848] Nach dieser Regelung berechtigt die erhebliche Verletzung eines mehrseitigen Vertrages die übrigen vertragstreuen Parteien zur einseitigen Beendigung des Vertrages gegenüber der vertragsbrüchigen Partei. Der Regelung liegt folgende Überlegung zugrunde: Den Vertragsparteien, die ihren Verpflichtungen nachkommen, kann nicht zugemutet werden, in einem Verbund mit solchen Vertragsparteien zu verbleiben, die sich unnachgiebig den vertraglichen Verpflichtungen widersetzen.[849] Insoweit stellt sich die Frage der Anwendbarkeit des allgemeinen Völkervertragsrechts – hier der Regelung des Art. 60 Abs. 2 WVK – im Unionsrecht als Reaktionsmöglichkeit bei einem Werteverstoß.

Die Anwendbarkeit des in Rede stehenden völkervertragsrechtlichen Grundsatzes im Verhältnis der Mitgliedstaaten der EU untereinander wird seit langer Zeit kontrovers diskutiert.[850] Darin spiegeln sich letztlich die in der Literatur bestehenden unterschiedlichen Auffassungen zur grundlegenden Position des allgemeinen Völkervertragsrechts in der Union wider.[851] Ein Ausschluss aus einem völkerrechtlichen Vertrag ist grundsätzlich möglich. Ein Rückgriff auf Art. 60 Abs. 2 WVK ist in Anbetracht des besonderen Charakters der EU bereits abzulehnen. Die Union unterscheidet sich durch ihre supranationale Organisation von den üblichen Völkerrechtssubjekten „Staaten". Sie ist mit Souveränitäts-

---

[846]  ABl. EU Nr. L 29/1 v. 31.01.2020.

[847]  *Haratsch/Koenig/Pechstein*, Europarecht, 12. Aufl. 2020, Rn. 116; *Cremer*, in: Calliess/Ruffert, EUV/AEUV, 5. Aufl. 2016, Art. 48 EUV Rn. 19; *Hau*, Sanktionen und Vorfeldmaßnahmen zur Absicherung der europäischen Grundwerte, 2002, S. 58 ff.

[848]  Statt vieler *Schorkopf*, Homogenität in der Europäischen Union, 2000, S. 186; *Schmahl*, EuR 2000, 819 (829); *Hanschel*, NVwZ 2012, 995 (999); *Stein*, in: Götz/Selmer/Wolfrum, Liber amicorum Günther Jaenicke, 1998, S. 871 (888); *Ruffert*, in: Calliess/Ruffert, EUV/AEUV, 5. Aufl. 2016, Art. 7 EUV Rn. 30; *Haratsch/ Koenig/Pechstein*, Europarecht, 12. Aufl. 2020, Rn. 116; zu weiteren Rechtsgrundlagen aus der WVK vgl. ausführlich *Hau*, Sanktionen und Vorfeldmaßnahmen zur Absicherung der europäischen Grundwerte, 2002, S. 43 ff.

[849]  Vgl. *Stein*, in: Götz/Selmer/Wolfrum, Liber amicorum Günther Jaenicke, 1998, S. 871 (888).

[850]  *Ruffert*, in: Calliess/Ruffert, EUV/AEUV, 5. Aufl. 2016, Art. 7 EUV Rn. 30; *Nowak*, in: Pechstein/ Nowak/Häde, Frankfurter Kommentar, 2017, Art. 7 EUV Rn. 25; *Pechstein*, in: Streinz, EUV/AEUV, 3. Aufl. 2018, Art. 7 EUV Rn. 23; *Schorkopf*, Homogenität in der Europäischen Union, 2000, S. 185 m.w.N.; eingehend hierzu statt vieler *Hau*, Sanktionen und Vorfeldmaßnahmen zur Absicherung der europäischen Grundwerte, 2002, S. 43 ff.; vgl. auch *Kassner*, Die Unionsaufsicht, 2003, S. 219 ff.

[851]  *Stumpf*, in: Schwarze, EU-Kommentar, 2. Aufl. 2009, Art. 7 EUV Rn. 8.

rechten der nationalen Mitgliedstaaten ausgestattet und wird – über diese agierend und unmittelbar selbst – rechtsetzend tätig. Die für eine Anwendbarkeit des Art. 60 Abs. 2 WVK notwendige Bedingung des Fehlens einer speziellen Regelung im unionalen Primärrecht zum Schutz der Werte ist in Absatz 4 kodifiziert.[852] Eine Regelung mit speziellen Sanktionsmaßnahmen zur Begegnung einer Werteverletzung wurde hingegen mit Art. 7 EUV ins Primärrecht integriert.[853] Damit scheitert der Rückgriff auf die Wiener Vertragsrechtskonvention bereits an der einschränkenden Regelung des Art. 60 Abs. 4 WVK.[854] Dieses Ergebnis findet zudem eine Stütze in dem auch im Unionsrecht anerkannten Grundsatz *lex specialis derogat legi generali*.[855] Hält man dennoch einen völkervertragsrechtlichen Ausschluss als *ultima ratio* zur Vermeidung eines Identitätsverlustes der Union für zulässig,[856] widerspricht dies zudem dem abschließenden Charakter dieser einzigartigen autonomen Rechtsordnung.[857] Mit der Kodifizierung des freiwilligen Austrittsrechts nach Art. 50 EUV durch den Lissabonner Reformvertrag haben die Vertragsstaaten deutlich gemacht, dass eine einseitige und freiwillige Lösung eines Mitgliedstaates aus dem Verbund der Europäischen Union möglich, ein Ausschluss eines Staates gegen dessen Willen jedoch nicht Bestandteil des Unionsrechts sein soll. Der mit einem Unionsbeitritt verbundene EU-Vertrag gilt gem. Art. 53 EUV gerade auf unbestimmte Zeit fort.[858] Wäre ein Ausschlussrecht durch die Vertragsstaaten im Rahmen des EU-Vertrages beabsichtigt worden, hätten diese eine entsprechende Regelung im Zuge des Reformvertrages vorgenommen. Der durch den Beitritt zur Union eingeleitete und nur schwer umkehrbare Prozess der Integration lässt einen einseitigen Mitgliedschaftsausschluss folglich als wider-

---

[852] Der Wortlaut des Art. 60 Abs. 4 WVK lautet: *„Die Absätze 1 bis 3 lassen die Vertragsbestimmungen unberührt, die bei einer Verletzung des Vertrags anwendbar sind."*

[853] Vgl. auch *Hofmeister*, DVBl. 2016, 869 (872); demgegenüber *Schroeder*, Grundkurs Europarecht, 6. Aufl. 2019, § 2 Rn. 38, der im Ergebnis den Rückgriff auf die völkerrechtlichen Kündigungsgründe aufgrund der Regelung des Art. 50 EUV ablehnt.

[854] *Schorkopf*, Homogenität in der Europäischen Union, 2000, S. 186; *Schorkopf*, in: Grabitz/Hilf/Nettesheim, Das Recht der Europäischen Union, 61. EL 2017, Art. 7 EUV Rn. 54; *Hofmeister*, DVBl. 2016, 869 (872); vgl. *Becker*, in: Schwarze, EU-Kommentar, 4. Aufl. 2019, Art. 7 EUV Rn. 3; *van Vormizeele*, in: v. d. Groeben/Schwarze/Hatje, Europäisches Unionsrecht, 7. Aufl. 2015, Art. 7 EUV Rn. 5; *Nowak*, in: Pechstein/Nowak/Häde, Frankfurter Kommentar, 2017, Art. 7 EUV Rn. 25.

[855] Vgl. auch *Pieper*, in: Bergmann, Handlexikon der Europäischen Union, 5. Aufl. 2015, „Völkerrecht und Unionsrecht"; *Hofmeister*, DVBl. 2016, 869 (872).

[856] *Schmahl*, EuR 2000, 819 (829) m.w.N.; *Thun-Hohenstein*, Der Vertrag von Amsterdam, 1997, S. 25; *Pechstein*, in: Streinz, EUV/AEUV, 3. Aufl. 2018, Art. 7 EUV Rn. 23; *Haratsch/Koenig/Pechstein*, Europarecht, 12. Aufl. 2020, Rn. 116; *Stein*, in: Götz/Selmer/Wolfrum, Liber amicorum Günther Jaenicke, 1998, S. 871 (889) m.w.N.; *Ruffert*, in: Calliess/Ruffert, EUV/AEUV, 5. Aufl. 2016, Art. 7 EUV Rn. 31; *Geiger*, in: Geiger/Khan/Kotzur, EUV/AEUV, 6. Aufl. 2017, Art. 7 EUV Rn. 3.

[857] Exemplarisch hierzu vgl. EuGH, Rs. C-26/62, Van Gend en Loos/Administratie der Belastingen, Slg. 1963, 3, S. 16; EuGH, Rs. C-6/64, Costa/E.N.E.L., Slg. 1964, 1253, S. 1269 f.; EuGH, Rs. C-11/70, Internationale Handelsgesellschaft mbH/Einfuhr- und Vorratsstelle für Getreide und Futtermittel, Slg. 1970, 1125, S. 1135; EuGH, ECLI:EU:C:2014:2454, Gutachten 2/13 zum EMRK-Beitritt, Rn. 166, 170; *Becker*, in: Schwarze, EU-Kommentar, 4. Aufl. 2019, Art. 7 EUV Rn. 3; *Nowak*, in: Pechstein/Nowak/Häde, Frankfurter Kommentar, 2017, Art. 7 EUV Rn. 25.

[858] *van Vormizeele*, in: v. d. Groeben/Schwarze/Hatje, Europäisches Unionsrecht, 7. Aufl. 2015, Art. 7 EUV Rn. 5; *Schorkopf*, Homogenität in der Europäischen Union, 2000, S. 187; *Schorkopf*, in: Grabitz/Hilf/Nettesheim, Das Recht der Europäischen Union, 61. EL 2017, Art. 7 EUV Rn. 54.

sprüchlich und systemfremd erscheinen.[859] Die Möglichkeit des freiwilligen Austritts nach Art. 50 EUV ist demgegenüber nicht unvereinbar. Das Fehlen einer vergleichbaren unionalen Rechtsnorm darf mit Blick auf die ausdrücklichen Regelungen in Art. 50 und 53 EUV daher nicht als Regelungslücke herangezogen werden.[860] Die Zulässigkeit eines Ausschlusses würde vielmehr mit dem Sinn und Zweck der Unionsgemeinschaft sowie dem in der Präambel des EU-Vertrages als auch in Art. 1 Abs. 2 EUV verankerten Grundsatz der Verwirklichung einer immer engeren Union der Völker in einem offenen Widerspruch stehen.[861]

Letztlich besteht für den Ausschluss des Verletzerstaates als Sanktionsmaßnahme auch keine Notwendigkeit. Neben Art. 258 AEUV sichert Art. 7 EUV die Werte, indem eine weitgehende Aussetzung der einzelnen mitgliedschaftlichen Rechte eröffnet wird.[862] Damit sind die Regelungen des Primärrechts zur Sanktionierung von Werteverletzungen abschließender Natur, weshalb mit Blick auf Art. 60 Abs. 2 WVK ein Rückgriff ausgeschlossen ist.

## VI.  Verhältnis von Art. 7 Abs. 1 zu Abs. 2, 3 EUV

Der Wortlaut des Art. 7 Abs. 2 EUV verlangt im Gegensatz zu Art. 7 Abs. 3 UAbs. 1 S. 1 EUV nicht ausdrücklich einen vorangegangenen Feststellungsbeschluss.[863] Insoweit ist zu erörtern, ob der Vorfeldbeschluss nach Art. 7 Abs. 1 EUV dennoch als Voraussetzung für die weiteren Verfahren des Art. 7 EUV erforderlich ist.[864]

Unter Berücksichtigung der Entstehungsgeschichte – insbesondere der „Causa Österreich" – wird deutlich, dass diese vorgeschaltete Maßnahme vor allem eine Warn- und Hinweisfunktion für den betroffenen Mitgliedstaat darstellt, die als milderes Mittel gegenüber dem Feststellungs- und Sanktionsbeschluss ein frühzeitiges Einlenken des Staates herbeiführen soll.[865] Darüber hinaus kann aus dem systematischen Gesichtspunkt des dreigliedrigen Aufbaus dem Grunde nach das Vorverfahren als Voraussetzung des Feststellungsbeschlusses gefordert werden. Dies gebietet regelmäßig auch der Grundsatz der Verhältnismäßigkeit.

---

[859]  Zutreffend bereits *Schorkopf*, Homogenität in der Europäischen Union, 2000, S. 187; *Schorkopf*, in: Grabitz/Hilf/Nettesheim, Das Recht der Europäischen Union, 61. EL 2017, Art. 7 EUV Rn. 54; *Hofmeister*, DVBl. 2016, 869 (872).

[860]  Vgl. auch *Schroeder*, Grundkurs Europarecht, 6. Aufl. 2019, § 2 Rn. 37 f.

[861]  *Schorkopf*, Homogenität in der Europäischen Union, 2000, S. 187.

[862]  In diesem Sinne auch *Schorkopf*, in: Grabitz/Hilf/Nettesheim, Das Recht der Europäischen Union, 61. EL 2017, Art. 7 EUV Rn. 54; *van Vormizeele*, in: v. d. Groeben/Schwarze/Hatje, Europäisches Unionsrecht, 7. Aufl. 2015, Art. 7 EUV Rn. 5; a.A. *Hanschel*, NVwZ 2012, 995 (999).

[863]  *Bitterlich*, in: Lenz/Borchardt, EU-Verträge, 6. Aufl. 2012, Art. 7 EUV Rn. 6; *Schorkopf*, in: Grabitz/Hilf/Nettesheim, Das Recht der Europäischen Union, 61. EL 2017, Art. 7 EUV Rn. 48.

[864]  *Schorkopf*, in: Grabitz/Hilf/Nettesheim, Das Recht der Europäischen Union, 61. EL 2017, Art. 7 EUV Rn. 48.

[865]  *Schorkopf*, in: Grabitz/Hilf/Nettesheim, Das Recht der Europäischen Union, 61. EL 2017, Art. 7 EUV Rn. 48; vgl. *van Vormizeele*, in: v. d. Groeben/Schwarze/Hatje, Europäisches Unionsrecht, 7. Aufl. 2015, Art. 7 EUV Rn. 6; ausführlich zur Problematik der Causa Österreich nach dem Vertrag von Amsterdam *Schmahl*, EuR 2000, 819 (819 ff.); *Hummer/Obwexer*, EuZW 2000, 485 (485 ff.).

Etwas anderes hat bei bereits erfolgten schwerwiegenden Verletzungen der Werte zu gelten. Ebenfalls muss das Vorverfahren entbehrlich sein, wenn innerhalb kürzester Zeit Gefährdungen in Werteverletzungen umschlagen. In derartigen Konstellationen ist die Einleitung einer Vorfeldmaßnahme ein unverhältnismäßiger Verfahrensschritt, der als bloße zeitliche Verzögerung sowie reiner Formalismus zu bewerten ist und nicht zu einer Wiederherstellung der Einhaltung der Werte adäquat beitragen kann.[866] In solchen Fällen muss die Möglichkeit des direkten Erlasses eines Feststellungsbeschlusses eröffnet sein.[867] Damit bleibt festzuhalten, dass das Ergehen eines Vorfeldbeschlusses keine zwingende Voraussetzung für den Erlass des Feststellungsbeschlusses darstellen kann.[868]

## VII. Würdigung

Abschließend erfolgt mit einer Würdigung des repressiven Sicherungsmechanismus unter Hervorhebung einzelner Elemente eine Bewertung der Effektivität dieses noch nicht praxiserprobten Verfahrens.

### 1.    Hinreichende Bestimmtheit der Tatbestandsmerkmale?

Der Abstraktionsgrad der Tatbestandsvoraussetzungen des Art. 7 Abs. 1 UAbs. 1 EUV mit dem Erfordernis der *„eindeutige[n] Gefahr einer schwerwiegenden Verletzung"* bzw. nach Absatz 2 der *„schwerwiegende[n] und anhaltende[n] Verletzung"* der Werte macht es schwierig, das Vorliegen dieser Anforderungen durch einen Mitgliedstaat genau zu bestimmen. Ab wann eine Gefahr für die Werte durch ein mitgliedstaatliches Fehlverhalten zu einer eindeutigen Gefahr wird, stellt zuweilen einen fließenden Übergang dar, der mitunter ganz unterschiedlich bestimmt werden kann. Die Überschneidungen der einzelnen Werte und ihre Abstraktheit tragen nur begrenzt zu einer einfacheren Handhabung dieses Verfahrens bei. Ebenso verhält es sich mit den Anforderungen der schwerwiegenden und anhaltenden Verletzung. Der Vergleich von Soll- und Ist-Zustand lässt sich grundsätzlich anhand der negativen Abweichung bestimmen. Inwieweit sich dieser Übergang in der Praxis hinreichend klar erkennen lässt, erscheint ebenfalls problematisch. Ähnlich verhält es sich auch mit der Bestimmung des Zeitpunktes, ab dem von einer anhaltenden Werteverletzung zu sprechen ist.

In Ermangelung eines materiellen Prüfungsrechts des Gerichtshofs ist hier eine richterliche Konkretisierung ausgeschlossen. Gleichwohl ist mit der Begrifflichkeit des systemischen Defizits eine nähere Bestimmung gelungen, um die Feststellung einer Werteverletzung praktikabler zu machen. Dennoch ist eine weiterführende inhaltliche Konturierung der Tatbestandsmerkmale durch Unionsorgane wie dem Rat der Europäischen Uni-

---

[866]    In diesem Sinne auch *Schorkopf*, in: Grabitz/Hilf/Nettesheim, Das Recht der Europäischen Union, 61. EL 2016, Art. 7 EUV Rn. 48.

[867]    So bereits *Schorkopf*, in: Grabitz/Hilf/Nettesheim, Das Recht der Europäischen Union, 61 EL 2017, Art. 7 EUV Rn. 48.

[868]    KOM (2003) 606 endg., 15.10.2003, S. 5.

on, der Kommission oder dem Parlament zur Steigerung der Praktikabilität, Vorhersehbarkeit und damit Rechtsklarheit angezeigt.

Des Weiteren birgt der hohe Abstraktionsgrad der Tatbestandsanforderungen zugleich die Schwierigkeit einer klaren Zuordnung eines mitgliedstaatlichen Fehlverhaltens unter die Verfahrensstufen des Art. 7 EUV.[869] Erreicht das mitgliedstaatliche Fehlverhalten noch nicht den Grad der Schwere, dass es in eine Gefährdung bzw. Verletzung der Werte umschlägt, ist das Verfahren nach Art. 7 EUV unzulässig und eine Initiierung damit erfolglos. Eine Verzögerung der Rückkehr zur Einhaltung der Werte ist nicht ausgeschlossen. Bleibt die Verletzung des betroffenen Mitgliedstaates unterhalb der Schwelle einer schwerwiegenden Werteverletzung, hält das Unionsrecht mit dem Vertragsverletzungsverfahren nach Art. 258 f. AEUV jedoch einen entsprechenden Sicherungsmechanismus bereit.[870] Der Gefahr einer unzulässigen Einleitung des Sanktionsverfahrens kann zudem durch das neu geschaffene und dem Art. 7 EUV vorgeschaltete Verfahren des EU-Rahmens zur Stärkung des Rechtsstaatsprinzips begegnet werden. In Ermangelung einer hinreichenden Gewissheit über das Vorliegen der Tatbestandsanforderungen des Art. 7 EUV in der Praxis kann zumindest im Wege dieser Mechanismen eine mitunter parallele Verfahrenseinleitung erfolgen.

## 2.    Die Vorfeldmaßnahme: Ein wirksames Frühwarnverfahren?

Mit der Einführung der Vorfeldmaßnahme nach Art. 7 Abs. 1 EUV wurden die Konsequenzen aus der „Causa Österreich" gezogen. Der frühe Anknüpfungszeitpunkt soll es ermöglichen, bereits die Gefährdung der Werte als offenkundig festzustellen und als Warnsignal in das Bewusstsein der Öffentlichkeit zu rücken. Inwieweit sich dessen konkrete Ausgestaltung als sinnvoll zur frühzeitigen Begegnung einer Gefährdung darstellt, bleibt fraglich. Insbesondere bedarf es zur Feststellung der Gefahr bereits der Mehrheit von vier Fünfteln der Mitglieder. Diese Zustimmungshürde steht dem eigentlichen Zweck des Frühwarnverfahrens, durch Verringerung der Schwerfälligkeit eine effektivere Sicherung der Werte zu erreichen, entgegen.[871] Zumal weist der Beschluss eine stark begrenzte Reichweite auf der Rechtsfolgenseite auf.

Zur Steigerung der Effektivität der Wertesicherung sind niedrige Mehrheitsvoraussetzungen angezeigt. Insoweit wird sich für ein einfaches Mehrheitserfordernis ausgesprochen. Die in den letzten Jahren von Kommission und Parlament durchgeführten Bestrebungen zur Schaffung eines neuen Mechanismus zeigen, dass auch sie diese Bedenken gegenüber der Schwerfälligkeit des Frühwarnverfahrens nach Art. 7 Abs. 1 EUV teilen. Dies gipfelte in der Einführung des neuen EU-Rahmens, der vor dem Sanktionsverfahren ansetzt.

---

[869]  Ebenso *Schorkopf*, Homogenität in der Europäischen Union, 2000, S. 196.
[870]  Ausführlich hierzu vgl. B. Das Vertragsverletzungsverfahren: Ein „Wertesicherungsverfahren", S. 140 ff.
[871]  *Träbert*, Sanktionen der Europäischen Union gegen ihre Mitgliedstaaten, 2010, S. 359.

### 3. Fehlende Praktikabilität des Einstimmigkeitserfordernisses

Wie vorausgehend erwähnt, ist das Erfordernis der Einstimmigkeit nach Art. 7 Abs. 2 EUV Ausdruck der besonderen Bedeutung des Sanktionsverfahrens als politisches Verfahren. Das Einstimmigkeitserfordernis dient zum Schutz vor übereilten, willkürlichen oder unangemessenen Entscheidungen. Gleichwohl stellt sich die Frage, ob das Feststellungs- und Sanktionsverfahren in dieser Ausgestaltung eine tatsächliche praktische Anwendbarkeit besitzt und zu einer effektiven Sicherung der Werte beitragen kann oder vielmehr ein theoretisches Konstrukt der Vertragsstaaten darstellt.

### a. Reduzierung des Mehrheitserfordernisses

Mit Blick auf die Einführung des Sanktionsverfahrens in das Unionsrecht erschien die Hürde des Einstimmigkeitserfordernisses zunächst praktikabel. Zum Zeitpunkt der Kodifizierung mit ex-Art. 7 EUV-Amsterdam umfasste die Gemeinschaft nur eine Mitgliederzahl von 15 Vertragsstaaten, die sich auf derzeit 27 Vertragsstaaten nahezu verdoppelte. In einer immer größer werdenden Union bedeutet das Erfordernis der Einstimmigkeit folglich ein schwieriges Unterfangen. Die mit der steigenden Mitgliederzahl und größeren geographischen Ausbreitung der Union zunehmende Diversität geschichtlicher, kulturell-politischer und wirtschaftlicher Natur erschwert die Konsensfindung zusätzlich. Insbesondere die Aufnahme zugleich mehrerer Staaten des ehemaligen „Ostblocks" in den Jahren 2004, 2007 und 2013 stellte das Homogenitätsgefüge der Union zusehends auf die Probe.

Zur Steigerung der Praktikabilität des Sanktionsverfahrens wäre es daher im Rahmen des Lissabonner Reformvertrages wünschenswert gewesen, das erforderliche Quorum der Einstimmigkeit auf eine doppelt qualifizierte Mehrheit zu reduzieren. Auf diese Weise würde regelmäßig die Effektivität erhöht und zugleich der Besonderheit des Sanktionsverfahrens mit seinen gravierenden Rechtsfolgen ausreichend Rechnung getragen. Durch Repräsentation der mehrheitlichen europäischen Bevölkerung stünde dieser Beschluss auch auf einer ausreichenden Legitimationsgrundlage.[872]

### b. Ansätze zur Begegnung der fehlenden Praktikabilität des Einstimmigkeits-erfordernisses

Das Einstimmigkeitserfordernis gewährt jedem Mitgliedstaat ein Vetorecht gegen die Entscheidung zur Feststellung einer Werteverletzung. Insbesondere die Gefahr eines Schulterschlusses anderer Mitgliedstaaten mit dem Verletzerstaat aufgrund enger, mitunter historischer Bande als auch die Möglichkeit der informellen Einwirkung zur Einlegung

---

[872]  Dies würde wiederum eine notwendige Änderung des Mehrheitserfordernisses im Rahmen des Sanktionsbeschlusses nach sich ziehen. Es wäre daher ein einfaches qualifiziertes Mehrheitserfordernis erforderlich. Im Verhältnis zum vorgeschlagenen qualifizierten Mehrheitserfordernis des Feststellungsbeschlusses würde sich das einfache Mehrheitserfordernis des Sanktionsbeschlusses auch systematisch einfügen und durch die Repräsentation von 72 % der beteiligten Mitgliedstaaten im Rat, ohne den Verletzerstaat, auch insoweit eine ausreichende Gewähr der Legitimation hinsichtlich des Sanktionsbeschlusses darstellen. Ein Widerspruch zum Sinn und Zweck des Sanktionsbeschlusses bestünde ebenfalls nicht.

eines Vetos ist unbestreitbar.[873] Dies zeigt sich exemplarisch mit Blick auf die umstrittene Justizreform in Polen, gegen die bereits die EU-Kommission das Verfahren nach Art. 7 EUV androhte und am 20.12.2017 einleitete.[874] Der ungarische Ministerpräsident *Viktor Orban* sicherte am 09.01.2016 bereits im Vorfeld ein Veto gegen den Feststellungsbeschluss im Europäischen Rat zu Gunsten der polnischen rechtsnationalen Regierung zu.[875] Ungeachtet der Frage der materiellen Voraussetzung einer Verletzung sowie der tatsächlichen Abgabe eines Vetos Ungarns, offenbart dies die Schwäche der prozessualen Komponente. Darf es in einer Wertegemeinschaft dazu kommen, dass den Werte gefährdenden Mitgliedstaaten nur deshalb keine sanktionsfähigen Rechte entzogen werden können, weil nicht nur ein Mitgliedstaat gegen die Werte verstößt, sondern zwei Mitgliedstaaten gleichzeitig bzw. diese in Kenntnis dessen zusammenwirken?[876]

Es drängt sich daher die Frage auf, welchen Handlungsspielraum das Unionsrecht eröffnet, wenn die Androhung der Rechtsfolgen eines möglichen Stimmrechtsentzugs im Sanktionsverfahren nicht greift. Um einer Aushebelung des Sanktionsverfahrens zu begegnen, ist zu erörtern, welche rechtlichen Reaktionsmöglichkeiten der Union im Wege der Auslegung des Art. 7 EUV und des Art. 354 AEUV noch verbleiben.

### aa) Verbindung mehrerer Sanktionsverfahren

Zunächst kann die Überlegung angestellt werden, ob das Unionsrecht die Möglichkeit einer Verfahrenszusammenführung eröffnet, die im Wege einer einzelnen Abstimmung im Europäischen Rat zur fehlenden Stimmberechtigung beider betroffener Mitgliedstaaten gem. Art. 7 Abs. 5 EUV i.V.m. Art. 354 Abs. 1 S. 1 AEUV führen könnte.[877]

Die Verbindung von Verfahren ist im Unionsrecht – im Gegensatz zu den nationalen Rechtsordnungen wie dem deutschen Zivil- und Verwaltungsprozessrecht – nicht vorgesehen.[878] Eine dahingehende Überlegung zur Aufrechterhaltung der Funktionsfähigkeit der Wertesicherung darf nur als absolute Ausnahme verstanden werden, bei dessen Auslegung es Zurückhaltung bedarf. So gilt es schließlich nicht, das Einstimmigkeitsprinzip *contra legem* auszuhebeln.

Für eine Verfahrensverbindung ist zunächst – dem nationalen Recht folgend – der gleiche Verfahrensgegenstand und somit der identische Werteverstoß bei beiden betroffenen Mitgliedstaaten zu fordern.[879] Insoweit ist problematisch, dass sich aufgrund der bestehenden Überschneidungen der Werte und ihrer Abstraktheit regelmäßig ein einheitlicher Werteverstoß konstruieren lässt. Die Erfüllung dieser Voraussetzung kann daher nicht ohne Weiteres bejaht werden, vielmehr sind vergleichbare mitgliedstaatliche Verfehlungen zu fordern, die sich in Inhalt und Umfang nahezu decken.

---

[873] So bereits schon *Schorkopf*, Homogenität in der Europäischen Union, 2000, S. 194.

[874] KOM (2017) 835 endg., 20.12.2017.

[875] *Brössler*, Konflikt um Grundwerte gewinnt an Schärfe, Süddeutsche Zeitung v. 26.06.2018, https://www.sueddeutsche.de/politik/die-eu-polen-und-ungarn-konflikt-um-grundwerte-gewinnt-an-schaerfe-1.4030591 (zuletzt abgerufen: 31.01.2021 um 19:00 Uhr).

[876] So bereits *Thiele*, VerfBlog 2017/7/24.

[877] *Thiele*, VerfBlog 2017/7/24.

[878] Vgl. § 93 VwGO bzw. § 147 ZPO.

[879] *Thiele*, VerfBlog 2017/7/24.

Um keine Umgehung des Einstimmigkeitserfordernisses durch Verfahrensverbindung zu ermöglichen, wird zudem als weitere Voraussetzung ein bewusstes Zusammenwirken der betroffenen Mitgliedstaaten in Bezug auf das Verfahren des Art. 7 Abs. 2 EUV gefordert.[880] Diese Anforderung erscheint mit Blick auf die politische Aussage des ungarischen Ministerpräsidenten konsequent. Wer aufgrund fehlender Objektivität im Abstimmungsverfahren durch Verfolgung sachfremder Interessen zu Gunsten des Verletzerstaates mitwirkt, dem kann dem Grunde nach kein Stimmrecht zuerkannt werden. Inwieweit sich der begründete Verdacht des bewussten Zusammenwirkens der betroffenen Mitgliedstaaten nachvollziehbar belegen lässt, dürfte in der Praxis schwierig sein. Zudem ist kritisch anzuführen, dass das Unionsverfahrensrecht hierdurch eine subjektive Komponente erhalten würde, die diesem grundsätzlich fremd und auch aus Beweislastgründen der Praktikabilität des Verfahrens abträglich ist.

Somit bleibt festzuhalten, dass eine Verfahrensverbindung unionsrechtlich abzulehnen ist. Für eine subjektive Komponente fehlt eine Grundlage im Unionsrecht. Zudem wird sich der Nachweis für ein Zusammenwirken empirisch schwer führen lassen.

### bb) Gleichzeitige Sanktionsverfahren gegen mehrere Mitgliedstaaten

Des Weiteren wird nachfolgend die parallele Einbindung des jeweils anderen Verletzerstaates in das Verfahren des Art. 7 EUV erörtert, um hierdurch ein Veto dieses Mitgliedstaates bei der Abstimmung über eine Werteverletzung des anderen nach Art. 7 Abs. 2 EUV auszuschließen.[881] Ein einstimmiger Feststellungsbeschluss nach Art. 7 Abs. 2 EUV könnte trotz Veto erfolgreich ergehen, wenn sich im Wege der Auslegung des Art. 7 EUV und des Art. 354 AEUV ein derartiger Stimmrechtsverlust bei paralleler Einbindung ableiten lässt. Eine solche Einbindung eines zweiten Mitgliedstaates könnte entweder auf der Stufe der Vorfeldmaßnahme nach Art. 7 Abs. 1 EUV oder der Stufe des Feststellungsbeschlusses nach Absatz 2 erfolgen.

Die Genese des Art. 7 EUV gibt keine Anhaltspunkte für einen Stimmrechtsentzug bei mehreren Verletzerstaaten. Bereits die früheren Vertragswerke, wie insbesondere ex-Art. 7 Abs. 2 EUV-Nizza bzw. Art. I-59 Abs. 2 EVV, waren ähnlich ausgestaltet und dahingehend neutral formuliert.[882] Mit Blick auf Art. 354 Abs. 1 AEUV zeigt sich, dass dessen Vorgängernorm ex-Art. 309 EGV-Nizza einen Stimmrechtsentzug in Absatz 4 Satz 1 zwar ebenfalls regelte, indem dieser statuierte, dass *„[b]ei Beschlüssen nach den Absätzen 2 und 3 [...] der Rat ohne Berücksichtigung der Stimmen des Vertreters der Regierung des betroffenen Mitgliedstaats"* handelt. Mit diesem Verweis auf die Absätze 2 und 3 wurde jedoch nur der Stimmrechtsentzug beim Feststellungs- und Sanktionsbeschluss im Rahmen des alten EG-Vertrages geregelt. Eine ausdrückliche Regelung für den alten EU-Vertrag fehlte demgegenüber. Dies lässt zum einen die Schlussfolgerung zu, dass die Vertragsstaaten bei einem Werte gefährdenden Mitgliedstaat einen solchen Stimmrechtsentzug für logisch und eine Kodifizierung für nicht erforderlich erachteten. Zum anderen

---

[880] *Thiele*, VerfBlog 2017/7/24.
[881] *Scheppele*, VerfBlog 2016/10/24.
[882] Ausführlich zur Entstehungsgeschichte des Art. 7 EUV vgl. *Schorkopf*, Homogenität in der Europäischen Union, 2000, S. 135 ff.; *Kassner*, Die Unionsaufsicht, 2003, S. 37 ff.

kann dem entnommen werden, dass die Vertragsstaaten eine Werteverletzung durch mehrere Mitgliedstaaten bzw. ein Zusammenwirken für nicht vorstellbar hielten. Eine Deutung zu Gunsten eines parallelen Stimmrechtsentzugs lässt sich aus der Genese der beiden Vorschriften daher nicht ableiten.

Mit Blick auf die Systematik fügt sich Art. 7 EUV neben dem Vertragsverletzungsverfahren nach Art. 258 ff. AEUV und dem Beitrittsverfahren nach Art. 49 EUV in eine Reihe von Sicherungsverfahren ein. Diese haben zum Teil abweichende zeitliche Anknüpfungspunkte, tragen jedoch zur Wertesicherung bei und können mitunter auch nebeneinander Anwendung finden. Sowohl Art. 49 Abs. 1 S. 3 EUV als auch Art. 7 Abs. 2 EUV halten weitreichende Folgen für den betroffenen Staat bereit und bedürfen zur wirksamen Beschlussfassung der Einstimmigkeit. Explizite Ausschlussgründe des Abstimmungsrechts für Fälle, in denen ein anderer Staat die Abstimmung aus Eigeninteresse blockiert bzw. in einem Parallelverfahren beteiligt ist, sehen weder Art. 49 EUV noch das übrige Vertragsrecht vor. Aus systematischen Gründen ergibt sich daher ebenfalls keine abweichende Auslegung.

Demgegenüber lässt sich nach Sinn und Zweck des Art. 7 EUV eine andere Deutung herleiten. Das Sanktionsverfahren dient der Erhaltung der Werteverbürgungen durch die Sanktionierung der Werte missachtenden Mitgliedstaaten. Wird ein Verfahren nach Art. 7 Abs. 1 UAbs. 1 S. 1 EUV gegen einen betroffenen Mitgliedstaat initiiert und hierbei eine Wertegefährdung festgestellt, erscheint es befremdlich, dass derselbe Mitgliedstaat im Rahmen des Feststellungsbeschlusses nach Art. 7 Abs. 2 EUV über eine schwerwiegende und anhaltende Verletzung eines anderen Verletzerstaates abstimmen und ein Veto einlegen kann.[883] Ein solches Ergebnis würde das Verfahren gewissermaßen ad absurdum führen.[884] Aus teleologischen Gesichtspunkten spricht deshalb vieles dafür, in einer solchen Konstellation den Stimmrechtsentzug i.S.d. Art. 7 Abs. 5 EUV i.V.m. Art. 354 Abs. 1 S. 1 AEUV im Rahmen des Feststellungsbeschlusses auf weitere Werte gefährdende Mitgliedstaaten, gegen die ein „Art. 7 EUV"-Verfahren eingeleitet wurde, auszudehnen.

Der Wortlaut der Norm lässt indes weniger Interpretationsspielraum zu. Art. 7 Abs. 2 EUV stellt klar, dass *„der Europäische Rat einstimmig feststellen [kann], dass eine Verletzung der [...] Werte [...] durch einen Mitgliedstaat vorliegt"* und verdeutlicht, dass es sich beim einstimmigen Feststellungsbeschluss nur um eine Abstimmung über die Verletzung der Werte eines Staates handelt. Dies lässt sich auf Art. 354 Abs. 1 S. 1 AEUV stützen, nach dem für *„die Zwecke des Artikels 7 des Vertrags über die Europäische Union über die Aussetzung bestimmter mit der Zugehörigkeit zur Union verbundener Rechte [...] das Mitglied des Europäischen Rates oder des Rates, das den betroffenen Mitgliedstaat vertritt, nicht stimmberechtigt"* ist. Zwar lässt die Verweisung *„[f]ür die Zwecke des Artikels 7"* zunächst erkennen, dass in jedweder Beteiligungskonstellation des „Art. 7 EUV"-Verfahrens ein Stimmrechtsverlust des Verletzerstaates droht. Die Formulierung *„das Mitglied [...], das den betroffenen Mitgliedstaat vertritt"* zeigt deutlich auf, dass nur dieses *„nicht stimmberechtigt"* ist. Diese Eindeutigkeit lässt auch die englische und französische Sprachfassung

---

[883] *Scheppele*, VerfBlog 2016/10/24.
[884] So bereits *Scheppele*, VerfBlog 2016/10/24.

erkennen. Letztlich steht damit die Wortlautgrenze des Art. 7 Abs. 2 EUV und Art. 354 Abs. 1 S. 1 AEUV dem Ansatz einer weiten Auslegung entgegen.

## c.   Zwischenergebnis

Weder die Einbindung eines Werte gefährdenden Mitgliedstaates in eine Vorfeldmaßnahme parallel zu einem Feststellungsbeschluss des Europäischen Rates gegen einen Verletzerstaat noch die Konstellation, dass sich zwei Mitgliedstaaten im Feststellungsverfahren nach Art. 7 Abs. 2 EUV befinden, führt nach dem Wortlaut des Art. 354 Abs. 1 S. 1 AEUV zu einem Stimmrechtsverlust beider Mitgliedstaaten.

## 4.   Eingeschränkte Justiziabilität der Beschlüsse

Hinsichtlich der Justiziabilität wurde bereits festgestellt, dass dem Gerichtshof mit Art. 269 AEUV keine materielle Kontrolle der tatsächlichen Gefährdung einer Verletzung bzw. einer Verletzung der Werte eröffnet ist. Der damit einhergehende verminderte Rechtsschutz des betroffenen Mitgliedstaates ist nicht minder problematisch.

Mit Blick auf den Regelungszweck des Art. 7 EUV, der die Sicherung der Werte gewährleisten soll, ist es verwunderlich, dass die Union als Rechtsgemeinschaft die Rechtsschutzgewährleistungen beschränkt. Aus systematisch-teleologischen Gesichtspunkten wäre auch hier eine vollumfängliche gerichtliche Kontrolle naheliegend.[885] Dies würde sich mit den Entschließungen des Europäischen Parlaments zum Vertrag von Amsterdam vom 19.11.1997 decken.[886] Die Gründe der Mitgliedstaaten, die gerichtliche Kontrolle zu beschränken, bleiben ungeklärt. Gewiss kann eine Besorgnis hinsichtlich der Unvorhersehbarkeit der Judikatur des EuGH unterstellt werden, die sich in der integrationsfreundlichen Auslegung des Gerichtshofs über die letzten Jahrzehnte widerspiegelte.[887] Auch kann die Besonderheit der politischen Ausgestaltung des Verfahrens, das eine rein rechtliche Kontrolle erschwert und für den Gerichtshof diesbezüglich kaum justiziabel erscheint, als Begründung herangezogen werden.[888]

Anzuerkennen ist, dass Art. 7 EUV ein einzigartiges und zugleich politisches Handlungsinstrument im Unionsrecht darstellt. Zudem muss der Rat bzw. der Europäische Rat unter Ausnutzung seines Ermessensspielraums die Sachverhalte abwägen und mitunter gravierende Eingriffe diktieren. Dem steht nicht zwingend eine materiell-inhaltliche Prü-

---

[885]   *Schorkopf*, Homogenität in der Europäischen Union, 2000, S. 192 f.; vgl. auch *Pache*, in: Vedder/Heintschel v. Heinegg, Europäisches Unionsrecht, 2. Aufl. 2018, Art. 269 AEUV Rn. 2.

[886]   In seinen Entschließungen zum Amsterdamer Vertrag vom 19.11.1997 forderte das Europäische Parlament, *„jedwede Aussetzung bestimmter Rechte eines Mitgliedstaats (Artikel 7 (ex F. 1) EUV) aufgrund einer schwerwiegenden und anhaltenden Verletzung von in Artikel 6 (ex F) genannten allgemeinen Grundsätzen durch einen Mitgliedstaat der Kontrolle des Gerichtshofs"*, zu unterstellen, ABl. EG Nr. C 371 v. 08.12.1997, S. 99 (103, Rz. 12).

[887]   *Schorkopf*, Homogenität in der Europäischen Union, 2000, S. 193.

[888]   *Pache*, in: Vedder/Heintschel v. Heinegg, Europäisches Unionsrecht, 2. Aufl. 2018, Art. 269 AEUV Rn. 2; *Schorkopf*, Homogenität in der Europäischen Union, 2000, S. 193; *Träbert*, Sanktionen der Europäischen Union gegen ihre Mitgliedstaaten, 2010, S. 432; *Puffer-Mariette*, in: v. d. Groeben/Schwarze/Hatje, Europäisches Unionsrecht, 7. Aufl. 2015, Art. 269 AEUV Rn. 2.

fungskompetenz des Gerichtshofs entgegen.[889] Vermittelnd wäre demnach eine Anpassung der Normierung des Art. 269 AEUV vorzugswürdig, die eine umfassende und damit inhaltliche Prüfungskompetenz des Gerichtshofs gewährleistet. Einschränkend muss dies unter der Bedingung erfolgen, dass den Einschätzungs- und Ermessensspielräumen der entscheidungsrelevanten Organe durch den Gerichtshof umfassend Rechnung getragen wird.[890] Damit würde ohnehin der Prüfungsumfang des Gerichtshofs kaum mehr als eine Willkürkontrolle umfassen.[891] Zugleich ist aber den Prinzipien einer Rechts- und Wertegemeinschaft Genüge getan.

## VIII. Fazit

Klarzustellen gilt es, dass dem „Art. 7 EUV"-Verfahren zu Unrecht eine Unanwendbarkeit als *„nuclear option"* attestiert wird. Hiermit wird nicht nur der vorbeugende Sicherungscharakter zur Feststellung einer Gefährdung im Wege der Vorfeldmaßnahme verkannt,[892] auch ist dessen Anwendung weder illegitim noch ein Fauxpas unter Mitgliedstaaten. Das Sanktionsverfahren stellt vielmehr das rechtlich zulässige, weil bewusst kodifizierte Verfahren bei einer tiefgreifenden Abkehr eines Mitgliedstaates vom vereinbarten Fundament der Wertegemeinschaft dar. Zudem sind die Sanktionsmöglichkeiten hinreichend bekannt und damit deren Folgen für die Mitgliedstaaten klar eingegrenzt und vorhersehbar. Insofern wird sich auch für dessen Aktivierung ausgesprochen.

Der Beitrag des Sanktionsverfahrens zur Sicherung der Werte hängt, wie auch bei allen übrigen Sicherungsmechanismen, entscheidend von seiner effektiven Anwendbarkeit in der Praxis ab. Die vorangegangene Analyse verdeutlicht bereits die Hürden des Verfahrens in seiner derzeitigen Ausgestaltung. Das sprichwörtliche „Nadelöhr" stellt unverkennbar das Einstimmigkeitserfordernis des Feststellungsbeschlusses nach Art. 7 Abs. 2 EUV dar. Bei einem Veto eines anderen Mitgliedstaates stößt das Sanktionsverfahren an seine Grenzen. Insoweit wird für eine Anpassung der Mehrheitserfordernisse plädiert.

Auf der Rechtsfolgenseite verfügt das Sanktionsverfahren über ein differenziertes und weitreichendes Repertoire zur Sicherung der Werte. Hiermit können einzelfallbezogen und für den betreffenden Mitgliedstaat spürbar spezielle Rechte entzogen werden.

Während die Mitgliedstaaten den Feststellungsbeschluss nach Art. 7 Abs. 2 EUV aufgrund der Hürde der Einstimmigkeit de facto meiden, gewährt das Frühwarnverfahren nach Art. 7 Abs. 1 EUV durch Feststellung einer Gefährdung der Werte die Informierung der europäischen Öffentlichkeit und den dadurch bedingten politischen Druck auf den Werte gefährdenden Mitgliedstaat. Die Empfehlung darf als Hilfestellung gesehen werden, die zur Sicherung der Werte beitragen kann.

---

[889]  Vgl. auch *Giegerich*, in: Calliess, Liber Amicorum für Torsten Stein, 2015, S. 499 (519).
[890]  So bereits zutreffend *Pache*, in: Vedder/Heintschel v. Heinegg, Europäisches Unionsrecht, 2. Aufl. 2018, Art. 269 AEUV Rn. 2.
[891]  *Giegerich*, in: Calliess, Liber Amicorum für Torsten Stein, 2015, S. 499 (519).
[892]  Zutreffend bereits *Pech/Scheppele*, VerfBlog 2018/3/06.

Trotz des erheblichen Verbesserungspotentials des Verfahrens in seiner derzeitigen Ausgestaltung zeigt sich dessen Nutzen in der nunmehr erfolgten praktischen Anwendung. Das Sanktionsverfahren ist im Dezember 2017 von der Europäischen Kommission bezüglich Polen[893] und im September 2018 vom Europäischen Parlament in Bezug auf Ungarn ausgelöst worden.[894] Hierbei betonte der ehemalige Vizepräsident der Europäischen Kommission *Frans Timmermans* nochmals zutreffend, dass es sich bei der Initiierung von Art. 7 Abs. 1 EUV nicht um eine *„nuclear option"* handelt.[895] Selbst bei einem Scheitern des Feststellungsbeschlusses können hieraus positive Wirkungen für die weiteren Maßnahmen zur Sicherung der Werte gezogen werden. Die gewonnenen Erkenntnisse sind zugleich für die Einleitung des im Folgenden noch zu erörternden „Wertesicherungsverfahren" nach Art. 258 AEUV i.V.m. Art. 2 S. 1 EUV dienlich.

## B.  Das Vertragsverletzungsverfahren: Ein „Wertesicherungsverfahren"

Als weiteres Verfahren zur repressiven Sicherung der Werte der Union ist das Vertragsverletzungsverfahren nach Art. 258, 260 AEUV zu nennen. Im Folgenden wird nach einem kurzen Überblick (I.) die bestehende Praxis der Kommission in Bezug auf das Vertragsverletzungsverfahren als objektives Rechtsschutzverfahren zur indirekten Sicherung der Werte (II.) dargestellt. Daran anknüpfend erfolgt die Erörterung, ob das Unionsrecht auch eine direkte Heranziehung der Werte durch das Verfahren eröffnet und wie ein solches zur Wertesicherung beitragen kann (III.). Nach der Würdigung des Verfahrens (IV.) erfolgt ein abschließendes Fazit (V.).

## I.  Überblick

Bevor auf die Regelungsmaterie und das Ziel (1.) des Vertragsverletzungsverfahrens und dessen praktische Bedeutung als Sicherungsmechanismus (2.) eingegangen wird, ist der Gesetzeswortlaut des Art. 258 AEUV voranzustellen, der lautet:

> *„Hat nach Auffassung der Kommission ein Mitgliedstaat gegen eine Verpflichtung aus den Verträgen verstoßen, so gibt sie eine mit Gründen versehene Stellungnahme hierzu ab; sie hat dem Staat zuvor Gelegenheit zur Äußerung zu geben.*
> *Kommt der Staat dieser Stellungnahme innerhalb der von der Kommission gesetzten Frist nicht nach, so kann die Kommission den Gerichtshof der Europäischen Union anrufen."*

---

[893]  Europäische Kommission, IP/17/5367, 20.12.2017.

[894]  Europäisches Parlament, 20180906IPR12104, 12.09.2018.

[895]  *Timmermans*, Opening remarks of First Vice-President Frans Timmermans, Readout of the European Commission discussion on the Rule of Law in Poland, 20.12.2017, https://ec.europa.eu/commission/presscorner/detail/en/SPEECH_17_5387 (zuletzt abgerufen: 31.01.2021 um 17:40 Uhr).

## 1.  Regelungsmaterie und Ziel

Das Vertragsverletzungsverfahren stellt sich als besondere Ausprägung der in Art. 17 Abs. 1 S. 3 EUV niedergelegten Pflicht der Kommission dar, als „Hüterin der Verträge" der Sicherung des Unionsrechts nachzukommen.[896] Die Kommission wird durch Art. 258 AEUV ermächtigt, mitgliedstaatliche Vertragsverstöße zu rügen und einer Kontrolle des Gerichtshofs zu zuführen. Dem Verfahren kommt deshalb eine ausschließlich objektiv-rechtliche Funktion zur einheitlichen Sicherstellung und Durchsetzung des Unionsrechts zu.[897] Es setzt kein Verschulden des Mitgliedstaates voraus und weist mithin auch keinen strafrechtlichen Charakter auf.[898] Die mit einer objektiven Feststellung der Verletzung durch den EuGH einhergehende „Anprangerung" des vertragsbrüchigen Mitgliedstaates stellt dennoch einen nützlichen Nebeneffekt dar.[899]

Anders als das Sanktionsverfahren, das auf die spezifische Gefährdung und Verletzung der Werte abzielt, ist mit dem Vertragsverletzungsverfahren das gesamte unionsrechtlich relevante Verhalten der Mitgliedstaaten der Kontrolle durch den Gerichtshof unterworfen.[900] Art. 258 AEUV betrifft den Verstoß einer *„Verpflichtung aus den Verträgen"*, was

---

[896]  *Karpenstein*, in: Grabitz/Hilf/Nettesheim, Das Recht der Europäischen Union, 65. EL 2018, Art. 258 AEUV Rn. 2; *Pache*, in: Vedder/Heintschel v. Heinegg, Europäisches Unionsrecht, 2. Aufl. 2018, Art. 258 AEUV Rn. 2; *Wunderlich*, in: v. d. Groeben/Schwarze/Hatje, Europäisches Unionsrecht, 7. Aufl. 2015, Art. 258 AEUV Rn. 1; *Borchardt*, in: Lenz/Borchardt, EU-Verträge, 6. Aufl. 2012, Art. 258 AEUV Rn. 1; *Pechstein*, in: Pechstein/Nowak/Häde, Frankfurter Kommentar, 2017, Art. 258 AEUV Rn. 1.

[897]  Vgl. u. a. EuGH, Rs. C-167/73, Kommission/Frankreich, Slg. 1974, 359, Rn. 15; EuGH, Rs. C-422/92, Kommission/Deutschland, Slg. 1995, I-1097, Rn. 16; EuGH, Rs. C-431/92, Kommission/Deutschland, Slg. 1995, I-2189, Rn. 21; *Schwarze/Wunderlich*, in: Schwarze, EU-Kommentar, 4. Aufl. 2019, Art. 258 AEUV Rn. 2; *Gaitanides*, in: v. d. Groeben/Schwarze, Kommentar zum EU-/EG-Vertrag, 6. Aufl. 2003, Art. 226 EGV Rn. 2; *Cremer*, in: Calliess/Ruffert, EUV/AEUV, 5. Aufl. 2016, Art. 258 AEUV Rn. 2; *Borchardt*, in: Lenz/Borchardt, EU-Verträge, 6. Aufl. 2012, Art. 258 AEUV Rn. 1 f.; *Kotzur*, in: Geiger/Khan/Kotzur, EUV/AEUV, 6. Aufl. 2017, Art. 258 AEUV Rn. 3; *Ehricke*, in: Streinz, EUV/AEUV, 3. Aufl. 2018, Art. 258 AEUV Rn. 1; *Pache*, in: Vedder/Heintschel v. Heinegg, Europäisches Unionsrecht, 2. Aufl. 2018, Art. 258 AEUV Rn. 3; *Pechstein*, in: Pechstein/Nowak/Häde, Frankfurter Kommentar, 2017, Art. 258 AEUV Rn. 5, 7. Daneben kommt dem Verfahren mittelbar auch eine individual-rechtliche Bedeutung bei Beschwerden, die von natürlichen und juristischen Personen an die Kommission herangetragen werden, zu, um auf mitgliedstaatliche Vertragsverletzungen hinzuweisen, *Ehricke*, in: Streinz, EUV/AEUV, 3. Aufl. 2018, Art. 258 AEUV Rn. 2; *Wunderlich*, in: v. d. Groeben/Schwarze/Hatje, Europäisches Unionsrecht, 7. Aufl. 2015, Art. 258 AEUV Rn. 2 m.w.N.; *Pechstein*, in: Pechstein/Nowak/Häde, Frankfurter Kommentar, 2017, Art. 258 AEUV Rn. 8.

[898]  *Schwarze/Wunderlich*, in: Schwarze, EU-Kommentar, 4. Aufl. 2019, Art. 258 AEUV Rn. 3; *Wunderlich*, in: v. d. Groeben/Schwarze/Hatje, Europäisches Unionsrecht, 7. Aufl. 2015, Art. 258 AEUV Rn. 3; *Ehricke*, in: Streinz, EUV/AEUV, 3. Aufl. 2018, Art. 258 AEUV Rn. 1; ausführlich hierzu *Wunderlich*, EuR Beih. 1/2012, 49 (49 ff.).

[899]  *Ehricke*, in: Streinz, EUV/AEUV, 3. Aufl. 2018, Art. 258 AEUV Rn. 1; *Karpenstein*, in: Grabitz/Hilf/Nettesheim, Das Recht der Europäischen Union, 65. EL 2018, Art. 258 AEUV Rn. 2; *Wunderlich*, in: v. d. Groeben/Schwarze/Hatje, Europäisches Unionsrecht, 7. Aufl. 2015, Art. 258 AEUV Rn. 3 m.w.N.; *Schwarze/Wunderlich*, in: Schwarze, EU-Kommentar, 4. Aufl. 2019, Art. 258 AEUV Rn. 3 m.w.N.; a.A. *Cremer*, in: Calliess/Ruffert, EUV/AEUV, 5. Aufl. 2016, Art. 258 AEUV Rn. 3.

[900]  *Pache*, in: Vedder/Heintschel v. Heinegg, Europäisches Unionsrecht, 2. Aufl. 2018, Art. 258 AEUV Rn. 3; *Ehricke*, in: Streinz, EUV/AEUV, 3. Aufl. 2018, Art. 258 AEUV Rn. 1; *Schwarze/Wunderlich*, in: Schwarze, EU-Kommentar, 4. Aufl. 2019, Art. 258 AEUV Rn. 2 f.

nach einhelliger Auffassung weit auszulegen ist und sämtliches Primär-, Sekundär- und Tertiärrecht, geschriebenes sowie ungeschriebenes Recht, einschließlich der vom EuGH entwickelten allgemeinen Rechtsgrundsätze umfasst.[901]

Das Verfahren ist dabei mehrstufig ausgestaltet und bedingt nach Art. 258 Abs. 2 AEUV die Durchführung eines vorgeschalteten außergerichtlichen Vorverfahrens. Dieses umfasst ein Mahnschreiben, die Gelegenheit zur Äußerung des Mitgliedstaates und eine begründete Stellungnahme, bevor nach Fristablauf eine Anrufung des Gerichtshofs durch die Kommission erfolgen kann.[902]

## 2.    Praktische Bedeutung als Sicherungsmechanismus

Die Gründerstaaten haben mit dem Vertragsverletzungsverfahren einen hinreichenden Mechanismus zur Bekämpfung von mitgliedstaatlichen Unionsrechtsverletzungen geschaffen.[903] Dessen praktische Bedeutung zur Sicherung des Vertragsrechts hat seit der Kodifizierung in ex-Art. 169 ff. EWGV in einem stetigen Maße zugenommen.[904]

In der Mehrzahl der Fälle wendet sich die Kommission gegen die mangelnde Umsetzung von Richtlinien.[905] Demgegenüber kann die Bedeutung des Vertragsverletzungsverfahrens auch in Bezug auf die vom Sanktionsverfahren nach Art. 7 EUV geschützten Verfassungsprinzipien noch zunehmen. Bisweilen adressiert die Kommission nicht die Werte selbst, um eine Verletzung der Verfassungsprinzipien durch einen Mitgliedstaat anzuklagen. Vielmehr zieht sie zur Feststellung eines Verstoßes Einzelregelungen, die zwar Ausprägungen eines Wertes darstellen, dessen Gewährleistungsgehalt mitunter nicht vollständig nachbilden, heran. Greift das Sanktionsverfahren zur Durchsetzung der Werte gegenüber autoritär geführten Mitgliedstaaten aus politischen Gründen nicht durch, stellt sich unweigerlich die Frage der direkten Sicherung der Werte durch das Vertragsverletzungsverfahren.[906] Die Kommission scheute bislang das Novum der Vorlage eines Werteverstoßes vor dem Gerichtshof im Wege des Art. 258 AEUV i.V.m. Art. 2 S. 1 EUV. Warum das

---

[901]  *Schwarze*, in: Schwarze, EU-Kommentar, 4. Aufl. 2019, Art. 258 AEUV Rn. 7; *Pache*, in: Vedder/Heintschel v. Heinegg, Europäisches Unionsrecht, 2. Aufl. 2018, Art. 258 AEUV Rn. 4; *Wunderlich*, in: v. d. Groeben/Schwarze/Hatje, Europäisches Unionsrecht, 7. Aufl. 2015, Art. 258 AEUV Rn. 5; *Ehricke*, in: Streinz, EUV/AEUV, 3. Aufl. 2018, Art. 258 AEUV Rn. 6; *Cremer*, in: Calliess/Ruffert, EUV/AEUV, 5. Aufl. 2016, Art. 258 AEUV Rn. 33; *Karpenstein*, in: Grabitz/Hilf/Nettesheim, Das Recht der Europäischen Union, 65. EL 2018, Art. 258 AEUV Rn. 29; *Borchardt*, in: Lenz/Borchardt, EU-Verträge, 6. Aufl. 2012, Art. 258 AEUV Rn. 4 f.

[902]  *Schroeder*, Grundkurs Europarecht, 6. Aufl. 2019, § 9 Rn. 23; *Gurreck/Otto*, JuS 2015, 1079 (1080); *Wunderlich*, in: v. d. Groeben/Schwarze/Hatje, Europäisches Unionsrecht, 7. Aufl. 2015, Art. 258 AEUV Rn. 14 ff.; *Cremer*, in: Calliess/Ruffert, EUV/AEUV, 5. Aufl. 2016, Art. 258 AEUV Rn. 5 ff.

[903]  *Karpenstein*, in: Grabitz/Hilf/Nettesheim, Das Recht der Europäischen Union, 65. EL 2018, Art. 258 AEUV Rn. 1; *Cremer*, in: Calliess/Ruffert, EUV/AEUV, 5. Aufl. 2016, Art. 258 AEUV Rn. 2.

[904]  Waren es in den Jahren 1953 bis 1980 nur insgesamt 116 Fälle, die die Kommission vor den Gerichtshof brachte, so waren Ende 2015 insgesamt 1368 Vertragsverletzungsverfahren anhängig, *Ehricke*, in: Streinz, EUV/AEUV, 3. Aufl. 2018, Art. 258 AEUV Rn. 4.

[905]  *Ehricke*, in: Streinz, EUV/AEUV, 3. Aufl. 2018, Art. 258 AEUV Rn. 4; vgl. KOM (2016) 463 endg., 15.07.2016, S. 30.

[906]  So auch *Karpenstein*, in: Grabitz/Hilf/Nettesheim, Das Recht der Europäischen Union, 65. EL 2018, Art. 258 AEUV Rn. 10.

Vertragsverletzungsverfahren als direktes „Wertesicherungsverfahren" zur Durchsetzung der Verfassungsprinzipien notwendig ist und inwiefern es sich hierzu eignet, wird nachfolgend erörtert.

## II.  Die begrenzte Anwendung des Vertragsverletzungsverfahrens zur Wertesicherung

Zunächst wird die besondere Rolle der Kommission für dieses Verfahren (1.) dargelegt. Daran anknüpfend erfolgt die Darstellung der bestehenden Praxis der indirekten Wertesicherung der Kommission durch das Vertragsverletzungsverfahren (2.) sowie die sich hieraus ergebende unzureichende Kompensation des Werteverstoßes (3.), bevor nach der Operationalisierung der Werte durch den EuGH (4.) mit einem Zwischenergebnis (5.) abgeschlossen wird.

### 1.  Kommission als Initiator der Ahndung eines Unionsrechtsverstoßes

Die Einhaltung und Anwendung des Unionsrechts ist für die Union als Rechts- und Wertegemeinschaft von zentraler Bedeutung, um ihre Legitimität und Autorität gegenüber ihren Mitgliedstaaten zu wahren. Eine Untersuchung und Unterbreitung der mitgliedstaatlichen Verfehlungen vor dem Gerichtshof ist jedoch nicht die zwingende Folge. Vielmehr steht der Kommission ein Ermessen hinsichtlich der Frage zu, ob sie ein Vertragsverletzungsverfahren gegen einen Mitgliedstaat forcieren will.[907]

Grundsätzlich ist zu erwarten, dass das entscheidende Kriterium für eine Initiative der Kommission die Schwere des unionalen Rechtsverstoßes bildet.[908] Insoweit dürften Unionsrechtsverstöße, welche die Werte der Union tangieren, eine umgehende Reaktion durch die Kommission zur Folge haben.

In ihrer Mitteilung „EU-Recht: Bessere Ergebnisse durch bessere Anwendung"[909] vom 19.01.2017 legt die Kommission hinsichtlich ihres Ermessensspielraums ihre Prioritätensetzung für die Maßnahmen zur Rechtsdurchsetzung dar. Demnach sollte sie ihren „*Ermessensspielraum auf strategische Weise nutzen und in erster Linie die schwerwiegendsten Verstöße gegen das EU-Recht verfolgen, die die Interessen der Bürger und der Wirtschaft beeinträchtigen*".[910] Denjenigen Verstößen wird sie „*oberste Priorität einräumen, durch die systemische Schwächen zutage treten, die das Funktionieren des institutionellen Rahmens der EU beeinträchtigen. Dies gilt insbesondere für Verstöße, die Auswirkungen auf die Fä-*

---

[907]  Siehe hierzu nur EuGH, Rs. C-317/92, Kommission/Deutschland, Slg. 1994, I-2039, Rn. 4; EuGH, Rs. C-562/07, Kommission/Spanien, Slg. 2009, I-9553, Rn. 18 ff.; EuGH, Rs. C-531/06, Kommission/Italien, Slg. 2009, I-4103, Rn. 23 f.; *Wunderlich*, in: v. d. Groeben/Schwarze/Hatje, Europäisches Unionsrecht, 7. Aufl. 2015, Art. 258 AEUV Rn. 1; *Ehricke*, in: Streinz, EUV/AEUV, 3. Aufl. 2018, Art. 258 AEUV Rn. 30.

[908]  So bereits *Hellwig*, EuZW 2018, 222 (226).

[909]  ABl. EU Nr. C 18/10 v. 19.01.2017.

[910]  ABl. EU Nr. C 18/10 v. 19.01.2017, S. 14.

*higkeit der nationalen Rechtssysteme haben, zur wirksamen Durchsetzung des EU-Rechts beizutragen.*"[911]

Deutlich wird, dass die Kommission versäumt hat, die Werte als Ausgangspunkt für ihre Ermessenserwägung im Bewusstsein der Regierungen der Mitgliedstaaten zu etablieren und damit deren zentrale Bedeutung für die Sicherung des Unionsrechts zu manifestieren. Zwar erwähnt die Kommission bei ihrem strategischen Ansatz zur Rechtsdurchsetzung ein Einschreiten zu Gunsten der Werte nicht ausdrücklich, gleichwohl darf mit der Priorisierung auf *„systemische Schwächen"* und der Erwähnung von Verstößen, die die Auswirkungen auf die *„Fähigkeiten der nationalen Rechtssysteme"* haben, eine Bezugnahme zu diesen nicht verkannt werden. Dies wird umso deutlicher, weil die Kommission *„entschlossen gegen Verstöße vorgehen [wird], die der Verwirklichung wichtiger politischer Ziele der EU entgegenstehen"*. Die Werte der Union als zentraler Bestandteil und wichtiges politisches Ziel der EU sind somit umfasst. Inwieweit hierdurch eine eigens auferlegte Ermessensreduktion des Initiativrechts der Kommission bei Werteverletzungen zu sehen ist, bleibt offen.

## 2.    Bisherige Praxis der (indirekten) Wertesicherung

Die Kommission konnte mit ihrer bisherigen Praxis, nur gegen Einzelverstöße vorzugehen, ihrer Aufgabe der Sicherung der Werte nicht gerecht werden. Dies zeigt sich exemplarisch am Beispiel Polens, dessen Regierung sich mit seiner Justizreform ein Katz-und-Maus-Spiel mit der Kommission liefert.[912] Alleine in den Jahren 2016 und 2017 verabschiedete Polen über 13 Gesetze, die das polnische Justizsystem – insbesondere den Verfassungsgerichtshof, das Oberste Gericht, die ordentlichen Gerichte, die Strafverfolgung, die Staatliche Hochschule für Richter und Staatsanwälte – tangierten und die Exekutive und Legislative systematisch befähigten, entscheidend Einfluss auszuüben.[913]

Hierbei ist exemplarisch das Verfahren vor dem EuGH vom 15.03.2018 gegen die polnische Regierung wegen der Verletzung des Unionsrechts durch das Gesetz über die ordentlichen Gerichte, speziell die neue Pensionsregelung zu nennen,[914] worüber der Gerichtshof inzwischen entschieden hat.[915] Hintergrund waren die Bedenken der Kommission, dass eine Diskriminierung aufgrund des Geschlechts durch das Gesetz erfolge, indem das Pensionsalter von Richterinnen auf 60 Jahre und für Richter auf 65 Jahre festgelegt wurde. Das Gebot der Gleichheit ist in Art. 2 S. 1 EUV ausdrücklich genannt und findet sogar in Art. 2 S. 2 EUV eine spezielle Erwähnung. Dennoch ließ die Kommission die Werteklausel unerwähnt. Sie knüpfte an einen konkreten Verstoß gegen die Richtlinie 2006/54[916] sowie gegen Art. 157 AEUV an. Zudem sah die Kommission durch die im Ge-

---

[911]   ABl. EU Nr. C 18/10 v. 19.01.2017, S. 14.

[912]   *Lagodinsky*, Heinrich Böll Stiftung, v. 30.07.2018, https://www.boell.de/de/2018/07/30/polen-eugh-urteil-faire-verfahren-und-unabhaengige-gerichte (zuletzt abgerufen: 31.01.2021 um 15:00 Uhr); vgl. Europäische Kommission, IP/17/5367, 20.12.2017.

[913]   Europäische Kommission, MEMO/17/5368, 20.12.2017; vgl. auch KOM (2017) 835 endg., 20.12.2017.

[914]   Europäische Kommission, STATEMENT/19/6225, 05.11.2019.

[915]   EuGH, Rs. C-192/18, Kommission/Polen, ECLI:EU:C:2019:924.

[916]   ABl. EU Nr. L 204/23 v. 26.07.2006.

setz geregelte Ermessensbefugnis des Justizministers, der die Möglichkeit erhält, Einfluss auf Richter zu nehmen, die Unabhängigkeit der polnischen Gerichte gefährdet.[917] Dies begründete die Kommission mit den vagen Kriterien bzgl. der Amtszeitverlängerung und fehlenden Fristen für einen solchen Beschluss.[918] Für einen Verstoß gegen die Unabhängigkeit der Gerichte als Ausfluss der Rechtsstaatlichkeit knüpfte die Kommission wiederum an Art. 19 Abs. 1 UAbs. 2 EUV i.V.m. Art. 47 GRCh an.[919]

Ähnliche Umstände lagen auch der Erhebung der späteren Vertragsverletzungsklage vom 02.10.2018 gegen Polen hinsichtlich der Unabhängigkeit des Obersten Gerichts zu Grunde,[920] welche im Jahre 2019 durch den Gerichtshof entschieden wurde.[921] Gegenstand war auch hier ein polnisches Gesetz, das auf die Herabsetzung des Pensionsalters für Richter am Obersten Gericht von 70 auf 65 Jahre abzielte.[922] Wirksame innerstaatliche Rechtsschutzmöglichkeiten nach europäischen Standards waren gegen die Verkürzung der Amtszeit nicht vorhanden. Auch konnte gegen eine Ablehnung des Antrags auf Verlängerung der Amtszeit durch den Präsidenten der Republik keine gerichtliche Überprüfung erfolgen. Hierin erblickte die Kommission zutreffend den Grundsatz der richterlichen Unabhängigkeit verletzt und die Unabsetzbarkeit von Richtern untergraben.[923] Insoweit stand der Verstoß gegen das Rechtsstaatsprinzip im Raum. Dennoch unterblieb eine direkte Bezugnahme auf Art. 2 S. 1 EUV durch die Kommission. Diese stützte sich wiederum auf Art. 19 Abs. 1 UAbs. 2 EUV i.V.m. Art. 47 GRCh.[924]

Anzumerken ist, dass eine Diskriminierung sowie die Verletzung der Unabhängigkeit der Gerichte einen Verstoß gegen die von der Kommission angeführten Regelungen begründen. Betrachtet man allerdings die Summe der polnischen Gesetzesänderungen, zeigt sich ein weitreichenderer Angriff, der über punktuelle Verstöße gegen das Justizsystem hinausgeht.[925] Das Vertragsverletzungsverfahren greift in diesem Fall zu kurz. Die Beweggründe für die Gesetze beiseitegestellt, zielen deren Rechtsfolgen auf die Unabhängigkeit der Justiz, die Gewaltenteilung und damit auf die Rechtsstaatlichkeit ab und tangieren ein fundamentales Verfassungsprinzip des Art. 2 S. 1 EUV.[926] Allerdings meidet es die Kommission, bewusst oder unbewusst, den tatsächlichen Auswirkungen der mit der Gesetzgebung einhergehenden Folgen unter Heranziehung des Art. 2 S. 1 EUV eine stärkere Bedeutung und Aufmerksamkeit beizumessen. Stattdessen scheint es, als versuche sie durch die Adressierung von Einzelverstößen eine mittelbare Einhaltung der Werte zu erreichen.

---

[917]   Europäische Kommission, IP/17/3186, 12.09.2017.
[918]   Europäische Kommission, IP/17/3186, 12.09.2017.
[919]   Ausführlich hierzu *Nickel*, EuR 2017, 663 (671 ff.).
[920]   Europäische Kommission, IP/18/5830, 24.09.2018.
[921]   EuGH, Rs. C-619/18, Kommission/Polen, ECLI:EU:C:2019:531.
[922]   Die Herabsetzung betraf 27 der 72 amtierenden Richter und würde auch die Erste Präsidentin des Gerichts in den vorzeitigen Ruhestand schicken.
[923]   Europäische Kommission, IP/18/5830, 24.09.2018.
[924]   So bereits *Nickel*, EuR 2017, 663 (673).
[925]   Europäische Kommission, MEMO/17/5368, 20.12.2017.
[926]   *Kornmeier*, Legal Tribune Online v. 28.2.2018, https://www.lto.de/recht/justiz/j/eugh-c6416-richterliche-unabhaengigkeit-justiz-polen-portugal-bezuege-kuerzen/ (zuletzt abgerufen: 31.01.2021 um 15:30 Uhr).

Ähnlich verhält es sich bzgl. des Verfahrens mit Ungarn, in dem die Kommission ebenfalls einen Verstoß gegen die Unabhängigkeit der Justiz annimmt.[927]

## 3. Unzureichende Kompensation der zu Grunde liegenden Werteverletzung

Zwar kommt einem Urteil i.S.d. Art. 260 Abs. 1 AEUV nur eine feststellende Wirkung zu. Dennoch hat es dahingehende Bindungswirkung, dass der betroffene Mitgliedstaat den als unionsrechtswidrig festgestellten Zustand im innerstaatlichen Recht abzustellen hat.[928] Problematisch ist dies, wenn Werte gefährdende nationale Maßnahmen durchgeführt, jedoch nur konkrete Einzelrechtsverstöße im Wege des Vertragsverletzungsverfahrens durch die Kommission vor den EuGH gebracht werden. Die Feststellung durch den Gerichtshof ist in einem solchen Fall wenig zielführend. Infolge unzureichender Abbildung des Werteverstoßes durch die Vorlage des Einzelrechtsverstoßes wird der Gerichtshof nicht in die Lage versetzt, eine Verletzung des Art. 2 S. 1 EUV anzuerkennen. Ein daraufhin ergehendes Feststellungsurteil hat das unbefriedigende Ergebnis, dass das Vertragsverletzungsverfahren seine Funktion, die Einhaltung des Vertragsrechts und somit die Einstellung der Werteverletzung zu sichern, nicht gewährleisten kann.

Exemplarisch hierfür zu nennen ist das Vertragsverletzungsverfahren der Kommission vom 07.06.2012 gegen die ungarische Regierung wegen der Herabsetzung des gesetzlichen Rentenalters für Richter, Staatsanwälte und öffentliche Notare.[929] Hintergrund war der Beschluss der ungarischen Regierung, der auf die plötzliche Absenkung des Rentenalters von 70 auf 62 Jahren für Richter, Staatsanwälte und Notare abzielte.[930] Dies hätte für das Jahr 2012 den vorzeitigen Ruhestand für 236 Richter (etwa 10 % aller amtierenden Richter), darunter auch ein Viertel der Richter des Obersten Gerichtshofs, bedeutet. Für die Neubesetzung der Stellen griff Ungarn auf ein neues Verfahren zurück, das die Richterwahl dem Präsidenten des Nationalen Gerichtsamts, einer neuen politischen Institution, überantwortete und diese somit der Justiz entzog. Damit wurde die bisherige Praxis durch einen politischen Prozess ersetzt.[931] Zudem wurde dem Präsidenten des Nationalen Gerichtsamts die Befugnis übertragen, nach seinem Ermessen amtierende Richter insbesondere zu befördern, neu zuzuweisen oder sogar zu disziplinieren sowie Gerichtsverfahren an andere Stellen zu verweisen und so effektiv die Richter für einen Prozess auswählen zu können.[932] Die Einsetzung von regierungsparteinahen Richtern wird kaum von der Hand

---

[927]  Europäische Kommission, IP/12/395, 25.04.2012.

[928]  EuGH, Rs. C-101/91, Kommission/Italien, Slg. 1993, I-191, Rn. 24; EuGH, C-48/71, Kommission/Italien, Slg. 1972, 529, Rn. 5/10; *Ehricke*, in: Streinz, EUV/AEUV, 3. Aufl. 2018, Art. 258 AEUV Rn. 38; *Cremer*, in: Calliess/Ruffert, EUV/AEUV, 5. Aufl. 2016, Art. 260 AEUV Rn. 4 f.; *Wunderlich*, in: v. d. Groeben/Schwarze/Hatje, Europäisches Unionsrecht, 7. Aufl. 2015, Art. 260 AEUV Rn. 6; *Schwarze/Wunderlich*, in: Schwarze, EU-Kommentar, 4. Aufl. 2019, Art. 260 AEUV Rn. 5; *Karpenstein*, in: Grabitz/Hilf/Nettesheim, Das Recht der Europäischen Union, 65. EL 2018, Art. 260 AEUV Rn. 9.

[929]  EuGH, Rs. C-286/12, Kommission/Ungarn, ECLI:EU:C:2012:687.

[930]  Europäische Kommission, IP/12/395, 25.04.2012.

[931]  *Scheppele*, VerfBlog, 2013/11/01.

[932]  Vgl. hierzu die ungarischen Gesetzesänderungen, Venedig-Kommission, Opinion 663/2012, 15.02.2012, CDL-REF(2012)006; Venedig-Kommission, Opinion 663/2012, 15.02.2012, CDL-REF(2012)007.

zu weisen sein.[933] Die weitreichenden Befugnisse des Präsidenten des Nationalen Gerichtsamts, auf die Justiz Einfluss zu nehmen, offenbaren eine Gefährdung der Rechtsstaatlichkeit.[934]

Alleiniger Anknüpfungspunkt im Vertragsverletzungsverfahren für die Kommission war der Verstoß gegen die Richtlinie 2000/78/EG[935] zur Altersdiskriminierung. Trotz der Verurteilung Ungarns durch den EuGH wegen des Verstoßes gegen die Richtlinie verbunden mit der Aufforderung zur Wiedereinstellung der betroffenen Richter hatte die ungarische Regierung zwischenzeitlich „vollendete" Tatsachen geschaffen.[936] Zwar bot sie den zu Unrecht pensionierten Richtern nach dem Urteil eine Rückkehr in die Justiz an. Indem sie jedoch in der Zwischenzeit bereits die Richterposten neu besetzt hatte, gab es die früheren Führungspositionen nicht mehr, in die sie hätten zurückkehren können.[937] Ferner wurde ihnen nur eine Rückkehr auf andere und niedrigere Positionen gewährt und alternativ eine Entschädigungszahlung für das endgültige Ausscheiden angeboten, was die meisten Richter auch annahmen.[938] Kein Richter ist in seine ehemalige Führungsposition zurückgekehrt. Insoweit wird deutlich, dass die ungarische Regierung die Einflussnahme auf die Justiz und die Besetzung der Führungspositionen mit linientreuen Richtern trotz eines erfolgreichen Vertragsverletzungsverfahrens nach ihrem Willen gestalten und die Bedenken gegenüber der Rechtsstaatlichkeit in Ungarn nicht aus dem Weg räumen konnte.[939]

Zweifellos kann eine Wiedereinsetzung der Richter nicht erfolgen, wenn diese bereits eine Entschädigungszahlung angenommen haben und bereitwillig ausscheiden. Dennoch zeigt dieser Fall, dass die Kommission sich unzureichend gegenüber Ungarn in ihren Bemühungen zur Einhaltung der Rechtsstaatlichkeit positioniert hat, indem sie auf einzelne Vertragsverletzungsverfahren nach dem EU-Diskriminierungsrecht rekurrierte.[940] Die zu Recht auch von der Venedig-Kommission als kritisch beäugte Einflussnahme der Regierung auf die Judikative durch den Präsidenten des Nationalen Gerichtsamts hat die Kommission im Wege dieses Vertragsverletzungsverfahrens indes nicht angesprochen.[941] Somit wurde durch das Vertragsverletzungsverfahren die Situation in Ungarn in Bezug auf die Unabhängigkeit der Justiz praktisch nicht verändert.

---

[933]  *Kochenov*, HJRL 2015, 153 (166).

[934]  *Scheppele*, Krugman Blog, The Conscience of a Liberal, New York Times, 2012/03/10, https://krugman. blogs.nytimes.com/2012/03/10/first-lets-pick-all-the-judges/ (zuletzt abgerufen: 31.01.2021 um 11:19 Uhr).

[935]  ABl. EG Nr. L 303/16 v. 02.12.2000.

[936]  EuGH, Rs. C-286/12, Kommission/Ungarn, ECLI:EU:C:2012:687, Rn. 81.

[937]  *Scheppele*, VerfBlog, 2013/11/01.

[938]  *Scheppele*, VerfBlog, 2013/11/01.

[939]  Zutreffend bereits *Scheppele*, VerfBlog, 2013/11/01; *Kochenov*, HJRL 2015, 153 (166).

[940]  So auch *Scheppele*, VerfBlog, 2013/11/01.

[941]  Venedig-Kommission, Opinion 663/2012, 19.03.2012, CDL-AD(2012)001.

## 4.    Die Operationalisierung der Werte durch den EuGH

Eine Verletzung des Werts der Rechtsstaatlichkeit hat der Gerichtshof inzwischen auch ohne Vorbringen durch die Kommission anerkannt.[942] Wegweisend für die Entscheidung über eine Werteverletzung durch Polen im Juni 2019 war, wie bereits erörtert, das Urteil in der Rechtssache *ASJP*.[943] Trotz der aufgrund einstweiliger Anordnung erfolgten Beseitigung der Werte verletzenden Maßnahme durch Polen kommt dem Urteil entscheidende Relevanz zu. Erstmalig stellte der Gerichtshof im Wege des Vertragsverletzungsverfahrens fest, dass eine nationale Maßnahme den Art. 19 Abs. 1 UAbs. 2 EUV als Konkretisierung des in Art. 2 S. 1 EUV kodifizierten Werts der Rechtsstaatlichkeit verletzt.[944] Namentlich richtet der Gerichtshof seine Entscheidungsbegründung verstärkt auf die Werteverbürgungen aus.[945] Der EuGH erinnert Polen daran, *„dass die Union – wie sich aus Art. 49 EUV ergibt, [...] – aus Staaten besteht, die die in Art. 2 EUV genannten Werte von sich aus und freiwillig übernommen haben, diese achten und sich für deren Förderung einsetzen, so dass das Unionsrecht auf der grundlegenden Prämisse beruht, dass jeder Mitgliedstaat mit allen übrigen Mitgliedstaaten eine Reihe gemeinsamer Werte teilt und anerkennt, dass diese sie mit ihm teilen"*.[946] Als Konkretisierung der Rechtsstaatlichkeit verpflichtet Art. 19 EUV *„die volle Anwendung des Unionsrechts in allen Mitgliedstaaten und den gerichtlichen Schutz, die den Einzelnen aus diesem Recht erwachsen, zu gewährleisten"*.[947] Damit unterliegt nach Auffassung des Gerichtshofs auch die mitgliedstaatliche Ausgestaltung der Justizstrukturen – vorliegend das Dienstalter und die Unabhängigkeit der polnischen Richter – einer unionsrechtlichen Überprüfung.[948] Nach Ansicht des EuGH muss der Anwendungsbereich der Grundrechtecharta (Art. 51 Abs. 1 GRCh) nicht eröffnet sein, sondern vielmehr bildet Art. 19 Abs. 1 UAbs. 2 EUV den dogmatischen Anknüpfungspunkt.[949] In einer umfassenden Begründung legt der Gerichtshof dar, dass die Herabsetzung des Ruhestandsalters der Richter mit den Grundsätzen der richterlichen Unabhängigkeit[950] und die Möglichkeit des Präsidenten, nach seinem Ermessen darüber zu entscheiden, ob die Amtszeit eines Richters verlängert wird, mit den Grundsätzen der Unabhängigkeit und Unparteilichkeit der Gerichte unvereinbar ist.[951] Zweifel an der Unabhängigkeit hat der Gerichtshof insbesondere aufgrund der Ausgestaltung der Justizreform und der mit ihr verfolgten Ziele,[952] aber auch an den Voraussetzungen und Modalitäten hinsichtlich der

---

[942]   EuGH, Rs. C-619/18, Kommission/Polen, ECLI:EU:C:2019:531; eingehend *Hering*, DÖV 2020, 293 (293 ff.); EuGH, Rs. C-192/18, Kommission/Polen, ECLI:EU:C:2019:924.

[943]   Vgl. hierzu unter IV. Die Erstarkung der Werte zu justiziablen Verfassungsprinzipien, S. 11 ff.

[944]   *Hering*, DÖV 2020, 293 (293).

[945]   *Schorkopf*, NJW 2019, 3418 (3421).

[946]   EuGH, Rs. C-619/18, Kommission/Polen, ECLI:EU:C:2019:531, Rn. 42.

[947]   EuGH, Rs. C-619/18, Kommission/Polen, ECLI:EU:C:2019:531, Rn. 47.

[948]   *Schorkopf*, NJW 2019, 3418 (3421).

[949]   EuGH, Rs. C-619/18, Kommission/Polen, ECLI:EU:C:2019:531, Rn. 50, 59.

[950]   EuGH, Rs. C-619/18, Kommission/Polen, ECLI:EU:C:2019:531, Rn. 71 ff.

[951]   EuGH, Rs. C-619/18, Kommission/Polen, ECLI:EU:C:2019:531, Rn. 108 ff.

[952]   EuGH, Rs. C-619/18, Kommission/Polen, ECLI:EU:C:2019:531, Rn. 81 ff.

Entscheidung über die Verlängerung der Amtszeit,[953] da die Richter vor Druck von außen geschützt werden müssen.[954]

Damit stellt der EuGH ausdrücklich klar, dass im Rahmen des Vertragsverletzungsverfahrens die Möglichkeit besteht, über die Vereinbarkeit der Ausgestaltung eines mitgliedstaatlichen Gerichtswesens mit Art. 19 Abs. 1 UAbs. 2 EUV als Konkretisierung des Wertes der Rechtsstaatlichkeit zu entscheiden. Der Wert der Rechtsstaatlichkeit i.S.d. Art. 2 S. 1 EUV wird hierbei, wie bereits in der Rechtssache *ASJP*,[955] nur mittelbar vom EuGH herangezogen. Erforderlich ist nicht der Kontext, in welchem die Mitgliedstaaten das Unionsrecht durchführen, sondern der vom Unionsrecht determinierte Bereich. Auch rein innerstaatliche Sachverhalte stehen somit bei einem ausreichenden Wertebezug einer Kontrollzuständigkeit des EuGH offen.[956] Damit stärkte der Gerichtshof nicht nur die Werte, sondern auch das Vertragsverletzungsverfahren als entscheidendes Instrument der Wertesicherung.[957] Insoweit folgt auch diese Ausweitung des Anwendungsbereichs des Unionsrechts dem vom EuGH seit Jahren gesetzten Trend.[958]

## 5.  Zwischenergebnis

Die Praxis der Kommission beim Vertragsverletzungsverfahren stößt an ihre Grenzen, wenn es nicht zu isolierten Einzelverstößen kommt, sondern eine Abkehr des gesamten institutionellen Systems des Mitgliedstaates von den Werten erfolgt. Verstöße gegen das Rechtsstaatprinzip können, wie der Fall Polen und Ungarn zeigt, nur bedingt durch isolierte Vertragsverletzungsverfahren ohne Heranziehung des Art. 2 S. 1 EUV problemlösend vor den Gerichtshof gebracht und somit im Ganzen abgestellt werden. Grund hierfür ist, dass die Adressierung isolierter Verstöße den Gerichtshof mitunter nicht ausreichend in die Lage versetzt, Werte gefährdende institutionelle Strukturen im Ganzen zu erfassen und zu beurteilen.[959] Zum einen können Einzelmaßnahmen gegebenenfalls gerechtfertigt sein. Zum anderen wird grundsätzlich nicht einheitlich, sondern in unterschiedlichen Ausschüssen zu unterschiedlichen Zeitpunkten judiziert. Dem kann auch durch die Bildung einer Großen Kammer nicht zielführend begegnet werden.[960]

Die jüngere Rechtsprechung des Gerichtshofs seit 2018 zur Unterbindung von Werteverletzungen ist zu begrüßen. Sie stellt einen geeigneten Weg dar, den Werteverfall in einzelnen Mitgliedstaaten zu verlangsamen. Inwieweit sich diese Praxis der Operationalisierung der Werte aber auch eignet, die anhaltende „Wertekrise" insgesamt zu stoppen, bleibt abzuwarten. Die beiden Urteile des Gerichtshofs beschränken sich nur auf einzelne Maßnahmen Polens. Die Problematik der autoritär geführten Mitgliedstaaten wie Polen

---

[953]  EuGH, Rs. C-619/18, Kommission/Polen, ECLI:EU:C:2019:531, Rn. 108, 111 ff.
[954]  Ausführlich *Hering*, DÖV 2020, 293 (295 f.).
[955]  *v. Bogdandy/Spieker*, EuConst 2019, 391 (416 ff.).
[956]  *Hering*, DÖV 2020, 293 (302).
[957]  So auch *Hilf/Schorkopf*, in: Grabitz/Hilf/Nettesheim, Das Recht der Europäischen Union, 70. EL 2020, Art. 2 EUV Rn. 46b.
[958]  So auch *Hering*, DÖV 2020, 293 (302).
[959]  *Scheppele*, VerfBlog, 2013/11/01.
[960]  Zutreffend bereits *Scheppele*, VerfBlog, 2013/11/01.

und Ungarn, die sich insbesondere mit ihrer stetigen Gesetzgebung in Abkehr von unionsrechtlichen Mindestanforderungen i.S.d. Art. 2 S. 1 EUV befinden und damit die Werte umfassend unterminieren,[961] bedarf einer umfassenderen Antwort der Union.[962] Insofern wird dem Vertragsverletzungsverfahren noch ein größeres Potential als Sicherungsmechanismus zugemessen. Daher wird im Folgenden die Möglichkeit einer direkten Heranziehung der Werte im Vertragsverletzungsverfahren zur Wertesicherung erörtert.

## III.  Die Ausweitung des Anwendungsbereichs zur direkten Wertesicherung

Da die gegenwärtige Anwendungspraxis des Art. 258 AEUV keinen ausreichenden Schutz der Werte ermöglicht, stellt sich im Folgenden zunächst die Frage, ob eine direkte Sicherung des Art. 2 S. 1 EUV über dieses Institut gedeckt ist (1.) und damit zu einem „Wertesicherungsverfahren" erstarken kann. Daran anknüpfend wird der Umfang zur Feststellung eines Werteverstoßes (2.) sowie die in Betracht zu ziehenden Anknüpfungspunkte beim mitgliedstaatlichen Fehlverhalten (3.) erörtert. Anschließend wird die Rechtsfolgenseite mit dem Feststellungs- (4.) und Sanktionsbeschluss (5.) auf die Effektivität zur Sicherung der Werte beleuchtet.

## 1.  Verstoß gegen eine „Verpflichtung aus den Verträgen" – die Werte als Klagegegenstand

Damit das Vertragsverletzungsverfahren als repressiver Sicherungsmechanismus an der direkten Wertesicherung partizipieren kann, müssen die Werte selbst Klagegegenstand sein.[963] Auch wenn die Kommission zuweilen bei der Auslegung des Verfahrensgegenstandes zurückhaltend agierte, verlangt der Wortlaut des Art. 258 Abs. 1 AEUV nur, dass *„ein Mitgliedstaat gegen eine Verpflichtung aus den Verträgen verstoßen"* muss.[964] Verfahrensgegenstand ist damit ein Verstoß gegen die Unionsverträge selbst.[965] Entgegen der Beschränkung des Wortlauts wird nach überzeugender Auffassung in der Literatur der

---

[961]   Vgl. Venedig-Kommission, Opinion 977/2019, 16.01.2020, CDL-PI(2020)002; Venedig-Kommission, Opinion 943/2018, 19.03.2019, CDL-AD(2019)004.

[962]   So wohl auch *Hering*, DÖV 2020, 293 (302).

[963]   Zur Sicherung der Werte unter der Beteiligung des EuGH werden in der Literatur unterschiedliche Ansätze vorgeschlagen auf die hier nicht näher eingegangen wird, vgl. daher weiterführend nur *v. Bogdandy/ Kottmann/Antpöhler/Dickschen/Hentrei/Smrkolj*, ZaöRV 2012, 45 (45 ff.); *v. Bogdandy/Antpöhler/Dickschen/Hentrei/Kottmann/Smrkolj*, in: v. Bogdandy/Sonnevend, Constitutional Crisis in the European Constitutional Area, 2015, S. 235 (235 ff.); *Closa/Kochenov/Weiler*, EUI Working Paper RSCAS 2014/25, 2014, S. 15 ff. m.w.N.

[964]   ABl. EU Nr. C 306/01 v. 17.12.2007.

[965]   *Schwarze/Wunderlich*, in: Schwarze, EU-Kommentar, 4. Aufl. 2019, Art. 258 AEUV Rn. 4, 7; *Ehricke*, in: Streinz, EUV/AEUV, 3. Aufl. 2018, Art. 258 AEUV Rn. 1.

Begriff der *„Verpflichtung aus den Verträgen"* weit ausgelegt.[966] Eine Beschränkung auf den EU- und AEU-Vertrag wäre im Hinblick auf die Funktion als Sicherungsverfahren nicht systemgerecht. Wie vorausgehend erwähnt, wird in der Literatur das gesamte Primär- und Sekundärrecht sowie das geschriebene und ungeschriebene Recht, einschließlich der durch den Gerichtshof entwickelten allgemeinen Rechtsgrundsätze, von Art. 258 Abs. 1 AEUV als erfasst angesehen.[967]

Früher wurde eine Heranziehung der vormals als Homogenitätsprinzipien bezeichneten Werte in Ermangelung einer ausdrücklichen Regelung für das als Vertragsaufsichtsverfahren bezeichnete Vertragsverletzungsverfahren verneint.[968] Noch bevor das Vertragsverletzungsverfahren mit dem Lissabonner Reformvertrag in seine jetzige Fassung überführt wurde, lautete die Vorgängernorm ex-Art. 226 EGV-Nizza (ex-Art. 169 EWGV) auf *„Verpflichtung aus diesem Vertrag"*.[969] Die Beschränkung auf den EG-Vertrag wurde als klarer Ausschluss der Einklagbarkeit der in ex-Art. 6 Abs. 1 EUV-Nizza kodifizierten Grundprinzipien unter dem Vertragsverletzungsverfahren angesehen.[970] Mit der Auflösung der Säulenstruktur durch den Vertrag von Lissabon und dem damit einhergehenden supranationalen Charakter der EU sowie des EU-Vertrages steht der Begründung einer weiten Auslegung nun nichts mehr entgegen.[971] Damit deutet der neue Wortlaut *„Verpflichtung aus den Verträgen"* hinreichend klar an, dass nun auch die Werte gem. Art. 2 S. 1 EUV tauglicher Prüfungsmaßstab des Vertragsverletzungsverfahrens sind und vor den Gerichtshof gebracht werden können.[972] Demgegenüber wird zur Einhaltung der Werte auch eine Anknüpfung an Art. 4 Abs. 3 UAbs. 1 EUV oder aber auch Art. 20 AEUV[973] angeführt. Die bereits erwähnte jüngere Rechtsprechung des EuGH zeugt von einer wertorientierten Auslegung des Art. 19 Abs. 1 UAbs. 2 EUV mit Blick auf die Rechtsstaatlichkeit.[974] Wäre ein diesbezüglicher Ausschluss der Judikation durch den EuGH gewollt, hätten die Vertragsstaaten dies eindeutig, wie im Bereich der GASP mit

---

[966]   *Cremer*, in: Calliess/Ruffert, EUV/AEUV, 5. Aufl. 2016, Art. 258 AEUV Rn. 33; *Gaitanides*, in: v. d. Groeben/Schwarze, Kommentar zum EU-/EG-Vertrag, 6. Aufl. 2003, Art. 226 EGV Rn. 52; *Schwarze/Wunderlich*, in: Schwarze, EU-Kommentar, 4. Aufl. 2019, Art. 258 AEUV Rn. 7; *Karpenstein*, in: Grabitz/Hilf/Nettesheim, Das Recht der Europäischen Union, 65. EL 2018, Art. 258 AEUV Rn. 29; *Ehricke*, in: Streinz, EUV/AEUV, 3. Aufl. 2018, Art. 258 AEUV Rn. 6.

[967]   *Wunderlich*, in: v. d. Groeben/Schwarze/Hatje, Europäisches Unionsrecht, 7. Aufl. 2015, Art. 258 AEUV Rn. 5; *Karpenstein*, in: Grabitz/Hilf/Nettesheim, Das Recht der Europäischen Union, 65. EL 2018, Art. 258 AEUV Rn. 29; *Schwarze/Wunderlich*, in: Schwarze, EU-Kommentar, 4. Aufl. 2019, Art. 258 AEUV Rn. 7; *Ehricke*, in: Streinz, EUV/AEUV, 3. Aufl. 2018, Art. 258 AEUV Rn. 6; *Cremer*, in: Calliess/Ruffert, EUV/AEUV, 5. Aufl. 2016, Art. 258 AEUV Rn. 33.

[968]   *Frowein*, EuR 1983, 301 (311 ff.).

[969]   ABl. EG Nr. C 80/1 v. 10.03.2001.

[970]   *Hau*, Sanktionen und Vorfeldmaßnahmen zur Absicherung der europäischen Grundwerte, 2002, S. 53 f.

[971]   *Murswiek*, NVwZ 2009, 481 (481 f.).

[972]   *Murswiek*, NVwZ 2009, 481 (482); *Korte*, Standortfaktor Öffentliches Recht, 2016, S. 190; *Brauneck*, NVwZ 2018, 1423 (1427); wohl auch *Franzius*, DÖV 2018, 381 (386).

[973]   *Giegerich*, in: Calliess, Liber Amicorum für Torsten Stein, 2015, S. 499 (517).

[974]   EuGH, Rs. C-64/16, Associação Sindical dos Juízes Portugueses, ECLI:EU:C:2018:117.

Art. 275 AEUV bzw. in Bezug auf das Sanktionsverfahren mit Art. 269 AEUV, kodifizieren können.[975]

Vom Wortlaut ausgehend lässt sich dieses Ergebnis auch methodisch stützen. Mit Blick auf die Entstehungsgeschichte zeigt sich die Ausdehnung des Anwendungsbereichs des Art. 258 AEUV als konsequente Folge der Auflösung der Säulenstruktur in der Zusammenschau mit den ebenfalls davon erfassten Normen des Art. 259 AEUV sowie des Art. 267 AEUV. Dies ist der Vereinheitlichung des Primärrechts unter der einheitlich rechtsfähigen Europäischen Union geschuldet. Als objektives Rechtsschutzverfahren konzipiert, zielt es darauf ab, die Mitgliedstaaten bei der Einhaltung ihrer vertraglichen Pflichten zu überwachen und Verstöße festzustellen.[976] Auch kann der diesbezüglichen Anwendbarkeit des Vertragsverletzungsverfahrens nicht die Beschränkung auf konkrete Einzelfälle entgegengehalten werden. Vielmehr hat der Gerichtshof in Bezug auf Art. 258 AEUV bestätigt, dass „die Kommission grundsätzlich nicht daran gehindert ist, Verstößen [...] nachzugehen, soweit sie darauf beruhen, dass [...] eine [...] entgegenstehende allgemeine Praxis besteht, die durch diese Einzelfälle gegebenenfalls illustriert wird".[977] Die gerichtliche Anerkennung einer allgemeinen und anhaltenden rechtswidrigen Praxis aufgrund von individuellen Verstößen wäre als neuer Ansatz in der Anwendung des Vertragsverletzungsverfahrens zu begrüßen.[978] Dies würde einen Mittelweg zwischen Sanktionsverfahren i.S.d. Art. 7 EUV und dem klassischen Einsatz des Vertragsverletzungsverfahrens gegen Einzelrechtsverstöße eröffnen.[979] Hiergegen lässt sich auch nicht anführen, dass die Werte rechtlich zu unbestimmt und damit wenig justiziabel sind, um als Klagegegenstand des Vertragsverletzungsverfahrens dessen objektiver Ordnungsfunktion gerecht zu werden.[980] Als Verfassungsprinzipien sind diese bereits in Einzelregelungen weitreichend kodifiziert,[981] im Rahmen der Beitrittsbedingungen des Art. 49 EUV schrittweise artikuliert worden[982] und können ähnlich wie die einzelnen deutschen Grundrechte vom BVerfG wohl auch als Maßstab durch den Unionsgerichtshof herangezogen werden.[983] Zudem gibt es bereits Urteile des Gerichtshofs, die für eine Definition der richterlichen

---

[975]   Editorial Comments, CMLRev. 2015, 619 (622); *Hillion*, SIEPS 2016:1epa, 5; *Scheppele*, in: Closa/Kochenov, Reinforcing Rule of Law Oversight in the European Union, 2016, S. 105 (115); zudem darf aus Art. 19 EUV die Übertragung einer allgemeinen Zuständigkeit des Gerichtshofs verstanden werden, von der Ausnahmen gerade eng auszulegen sind, vgl. EuGH, Rs. C-658/11, Parlament/Rat, ECLI:EU:C:2014:2025, Rn. 69 ff.

[976]   *Ehricke*, in: Streinz, EUV/AEUV, 3. Aufl. 2018, Art. 258 AEUV Rn. 1; *Wunderlich*, in: v. d. Groeben/Schwarze/Hatje, Europäisches Unionsrecht, 7. Aufl. 2015, Art. 258 AEUV Rn. 2; *Karpenstein*, in: Grabitz/Hilf/Nettesheim, Das Recht der Europäischen Union, 65. EL 2018, Art. 258 AEUV Rn. 1; *Cremer*, in: Calliess/Ruffert, EUV/AEUV, 5. Aufl. 2016, Art. 258 AEUV Rn. 2.

[977]   EuGH, Rs. C-494/01, Kommission/Irland, Slg. 2005, I-3331, Rn. 27.

[978]   Ausführlich hierzu *Wennerås*, CMLRev. 2006, 31 (35, 48 f.).

[979]   *Dawson/Muir*, CMLRev. 2011, 751 (764); *Pinelli*, FEPS, 25.09.2012, 10.

[980]   *Scheppele*, in: Closa/Kochenov, Reinforcing Rule of Law Oversight in the European Union, 2016, S. 105 (115).

[981]   Vgl. hierzu bereits oben I. Die einzelnen Werte des Art. 2 S. 1 EUV in der Übersicht, S. 15 ff.

[982]   *Hillion*, SIEPS 2016:1epa, 6.

[983]   *Murswiek*, NVwZ 2009, 481 (482).

Unabhängigkeit als Element der Rechtsstaatlichkeit herangezogen werden können.[984] Damit deckt sich der Telos mit der grammatikalischen Auslegung.

Systematisch ist das Vertragsverletzungsverfahren in den Gesamtzusammenhang des Unionsrechts, insbesondere zum repressiven Sicherungsmechanismus nach Art. 7 EUV einzuordnen. Die Verträge schweigen zum Verhältnis der beiden Verfahren zueinander.[985] Als spezifisches Sanktionsverfahren, das nur den Art. 2 S. 1 EUV zum Verfahrensgegenstand hat, wird es als einziges anwendbares Institut angesehen, das andere gerichtliche Rechtsbehelfe in Bezug auf die Werte verdrängt.[986] Hierbei wird jedoch verkannt, dass es sich um zwei wesensverschiedene Mechanismen handelt.[987] Die Verfahren unterscheiden sich nicht nur bei ihren Voraussetzungen, sondern auch auf der Rechtsfolgenseite erheblich.[988] Beschränkt sich das „Wertesicherungsverfahren" auf fallbezogene Werteverletzungen, bedarf es beim Sanktionsverfahren der besonderen Qualität des Verstoßes in Form einer schwerwiegenden und anhaltenden Verletzung und somit einer nachhaltigen Beeinträchtigung des Wertefundaments der Union.[989] Demzufolge ist das Sanktionsverfahren auf ein unnachsichtiges und beharrliches rechtswidriges Verhalten zugeschnitten. Zur Lösung dieses vorrangig politischen Konflikts haben sich die Mitgliedstaaten als „Herren der Verträge" dem Erfordernis der Einstimmigkeit unterworfen. Demgegenüber erfolgt beim „Wertesicherungsverfahren" eine rechtliche Feststellung einer Verletzung des Art. 2 S. 1 EUV durch den Gerichtshof. Ferner sind die Rechtsfolgen des „Wertesicherungsverfahrens" gegenüber dem Sanktionsverfahrens erheblich begrenzt. Die weitreichenden Maßnahmen durch Entzug von Stimmrechten, Teilhaberechten, institutionellen und finanziellen Rechten müssen als Konzept einer politischen Gegenreaktion auf das systematische Abrutschen eines Mitgliedstaates in rechtsstaatswidrige Zustände verstanden wer-

---

[984] EuGH, Rs. C-614/10, Kommission/Österreich, ECLI:EU:C:2012:631; EuGH, Rs. C-518/07, Kommission/Deutschland, Slg. 2010, I-1885; EuGH, Rs. C-288/12, Kommission/Ungarn, ECLI:EU:C:2014:237; EuGH, Rs. C-64/16, Associação Sindical dos Juízes Portugueses, ECLI:EU:C:2018:117; EuGH, Rs. C-619/18, Kommission/Polen, ECLI:EU:C:2019:531; EuGH, Rs. C-192/18, Kommission/Polen, ECLI:EU:C:2019:924; so bereits *Scheppele*, in: Closa/Kochenov, Reinforcing Rule of Law Oversight in the European Union, 2016, S. 105 (115); vgl. auch für die Merkmale der Rechtsstaatlichkeit die Mitteilung zum neuen EU-Rahmen zur Stärkung des Rechtsstaatsprinzips, KOM (2014) endg., 11.03.2014, S. 4, Annex 1.

[985] *Hofmeister*, in: v. Bogdandy/Sonnevend, Constitutional Crisis in the European Constitutional Area, 2015, S. 195 (205).

[986] Eine Umgehung des Art. 7 EUV bejahend *Heintschel v. Heinegg*, in: Vedder/Heintschel v. Heinegg, Europäisches Unionsrecht, 2. Aufl. 2018, Art. 7 EUV Rn. 29; *Korte*, Standortfaktor Öffentliches Recht, 2016, S. 191; a.A. *Ruffert*, in: Calliess/Ruffert, EUV/AEUV, 5. Aufl. 2016, Art. 7 EUV Rn. 29; *Nowak*, in: Pechstein/Nowak/Häde, Frankfurter Kommentar, 2017, Art. 7 EUV Rn. 24; *Pechstein*, in: Streinz, EUV/AEUV, 3. Aufl. 2018, Art. 7 EUV Rn. 22.

[987] Ebenso *Hillion*, SIEPS 2016:1epa, 5.

[988] *Heintschel v. Heinegg*, in: Vedder/Heintschel v. Heinegg, Europäisches Unionsrecht, 2. Aufl. 2018, Art. 7 EUV Rn. 29; *Korte*, Standortfaktor Öffentliches Recht, 2016, S. 190; Editorial Comments, CMLRev. 2015, 619 (622); *Hillion*, SIEPS 2016:1epa, 5; *Scheppele*, in: Closa/Kochenov, Reinforcing Rule of Law Oversight in the European Union, 2016, S. 105 (115).

[989] *Murswiek*, NVwZ 2009, 481 (482); *Hillion*, SIEPS 2016:1epa, 9; *Heintschel v. Heinegg*, in: Vedder/Heintschel v. Heinegg, Europäisches Unionsrecht, 2. Aufl. 2018, Art. 7 EUV Rn. 29; a.A. *Korte*, Standortfaktor Öffentliches Recht, 2016, S. 191 m.w.N.

den.[990] Die Reichweite des „Wertesicherungsverfahrens" beschränkt sich demgegenüber, wie noch zu erörtern ist, auf die Verhängung von Zwangsgeld und einem Pauschalbetrag zur Einhaltung des Unionsrechts.

Des Weiteren sprechen auch systematisch-teleologische Erwägungen für eine Komplementarität der beiden Sicherungsmechanismen. Unterstellt man die alleinige Anwendbarkeit des Sanktionsverfahrens für die Verletzung der Werte, dann sind Konstellationen vorstellbar, die unter der Angriffsschwelle des Frühwarn- bzw. Sanktionsverfahrens bleiben, gleichwohl das Fundament des europäischen Einigungswerkes – wenn auch weniger nachhaltig – treffen.[991] Diese könnten mangels Schwere bzw. Dauerhaftigkeit der Gefahr für die Werte keinen Verstoß i.S.d. Art. 7 EUV begründen und somit folgenlos bleiben.[992] Zudem würde ein solcher Ausschluss des „Wertesicherungsverfahrens" nicht nur das in Art. 13 Abs. 2 EUV garantierte institutionelle Gleichgewicht betreffen, da in die Aufsichtsbefugnis der Kommission eingegriffen wird,[993] sondern würde gleichzeitig verhindern, dass sich im Wege einer möglichst frühzeitigen Adressierung durch den Mechanismus ein Verstoß erst gar nicht zu einer schwerwiegenden und anhaltenden Werteverletzung weiterentwickelt.

Letztlich sprechen die überzeugenderen Argumente für eine weite Auslegung des Art. 258 Abs. 1 AEUV und damit für eine direkte Heranziehung der Werte als Klagegenstand des „Wertesicherungsverfahrens" gem. Art. 258 AEUV i.V.m. Art. 2 S. 1 EUV.[994] Es besteht damit kein gegenseitiger Ausschluss, sondern ein Nebeneinander der Mechanismen bei der Sicherung der Werte.[995] Geht die Kommission von einer Verletzung eines Wertes durch einen Mitgliedstaat aus, steht es ihr frei, nicht nur nach Art. 7 EUV, sondern auch nach Art. 258 AEUV zu reagieren und ein Verfahren einzuleiten.[996]

Mit der Einleitung des Sanktionsverfahrens gegen Polen liegt nun erstmalig eine parallele Anwendung dieser beiden Sicherungsmechanismen in der Praxis vor.[997] Diesbezüglich

---

[990]  *Pechstein*, in: Streinz, EUV/AEUV, 3. Aufl. 2018, Art. 7 EUV Rn. 22; *Ruffert*, in: Calliess/Ruffert, EUV/AEUV, 5. Aufl. 2016, Art. 7 EUV Rn. 29; *Brauneck*, NVwZ 2018, 1423 (1427); vgl. auch *Schorkopf*, Homogenität in der Europäischen Union, 2000, S. 106 ff.

[991]  *Korte*, Standortfaktor Öffentliches Recht, 2016, S. 191 m.w.N.

[992]  So auch *Brauneck*, NVwZ 2018, 1423 (1427).

[993]  Zutreffend bereits *Hillion*, SIEPS 2016:1epa, 9.

[994]  So auch *Murswiek*, NVwZ 2009, 481 (482); *Scheppele*, in: Closa/Kochenov, Reinforcing Rule of Law Oversight in the European Union, 2016, S. 105 (114 f.); *Franzius*, DÖV 2018, 381 (386); *Kochenov*, HJRL 2015, 153 (153 ff.); *Hillion*, SIEPS 2016:1epa, 5; *Brauneck*, NVwZ 2018, 1423 (1426 ff.); *Hering*, DÖV 2020, 293 (301); ablehnend *Korte*, Standortfaktor Öffentliches Recht, 2016, S. 190 f.; *Heintschel v. Heinegg*, in: Vedder/Heintschel v. Heinegg, Europäisches Unionsrecht, 2. Aufl. 2018, Art. 7 EUV Rn. 29; im Ergebnis wohl auch *Ruffert*, in: Calliess/Ruffert, EUV/AEUV, 5. Aufl. 2016, Art. 7 EUV Rn. 29; *Pechstein*, in: Streinz, EUV/AEUV, 3. Aufl. 2018, Art. 7 EUV Rn. 22.

[995]  KOM (2014) 158 endg., 11.03.2014, S. 3.; *Nowak*, in: Pechstein/Nowak/Häde, Frankfurter Kommentar, 2017, Art. 7 EUV Rn. 24; *Brauneck*, NVwZ 2018, 1423 (1427); *Ruffert*, in: Calliess/Ruffert, EUV/AEUV, 5. Aufl. 2016, Art. 7 EUV Rn. 29; *Pechstein*, in: Streinz, EUV/AEUV, 3. Aufl. 2018, Art. 7 EUV Rn. 22; wohl auch *Franzius*, DÖV 2018, 381 (386); *Nickel*, EuR 2017, 663 (679); *v. Bogdandy*, ZaöRV 2019, 503, (535 f.); a.A. *Korte*, Standortfaktor Öffentliches Recht, 2016, S. 190 f.

[996]  *Brauneck*, NVwZ 2018, 1423 (1428); a.A. *De Schutter*, Infringement Proceedings as a Tool for the Enforcement of Fundamental Rights in the European Union, 2017, S. 29 f.

[997]  Vgl. Europäische Kommission, IP/17/5367, 20.12.2017.

hat es der Gerichtshof in seinen Entscheidungen zu Polen bedauerlicherweise unterlassen, zur Frage des Verhältnisses zwischen Art. 258 AEUV und Art. 7 EUV Stellung zu beziehen.[998] Dennoch kann aus den Urteilen abgeleitet werden, dass grundsätzlich eine parallele Anwendung der beiden repressiven Mechanismen zur Sicherung der Werte vereinbar ist.[999] Dies bestätigte auch der Generalanwalt *Evgeni Tanchev* in seinen Schlussanträgen zur Rechtssache C-619/18.[1000]

## 2. Systemische Vertragsverletzung eines Mitgliedstaates als Werteverstoß

In seiner Entschließung vom 25.10.2016 hat das Europäische Parlament zur Einrichtung eines EU-Mechanismus für Demokratie, Rechtsstaatlichkeit und Grundrechte vorgeschlagen, dass *„die Kommission ein Verfahren wegen „systemischer Vertragsverletzungen" nach Artikel 2 EUV und Artikel 258 AEUV einleiten [könnte], in dem mehrere Vertragsverletzungsverfahren gebündelt werden"*.[1001] Dieser Einschätzung folgend werden die Anforderungen einer systemischen Vertragsverletzung nach Art. 258 AEUV durch einen Mitgliedstaat, die zu einer Feststellung einer Werteverletzung durch den Gerichtshof führen kann, nachstehend erörtert.

### a. Systemisches Defizit

Einzelne Fehlurteile oder Grundrechtsverletzungen reichen, wie bereits erörtert, für eine Werteverletzung nicht aus. Vorstehend beim Kooperations- und Kontrollmechanismus aufgezeigt und beim Sanktionsverfahren erneut aufgegriffen, hat sich als erfolgversprechende Umschreibung zur Identifizierung einer Werteverletzung der dogmatische Begriff des systemischen Defizits herausgebildet.[1002] Für die Beurteilung einer Verletzung des Art. 2 S. 1 EUV im Rahmen des „Wertesicherungsverfahrens" nach Art. 258 AEUV hat folglich das Gleiche zu gelten.[1003] Eine Verletzung liegt dann vor, wenn von dem durch einen Wert festgeschriebenen Minimum an rechtlicher Gewährleistung negativ abgewichen wird, sodass der Wertegehalt in seiner Funktion aufgehoben wird.[1004] Demnach muss die Abweichung von schwerwiegender struktureller Art sein. Dies ist der Fall, wenn die

---

[998] EuGH, Rs. C-619/18, Kommission/Polen, ECLI:EU:C:2019:531; EuGH, Rs. C-192/18, Kommission/Polen, ECLI:EU:C:2019:924.

[999] Zutreffend bereits *Hering*, DÖV 2020, 293 (301).

[1000] GA Tanchev, SchlA, C-619/18, Kommission/Polen, ECLI:EU:C:2019:325, Rn. 48 ff.

[1001] ABl. EU Nr. C 215/162 v. 19.06.2018; *De Schutter*, Infringement Proceedings as a Tool for the Enforcement of Fundamental Rights in the European Union, 2017, S. 28.

[1002] *v. Bogdandy/Ioannidis*, ZaöRV 2014, 283 (283 ff.); *Schorkopf*, in: Grabitz/Hilf/Nettesheim, Das Recht der Europäischen Union, 65. EL 2018, Art. 7 EUV Rn. 33; *Franzius*, DÖV 2018, 381 (383); *Brauneck*, NVwZ 2018, 1423 (1428 ff.); *van Vormizeele*, in: v. d. Groeben/Schwarze/Hatje, Europäisches Unionsrecht, 7. Aufl. 2015, Art. 7 EUV Rn. 10; *Pechstein*, in: Streinz, EUV/AEUV, 3. Aufl. 2018, Art. 7 EUV Rn. 2; vgl. hierzu 2. Systemisches Defizit, S. 57 ff.; aa) Schwerwiegende Verletzung, S. 79 ff.

[1003] *Scheppele*, VerfBlog, 2013/11/01; *Scheppele*, in: Closa/Kochenov, Reinforcing Rule of Law Oversight in the European Union, 2016, S. 105 (112 ff.); *Closa/Kochenov/Weiler*, EUI Working Paper RSCAS 2014/25, 2014, S. 15 f.; *Franzius*, DÖV 2018, 381 (386); *Nickel*, EuR 2017, 663 (676); vgl. *Kochenov*, HJRL 2015, 153 (165 ff.).

[1004] Vgl. hierzu bereits ausführlich unter aa) Schwerwiegende Verletzung, S. 79 ff.

Abweichung zu einer Dysfunktion des Rechtssystems führt und als Muster bzw. Charakteristika eine Vielzahl von Personen und Sachverhalte betrifft.[1005]

Liegt ein *„systemic breakdown"* eines Mitgliedstaates vor, ließe sich durch die Kommission eine Werteverletzung nach Art. 258 AEUV darlegen.[1006] Stellt sich die Werteverletzung demgegenüber als nicht so gravierend bzw. evident durch die mitgliedstaatliche Maßnahmen dar, kann durch die Darlegung einer Vielzahl von Einzelverstößen gegen das Vertragswerk, die zwar isoliert betrachtet keinen Werteverstoß begründen können, aber in der Summe eine Abkehr von einem Verfassungsprinzip darlegen, der Nachweis eines systemischen Defizits gleichwohl vor dem Gerichtshof geführt werden.[1007] Erst die systemische Verletzungsklage mit ihrer Zusammenstellung einer Reihe von einzelnen Verstößen eröffnet dem Gerichtshof den Kontext für die Interpretation einer bestimmten Werte gefährdenden Praxis des betroffenen Mitgliedstaates.[1008]

Entgegen dem einfachen Vertragsverletzungsverfahren fällt die Darlegungs- und Beweislast der Kommission beim „Wertesicherungsverfahren" umfassender und detaillierter aus. Um dem Gerichtshof eine systemische Vertragsverletzung aufzuzeigen, hat die Kommission nicht nur die einzelnen Vertragsverletzungen darzulegen, sondern Gesetze, Praktiken und deren Verbindungen und Auswirkungen im Ganzen zu untersuchen. So soll hinreichend der Beweis geführt werden können, dass diese einzelnen Vertragsverletzungen im Kontext stehen und damit insgesamt ein systemischer Verstoß des Mitgliedstaates gegen einen Wert vorliegt.[1009] Mit Blick auf die polnische Regierung, die sich unter anderem weigert, die Urteile des Verfassungsgerichts im Amtsblatt zu veröffentlichen,[1010] könnte eine Darlegung der einzelnen Verletzungen in der Summe eine Sanktionierung aufgrund des Verstoßes gegen die Rechtsstaatlichkeit nach dem „Wertesicherungsverfahren" vor dem Gerichtshof begründen.[1011]

## b.    Durch einen Mitgliedstaat

Wie beim Sanktionsverfahren bedarf auch der Verstoß beim systemischen Vertragsverletzungsverfahren i.S.d Art. 258 AEUV i.V.m. Art. 2 S. 1 EUV einer Zurechnung gegenüber dem betroffenen Mitgliedstaat.[1012] Dem Mitgliedstaat sind grundsätzlich nur staatliche Maßnahmen zurechenbar, wobei jedes staatliche Fehlverhalten seiner regionalen, aber auch funktionalen Untergliederungen einschließlich Personen mit hoheitlichen Befugnissen umfasst ist.[1013] Vorgenannt kann die Zurechnung einer Verletzungshandlung dabei

---

[1005]  *v. Bogdandy/Ioannidis*, ZaöRV 2014, 283 (287 ff.).

[1006]  *Franzius*, DÖV 2018, 381 (383).

[1007]  *Scheppele*, in: Closa/Kochenov, Reinforcing Rule of Law Oversight in the European Union, 2016, S. 105 (112); *Franzius*, DÖV 2018, 381 (386); *Scheppele*, VerfBlog, 2013/11/01; *Nickel*, EuR 2017, 663 (676).

[1008]  *Scheppele*, VerfBlog, 2013/11/01.

[1009]  *Scheppele*, in: Closa/Kochenov, Reinforcing Rule of Law Oversight in the European Union, 2016, S. 105 (112 ff.).

[1010]  Vgl. Europäische Kommission, IP/17/5367, 20.12.2017.

[1011]  So auch *Franzius*, DÖV 2018, 381 (386).

[1012]  Vgl. hierzu bereits oben unter bb) Durch einen Mitgliedstaat, S. 82 ff.

[1013]  EuGH, Rs. C-8/88, Deutschland/Kommission, Slg. 1990, I-2321, Rn. 13; *Burgi*, in: Rengeling/ Middeke/Gellermann, Handbuch des Rechtsschutzes in der Europäischen Union, 3. Aufl. 2014, § 6 Rn. 40 ff.; *Karpenstein*, in: Grabitz/Hilf/Nettesheim, Das Recht der Europäischen Union, 65. EL 2018,

sowohl im positiven Tun als auch in einem Unterlassen bestehen, wenn eine unionsrecht-liche Handlungspflicht erwächst.[1014] Zudem ist das unionswidrige Verhalten Privater dem betroffenen Mitgliedstaat immer dann zurechenbar, wenn er sich solcher bedient und entscheidenden Einfluss auf deren Verhalten hat.[1015]

## 3. Keine Beschränkung auf die Durchführung von Unionsrecht

Anders als bei der Grundrechtecharta, die eine Bindung der Mitgliedstaaten nur insoweit fordert, als sie EU-Recht durchführen (Art. 51 GRCh i.V.m. Art. 6 Abs. 1 EUV),[1016] wirken die Werte auch in rein innerstaatlichen Angelegenheiten fort.[1017] Als Verfassungsprinzi-pien sind die Werte primärrechtlich kodifiziert und setzen Mindeststandards für die Mit-gliedstaaten fest.[1018] Wie bereits erörtert, sind diese zwar abstrakt, aber dennoch bereits weitgehend in Einzelregelungen kodifiziert und damit justiziabel.

Mit dem Vertrag von Lissabon hat sich die Zuständigkeit des Gerichtshofs im Rahmen seiner Klageverfahren auch auf den EU-Vertrag ausgedehnt. Die Werte führen als neuer Klagegegenstand des Art. 258 AEUV dazu, dass sich dessen Anwendungsbereich auf das gesamte nationale Staatshandeln und damit auch auf die innerstaatlichen Bereiche mit

---

Art. 258 AEUV Rn. 62 f.; *Pechstein*, EU-Prozessrecht, 4. Aufl. 2011, Rn. 299; *Wunderlich*, in: v. d. Gro-eben/Schwarze/Hatje, Europäisches Unionsrecht, 7. Aufl. 2015, Art. 258 AEUV Rn. 7; *Ehricke*, in: Streinz, EUV/AEUV, 3. Aufl. 2018, Art. 258 AEUV Rn. 8; *Schwarze/Wunderlich*, in: Schwarze, EU-Kommentar, 4. Aufl. 2019, Art. 258 EUV Rn. 8; *Cremer*, in: Calliess/Ruffert, EUV/AEUV, 5. Aufl. 2016, Art. 258 AEUV Rn. 27 f.; *Borchardt*, in: Lenz/Borchardt, EU-Verträge, 6. Aufl. 2012, Art. 258 AEUV Rn. 6.

[1014] EuGH, Rs. C-265/95, Kommission/Frankreich, Slg. 1997, I-6959, Rn. 31 f.; *Karpenstein*, in: Gra-bitz/Hilf/Nettesheim, Das Recht der Europäischen Union, 65. EL 2018, Art. 258 AEUV Rn. 65; *Cremer*, in: Calliess/Ruffert, EUV/AEUV, 5. Aufl. 2016, Art. 258 AEUV Rn. 28; *Ehricke*, in: Streinz, EUV/AEUV, 3. Aufl. 2018, Art. 258 AEUV Rn. 11; *Wunderlich*, in: v. d. Groeben/Schwarze/Hatje, Europäisches Unionsrecht, 7. Aufl. 2015, Art. 258 AEUV Rn. 9; *Schwarze/Wunderlich*, in: Schwarze, EU-Kommentar, 4. Aufl. 2019, Art. 258 EUV Rn. 9; *Pache*, in: Vedder/Heintschel v. Heinegg, Europäisches Unionsrecht, 2. Aufl. 2018, Art. 258 AEUV Rn. 7; *Borchardt*, in: Lenz/Borchardt, EU-Verträge, 6. Aufl. 2012, Art. 258 AEUV Rn. 6 f.; *Pechstein*, EU-Prozessrecht, 4. Aufl. 2011, Rn. 304; *Burgi*, in: Rengeling/Middeke/Gellermann, Handbuch des Rechtsschutzes in der Europäischen Union, 3. Aufl. 2014, § 6 Rn. 45.

[1015] EuGH, Rs. C-249/81, Kommission/Irland, Slg. 1982, 4005, Rn. 15, 23 ff.; *Schwarze/Wunderlich*, in: Schwarze, EU-Kommentar, 4. Aufl. 2019, Art. 258 EUV Rn. 9; *Wunderlich*, in: v. d. Groeben/Schwarze/Hatje, Europäi-sches Unionsrecht, 7. Aufl. 2015, Art. 258 AEUV Rn. 9; *Pache*, in: Vedder/Heintschel v. Heinegg, Europäi-sches Unionsrecht, 2. Aufl. 2018, Art. 258 AEUV Rn. 6; *Pechstein*, EU-Prozessrecht, 4. Aufl. 2011, Rn. 302; *Burgi*, in: Rengeling/Middeke/Gellermann, Handbuch des Rechtsschutzes in der Europäischen Union, 3. Aufl. 2014, § 6 Rn. 44; *Ehricke*, in: Streinz, EUV/AEUV, 3. Aufl. 2018, Art. 258 AEUV Rn. 10; *Cremer*, in: Calliess/Ruffert, EUV/AEUV, 5. Aufl. 2016, Art. 258 AEUV Rn. 27; *Karpenstein*, in: Grabitz/ Hilf/Nettesheim, Das Recht der Europäischen Union, 65. EL 2018, Art. 258 AEUV Rn. 61.

[1016] *Streinz/Michl*, in: Streinz, EUV/AEUV, 3. Aufl. 2018, Art. 51 GRCh Rn. 6 f.; *Kingreen*, in: Calliess/Ruffert, EUV/AEUV, 5. Aufl. 2016, Art. 51 GRCh Rn. 8 ff.

[1017] *Murswiek*, NVwZ 2009, 481 (483).

[1018] *v. Bogdandy*, EuR 2009, 749 (762); *Müller-Graff*, in: Dauses/Ludwigs, Handbuch des EU-Wirtschaftsrechts, 49. EL 2019, A. I. 1. c. aa. eee) Rn. 75; *v. Bogdandy/Ioannidis*, ZaöRV 2014, 283, (284, 309); *Murswiek*, NVwZ 2009, 481 (482); *v. Bogdandy*, in: v. Bogdandy/Bast, Europäisches Verfassungsrecht, 2. Aufl. 2009, S. 13 (28 f.); vgl. oben I. Die einzelnen Werte des Art. 2 S. 1 EUV in der Übersicht, S. 15 ff.

Wertebezug erstreckt.[1019] Dies hat der Gerichtshof in seiner jüngeren Rechtsprechung nunmehr auch bestätigt.[1020] Die Bindung der Mitgliedstaaten an die Werte selbst im autonomen Bereich lässt sich vor dem Hintergrund rechtfertigen, dass sich alle Mitgliedstaaten freiwillig mit dem Beitritt zur Union zur Einhaltung dieser Werte verpflichtet und damit sehenden Auges die fundamentalen Prinzipien der Werteunion anerkannt und deren Anwendung sowie Durchsetzung akzeptiert haben. Eine Einschränkung der Judikatur des Gerichtshofs über die Einhaltung der Werte im Wege des Vertragsverletzungsverfahrens ist nicht, wie etwa bei dem Sanktionsverfahren gem. Art. 269 AEUV, von den Mitgliedstaaten im Reformvertrag kodifiziert worden. Insoweit kommt dem „Wertesicherungsverfahren" nach Art. 258 AEUV i.V.m. Art. 2 S. 1 EUV eine neue Bedeutung gegenüber dem einfachen Vertragsverletzungsverfahren zu.

## 4.    Feststellungsbeschluss nach Art. 260 Abs. 1 AEUV – ein stumpfes Schwert

Hat der Gerichtshof über die von der Kommission vorgebrachten mitgliedstaatlichen Verletzungshandlungen judiziert und der Klage stattgegeben, regelt Art. 260 Abs. 1 AEUV zunächst Inhalt und Folgen der Verurteilung bei einer systemischen Vertragsverletzung. Art. 260 Abs. 1 AEUV besagt:

> „*Stellt der Gerichtshof der Europäischen Union fest, dass ein Mitgliedstaat gegen eine Verpflichtung aus den Verträgen verstoßen hat, so hat dieser Staat die Maßnahmen zu ergreifen, die sich aus dem Urteil des Gerichtshofs ergeben.*"

### a.    Begrenzte Reichweite des Feststellungsurteils

Im Gegensatz zum einfachen Vertragsverletzungsverfahren hätte sich der Gerichtshof im Rahmen des „Wertesicherungsverfahrens" mit der Problematik der vielfältigen einzelnen Verstöße des Mitgliedstaates auseinanderzusetzen, um in der Gesamtschau die systemische Abkehr als Werteverletzung zu beurteilen. Die Formulierung des Art. 260 Abs. 1 Hs. 1 AEUV (*„stellt der Gerichtshof fest"*) zeigt, dass sich die Tenorierung des Urteils auf die reine Feststellung, dass und wodurch der beklagte Mitgliedstaat einen Vertragsverstoß begangen hat, beschränkt.[1021]

---

[1019]  *Murswiek*, NVwZ 2009, 481 (484).

[1020]  EuGH, Rs. C-64/16, Associação Sindical dos Juízes Portugueses, ECLI:EU:C:2018:117; EuGH, Rs. C-619/18, Kommission/Polen, ECLI:EU:C:2019:531; EuGH, Rs. C-192/18, Kommission/Polen, ECLI:EU:C:2019:924.

[1021]  *Pache*, in: Vedder/Heintschel v. Heinegg, Europäisches Unionsrecht, 2. Aufl. 2018, Art. 260 AEUV Rn. 2; *Karpenstein*, in: Grabitz/Hilf/Nettesheim, Das Recht der Europäischen Union, 65. EL 2018, Art. 260 AEUV Rn. 4; *Ehricke*, in: Streinz, EUV/AEUV, 3. Aufl. 2018, Art. 260 AEUV Rn. 2; *Cremer*, in: Calliess/Ruffert, EUV/AEUV, 5. Aufl. 2016, Art. 260 EUV Rn. 2.

Das Feststellungsurteil gestattet dem Gerichtshof nicht, vom betroffenen Mitgliedstaat bestimmte Maßnahmen zu fordern,[1022] diesen konkret zur Aufhebung zu verpflichten oder durch Abänderungen oder Aufhebungen gestaltend in dessen Rechtsraum einzugreifen.[1023] Die begrenzte Tenorierung bezweckt die weitgehende Schonung der Souveränität der Mitgliedstaaten.[1024] Die Rechtswirkung des Urteils nach Art. 260 Abs. 1 Hs. 1 AEUV erschöpft sich in der Feststellung einer systemischen Verletzung und der damit einhergehenden Funktion einer Anprangerung.

Der Gerichtshof ist nicht daran gehindert, Überlegungen zur Abstellung der Verletzung durch den Mitgliedstaat in das *obiter dictum* einfließen zu lassen.[1025] Dies gilt insbesondere im Hinblick auf einen gestellten Klageantrag durch die Kommission. Die Hinweise sind gleichwohl unverbindlich für die Entscheidung des Mitgliedstaates, wie er dem Werteverstoß Abhilfe schaffen will, und haben nur indikativen Charakter.[1026] Für den EuGH in der Rolle des Werteprüfers sind derartige Ausführungen zur Wiederherstellung der Wertehomogenität in der Tenorierung als sinnvolle Einflussmöglichkeit zu sehen, um zu einer schnellen Einstellung der Werteverletzung beizutragen.

Die Möglichkeit und Effektivität der Feststellung einer Werteverletzung durch den Gerichtshof ist von den Vorarbeiten und Fähigkeiten der Kommission abhängig. Diese hat die systemische Verletzung des Vertragsrechts durch den Mitgliedstaat aufzubereiten und hinreichend klar darzulegen sowie die notwendigen systemischen Änderungsmaßnahmen vorzuschlagen, damit eine effektive Abstellung erfolgen kann. Anders als bei dem einfachen Vertragsverletzungsverfahren muss der Schwerpunkt des Feststellungsbeschlusses bei systemischen Vertragsverletzungen auf dem Gesamteffekt der Reformen zur Wieder-

---

[1022] EuGH, Rs. C-104/02, Kommission/Deutschland, Slg. 2005, I-2689, Rn. 49; EuGH, Rs. C-105/02, Kommission/Deutschland, Slg. 2006, I-9659, Rn. 44; *Ehricke*, in: Streinz, EUV/AEUV, 3. Aufl. 2018, Art. 260 AEUV Rn. 2; *Borchardt*, in: Lenz/Borchardt, EU-Verträge, 6. Aufl. 2012, Art. 260 AEUV Rn. 3; *Pechstein*, EU-Prozessrecht, 4. Aufl. 2011, Rn. 309; *Wunderlich*, in: v. d. Groeben/Schwarze/Hatje, Europäisches Unionsrecht, 7. Aufl. 2015, Art. 260 AEUV Rn. 3; *Schwarze/Wunderlich*, in: Schwarze, EU-Kommentar, 4. Aufl. 2019, Art. 260 AEUV Rn. 3.

[1023] Vgl. nur EuGH, Rs. C-6/60, Humblet/Belgischer Staat, Slg. 1960, 1169, S. 1184; *Ortlepp*, Das Vertragsverletzungsverfahren als Instrument zur Sicherung der Legalität im Europäischen Gemeinschaftsrecht, 1987, S. 109; *Karpenstein*, in: Grabitz/Hilf/Nettesheim, Das Recht der Europäischen Union, 65. EL 2018, Art. 260 AEUV Rn. 4; *Wunderlich*, in: v. d. Groeben/Schwarze/Hatje, Europäisches Unionsrecht, 7. Aufl. 2015, Art. 260 AEUV Rn. 3; *Schwarze/Wunderlich*, in: Schwarze, EU-Kommentar, 4. Aufl. 2019, Art. 260 AEUV Rn. 3; *Wusterhausen*, Die Wirkungen der Urteile des EuGH in der Zeit, 2016, S. 69.

[1024] *Pechstein*, EU-Prozessrecht, 4. Aufl. 2011, Rn. 309.

[1025] *Ehricke*, in: Streinz, EUV/AEUV, 3. Aufl. 2018, Art. 260 AEUV Rn. 2; *Wunderlich*, in: v. d. Groeben/Schwarze/Hatje, Europäisches Unionsrecht, 7. Aufl. 2015, Art. 260 AEUV Rn. 3; *Pechstein*, EU-Prozessrecht, 4. Aufl. 2011, Rn. 309; *Schwarze/Wunderlich*, in: Schwarze, EU-Kommentar, 4. Aufl. 2019, Art. 260 AEUV Rn. 4; *Ortlepp*, Das Vertragsverletzungsverfahren als Instrument zur Sicherung der Legalität im Europäischen Gemeinschaftsrecht, 1987, S. 109 ff.; *Karpenstein*, in: Grabitz/Hilf/Nettesheim, Das Recht der Europäischen Union, 65. EL 2018, Art. 260 AEUV Rn. 6 m.w.N.; *Cremer*, in: Calliess/Ruffert, EUV/AEUV, 5. Aufl. 2016, Art. 260 EUV Rn. 2.

[1026] *Karpenstein*, in: Grabitz/Hilf/Nettesheim, Das Recht der Europäischen Union, 65. EL 2018, Art. 260 AEUV Rn. 6; *Ortlepp*, Das Vertragsverletzungsverfahren als Instrument zur Sicherung der Legalität im Europäischen Gemeinschaftsrecht, 1987, S. 113; *Schwarze/Wunderlich*, in: Schwarze, EU-Kommentar, 4. Aufl. 2019, Art. 260 AEUV Rn. 3; *Cremer*, in: Calliess/Ruffert, EUV/AEUV, 5. Aufl. 2016, Art. 260 EUV Rn. 2; *Wunderlich*, in: v. d. Groeben/Schwarze/Hatje, Europäisches Unionsrecht, 7. Aufl. 2015, Art. 260 AEUV Rn. 3.

herstellung der Einhaltung der Werte liegen.[1027] Die Erfüllung der Wertehomogenität kann sich dabei nicht in einzelnen Wiedergutmachungen durch Aufhebung einer Rechtsverletzung erschöpfen, sondern muss vielmehr als Resultat das verletzte Verfassungsprinzip wieder zur vollen Geltung bringen.

Gleichwohl wird die mit der Verurteilung einer Werteverletzung einhergehende Anprangerung bzw. Bloßstellung bei einzelnen Mitgliedstaaten nur eine begrenzte Wirkung zeigen. Dies gilt in Ermangelung konkret erzwingbarer Rechtsfolgen nach Art. 260 Abs. 1 AEUV insbesondere für die mitgliedstaatlichen Regierungen, die willentlich und wissentlich die fundamentalen Werte untergraben bzw. außer Kraft setzen wollen. Insoweit bleibt der reine Feststellungsbeschluss nach Art. 260 Abs. 1 AEUV wohl regelmäßig ein stumpfes Schwert bei der Sicherung der Werte.

### b.   Handlungspflichten des Mitgliedstaates

Aus der gerichtlichen Feststellung des Vertragsverstoßes folgt für den Mitgliedstaat gem. Art. 260 Abs. 1 Hs. 2 AEUV *expressis verbis*, dass *„dieser [...] die Maßnahmen zu ergreifen [hat], die sich aus dem Urteil des Gerichtshofs ergeben“.* Für die hieraus resultierenden Verpflichtungen des Mitgliedstaates ist, wie bereits erörtert, alleine der Tenor des Gerichtshofs unter Berücksichtigung der Entscheidungsgründe und des Antrags der Kommission auszulegen.[1028] Die Pflicht, den Verstoß abzustellen, richtet sich dabei an den verurteilten Mitgliedstaat mit seinen funktionalen und regionalen Untergliederungen.[1029] Für die nationalen Behörden und Gerichte folgt hieraus die Verpflichtung, die für unionswidrig anerkannten innerstaatlichen Bestimmungen nicht mehr anzuwenden[1030] und das unionswidrige nationale Recht unionsrechtskonform auszulegen,[1031] um die volle Geltung des Unionsrechts und damit die Werteverbürgungen sicherzustellen. Die Herstel-

---

[1027] Eingehend *Scheppele*, VerfBlog, 2013/11/01; *Scheppele*, in: Closa/Kochenov, Reinforcing Rule of Law Oversight in the European Union, 2016, S. 105 (125).

[1028] Vgl. EuGH, Rs. C-95/12, Kommission/Deutschland, ECLI:EU:C:2013:676, Rn. 37, 42; *Karpenstein*, in: Grabitz/Hilf/Nettesheim, Das Recht der Europäischen Union, 65. EL 2018, Art. 260 AEUV Rn. 4.

[1029] Vgl. nur EuGH, verb. Rs. C-314-316/81 und C-83/82, Procureur de la République/Waterkeyn, Slg. 1982, 4337, Rn. 14; *Pechstein*, in: Pechstein/Nowak/Häde, Frankfurter Kommentar, 2017, Art. 260 AEUV Rn. 7; *Pache*, in: Vedder/Heintschel v. Heinegg, Europäisches Unionsrecht, 2. Aufl. 2018, Art. 260 AEUV Rn. 3; *Heidig*, Die Verhängung von Zwangsgeldern und Pauschalbeträgen gegen die Mitgliedstaaten der EG, 2001, S. 40 f.; *Cremer*, in: Calliess/Ruffert, EUV/AEUV, 5. Aufl. 2016, Art. 260 EUV Rn. 4; *Ehricke*, in: Streinz, EUV/AEUV, 3. Aufl. 2018, Art. 260 AEUV Rn. 6; *Schwarze/Wunderlich*, in: Schwarze, EU-Kommentar, 4. Aufl. 2019, Art. 260 AEUV Rn. 6; *Wunderlich*, in: v. d. Groeben/Schwarze/Hatje, Europäisches Unionsrecht, 7. Aufl. 2015, Art. 260 AEUV Rn. 6.

[1030] Vgl. EuGH, Rs. C-48/71, Kommission/Italien, Slg. 1972, 529, Rn. 5/10; EuGH, Rs. C-101/91, Kommission/Italien, Slg. 1993, I-191, Rn. 24; EuGH, verb. Rs. C-24/80 und C-97/80, Kommission/Frankreich, Slg. 1980, 1319, Rn. 16; *Cremer*, in: Calliess/Ruffert, EUV/AEUV, 5. Aufl. 2016, Art. 260 EUV Rn. 5 m.w.N.; *Schwarze/Wunderlich*, in: Schwarze, EU-Kommentar, 4. Aufl. 2019, Art. 260 AEUV Rn. 6; *Karpenstein*, in: Grabitz/Hilf/Nettesheim, Das Recht der Europäischen Union, 65. EL 2018, Art. 260 AEUV Rn. 9; *Wunderlich*, in: v. d. Groeben/Schwarze/Hatje, Europäisches Unionsrecht, 7. Aufl. 2015, Art. 260 AEUV Rn. 6; *Ehricke*, in: Streinz, EUV/AEUV, 3. Aufl. 2018, Art. 260 AEUV Rn. 6; *Pache*, in: Vedder/Heintschel v. Heinegg, Europäisches Unionsrecht, 2. Aufl. 2018, Art. 260 AEUV Rn. 3.

[1031] Vgl. nur EuGH, verb. Rs. C-397 bis C-403/01, Pfeiffer u. a., Slg. 2004, I-8835, Rn. 113 ff.; *Borchardt*, in: Lenz/Borchardt, EU-Verträge, 6. Aufl. 2012, Art. 260 AEUV Rn. 5.

lung des unionsrechtskonformen Zustandes ist nach einhelliger Auffassung unverzüglich durch den betroffenen Mitgliedstaat einzuleiten und schnellstmöglich abzuschließen.[1032]

In welchem Umfang der Mitgliedstaat die Folgen seiner Verletzung zu beseitigen hat, ist indes umstritten. Sowohl für Einzel-, aber auch für systemische Verletzungshandlungen hat dies entscheidende Relevanz, da hierdurch die Reichweite der mitgliedstaatlichen Handlungspflichten bestimmt wird.

Dem Wortlaut und der Vertragssystematik folgend begründet ein feststellendes Urteil gem. Art. 260 Abs. 1 AEUV grundsätzlich keine über die bloße *ex nunc*-Beseitigung des Verstoßes hinausgehende Pflicht des Mitgliedstaates.[1033] Das alleine auf die Durchsetzung des Unionsrechts gerichtete Verfahren dient nicht einer *ex tunc*-Entschädigung Betroffener.[1034] Folgebeseitigungspflichten des Mitgliedstaates mit einer Wirkung *ex tunc* können gleichwohl aus Art. 260 Abs. 1 AEUV resultieren, wenn die Tenorierung des Gerichtshofs dies festlegt.[1035] Der Gerichtshof lässt in seiner *Francovich*-Entscheidung aus seiner Verweisung auf die Verpflichtung zum Schadensersatz aus den allgemeinen Grundsätzen für einen Entschädigungs- bzw. Folgenbeseitigungsanspruch sowie dem *effet utile*-Grundsatz eine ablehnende Haltung im Hinblick auf einen originären Folgenbeseitigungsanspruch aus Art. 260 Abs. 1 AEUV erkennen.[1036]

---

[1032] EuGH, Rs. C-131/84, Kommission/Italien, Slg. 1985, 3531, Rn. 7; EuGH, Rs. C-387/97, Kommission/Griechenland, Slg. 2000, I-5047, Rn. 82; *Pache*, in: Vedder/Heintschel v. Heinegg, Europäisches Unionsrecht, 2. Aufl. 2018, Art. 260 AEUV Rn. 4; *Cremer*, in: Calliess/Ruffert, EUV/AEUV, 5. Aufl. 2016, Art. 260 EUV Rn. 6 m.w.N.; *Karpenstein*, in: Grabitz/Hilf/Nettesheim, Das Recht der Europäischen Union, 65. EL 2018, Art. 260 AEUV Rn. 10 m.w.N.; *Ehricke*, in: Streinz, EUV/AEUV, 3. Aufl. 2018, Art. 260 AEUV Rn. 7; *Borchardt*, in: Lenz/Borchardt, EU-Verträge, 6. Aufl. 2012, Art. 260 AEUV Rn. 6.

[1033] *Detterbeck*, VerwArch 1994, 159 (178 f.); *Pechstein*, in: Pechstein/Nowak/Häde, Frankfurter Kommentar, 2017, Art. 260 AEUV Rn. 8; *Karpenstein*, in: Grabitz/Hilf/Nettesheim, Das Recht der Europäischen Union, 65. EL 2018, Art. 260 AEUV Rn. 12; *Heidig*, Die Verhängung von Zwangsgeldern und Pauschalbeträgen gegen die Mitgliedstaaten der EG, 2001, S. 47 ff.; *Pache*, in: Vedder/Heintschel v. Heinegg, Europäisches Unionsrecht, 2. Aufl. 2018, Art. 260 AEUV Rn. 5; *Ehricke*, in: Streinz, EUV/AEUV, 3. Aufl. 2018, Art. 260 AEUV Rn. 8; *Pechstein*, EU-Prozessrecht, 4. Aufl. 2011, Rn. 311; *Cremer*, in: Calliess/Ruffert, EUV/AEUV, 5. Aufl. 2016, Art. 260 EUV Rn. 7; *Wunderlich*, in: v. d. Groeben/Schwarze/Hatje, Europäisches Unionsrecht, 7. Aufl. 2015, Art. 260 AEUV Rn. 8.

[1034] *Pache*, in: Vedder/Heintschel v. Heinegg, Europäisches Unionsrecht, 2. Aufl. 2018, Art. 260 AEUV Rn. 5. Eine Pflicht zur Beseitigung der mit dem Vertragsverstoß einhergehenden Folgen aus Art. 260 Abs. 1 AEUV wird demgegenüber angenommen, vgl. GA Ruiz-Jarabo Colomer, SchlA, C-299/01, Kommission/Luxemburg, Slg. 2002, I-5899, Rn. 23; *Millarg*, EuR 1973, 231 (237 f.); *Prieß*, NVwZ 1993, 118 (119 f.); *Krück*, in: v. d. Groeben/Thiesing/Ehlermann, Kommentar zum EU-/EG-Vertrag, 5. Aufl. 1999, Art. 171 EGV Rn. 7; wohl auch *Schwarze/Wunderlich*, in: Schwarze, EU-Kommentar, 4. Aufl. 2019, Art. 260 AEUV Rn. 7.

[1035] Eingehend *Karpenstein*, in: Grabitz/Hilf/Nettesheim, Das Recht der Europäischen Union, 65. EL 2018, Art. 260 AEUV Rn. 15 ff.; *Schwarze/Wunderlich*, in: Schwarze, EU-Kommentar, 4. Aufl. 2019, Art. 260 AEUV Rn. 7; *Wusterhausen*, Die Wirkungen der Urteile des EuGH in der Zeit, 2016, S. 74; *Wunderlich*, in: v. d. Groeben/Schwarze/Hatje, Europäisches Unionsrecht, 7. Aufl. 2015, Art. 260 AEUV Rn. 9.

[1036] Vgl. EuGH, Rs. C-6/90, Francovich und Bonifaci/Italien, Slg. 1991, I-5357, Rn. 31 ff.; eingehend *Pache*, in: Vedder/Heintschel v. Heinegg, Europäisches Unionsrecht, 2. Aufl. 2018, Art. 260 AEUV Rn. 5; *Wunderlich*, in: v. d. Groeben/Schwarze/Hatje, Europäisches Unionsrecht, 7. Aufl. 2015, Art. 260 AEUV Rn. 8; *Cremer*, in: Calliess/Ruffert, EUV/AEUV, 5. Aufl. 2016, Art. 260 EUV Rn. 7; *Schwarze/Wunderlich*, in: Schwarze, EU-Kommentar, 4. Aufl. 2019, Art. 260 AEUV Rn. 7.

Damit beschränkt sich die Handlungspflicht der betroffenen Mitgliedstaaten grundsätzlich auf eine bloße *ex nunc*-Beseitigung. Obschon sich ein originärer Folgenbeseitigungsanspruch nicht aus Art. 260 Abs. 1 AEUV ergibt, gebietet die fundamentale Bedeutung der Werte bei einer systemischen Vertragsverletzung, dass die Tenorierung des Gerichtshofs in Bezug auf die gerügten Maßnahmen eindeutig und erschöpfend ausfällt, um eine erfolgreiche Abstellung der Werteverletzung im betroffenen Mitgliedstaat zu erreichen.

### 5.    Finanzsanktionen nach Art. 260 Abs. 2 AEUV – ein scharfes Schwert

Neben der Feststellungswirkung verfügt Art. 260 AEUV auch über Sanktionsmittel. Als „Hüterin der Verträge" kommt der Kommission hier wiederum die Aufgabe zu, den ordnungsgemäßen Vollzug des ergangenen Vertragsverletzungsurteils des Gerichtshofs zur Abstellung der Werteverletzung zu überwachen.[1037] Kommt der betroffene Mitgliedstaat der Abstellung der Werteverletzung nicht nach oder sind die von ihm ergriffenen Maßnahmen nach Ansicht der Kommission nicht ausreichend, eröffnet Art. 260 Abs. 2 AEUV mit der Anrufung des Gerichtshofs weitere Maßnahmen, nachdem dem Mitgliedstaat gem. Art. 260 Abs. 2 UAbs. 2 S. 1 AEUV mit Übermittlung eines Mahnschreibens durch die Kommission die Möglichkeit zur Stellungnahme gegeben wurde.[1038] Art. 260 Abs. 2 AEUV besagt:

> „Hat der betreffende Mitgliedstaat die Maßnahmen, die sich aus dem Urteil des Gerichtshofs ergeben, nach Auffassung der Kommission nicht getroffen, so kann die Kommission den Gerichtshof anrufen, nachdem sie diesem Staat zuvor Gelegenheit zur Äußerung gegeben hat. Hierbei benennt sie die Höhe des von dem betreffenden Mitgliedstaat zu zahlenden Pauschalbetrags oder Zwangsgelds, die sie den Umständen nach für angemessen hält.
>
> Stellt der Gerichtshof fest, dass der betreffende Mitgliedstaat seinem Urteil nicht nachgekommen ist, so kann er die Zahlung eines Pauschalbetrags oder Zwangsgelds verhängen.
>
> Dieses Verfahren lässt den Artikel 259 unberührt."

### a.    Pauschalbetrag oder Zwangsgeld – Anpassungsdruck und Abschreckung

Für die Durchsetzung der Werte gewinnt das Verfahren mit Art. 260 Abs. 2 AEUV durch die Sanktionsmittel zusätzlich an Bedeutung. Demgemäß eröffnet Art. 260 Abs. 2 UAbs. 2 AEUV die Möglichkeit der Verhängung der *„Zahlung eines Pauschalbetrags oder Zwangsgeldes"*.

---

[1037] EuGH, verb. Rs. C-24 und 97/80 R, Kommission/Frankreich, Slg. 1980, 1319, Rn. 11 f.; *Schroth*, in: Triffterer, Gedächtnisschrift für Theo Vogler, 2004, S. 93 (94 f.).

[1038] Ausführlich zu den Erfordernissen des Vorverfahrens vor Anrufung des Gerichtshofs *Thiele*, EuR 2008, 320 (325 ff.); *Wunderlich*, in: v. d. Groeben/Schwarze/Hatje, Europäisches Unionsrecht, 7. Aufl. 2015, Art. 260 AEUV Rn. 16 ff.; *Karpenstein*, in: Grabitz/Hilf/Nettesheim, Das Recht der Europäischen Union, 65. EL 2018, Art. 260 AEUV Rn. 28 ff.; *Schwarze/Wunderlich*, in: Schwarze, EU-Kommentar, 4. Aufl. 2019, Art. 260 AEUV Rn. 8.

Damit sieht Art. 260 Abs. 2 UAbs. 2 AEUV zwei verschiedene Arten von finanziellen Sanktionen vor.[1039] Zur Abgrenzung der beiden Sanktionsmittel kommt es neben der Schwere des Verstoßes auf dessen zeitlichen Verlauf an.[1040] Das Zwangsgeld soll zur Anwendung kommen, solange die Vertragsverletzung fortbesteht, um als Beugemittel eine zeitnahe Abstellung des Vertragsverstoßes herbeizuführen.[1041] Demgegenüber zielt der Pauschalbetrag mit seinem einmaligen Bußgeld nicht auf das zukünftige mitgliedstaatliche Verhalten ab, sondern diesem kommt unabhängig von der Dauer der Nichtausführung eine Vergeltungs- und Abschreckungsfunktion zu.[1042]

Ausgehend von einem einheitlichen Grundbetrag berechnet sich die Höhe des Tagessatzes anhand der Kriterien der Schwere und Dauer des Verstoßes sowie dem Faktor der notwendigen Abschreckungswirkung unter Berücksichtigung eines festen Länderkoeffizienten, der sowohl die auf dem BIP beruhende Zahlungsfähigkeit des betreffenden Mitgliedstaats als auch seine Stimmenzahl im Rat berücksichtigt.[1043] Dies ist konsequent, denn abhängig von der Bedeutung der Rechtsgutsverletzung und der Wirtschaftskraft des betroffenen Mitgliedstaates kann somit eine adäquate und spürbare Sanktionierung nach individuellen Maßstäben erfolgen.

Ruft die Kommission den Gerichtshof an, hat sie gem. Art. 260 Abs. 2 UAbs. 1 S. 2 AEUV die Art und Höhe der finanziellen Sanktion für den Werteverstoß zu benennen.[1044]

---

[1039] Eingehend *Schroth*, in: Triffterer, Gedächtnisschrift für Theo Vogler, 2004, S. 93 (95 ff.).

[1040] *Pache*, in: Vedder/Heintschel v. Heinegg, Europäisches Unionsrecht, 2. Aufl. 2018, Art. 260 AEUV Rn. 14; *Ehricke*, in: Streinz, EUV/AEUV, 3. Aufl. 2018, Art. 260 AEUV Rn. 12.

[1041] EuGH, Rs. C-177/04, Kommission/Frankreich, Slg. 2006, I-2461, Rn. 60, 62. Die Kommission definierte das Zwangsgeld als die *„im Prinzip in Tagessätzen berechnete Summe, die ein Mitgliedstaat zu zahlen hat, […], und zwar gerechnet ab dem Tag, an dem das zweite Urteil des Gerichtshofes dem betreffenden Mitgliedstaat zugestellt wird, bis zur Beendigung des Verstoßes"*, vgl. SEK (2005) 1658, 07.06.2007, Rn. 14; *Pache*, in: Vedder/Heintschel v. Heinegg, Europäisches Unionsrecht, 2. Aufl. 2018, Art. 260 AEUV Rn. 15; *Pechstein*, in: Pechstein/Nowak/Häde, Frankfurter Kommentar, 2017, Art. 260 AEUV Rn. 13; *Karpenstein*, in: Grabitz/Hilf/Nettesheim, Das Recht der Europäischen Union, 65. EL 2018, Art. 260 AEUV Rn. 37.

[1042] EuGH, Rs. C-304/02, Kommission/Frankreich, Slg. 2005, I-6263, Rn. 80 ff.; SEK (2005) 1658, 09.12.2005, Rn. 10; *Bonnie*, ELRev. 1998, 537 (546 f.); *Tesauro*, in: van Gerven/Zuleeg, Sanktionen als Mittel zur Durchsetzung des Gemeinschaftsrechts, 1996, S. 17 (20); *Heidig*, Die Verhängung von Zwangsgeldern und Pauschalbeträgen gegen die Mitgliedstaaten der EG, 2001, S. 117 ff.; *Everling*, in: Depenheuer/Heintzen/Jestaedt/Axer, Festschrift für Josef Isensee, 2007, S. 773 (788) m.w.N.; *Pache*, in: Vedder/Heintschel v. Heinegg, Europäisches Unionsrecht, 2. Aufl. 2018, Art. 260 AEUV Rn. 15; *Karpenstein*, in: Grabitz/Hilf/Nettesheim, Das Recht der Europäischen Union, 65. EL 2018, Art. 260 AEUV Rn. 35; *Pechstein*, in: Pechstein/Nowak/Häde, Frankfurter Kommentar, 2017, Art. 260 AEUV Rn. 13.

[1043] SEK (2005) 1658, 09.12.2005, Rn. 14; *Pechstein*, in: Pechstein/Nowak/Häde, Frankfurter Kommentar, 2017, Art. 260 AEUV Rn. 13; ausführlich zur Berechnung der finanziellen Sanktionen vgl. *Thiele*, EuR 2008, 320 (335 ff.); *Träbert*, Sanktionen der Europäischen Union gegen ihre Mitgliedstaaten, 2010, S. 169 ff.; *Karpenstein*, in: Grabitz/Hilf/Nettesheim, Das Recht der Europäischen Union, 65. EL 2018, Art. 260 AEUV Rn. 42 ff.; *Wunderlich*, in: v. d. Groeben/Schwarze/Hatje, Europäisches Unionsrecht, 7. Aufl. 2015, Art. 260 AEUV Rn. 25 ff. Im Juli 2010 hat die Kommission in einer ergänzenden Mitteilung eine Aktualisierung der Berechnung des Zwangsgelds und Pauschalbetrags für die einzelnen Mitgliedstaaten veröffentlicht, mit der Ankündigung, die Parameter der Berechnungsmethode im jährlichen Turnus anzupassen, SEK (2010) 923/3, S. 3; kritisch zum Kriterium der Dauer für die Berechnung *Cremer*, in: Calliess/Ruffert, EUV/AEUV, 5. Aufl. 2016, Art. 260 EUV Rn. 14.

[1044] Eingehend *Karpenstein*, in: Grabitz/Hilf/Nettesheim, Das Recht der Europäischen Union, 65. EL 2018, Art. 260 AEUV Rn. 32 ff.; vgl. auch *Thiele*, EuR 2008, 320 (327 f.).

Die Höhe der Sanktion muss die Kommission dabei für „angemessen" halten, wodurch dem Prinzip der Verhältnismäßigkeit des beantragten Sanktionsmittels Rechnung getragen wird.[1045] Die auf dieser Grundlage ermittelte Summe der Kommission ist für den Gerichtshof nicht bindend. Vielmehr hat dieser nach dem eindeutigen Wortlaut über die Kriterien und deren einzelne Gewichtung einen eigenen Ermessensspielraum und kann damit letztlich über die Art und Höhe der Sanktionierung frei judizieren.[1046]

Entgegen dem Wortlaut „*Pauschalbetrags oder Zwangsgelds*" bzw. in der englischen Fassung „*lump sum or a penalty payment*" oder der französischen Fassung „*paiement d'une somme forfaitaire ou d'une astreinte*" werden die Sanktionsmittel nicht nur alternativ, sondern auch kumulativ angewendet.[1047] In sprachlicher Hinsicht strapaziert diese Auslegung der Konjunktion „*oder*" zwar die Grenzen des Wortlauts.[1048] Mit Blick auf den Telos der Vorschrift erscheint diese Praxis demgegenüber vertretbar.[1049]

Für die Durchsetzung der Werte gewinnt das Verfahren mit Art. 260 Abs. 2 AEUV aufgrund seiner kumulativen als auch alternativen Anwendungsmöglichkeiten des Zwangsgeldes und Pauschalbetrages eine erhebliche Wirkkraft. Dem Gerichtshof wird hiermit ein wirkungsvolles Druckmittel an die Hand gegeben, mit dem er einen Werte gefährdenden Mitgliedstaat durch finanzielle Einschnitte des nationalen Haushalts spürbar treffen kann. Die Sanktionshöhe bei einer Werteverletzung wird aufgrund des Berechnungsmodells nach den Faktoren wie Schwere des Verstoßes und erforderlicher Abschreckungswirkung bei dem jeweiligen Mitgliedstaat regelmäßig zu empfindlichen finanziellen Belastungen führen können. Damit dürften die finanziellen Sanktionen als zusätzliche Anreize neben der Bloßstellung durch das Feststellungsurteil angesehen werden und den Mitgliedstaat zur Einhaltung der Werte veranlassen.[1050]

---

[1045] SEK (2005) 1658, 09.12.2005, Rn. 7; *Ehricke*, in: Streinz, EUV/AEUV, 3. Aufl. 2018, Art. 260 AEUV Rn. 12; *Karpenstein*, in: Grabitz/Hilf/Nettesheim, Das Recht der Europäischen Union, 65. EL 2018, Art. 260 AEUV Rn. 42 ff.; *Wunderlich*, in: v. d. Groeben/Schwarze/Hatje, Europäisches Unionsrecht, 7. Aufl. 2015, Art. 260 AEUV Rn. 25.

[1046] Vgl. EuGH, Rs. C-177/04, Kommission/Frankreich, Slg. 2006, I-2461, Rn. 64; *Karpenstein*, in: Grabitz/Hilf/Nettesheim, Das Recht der Europäischen Union, 65. EL 2018, Art. 260 AEUV Rn. 53; *Schwarze/Wunderlich*, in: Schwarze, EU-Kommentar, 4. Aufl. 2019, Art. 260 AEUV Rn. 12 m.w.N.; *Cremer*, in: Calliess/Ruffert, EUV/AEUV, 5. Aufl. 2016, Art. 260 EUV Rn. 17.

[1047] Vgl. nur EuGH, Rs. C-304/02, Kommission/Frankreich, Slg. 2005, I-6263, Rn. 81 ff.; EuGH, Rs. C-369/07, Kommission/Griechenland, Slg. 2009, I-5703, Rn. 140 ff.; EuGH, Rs. C-496/09, Kommission/Italien, Slg. 2011, I-11483, Rn. 42 ff., 82 ff.; SEK (2005) 1658, 09.12.2005, Rn. 10.1; *Wennerås*, CMLRev. 2006, 31 (54); *Thiele*, EuR 2008, 320 (331 f.); *Borchardt*, in: Lenz/Borchardt, EU-Verträge, 6. Aufl. 2012, Art. 260 AEUV Rn. 12; *Karpenstein*, in: Grabitz/Hilf/Nettesheim, Das Recht der Europäischen Union, 65. EL 2018, Art. 260 AEUV Rn. 39 ff.; *Schwarze/Wunderlich*, in: Schwarze, EU-Kommentar, 4. Aufl. 2019, Art. 260 AEUV Rn. 11.

[1048] *Wägenbaur*, in: Due/Lutter/Schwarze, Festschrift für Ulrich Everling, Bd. 2, 1995, S. 1611 (1618); *Heidig*, Die Verhängung von Zwangsgeldern und Pauschalbeträgen gegen die Mitgliedstaaten der EG, 2001, S. 122; *Schroth*, in: Triffterer, Gedächtnisschrift für Theo Vogler, 2004, S. 93 (95 f.).

[1049] EuGH, Rs. C-304/02, Kommission/Frankreich, Slg. 2005, I-6263, Rn. 81.

[1050] Zutreffend bereits *Closa/Kochenov/Weiler*, EUI Working Paper RSCAS 2014/25, 2014, S. 11.

## b.   Zurückhaltung von Zahlungen bzw. Aufrechnung mit Forderungen – Kompensation für eine fehlende Vollstreckbarkeit

Liegt eine rechtskräftige Verurteilung durch den Gerichtshof vor, weigert sich der Verletzerstaat aber dennoch, seinen Handlungspflichten nachzukommen, stellt sich die Frage, welche weiteren Handlungsoptionen der Union im Wege des Art. 258, 260 AEUV zur Gewährleistung ihrer Wertehomogenität verbleiben.

Dreh- und Angelpunkt stellt die Problematik der Durchsetzung der Urteile aus Art. 260 Abs. 2 AEUV dar.[1051] Zunächst bleibt festzuhalten, dass es sich bei den Urteilen unter Berücksichtigung von Art. 280,[1052] 299 Abs. 1 AEUV[1053] – in Ermangelung einer entsprechenden vertraglichen Kodifizierung und der damit einhergehenden weitreichenden Eingriffe in die nationale Souveränität des Mitgliedstaates – zutreffend nicht um vollstreckbare Titel handelt.[1054] Art. 280 AEUV verweist uneingeschränkt auf Art. 299 AEUV, der in Absatz 1 die Vollstreckung gegenüber Mitgliedstaaten explizit ausschließt.[1055] Den Befürwortern einer Zwangsvollstreckung, die zur Durchsetzung der Forderungen eine Inanspruchnahme nationaler Behörden nach Art. 299 Abs. 2 AEUV anführen, wird man entgegenhalten müssen, dass es bei einem Mitgliedstaat, der das Zwangsgeld oder die Befolgung des Urteils verweigert, tatsächlich gar nicht zu einer nationalen Durchsetzung in der Praxis kommen wird.[1056] In ihrer supranationalen Ausgestaltung ist der Union zur Durchsetzung ihrer Werte auch folgerichtig ein Rückgriff auf allgemeine völkerrechtliche Sanktionen verwehrt.[1057] Insoweit bleibt sie neben Art. 7 EUV[1058] auf die Normen des

---

[1051]  Eingehend zu dieser Problematik vgl. *Härtel*, EuR 2001, 617 (620 ff.); *Klamert*, EuR 2018, 159 (159 ff.).

[1052]  Art. 280 AEUV lautet: „*Die Urteile des Gerichtshofs der Europäischen Union sind gemäß Artikel 299 vollstreckbar.*"

[1053]  Art. 299 Abs. 1 AEUV lautet: „*Die Rechtsakte des Rates, der Kommission oder der Europäischen Zentralbank, die eine Zahlung auferlegen, sind vollstreckbare Titel; dies gilt nicht gegenüber Staaten.*"

[1054]  *Teske*, EuR 1992, 265 (279); *Wägenbaur*, in: Due/Lutter/Schwarze, Festschrift für Ulrich Everling, Bd. 2, 1995, S. 1611 (1621); *Heidig*, EuR 2000, 782 (790); *Wunderlich*, in: v. d. Groeben/Schwarze/Hatje, Europäisches Unionsrecht, 7. Aufl. 2015, Art. 260 AEUV Rn. 39; *Träbert*, Sanktionen der Europäischen Union gegen ihre Mitgliedstaaten, 2010, S. 205 f.; *Schwarze/Wunderlich*, in: Schwarze, EU-Kommentar, 4. Aufl. 2019, Art. 260 AEUV Rn. 13; *Schoo*, in: Schwarze, EU-Kommentar, 4. Aufl. 2019, Art. 299 AEUV Rn. 8; *Krajewski/Rösslein*, in: Grabitz/Hilf/Nettesheim, Das Recht der Europäischen Union, 62. EL 2017, Art. 299 AEUV, Rn. 8, 10. Dies ist nicht unumstritten, insoweit a.A. *Gaitanides*, in: v. d. Groeben/Schwarze, Kommentar zum EU-/EG-Vertrag, 6. Aufl. 2003, Art. 228 EGV Rn. 22; *Wegener*, in: Calliess/Ruffert, EUV/AEUV, 5. Aufl. 2016, Art. 280 AEUV Rn. 1; *Frenz*, Handbuch Europarecht, Bd. 5, 2010, Rn. 3700 ff.; *Karpenstein*, in: Grabitz/Hilf/Nettesheim, Das Recht der Europäischen Union, 65. EL 2018, Art. 260 AEUV Rn. 75 m.w.N.; *Borchardt*, in: Lenz/Borchardt, EU-Verträge, 6. Aufl. 2012, Art. 280 AEUV Rn. 2; *Klamert*, EuR 2018, 159 (167 ff.).

[1055]  *Wunderlich*, in: v. d. Groeben/Schwarze/Hatje, Europäisches Unionsrecht, 7. Aufl. 2015, Art. 260 AEUV Rn. 39 m.w.N.; *Schwarze/Wunderlich*, in: Schwarze, EU-Kommentar, 4. Aufl. 2019, Art. 260 AEUV Rn. 13; *Karpenstein*, in: Grabitz/Hilf/Nettesheim, Das Recht der Europäischen Union, 65. EL 2018, Art. 260 AEUV Rn. 75.

[1056]  *Härtel*, EuR 2001, 617 (621 f.).

[1057]  Vgl. schon EuGH, verb. Rs. C-90/63 und 91/63, Kommission/Luxemburg und Belgien, Slg. 1964, 1331, S. 1344; EuGH, Rs. C-232/78, Kommission/Frankreich, Slg. 1979, 2729, Rn. 9; *Schwarze*, EuR 1983, 1 (21 ff.); *Wunderlich*, in: v. d. Groeben/Schwarze/Hatje, Europäisches Unionsrecht, 7. Aufl. 2015, Art. 260 AEUV Rn. 40; *Schwarze/Wunderlich*, in: Schwarze, EU-Kommentar, 4. Aufl. 2019, Art. 260 AEUV Rn. 15; *Gaitanides*, in: v. d. Groeben/Schwarze, Kommentar zum EU-/EG-Vertrag, 6. Aufl. 2003, Art. 228 EGV Rn. 25.

Art. 258, 260 AEUV beschränkt. Um der Zuwiderhandlung zu begegnen, ist zunächst eine erneute Anrufung des Gerichtshofs naheliegend. Durch eine Anhebung der Strafe kann nochmals der Druck zur Anpassung erhöht werden, was jedoch bei konfliktbereiten Mitgliedstaaten wiederum wenig zielführend erscheint.[1059]

Die logische Folge der fehlenden Vollstreckbarkeit der Zwangsgelder und Pauschalbeträge könnte in der Fortentwicklung dieser Strafoptionen zu sehen sein.[1060] Als erfolgversprechender Ansatz zur Durchsetzung bietet sich die Zurückbehaltung bzw. Aufrechnung mit Zahlungsforderungen des betroffenen Mitgliedstaates aus Unionsfonds an.[1061] Bereits im März 2013 hatten die Außenminister der Mitgliedstaaten Deutschland, Niederlande, Finnland und Dänemark in einem Schreiben an die Kommission vorgeschlagen, dass als letztes Mittel die Aussetzung der EU-Finanzierung möglich sein muss.[1062] Dies erscheint konsequent, sind doch einige Mitgliedstaaten, die unter anderem Probleme im Bereich der Rechtsstaatlichkeit und Grundrechte aufweisen, erheblich von den EU-Finanzleistungen abhängig.[1063] Insofern wird auch diskutiert, ob nicht der neue Finanzrahmen für 2021 bis 2027 entsprechende Regelungen zur Kürzung der Mittel aus Strukturfonds für gegen rechtsstaatliche Grundsätze verstoßende Mitgliedstaaten enthalten sollte.[1064] Damit könnte die Union geschuldete EU-Zahlungen an den betroffenen Mitgliedstaat bis zum Erhalt des Sanktionsbetrags und Vollzugs des Urteils einbehalten bzw. die vom Verletzerstaat geschuldete Summe mit dessen Forderungen verrechnen. Die Möglichkeit der direkten Zurückbehaltung bzw. Aufrechnung der EU-Finanzleistungen mit dem Sanktionsbetrag versetzt die Union gegenüber Werte missachtenden Mitgliedstaaten in eine bessere Position. Eine Verzögerung der Umsetzung des Urteils und die anhaltende Missachtung der Werte haben umgehende und spürbare Auswirkungen und schaffen damit starke Anreize

---

[1058] *Karpenstein*, in: Grabitz/Hilf/Nettesheim, Das Recht der Europäischen Union, 65. EL 2018, Art. 260 AEUV Rn. 75.

[1059] A.A. hingegen *Klamert*, EuR 2018, 159 (172).

[1060] *Closa/Kochenov/Weiler*, EUI Working Paper RSCAS 2014/25, 2014, S. 11; *Scheppele*, in: Closa/Kochenov, Reinforcing Rule of Law Oversight in the European Union, 2016, S. 105 (126).

[1061] So bereits *Scheppele*, VerfBlog, 2013/11/01; *Scheppele*, in: Closa/Kochenov, Reinforcing Rule of Law Oversight in the European Union, 2016, S. 105 (125 ff.); *Closa/Kochenov/Weiler*, EUI Working Paper RSCAS 2014/25, 2014, S. 11; *Karpenstein*, in: Grabitz/Hilf/Nettesheim, Das Recht der Europäischen Union, 65. EL 2018, Art. 260 AEUV Rn. 76; *Wunderlich*, in: v. d. Groeben/Schwarze/Hatje, Europäisches Unionsrecht, 7. Aufl. 2015, Art. 260 AEUV Rn. 39; *Pechstein*, in: Pechstein/Nowak/Häde, Frankfurter Kommentar, 2017, Art. 260 AEUV Rn. 20.

[1062] Vgl. hierzu Arbeitsdokument 1 des Europäischen Parlaments, 21.06.2013, http://www.europarl.europa.eu/meetdocs/2009_2014/documents/libe/dt/940/940965/940965de.pdf (zuletzt abgerufen: 31.01.2021 um 18:20); *Closa/Kochenov/Weiler*, EUI Working Paper RSCAS 2014/25, 2014, S. 11; *Scheppele*, in: Closa/Kochenov, Reinforcing Rule of Law Oversight in the European Union, 2016, S. 105 (127).

[1063] *Closa/Kochenov/Weiler*, EUI Working Paper RSCAS 2014/25, 2014, S. 11.

[1064] *Franzius*, DÖV 2018, 381 (383). Ohne eine vorherige gerichtliche Verurteilung des Mitgliedstaates erscheint dieses Vorgehen jedoch hinsichtlich des Rechtsstaatsprinzips problematisch, dessen Anwendung und Schutz die Union sich doch auf die Fahne geschrieben hat. Zudem werden die mehrjährigen Finanzrahmen durch den Rat einstimmig beschlossen. Ein Zustandekommen eines Finanzrahmens mit entsprechenden Regelungen zur Kürzung der Mittel aus Strukturfonds darf deshalb als unwahrscheinlich gelten. Überdies ist nicht zu verkennen, dass etwaige Kürzungen insbesondere zu Lasten der Unionsbürger der betroffenen Länder gehen würden; vgl. auch Europäische Kommission, IP/18/3570, 02.05.2018.

zur unverzüglichen Folgeleistung.[1065] Entsprechende weitere Anordnungen von Pauschalbeträgen und Zwangsgeldern können mit den EU-Mitteln direkt verrechnet werden. Finanzielle Unterstützungen fließen somit nicht mehr bzw. nur noch beschränkt an Mitgliedstaaten, die Werte verletzen.

Die Kommission könnte zudem bei der Aufstellung der Sanktionssumme für die Zurückbehaltung bzw. Verrechnung von EU-Finanzleistungen auf ihre bekannte Berechnungsmethode für den Pauschalbetrag und das Zwangsgeld zurückgreifen und dem Gerichtshof einen entsprechenden Vorschlag unterbreiten.[1066] Kommt der Mitgliedstaat seiner Verpflichtung aus dem Urteil nach, können die Finanzleistungen gemindert um den Betrag, der als Pauschalbetrag oder Zwangsgeld verhängt wurde, wieder freigegeben werden.

In Ermangelung einer ausdrücklichen Rechtsgrundlage bleibt jedoch zu klären, inwieweit eine Versagung bzw. Verrechnung der Finanzmittel noch vom Unionsrecht, insbesondere Art. 260 Abs. 2 AEUV, gedeckt ist bzw. sekundär- oder primärrechtliche Anpassungen erforderlich machen. In der Literatur werden für die Zurückbehaltung unterschiedliche Ansätze vorgeschlagen. Zum einen wird die Aufrechnung auf eine analoge Anwendung des früheren Art. 88 Abs. 3 EGKSV[1067] gestützt.[1068] Zum anderen sei dieses Institut ein international anerkannter Rechtsgrundsatz[1069] und auch mit Blick auf Art. 73 der Haushaltsordnung[1070] dem Unionsrecht nicht fremd.[1071] Weiterhin wird angeführt, dass auch im Bereich der Unionsfonds, wie dem EAGFL-Fonds, die Zurückbehaltung von Geldern bzw. die Verrechnung nicht beglichener Sanktionsgelder mit Forderungen aus dem Fonds ein gängiges Institut sei.[1072] Insoweit wird die Problematik der Konnexität der

---

[1065] Zutreffend *Scheppele*, in: Closa/Kochenov, Reinforcing Rule of Law Oversight in the European Union, 2016, S. 105 (127).

[1066] So bereits *Scheppele*, in: Closa/Kochenov, Reinforcing Rule of Law Oversight in the European Union, 2016, S. 105 (128).

[1067] Vertrag über die Gründung der Europäischen Gemeinschaft für Kohle und Stahl, https://eur-lex. europa.eu/legal-content/DE/TXT/PDF/?uri=CELEX:11951K/TXT&from=DE (zuletzt abgerufen: 31.01.2021 um 17:55 Uhr).

[1068] *Hartley*, ICLQ 1993, 213 (228); *Wägenbaur* in: Due/Lutter/Schwarze, Festschrift für Ulrich Everling, Bd. 2, 1995, S. 1611 (1621 f.); *Krück*, in: v. d. Groeben/Thiesing/Ehlermann, Kommentar zum EU-/EG-Vertrag, 5. Aufl. 1997, Art. 171 EGV Rn. 12; a.A. *Tesauro*, in: van Gerven/Zuleeg, Sanktionen als Mittel zur Durchsetzung des Gemeinschaftsrechts, 1996, S. 17 (22); *Heidig*, Die Verhängung von Zwangsgeldern und Pauschalbeträgen gegen die Mitgliedstaaten der EG, 2001, S. 185 f. *Karpenstein*, in: Grabitz/Hilf/Nettesheim, Das Recht der Europäischen Union, 65. EL 2018, Art. 260 AEUV Rn. 76.

[1069] Vgl. *Haudek*, in: Schlegelberger, Rechtsvergleichendes Handwörterbuch für das Zivil- und Handelsrecht des In- und Auslandes, Bd. V, 1936, S. 58 (58 ff.); *Karpenstein*, EuZW 2000, 537 (538); *Karpenstein*, in: Grabitz/Hilf/Nettesheim, Das Recht der Europäischen Union, 65. EL 2018, Art. 260 AEUV Rn. 76.

[1070] KOM (2016) 605 endg., 14.09.2016.

[1071] EuGH, Rs. C-87/01 P, Kommission/CCRE, Slg. 2003, I-7617, Rn. 56; EuGH, Rs. C-209/90, Kommission/Feilhauer, Slg. 1992, I-2613, Rn. 28 ff.; *Karpenstein*, in: Grabitz/Hilf/Nettesheim, Das Recht der Europäischen Union, 65. EL 2018, Art. 260 AEUV Rn. 76.

[1072] *Härtel*, EuR 2001, 617 (624 f.); *Wägenbaur*, in: Due/Lutter/Schwarze, Festschrift für Ulrich Everling, Bd. 2, 1995, S. 1611 (1622); *Karpenstein*, in: Grabitz/Hilf/Nettesheim, Das Recht der Europäischen Union, 65. EL 2018, Art. 260 AEUV Rn. 76 m.w.N.

Forderungen angeführt,[1073] so dass bei einer derartigen Verrechnung der Werteverstoß im direkten Sachzusammenhang mit den zurückzuhaltenden Geldern stehen müsste.

Eine ausdrückliche Stellungnahme des Gerichtshofs steht hierzu noch aus. Dennoch hat dieser in einem anderen Fall festgestellt, dass die Aufrechnung von Gemeinschaftsmitteln ein rechtlicher Mechanismus sei, dessen Anwendung im Einklang mit dem Gemeinschaftsrecht stehe.[1074] Angesichts dieser bereits gebilligten Möglichkeit der Durchsetzung des Urteils wird sich im vorliegenden Fall schwerlich bestreiten lassen, dass der Kommission keine derartige rechtliche Möglichkeit zugedacht werden kann, ihrer Aufforderung zur Einhaltung der Werte gegenüber einem Mitgliedstaaten Nachdruck zu verleihen.[1075] Die Kommission hat 2018 einen Vorschlag für eine Verordnung über den Schutz des Haushalts der Union im Falle von generellen Mängeln in Bezug auf das Rechtsstaatsprinzip in den Mitgliedstaaten vorgelegt, der sich auf Art. 322 Abs. 1 lit. a) AEUV, Art. 106a EURATOM stützt und vorsieht,[1076] dass die Mittelvergabe an die Achtung der Werte gebunden ist.[1077]

Folglich zeichnet sich ab, dass primärrechtliche Anpassungen nicht notwendig sind. Mit Blick auf die gängige Praxis und den Wortlaut des Art. 260 Abs. 2 UAbs. 2 AEUV wird deutlich, dass dieser recht unspezifisch nur vorsieht, dass eine Zahlung gegenüber dem betreffenden Mitgliedstaat verhängt werden kann.[1078] Die Abwicklung erscheint vielmehr nach allgemeinen praktischen Erwägungen zu erfolgen. Insoweit steht der offene Wortlaut *„Zahlung [...] verhängen"* auch einem dahingehenden Verständnis, dass Finanzmittel zurückgehalten bzw. aufgerechnet werden, nichts entgegen.[1079]

Wird der Wortlaut des Art. 260 Abs. 2 UAbs. 2 AEUV sowie dessen Sanktionspraxis als zu schwaches Argument für eine derartige Auslegung angesehen, könnte der Kommission eine Befugnis zur Einbehaltung von Geldern durch Sekundärrecht übertragen werden, wie dies schon für andere Finanzierungsbedingungen erfolgt ist.[1080]

Letztlich sprechen gewichtige Gründe dafür, das bereits unional bekannte und angewendete Rechtsinstitut der Aufrechnung bzw. Zurückbehaltung auch im Wege des Art. 260 Abs. 2 UAbs. 2 AEUV zur Durchsetzung und Sicherung der Werte bei systemischen Verletzungen zu etablieren. Eine Vertragsreform ist abzulehnen und wäre auch mit

---

[1073] *Härtel*, EuR 2001, 617 (625 f.); *Träbert*, Sanktionen der Europäischen Union gegen ihre Mitgliedstaaten, 2010, S. 208.

[1074] EuGH, Rs. C-87/01 P, Kommission/CCRE, Slg. 2003, I-7617, Rn. 55 ff.; *Träbert*, Sanktionen der Europäischen Union gegen ihre Mitgliedstaaten, 2010, S. 207; *Wunderlich*, in: v. d. Groeben/Schwarze/Hatje, Europäisches Unionsrecht, 7. Aufl. 2015, Art. 260 AEUV Rn. 40.

[1075] Zutreffend bereits *Wägenbaur*, in: Due/Lutter/Schwarze, Festschrift für Ulrich Everling, Bd. 2, 1995, S. 1611 (1622).

[1076] KOM (2018) 321 endg., 02.05.2018.

[1077] Art. 2 lit. b) der Verordnung regelt: *„genereller Mangel in Bezug auf das Rechtsstaatsprinzip" eine weit verbreitete oder wiederholt auftretende Praxis, Unterlassung oder Maßnahme des Staates, die das Rechtsstaatsprinzip beeinträchtigt"*.

[1078] *Pech/Scheppele*, VerfBlog, 2017/1/06.

[1079] Zutreffend bereits schon *Scheppele*, in: Closa/Kochenov, Reinforcing Rule of Law Oversight in the European Union, 2016, S. 105 (130).

[1080] *Scheppele*, VerfBlog, 2013/11/01, S. 2; *Scheppele*, in: Closa/Kochenov, Reinforcing Rule of Law Oversight in the European Union, 2016, S. 105 (130 f.); *Pech/Scheppele*, VerfBlog, 2017/1/06.

Blick auf die einheitliche Ratifikation in den Mitgliedstaaten aufgrund bereits erfolgter systemischer Vertragsverletzungen durch einzelne Mitgliedstaaten unerreichbar.

## IV.  Würdigung

Abschließend sollen einzelne Elemente des „Wertesicherungsverfahrens" einer gesonderten Würdigung unterzogen werden.

### 1.  Die direkte rechtliche Kontrolle einer Werteverletzung durch den Gerichtshof – ein Novum

Die Erstreckung der Gerichtsbarkeit direkt auf Art. 2 S. 1 EUV stellt auch nach der jüngsten Rechtsprechung ein Novum dar und eröffnet dem Gerichtshof die unmittelbare Kontrolle von Werteverstößen im Wege des Art. 258 AEUV.[1081] Es stellt sich daher die Frage, wann der EuGH einen derartigen Fall annehmen würde. Dreh- und Angelpunkt ist hierbei das Vorbringen der Kommission, welches zur Überzeugung des Gerichtshofs gereichen muss, dass die vorgebrachten Sachverhalte im Zusammenhang stehen und deren Kontext eine Verletzung eines Wertes begründen. Es obliegt dann dem Gerichtshof, über das systemische Defizit zu entscheiden und einen Werteverstoß zu diagnostizieren. Zugleich eröffnet sich dem Gerichtshof die Möglichkeit, die Konturen der Werte und deren Mindestanforderungen näher auszulegen und zu konkretisieren. Hierdurch können, wie mit der jüngsten Rechtsprechung geschehen,[1082] die Grenzen der Unabhängigkeit der Justiz als Ausformung der Werte durch den EuGH klar umrissen und damit künftig besser vorhersehbar sowie einfacher justiziabel gemacht werden.[1083]

In der Überprüfung der Werteverletzung durch den Gerichtshof würde auch keine unzulässige Abkehr von der in Art. 7 EUV festgeschriebenen politischen Kontrolle des Rates liegen. Wie bereits erörtert, bleibt die politische Bewertung über die Schwere und Dauerhaftigkeit eines Werteverstoßes mit den weitreichenden Folgen des Sanktionsverfahrens von der Ausweitung der Kontrolle des EuGH unberührt. Der Befürchtung einer unzulässigen oder gar unfreiwilligen Erstreckung der Jurisdiktionsgewalt des EuGH wird man entgegenhalten müssen, dass die Mitgliedstaaten als „Herren der Verträge" mit dem Reformvertrag eine ausdrückliche Ausschlussregel, wie dies bereits bei Art. 7 EUV erfolgte, hätten kodifizieren können. Die Entpolitisierung des Wertekonflikts innerhalb der Union

---

[1081]  *Murswiek*, NVwZ 2009, 481 (482).

[1082]  EuGH, Rs. C-64/16, Associação Sindical dos Juízes Portugueses, ECLI:EU:C:2018:117; EuGH, Rs. C-619/18, Kommission/Polen, ECLI:EU:C:2019:531; EuGH, Rs. C-192/18, Kommission/Polen, ECLI:EU:C:2019:924.

[1083]  So hat der EuGH im Wege eines Vorabentscheidungsverfahrens Portugals zur richterlichen Unabhängigkeit bereits ausgeführt: „*Der Begriff der Unabhängigkeit setzt u. a. voraus, dass die betreffende Einrichtung ihre richterlichen Funktionen in völliger Autonomie ausübt, ohne mit irgendeiner Stelle hierarchisch verbunden oder ihr untergeordnet zu sein und ohne von irgendeiner Stelle Anordnungen oder Anweisungen zu erhalten, und dass sie auf diese Weise vor Interventionen oder Druck von außen geschützt ist, die die Unabhängigkeit des Urteils ihrer Mitglieder gefährden und deren Entscheidungen beeinflussen könnten.*", EuGH, Rs. C-64/16, Associação Sindical dos Juízes Portugueses, ECLI:EU:C:2018:117, Rn. 44.

durch ein unabhängiges Gericht ist für die Bedeutung der Werte und deren Durchsetzung nur zuträglich. Der Gerichtshof hat mit seinen Entscheidungen in der Rechtssache *ASJP* sowie *Kommission/Polen* durch die Operationalisierung der Werte über Art. 19 Abs. 1 UAbs. 2 EUV bereits die ersten Hürden genommen.

## 2. Der Mehrwert des „Wertesicherungsverfahrens" gegenüber dem punktuellen Vertragsverletzungsverfahren

Anders als bei der Kontrolle der Verletzung punktueller Rechtspositionen wird der Blick bei der Untersuchung eines Werteverstoßes auf den institutionellen Schaden des Wertes und dessen Auswirkungen für die Rechtsordnung gerichtet.[1084] Die umfangreiche Vorarbeit zur Analyse der systemischen Verletzung und spätere Adressierung durch die Kommission würde den Gerichtshof in die Position versetzen, den Gesamteffekt der mitgliedstaatlichen Maßnahmen zu erfassen sowie im Wege des Feststellungsurteils die entsprechenden Reformmaßnahmen zur Wiederherstellung der Einhaltung der Werte zu diktieren.

Die Kommission könnte sich mit der direkten Adressierung der Werte eine stärkere Verhandlungsposition gegenüber dem Verletzerstaat verschaffen und den Druck zur zeitnahen Abstellung der Werteverletzung erhöhen, da bei einer Verurteilung durch den Gerichtshof mit erheblichen Sanktionen für den Mitgliedstaat zu rechnen sein wird. Auch erst zwischenzeitlich auftretende Werteverletzungen nach Einleitung des „Wertesicherungsverfahrens" wären, wenn sie sich auf den betroffenen Wert des anhängigen Verfahrens zurückführen lassen, von den Rechtsfolgen des Urteils mittelbar erfasst und müssten unterlassen bzw. umgehend abgestellt werden.[1085] Mit dem „Wertesicherungsverfahren" würde der unzureichenden Kompensation punktueller Vertragsverletzungsverfahren durch ein umfassendes Vertragsverletzungsurteil begegnet. Insgesamt eröffnet das „Wertesicherungsverfahren" damit einen erheblichen Zugewinn bei der Sicherung der Werte.

## 3. Die Grenzen von Feststellungsbeschluss und Finanzsanktion

Kommt der Mitgliedstaat trotz Feststellungsurteil und Finanzsanktionen nach Art. 260 Abs. 2 AEUV seiner auferlegten Handlungspflicht zur Abstellung der Werteverletzung nicht nach, besteht im Rahmen der Art. 258 ff. AEUV neben einer erneuten Einleitung des Sanktionsverfahrens nach Art. 260 Abs. 2 AEUV nur noch die Möglichkeit der Zurückbehaltung bzw. Aufrechnung mit Gegenforderungen der Union. Führen diese Maßnahmen nicht zum Einlenken des Verletzerstaates, stößt das Verfahren an seine Grenzen.

Insoweit stellt sich die Frage, ob durch die Heranziehung des Sanktionsverfahrens als *ultima ratio* Abhilfe geschaffen werden könnte.[1086] Die weitreichenden Sanktionsmöglichkeiten des Art. 7 EUV eröffnen zwar ebenfalls keine direkte Aufhebung der nationalen

---

[1084] *Scheppele*, VerfBlog, 2013/11/01.

[1085] Vgl. *Wennerås*, CMLRev. 2006, 31 (42 f.).

[1086] So bereits schon *Träbert*, Sanktionen der Europäischen Union gegen ihre Mitgliedstaaten, 2010, S. 210 ff.

systemischen Verletzungshandlung. Gleichwohl könnten dem Verletzerstaat Kompeten-zen entzogen werden, wogegen er sich nicht erwehren kann. Demgemäß müsste die Ein-leitung des Feststellungs- und Sanktionsverfahrens nach Art. 7 Abs. 2, 3 EUV eröffnet sein. Die Situation vorangestellt, dass die ursprünglich adressierte und abgeurteilte Werte-verletzung gem. Art. 260 Abs. 1 AEUV trotz erneuter Verurteilung nach Art. 260 Abs. 2 AEUV missachtet und über einen längeren Zeitraum aufrechterhalten wird, würde zwei-felsohne von den materiellen Kriterien einer *„schwerwiegende[n] und anhaltende[n] Ver-letzung der in Artikel 2 genannten Werte durch einen Mitgliedstaat"* erfasst werden.[1087] Selbstredend dient das Sanktionsverfahren nicht der Durchsetzung der Sanktionsurteile nach Art. 260 Abs. 2 AEUV. Als Anknüpfungspunkt in Art. 2 S. 1 EUV könnte hierbei sowohl der anhaltende ursprünglich adressierte Werteverstoß des „Wertesicherungsver-fahrens" als auch der Verstoß gegen die Rechtsstaatlichkeit dienen. Ein Verstoß gegen das Prinzip der Rechtsstaatlichkeit ist darin zu erkennen, dass der Verletzerstaat sich wieder-holt gegen die Urteile des Gerichtshofs stellt und damit dessen Gewaltmonopol missach-tet, zu dessen Befolgung er sich verpflichtet hat.[1088] Weigert sich der Verletzerstaat, dem Urteil des Gerichtshofs zu folgen und den Werteverstoß abzustellen, würde nur noch die Einleitung des Sanktionsverfahrens nach Art. 7 EUV mit den damit verbundenen Anfor-derungen bleiben.

## 4. Verfahrensdauer und Schwerfälligkeit als beschränkender Faktor

Für die Bewertung der Effektivität eines Mechanismus ist die zeitliche Dauer bis zum Erlass des Urteils ein wichtiger Faktor. Je schneller ein Werteverstoß vor dem Gerichtshof festgestellt werden kann, desto förderlicher ist dies für die Effektivität des Sicherungsme-chanismus. Dies gilt insbesondere für die schwierigen und komplexen Fälle systemischer Vertragsverletzungen, die eine Vielzahl von Sachverhalten und Personen erfassen und elementare Verfassungsprinzipien tangieren. Aufgrund der Mehrstufigkeit des Verfahrens mit Blick auf das Mahnschreiben, die begründete Stellungnahme und die Anrufung des Gerichtshofs bestehen lange Verfahrensdauern.[1089] In der Praxis des einfachen Vertrags-verletzungsverfahrens liegt die Verfahrensdauer selten bei weniger als drei Jahren,[1090] was sich auch mit Blick auf die effektive Sicherung der Werte als ein erhebliches Hindernis erweist. Zwar gibt es Bemühungen zur Verfahrensbeschleunigung. Die durchschnittliche

---

[1087] *Heidig*, Die Verhängung von Zwangsgeldern und Pauschalbeträgen gegen die Mitgliedstaaten der EG, 2001, S. 190.

[1088] So auch *Heidig*, Die Verhängung von Zwangsgeldern und Pauschalbeträgen gegen die Mitgliedstaaten der EG, 2001, S. 189 f.; *Träbert*, Sanktionen der Europäischen Union gegen ihre Mitgliedstaaten, 2010, S. 211.

[1089] *Pechstein*, in: Pechstein/Nowak/Häde, Frankfurter Kommentar, 2017, Art. 258 AEUV Rn. 55; *Schwarze/Wunderlich*, in: Schwarze, EU-Kommentar, 4. Aufl. 2019, Art. 258 AEUV Rn. 33; *Wunderlich*, in: v. d. Gro-eben/Schwarze/Hatje, Europäisches Unionsrecht, 7. Aufl. 2015, Art. 258 AEUV Rn. 47; *Cremer*, in: Cal-liess/Ruffert, EUV/AEUV, 5. Aufl. 2016, Art. 258 AEUV Rn. 35.

[1090] *Karpenstein*, in: Grabitz/Hilf/Nettesheim, Das Recht der Europäischen Union, 65. EL 2018, Art. 258 AEUV Rn. 13.

Verfahrensdauer liegt für den Bereich Binnenmarkt jedoch noch bei über 35 Monaten.[1091] Die komplexe Darlegungs- und Beweislast bei den systemischen Verletzungsverfahren ist dem nicht zuträglich, so dass erwartet werden kann, dass diese ähnlich lang dauern würden. In dieser Zeit wird man unterstellen dürfen, dass die Werteverstöße durch den Verletzerstaat nicht abgestellt werden und damit über mehrere Jahre anhalten könnten. Zudem zeigt die bestehende Praxis des Vertragsverletzungsverfahrens, dass die Verletzerstaaten mitunter ihre Einflussmöglichkeiten nutzen, um Verfahrensverzögerungen mit Hilfe von politischen Initiativen bei den Unionsorganen wie Rat oder Kommission sowie Fristverlängerungen zu forcieren.[1092]

Kaum wiedergutzumachende Schadenslagen sind bei systemischen Vertragsverletzungen wohl eher die Regel als die Ausnahme. Um dem zu begegnen, wird sich beim „Wertesicherungsverfahren" zum einen für eine Beschleunigung des Verfahrens durch Verkürzung der üblich gewährten Fristen sowohl für die Kommission als auch für die des betroffenen Mitgliedstaates ausgesprochen.[1093] Zum anderen wird die Beantragung sowie der Erlass einer einstweiligen Anordnung gem. Art. 279 AEUV und Art. 160 Abs. 2 EuGHVfO durch den Gerichtshof für notwendig angesehen,[1094] um aufgrund der besonderen Dringlichkeit und Schwere der Werteverstöße einen nicht wiedergutzumachenden Schaden abzuwenden.

Der Fall Polens gibt Hoffnung, dass sich eine derartige Praxis etabliert.[1095] Der EuGH hatte durch Beschluss dem Antrag auf einstweilige Anordnung über die umstrittene Zwangspensionierung von Richtern am obersten Gericht entsprochen, um damit einer Schaffung von vollendeten Tatsachen zu begegnen.[1096] Gleichwohl wird deutlich, dass auf die Verfahrensdauer nur bedingt von unionaler Seite Einfluss genommen werden kann. Kommission und Gerichtshof sollten im unionalen Interesse jedoch auf eine Beschleunigung hinwirken.

---

[1091] Vgl. Europäische Kommission, Binnenmarkt 07/2018 für den Zeitraum 12/2016 bis 12/2017, http://ec.europa.eu/internal_market/scoreboard/performance_by_governance_tool/infringements/index_en .htm#maincontentSec2 (zuletzt abgerufen: 31.01.2021 um 15:30 Uhr).

[1092] *Karpenstein*, in: Grabitz/Hilf/Nettesheim, Das Recht der Europäischen Union, 65. EL 2018, Art. 258 AEUV Rn. 13.

[1093] *Schwarze/Wunderlich*, in: Schwarze, EU-Kommentar, 4. Aufl. 2019, Art. 258 AEUV Rn. 33; *Ehricke*, in: Streinz, EUV/AEUV, 3. Aufl. 2018, Art. 258 AEUV Rn. 36; *Cremer*, in: Calliess/Ruffert, EUV/AEUV, 5. Aufl. 2016, Art. 258 AEUV Rn. 35.

[1094] *Wunderlich*, in: v. d. Groeben/Schwarze/Hatje, Europäisches Unionsrecht, 7. Aufl. 2015, Art. 258 AEUV Rn. 48 ff.; *Schwarze/Wunderlich*, in: Schwarze, EU-Kommentar, 4. Aufl. 2019, Art. 258 AEUV Rn. 34; *Cremer*, in: Calliess/Ruffert, EUV/AEUV, 5. Aufl. 2016, Art. 258 AEUV Rn. 36; *Ehricke*, in: Streinz, EUV/AEUV, 3. Aufl. 2018, Art. 258 AEUV Rn. 37.

[1095] Vgl. Europäische Kommission, Pressemitteilung v. 24.09.2018, https://ec.europa.eu/germany/news/ 20180924-rechtsstaatlichkeit-polen_de (zuletzt abgerufen: 31.01.2021 um 15:30 Uhr).

[1096] EuGH, Rs. C-619/18 R, Kommission/Polen, ECLI:EU:C:2018:1021.

## V. Fazit

Die Kommission wird ihrer Verpflichtung zur Sicherung der unionalen Verfassungsprinzipien i.S.d. Art. 2. S. 1 EUV mit ihrer aktuellen Praxis der Adressierung einzelner Vertragsverletzungsverfahren zur indirekten Wertesicherung nicht gerecht und bleibt damit hinter dem tatsächlichen Potential dieses Sicherungsmechanismus zurück. Nach hier vertretener Ansicht kommt dem Art. 258 AEUV seit dem Lissabonner Reformvertrag eine größere Bedeutungskraft zu, der das Vertragsverletzungsverfahren in Verbindung mit den Werten i.S.d. Art. 2 S. 1 EUV zu einem „Wertesicherungsverfahren" erstarken lassen kann und das Sanktionsverfahren somit sinnvoll ergänzen könnte. Im Wege der Darlegung eines systemischen Defizits könnte die Kommission ein Bündel von Einzelverletzungen, die ein Muster der Abweichung eines Wertes darstellen, vor den Gerichtshof bringen, so dass dieser, wenn er diese Überzeugung teilt, einen Verstoß gegen einen Wert oder aber auch nur bestimmte einzelne Vertragsverstöße judizieren könnte.[1097] Der Knackpunkt für ein Erstarken zum „Wertesicherungsverfahren" stellt neben einer ersten Vorlage durch die Kommission vor allem die Annahme eines Werteverstoßes durch den Gerichtshof dar. Ist diese Hürde genommen, kann dieser Mechanismus sinnvoll zum Schutz der gemeinsamen Werte der Union, wenn auch mit kleinerer Wirkkraft als das Sanktionsverfahren, eingesetzt werden. Der Grund hierfür liegt in der geringeren Rechtsfolgenreichweite des „Wertesicherungsverfahrens". Ein diesbezügliches Urteil müsste die weitreichenden Auswirkungen der Verletzungen erfassen und die entsprechenden Handlungspflichten des Verletzerstaates feststellen. Insbesondere die Finanzsanktionen und deren Weiterentwicklung durch Zurückbehaltung sowie Aufrechnung wären als wirkungsvolle Ergänzung für die Praxis anzusehen. Ob die Verhängung von Sanktionen die gewünschten Erfolge zur Einhaltung der Werte beim Verletzerstaat herbeiführt, bleibt abzuwarten.[1098]

Die fehlende Durchsetzbarkeit der Sanktionsmittel einerseits und die Schwerfälligkeit aufgrund der Verfahrensdauer andererseits zeigen die Grenzen dieses repressiven Sicherungsmechanismus auf und sind der Effektivität abträglich. Dem kann, wie bereits dargelegt, mit einer umfassenden und zügigen Vorarbeit der Darlegungs- und Beweislast durch die Kommission, kürzeren Verfahrensfristen sowie einstweiligen Anordnungen entgegengewirkt werden.

In Ermangelung eines ersten Urteils des Sanktionsverfahrens nach Art. 7 EUV und dessen erheblichen materiellen und formellen Hürden kann dem „Wertesicherungsverfahren" i.S.d. Art. 258 AEUV i.V.m. Art. 2 S. 1 EUV eine bedeutendere Rolle im Rahmen der repressiven Sicherungsmechanismen zugesprochen werden. Dieser Mechanismus vermag durch frühzeitige Einleitung dem Entstehen einer andauernden und schwerwiegenden Werteverletzung zuvorkommen und damit entscheidend zur Sicherung der Wertehomogenität beitragen.

---

[1097] *Scheppele*, VerfBlog, 2013/11/01.
[1098] Kritischer hierzu *Closa/Kochenov/Weiler*, EUI Working Paper RSCAS 2014/25, 2014, S. 11.

## C.  Der EU-Rahmen zur Stärkung des Rechtsstaatsprinzips: Ein Brückenverfahren

Um den bedenklichen Entwicklungen hinsichtlich der Achtung der Rechtsstaatlichkeit innerhalb der Union zu begegnen, entwickelte die Kommission den EU-Rahmen zur Stärkung des Rechtsstaatsprinzips.[1099] An einen kurzen Überblick (I.) über diesen neuartigen Mechanismus anknüpfend wird dessen Ausgestaltung und Regelungswirkung (II.) erörtert. Zudem erfolgt die Darlegung der kompetenzrechtlichen Grundlage dieses Mechanismus (III.) mit anschließender Darstellung des Rechtsstaatsdialoges des Rates (IV.). Nach Einordnung dieses Mechanismus in das bestehende System der repressiven Sicherungsmechanismen (V.) wird der Mehrwert des EU-Rahmens gegenüber der EU-Grundrechteagentur und der Venedig-Kommission (VI.) dargelegt, bevor nach einer kritischen Würdigung (VII.) ein Fazit (VIII.) folgt.

## I.  Überblick

### 1.  Genese

Die Bestrebungen hin zum heutigen sog. „EU-Rechtsstaatsmechanismus" der Kommission reichen bereits mehrere Jahre zurück und fußen auf der im Jahre 2003 entworfenen Grundrechtspolitik der Union gegenüber den Mitgliedstaaten.[1100]

Um den bestehenden Rechtsstaatlichkeitsproblemen in den Mitgliedstaaten begegnen zu können, gab der damalige Kommissionspräsident *José Manuel Barroso* mit seiner Rede zur Lage der Union in den Jahren 2012 und 2013 den politischen Anstoß zur Schaffung eines Verfahrens zur Sicherung dieses Werts, welches die bestehende Kluft zwischen dem gezielten Vertragsverletzungsverfahren und dem Sanktionsverfahren überwinden sollte.[1101] Hierbei deutete sich bereits an, dass der Kommission die zentrale Rolle bei der Kontrolle der Rechtsstaatlichkeit der Mitgliedstaaten zuteilwerden würde.[1102]

Daneben wurde auch von Seiten des Europäischen Parlaments und einigen Mitgliedstaaten die Einrichtung eines neuen Verfahrens zur Sicherung der Verfassungshomogenität innerhalb der Union gefordert.[1103] Unter den Eindrücken der Geschehnisse in Rumänien und Ungarn forderten etwa die Außenminister Dänemarks, Deutschlands, Finnlands und der Niederlande im März 2013 gemeinsam den Kommissionspräsidenten *José Manuel Barroso* auf, einen neuen und effektiven Durchsetzungsmechanismus zur Wahrung der

---

[1099]  KOM (2014) 158 endg., 11.03.2014.
[1100]  KOM (2003) 606 endg., 15.10.2003.
[1101]  *Barroso*, Rede zur Lage der Union 2012, 12.09.2012, https://ec.europa.eu/commission/presscorner/detail/de/SPEECH_12_596 (zuletzt abgerufen: 31.01.2021 um 16:40 Uhr); *Barroso*, Rede zur Lage der Union 2013, 11.09.2013, https://ec.europa.eu/commission/presscorner/detail/de/SPEECH_13_684 (zuletzt abgerufen: 31.01.2021 um 16:45 Uhr).
[1102]  *Giegerich*, in: Calliess, Liber Amicorum für Torsten Stein, 2015, S. 499 (520).
[1103]  *Giegerich*, in: Calliess, Liber Amicorum für Torsten Stein, 2015, S. 499 (520).

Werte in der Union einzuführen.[1104] Von der Kommission geleitet, sollte dieser schon frühzeitig einen strukturierten Dialog mit dem betroffenen Mitgliedstaat suchen, um notwendige Reformvereinbarungen herbeizuführen.[1105] In diesem Zusammenhang deutete auch der Rat „Justiz und Inneres" auf der Tagung am 06. und 07.06.2013 seine Diskussionsbereitschaft an und rief die Kommission in seinen Schlussfolgerungen dazu auf, die Debatte um die Wahrung der Rechtsstaatlichkeit im Wege einer auf Zusammenarbeit beruhenden und systematischen Methode im Einklang mit den geltenden Verträgen zu forcieren.[1106] Dem vorausgegangenen Bericht des Europaabgeordneten *Rui Tavares* über die Lage der Grundrechte in Ungarn[1107] folgte in der späteren Entschließung des Europäischen Parlaments vom 03.07.2013 die Empfehlung an alle Organe der Union, die Einrichtung eines neuen Mechanismus zur wirksamen Durchsetzung der Werte zu entwickeln.[1108] Hierbei kritisierte das Parlament die vorliegende Situation mit Blick auf das sog. „Kopenhagen-Dilemma".[1109]

In ihrer Rede am 04.09.2013 verkündete die Justizkommissarin und Vizepräsidentin *Viviane Reding* erste Details des geplanten Rechtsstaatsmechanismus.[1110] Am 11.03.2014 kam die Kommission den Forderungen schlussendlich nach und präsentierte mit ihrer Mitteilung an das Europäische Parlament unter dem Titel *„Ein neuer EU-Rahmen zur Stärkung des Rechtsstaatsprinzips"* den neuen Mechanismus.[1111]

---

[1104]  Rat der Europäischen Union, Mitteilung an die Presse, 8577/13, 22.04.2013, S. 8.

[1105]  Die Presse, Print-Ausgabe, 09.03.2013, http://diepresse.com/home/ausland/eu/1354019/Schutz-der-Grundwerte-staerken (zuletzt abgerufen: 31.01.2021 um 17:00 Uhr).

[1106]  Council of the European Union, Council conclusions on fundamental rights and rule of law and on the Commission 2012 Report on the Application of the Charter of Fundamental Rights of the European Union, 06./07.06.2013, http://www.consilium.europa.eu/uedocs/cms_data/docs/pressdata/en/jha/137404.pdf (zuletzt abgerufen: 31.01.2021 um 16:00 Uhr).

[1107]  Europäisches Parlament, Entwurf einer Entschließung des Europäischen Parlaments über die Lage der Grundrechte: Standards und Praktiken in Ungarn (gemäß der Entschließung des Europäischen Parlaments vom 16. Februar 2012), (2012/2130(INI)), http://www.europarl.europa.eu/sides/getDoc.do?pubRef=-//EP//TEXT+REPORT+A7-2013-0229+0+DOC+XML+V0//DE (zuletzt abgerufen: 31.01.2021 um 16:05 Uhr).

[1108]  Europäisches Parlament, Entschließung des Europäischen Parlaments vom 3. Juli 2013 zu der Lage der Grundrechte: Standards und Praktiken in Ungarn (gemäß der Entschließung des Europäischen Parlaments vom 16. Februar 2012), (2012/2130(INI)), Rn. 73 ff., http://www.europarl.europa.eu/sides/getDoc.do?pubRef=-//EP//TEXT+TA+P7-TA-2013-0315+0+DOC+XML+V0//DE (zuletzt abgerufen: 31.01.2021 um 16:10 Uhr).

[1109]  Den Begriff des sog. „Copenhagen Dilemma" prägte die ehemalige EU-Kommissarin *Viviane Reding*, um die Problematik zu umschreiben, dass nach dem EU-Beitritt eines Staats nur unzureichende Instrumentarien bestehen, um sicherzustellen, dass die Werte, insbesondere das Verfassungsprinzip der Rechtsstaatlichkeit geachtet und nicht durch systemische Änderungen in den nationalen Verfassungsordnungen gefährdet bzw. verletzt werden, *Reding*, Safeguarding the Rule of Law and Solving the „Copenhagen Dilemma": Towards a new EU-Mechanism, 22.04.2013, https://ec.europa.eu/commission/presscorner/detail/de/SPEECH_13_348 (zuletzt abgerufen: 31.01.2021 um 16:10 Uhr).

[1110]  *Reding*, The EU and the Rule of Law – What next?, 04.09.2013, https://ec.europa.eu/commission/presscorner/detail/de/SPEECH_13_677 (zuletzt abgerufen: 31.01.2021 um 16:20 Uhr).

[1111]  KOM (2014) 158 endg., 11.03.2014.

## 2.  Wachsende Herausforderungen für die Rechtsstaatlichkeit

Der in dem Wert der Rechtsstaatlichkeit verbürgte Schutz ist Gegenstand der jüngeren Werte gefährdenden Auseinandersetzungen der Union mit ihren Mitgliedstaaten. Die bestehenden repressiven Sicherungsmechanismen sind nur bedingt geeignet, eine Gefahr der Verletzung der Werte frühzeitig zu adressieren und zu unterbinden. Folglich gibt es trotz der bestehenden Instrumentarien zum Schutz der gemeinsamen Werte weiteren Handlungsbedarf, dem die Kommission mit ihrem Vorstoß im Wege des EU-Rechtsstaatsmechanismus zu begegnen versucht.

Ziel des neuen Verfahrens ist es, einen wirksamen und einheitlichen Schutz der Rechtsstaatlichkeit in allen Mitgliedstaaten zu gewährleisten, der bereits einer Gefährdung der Werte in dem betroffenen Mitgliedstaat begegnen soll.[1112] Durch zeitnahen, fokussierten und konstruktiven Dialog sollen mit dem betroffenen Mitgliedstaat gemeinsame Lösungsansätze erarbeitet werden, um eine wertekonforme Verbesserung des mitgliedstaatlichen Verwaltungs- und Rechtssystems zu erreichen.[1113]

## II.  Adressierung durch den EU-Rahmen

Zur Verhinderung einer *„eindeutige[n] Gefahr einer schwerwiegenden Verletzung“*[1114] zu Lasten des Wertes ist zu erörtern, welche materiellen (1.) und verfahrensrechtlichen (2.) Anforderungen für eine Initiierung erforderlich sind.

## 1.  Anforderungen des EU-Rahmens

Das Verfahren soll nach Ansicht der Kommission immer dann zur Anwendung gelangen, wenn *„die Behörden eines Mitgliedstaats Maßnahmen ergreifen oder Umstände tolerieren, die aller Wahrscheinlichkeit nach die Integrität, Stabilität oder das ordnungsgemäße Funktionieren der Organe und der auf nationaler Ebene zum Schutz des Rechtsstaats vorgesehenen Sicherheitsvorkehrungen systematisch beeinträchtigen“*.[1115] Insoweit sind zunächst die tatbestandlichen Anforderungen für eine Aktivierung dieses Mechanismus zu erörtern.

### a.  Rechtsstaatlichkeitsdefizit als Schwelle zur Aktivierung

Die Mitteilung der Kommission rückt die Rechtsstaatlichkeit als grundlegendes Prinzip aller übrigen Werte in den Mittelpunkt. Ein umfassender Schutz der Werte soll vom neuen EU-Rahmen damit nicht gewährleistet werden. Bei der Begriffsbestimmung stützt sich die Kommission ausdrücklich auf die Rechtsprechung des EuGH, des EGMR sowie auf die Texte des Europarats und der Venedig-Kommission.[1116] Zur näheren Spezifizierung veröf-

---

[1112]  KOM (2014) 158 endg., 11.03.2014, S. 3.
[1113]  *Schmahl*, in: Calliess, Liber Amicorum für Torsten Stein, 2015, S. 834 (846).
[1114]  KOM (2014) 158 endg., 11.03.2014, S. 7.
[1115]  KOM (2014) 158 endg., 11.03.2014, S. 7.
[1116]  KOM (2014) 158 endg., 11.03.2014, S. 4.

fentlichte die Kommission im Anhang I zu ihrer Mitteilung unter Bezugnahme auf die Rechtsprechung des Gerichthofs eine Umschreibung der einzelnen Grundsätze.[1117] Demgemäß macht die Kommission als Kernbestandteile das Rechtmäßigkeitsprinzip,[1118] die Rechtssicherheit,[1119] das Willkürverbot,[1120] die Unabhängigkeit und Unparteilichkeit der Gerichte,[1121] die wirksame gerichtliche Kontrolle[1122] sowie die Achtung der Grundrechte und die Gleichheit vor dem Gesetz[1123] fest.

Mit Bezug auf die übereinstimmende Judikatur des EuGH[1124] und des EGMR[1125] weist die Kommission explizit darauf hin, dass es sich bei den Grundsätzen nicht um rein formale Anforderungen handelt, sondern ihnen vielmehr auch eine inhaltliche Komponente innewohnt, die die Wahrung und Achtung von Grund- und Menschenrechten sowie die Demokratie sicherstellt.[1126] Insoweit geht die Kommission von einem formellen sowie materiellen Verständnis der Rechtsstaatlichkeit aus.[1127]

## b.   Systemische Gefährdung durch mitgliedstaatliche Rechtsordnung

Der Mangel an Rechtsstaatlichkeit innerhalb der mitgliedstaatlichen Rechtsordnung bedarf zudem einer besonderen Qualität. Die Kommission bedient sich beim neuen EU-Rahmen der bereits erläuterten Begrifflichkeit der *„systemischen Gefährdung"*.[1128] Zum Teil spricht die Kommission auch von einer Gefährdung, die *„ihrem Wesen nach system-immanent ist"*.[1129] Die Gefährdung muss sich laut Kommission *„gegen die politische, institutionelle und/oder rechtliche Ordnung eines Mitgliedstaats als solche, die verfassungsmäßige Struktur, die Gewaltenteilung, die Unabhängigkeit oder Unparteilichkeit der Justiz oder das System der richterlichen Kontrolle einschließlich der Verfassungsjustiz (sofern vorhan-*

---

[1117]  KOM (2014) 158 endg., 11.03.2014, Anhang I.

[1118]  Dieses Prinzip umfasst einen transparenten, demokratischen und auf der Rechenschaftspflicht beruhenden pluralistischen Gesetzgebungsprozess; EuGH, Rs. C-496/99 P, Kommission/CAS Succhi di Frutta, Slg. 2004, I-3801, Rn. 63.

[1119]  Die Rechtssicherheit fordert, dass Rechtsvorschriften klar und vorhersehbar sind und nicht rückwirkend abgeändert werden, vgl. EuGH, verb. Rs. C-212 bis 217/80, Amministrazione delle finanze dello Stato/Srl Meridionale Industria Salumi, Slg. 1981, 2735, Rn. 10.

[1120]  Das Willkürverbot verbietet einen Eingriff der mitgliedstaatlichen Exekutive in die Sphäre natürlicher und juristischer Personen ohne ausreichende Rechtsgrundlage und von unverhältnismäßigem Ausmaß; vgl. EuGH, Rs. C-46/87, Hoechst/Kommission, Slg. 1989, 2859, Rn. 19.

[1121]  Vgl. EuGH, verb. Rs. C-174/98 P, C-189/98 P, van der Wal/Kommission, ECLI:EU:C:2000:1, Rn. 17; EuGH, Rs. C-279/09, DEB, Slg. 2010, I-13849, Rn. 58.

[1122]  EuGH, Rs. C-50/00 P, Unión de Pequeños Agricultores/Rat, Slg. 2002, I-6677, Rn. 38 f.

[1123]  EuGH, Rs. C-550/07 P, Akzo Nobel Chemicals und Akcros Chemicals/Kommission, Slg. 2010, I-8301, Rn. 54.

[1124]  Vgl. hierzu EuGH, Rs. C-50/00 P, Unión de Pequeños Agricultores/Rat, Slg. 2002, I-6677, Rn. 38 f.; EuGH verb. Rs. C-402/05 P, C-415/05 P, Kadi und Al Barakaat International Foundation/Rat und Kommission, Slg. 2008, I-6351, Rn. 316.

[1125]  Vgl. u. a. EGMR, Nr. 46295/99, Stafford/Vereinigtes Königreich, v. 28.05.2002, Rn. 63.

[1126]  KOM (2014) 158 endg., 11.03.2014, S. 4.

[1127]  So auch *Hofmeister*, DVBl. 2016, 869 (873).

[1128]  KOM (2014) 158 endg., 11.03.2014, S. 7.

[1129]  KOM (2014) 158 endg., 11.03.2014, S. 7.

*den) richten und beispielsweise von neuen Maßnahmen oder weit verbreiteten Praktiken der Behörden und fehlendem Rechtsschutz ausgehen".* [1130]

Wie bereits erörtert und durch die Umschreibung der Kommission plakativ dargelegt, kommt dem Kriterium ein quantitatives Element zu, das eine Bewertung als systemisch nur dann erlaubt, wenn das Fehlverhalten eines Mitgliedstaates eine gewisse Vielzahl von rechtsstaatlichen Verstößen aufweist, die ein Muster bzw. eine Charakteristik des Systems erkennen lassen. [1131]

Unter einer Gefährdung bzw. Gefahr im Sinne des EU-Rechtsstaatsmechanismus ist aufgrund der Nähe zur Vorfeldmaßnahme des Verfahrens nach Art. 7 Abs. 1 EUV übereinstimmend eine Sachlage zu verstehen, in der bei ungehindertem Ablauf des objektiv zu erwartenden Geschehens in absehbarer Zeit mit hinreichender Wahrscheinlichkeit ein Schaden eintreten wird. [1132]

Vergleichbar dem Erfordernis des Sanktionsverfahrens *„durch einen Mitgliedstaat"* bedarf es auch beim EU-Rahmen einer Zurechnung der systemischen Gefährdung der Rechtsstaatlichkeit. In Übereinstimmung mit der obigen Umschreibung der Kommission, erfasst dies den Mitgliedstaat und seine Untergliederungen und damit dessen positives Tun als auch Unterlassen einer Wertegefährdung durch legislatives, justizielles und exekutives Handeln. [1133]

Die systemische Gefährdung erfordert demnach die hinreichende Wahrscheinlichkeit einer strukturellen Abkehr vom Kerngehalt des Wertes, so dass dieser vielmehr nur noch eine leere Hülse darstellt. Für diese Bestimmung lassen sich wiederum die Ausführungen zum systemischen Defizit heranziehen. [1134]

## 2.    Rechtsstaatlichkeitsdialog – Verfahrensschritte

Die Kommission sieht im Wege eines bilateralen Austausches ein aufeinander aufbauendes dreistufiges Verfahren vor, das dem Vertragsverletzungsverfahren i.S.d. Art. 258 AEUV nachempfunden ist. Das Verfahren gliedert sich in eine Vorprüfung – der „Sachstandsanalyse" – gefolgt von der „Empfehlung". Es schließt mit dem „Follow-up" zur Empfehlung ab. Die Durchführung obliegt dabei alleine der Kommission, die den Rat und das Parlament regelmäßig über ihre Vorhaben und Resultate informiert und von der Achtung des Gebots der Gleichbehandlung aller Mitgliedstaaten getragen ist.

### a.    Sachstandsanalyse

Im Wege einer Vorprüfung untersucht die Kommission auf der ersten Verfahrensstufe, ob es klare Hinweise für eine systemische Bedrohung der Rechtsstaatlichkeit in einem Mit-

---

[1130]  KOM (2014) 158 endg., 11.03.2014, S. 7 f.

[1131]  *Schorkopf*, EuR 2016, 147 (155); *Hofmeister*, DVBl. 2016, 869 (873); *v. Bogdandy/Ioannidis*, ZaöRV 2014, 283 (323); vgl. *Schmahl*, in: Calliess, Liber Amicorum für Torsten Stein, 2015, S. 834 (840 f.); *Giegerich*, in: Calliess, Liber Amicorum für Torsten Stein, 2015, S. 499 (529 f.).

[1132]  Ausführlich zur Bestimmung des Gefahrenbegriffs vgl. oben bb) Eindeutige Gefahr, S. 76 ff.

[1133]  Vgl. oben bb) Durch einen Mitgliedstaat, S. 82 ff.

[1134]  Ausführlich hierzu oben 2. Systemisches Defizit, S. 57 ff.

gliedstaat gibt. Für ihre objektive Sachstandsanalyse holt sie alle relevanten Informationen ein, sammelt und evaluiert die Hinweise, auch unter Rückgriff auf die Informationssammlungen der ihr zur Verfügung stehenden Quellen von anerkannten Institutionen, wie der EU-Grundrechteagentur[1135] und der Venedig-Kommission[1136] des Europarates.[1137] Zudem kann die Kommission auf die Expertise der Mitglieder der justiziellen Netze (EJN) zurückgreifen,[1138] um mit deren Fachwissen vergleichende Analysen mit anderen Mitgliedstaaten zu erstellen und die Gleichbehandlung der Mitgliedstaaten in Bezug auf das Rechtsstaatprinzip innerhalb der Union zu gewährleisten.

Gelangt die Kommission in der Folge zu der Überzeugung, dass klare Anzeichen einer systemischen Gefährdung der Rechtsstaatlichkeit vorliegen, tritt sie in einen strukturierten Dialog mit dem betroffenen Mitgliedstaat ein. In diesem Zusammenhang können Schriftwechsel und Treffen mit den zuständigen mitgliedstaatlichen Behörden, gefolgt von weiteren Kontakten mit Einrichtungen des Staates stattfinden.

In einer an den Mitgliedstaat gerichteten „Stellungnahme zur Rechtsstaatlichkeit" begründet die Kommission ihre Bedenken und gibt dem betroffenen Mitgliedstaat Gelegenheit zur Äußerung. Der Dialog mit dem Mitgliedstaat erfolgt im Einklang mit dem Prinzip der loyalen Zusammenarbeit i.S.d Art. 4 Abs. 3 EUV. Somit ist der Mitgliedstaat verpflichtet, mit der Kommission zu kooperieren und keine vollendeten Tatsachen in Bezug auf die vorgebrachten Bedenken zu schaffen. In die Beurteilung der Schwere der Gefährdung des Mitgliedstaates fließt auch dessen kooperatives bzw. boykottierendes Verhalten ein. Zur raschen Problemlösung bleiben die tatsächlichen Inhalte des Dialogs vertraulich und es wird nur die Tatsache veröffentlicht, dass eine Rechtsstaatlichkeitsanalyse mit Stellungnahme ergangen ist.[1139]

## b. Empfehlung

Liegen objektive Hinweise für eine systemische Gefährdung der Rechtsstaatlichkeit vor und reagiert der betroffene Mitgliedstaat nicht angemessen durch die Umsetzung der erforderlichen Maßnahmen bzw. kooperiert dieser nicht ausreichend im Sinne des Art. 4 Abs. 3 EUV, tritt die Kommission in die zweite Verfahrensstufe ein und richtet eine „Empfehlung zur Rechtsstaatlichkeit" an den Mitgliedstaat.[1140]

Hierbei benennt die Kommission nochmals die Gründe für ihre Bedenken und gibt gegebenenfalls auch konkrete Hinweise zur Lösung der rechtsstaatlichen Problematik. Dies erfolgt in Form der Empfehlung, der nach Art. 288 Abs. 5 AEUV als Sekundärrechts-

---

[1135] Eingehend zur EU-Grundrechteagentur *Schlichting/Pietsch*, EuZW 2005, 587 (587 ff.); *Lindner*, BayVBl. 2008, 129 (129 ff.); *Härtel*, EuR 2008, 489 (489 ff.).

[1136] Ausführlich zur Venedig-Kommission vgl. *Malinverni*, in: Bourloyannis-Vrailas/Sicilianos, The Prevention of Human Rights Violation, 2001, S. 123 (123 ff.); *Rülke*, Venedig-Kommission und Verfassungsgerichtsbarkeit, 2003, S. 1 ff.; *Raue*, Der Europarat als Verfassungsgestalter seiner neuen Mitgliedsstaaten, 2005, S. 49 ff.; *Dürr*, in: Kleinsorge, Council of Europe, 2010, Part IV, Chapter 2., Rn. 349 ff.

[1137] KOM (2014) 158 endg., 11.03.2014, S. 8.

[1138] Hier zu nennen ist das Netz des Präsidenten der Obersten Gerichtshöfe der EU, der Vereinigung der Staatsräte und der Obersten Verwaltungsgerichte der EU sowie der Richterräte.

[1139] KOM (2014) 158 endg., 11.03.2014, S. 9.

[1140] KOM (2014) 158 endg., 11.03.2014, S. 9.

akt keine Verbindlichkeit zukommt. Für die Behebung der beanstandeten Probleme der Rechtsstaatlichkeit setzt die Kommission dem Mitgliedstaat eine entsprechende Frist, damit das Verfahren nicht unnötig verzögert wird. Der wesentliche Inhalt der Empfehlung wird, im Gegensatz zur Stellungnahme, von der Kommission veröffentlicht.

### c.  Follow-up

Der Verlauf der Umsetzung von Maßnahmen, die der Mitgliedstaat in Bezug auf die an ihn gerichteten Empfehlungen zur Rechtsstaatlichkeit zu ergreifen hat, wird in der dritten und letzten Stufe – dem „Follow-up" – von der Kommission überprüft.[1141] Im Wege des Monitorings unterhält die Kommission beständig Kontakt zu dem betroffenen Mitgliedstaat und überwacht, ob fragwürdige Praktiken andauern bzw. die mitgliedstaatlichen Anstrengungen der Anpassungsmaßnahmen erfolgreich verlaufen.

Bleiben die Anstrengungen des Mitgliedstaates, die Empfehlungen der Kommission zufriedenstellend umzusetzen, innerhalb der gesetzten Frist erfolglos, kann die Kommission unter Berücksichtigung der Erfolgsaussichten das Sanktionsverfahren nach Art. 7 EUV einleiten. Einen Automatismus zum Übergang in das Sanktionsverfahren stellt dies nicht dar.[1142] Die Maßnahmen innerhalb des EU-Rahmens sind damit zugleich als Vorarbeit für eine schnellere Aktivierung der weiteren repressiven Sicherungsmechanismen zu sehen.

### III.   Kompetenzgerechtes Handeln der Kommission?

Der EU-Rechtsstaatsmechanismus kann nur dann erfolgreich zur Sicherung der Werte beitragen, wenn seine kompetenzrechtliche Grundlage außer Frage und damit einer Anerkennung unter den Mitgliedstaaten sowie den EU-Organen nichts im Wege steht. Das vom Rat für „Allgemeine Angelegenheiten" beim juristischen Dienst in Auftrag gegebene Gutachten kommt hierbei zu dem Ergebnis, *„dass der neue EU-Rahmen zur Stärkung des Rechtsstaatsprinzips, [...], nicht mit dem Grundsatz der begrenzten Einzelermächtigung vereinbar ist, der die Zuständigkeit der Organe der Union regelt".*[1143] Dennoch besteht nach dessen Auffassung eine mit den Verträgen in Einklang stehende Lösung, indem *„die Mitgliedstaaten – und nicht der Rat – ein System zur Überprüfung des Funktionierens der Rechtsstaatlichkeit in den Mitgliedstaaten, das erforderlichenfalls der Kommission und anderen Organen die Möglichkeit zur Teilnahme bietet, vereinbaren und sich darüber einigen, welche Konsequenzen die Mitgliedstaaten bereit wären, aus einer solchen Überprüfung zu ziehen".*[1144] Jedoch darf durch diese völkerrechtliche Vereinbarung *„die Union nicht in ihrer Möglichkeit eingeschränkt werden, ihre Befugnisse gemäß Artikel 7 EUV und gemäß den Artikeln 258, 259 und 260 AEUV auszuüben".*[1145] Insoweit ist zu klären, ob ein Umweg über eine völkerrechtliche Vereinbarung notwendig ist. Sollten die Unionsverträge, entge-

---

[1141]  KOM (2014) 158 endg., 11.03.2014, S. 9.
[1142]  *Schorkopf,* EuR 2016, 147 (153); *Hofmeister,* DVBl. 2016, 869 (874).
[1143]  Rat der Europäischen Union, Gutachten des juristischen Dienstes, 27.05.2014, Dok. 10296/14, Rn. 28.
[1144]  Rat der Europäischen Union, Gutachten des juristischen Dienstes, 27.05.2014, Dok. 10296/14, Rn. 26.
[1145]  Rat der Europäischen Union, Gutachten des juristischen Dienstes, 27.05.2014, Dok. 10296/14, Rn. 26.

gen der Auffassung des juristischen Dienstes, eine Rechtsgrundlage für einen derartigen Mechanismus der Kommission bereithalten, stünde einer gesicherten Etablierung dieses Verfahrens nichts im Wege.

Die Union unterliegt bei ihrem Handeln, wie bereits der juristische Dienst darlegt, dem Grundsatz der begrenzten Einzelermächtigung nach Art. 5 Abs. 2 EUV.[1146] Dass es einer Klärung der Rechtsgrundlage überhaupt bedarf, ist der Tatsache geschuldet, dass es sich beim EU-Rahmen um ein neues und zugleich eigenständiges Instrument gegenüber den Mitgliedstaaten im Vorfeld zu Art. 7 EUV handelt.[1147] Damit lässt er sich nicht einfach auf die Kompetenzgrundlage des Art. 7 EUV gründen.[1148] In ihrer Mitteilung versichert die Kommission, dass sich ihr Überwachungsverfahren im Rahmen ihrer kompetenz-rechtlichen Grenzen hält und sie als „Hüterin der Verträge" auch zugleich „Hüterin der Rechtsstaatlichkeit" sei.[1149]

Der juristische Dienst kommt in seinen Ausführungen zu weitgehend vertretbaren Ergebnissen.[1150] Dieser stellt zutreffend fest, dass Art. 70 AEUV als Kompetenzzuweisung an die Kommission nicht herangezogen werden könne.[1151] Auch die Regelung des Art. 241 AEUV[1152] sowie Art. 337 AEUV[1153] könne keine unmittelbare Kompetenzzuweisung der

---

[1146]  *Kadelbach*, in: v. d. Groeben/Schwarze/Hatje, Europäisches Unionsrecht, 7. Aufl. 2015, Art. 5 EUV Rn. 4 ff.; *Bast*, in: Grabitz/Hilf/Nettesheim, Das Recht der Europäischen Union, 65. EL 2018 Art. 5 EUV Rn. 13 f.; *Calliess*, in: Calliess/Ruffert, EUV/AEUV, 5. Aufl. 2016, Art. 5 EUV Rn. 6 ff.; *Lienbacher*, in: Schwarze, EU-Kommentar, 4. Aufl. 2019, Art. 5 EUV Rn. 6 ff.; sowohl eine Verbandskompetenz als auch eine Organkompetenz besteht ausschließlich in den durch die Verträge übertragenen Zuständigkeitsbereichen, der unbenannte Rest verbleibt bei den Mitgliedstaaten, vgl. auch Art. 13 Abs. 2 S. 1 EUV.

[1147]  *v. Bogdandy/Ioannidis*, ZaöRV 2014, 283 (322); vgl. auch *Schorkopf*, in: Grabitz/Hilf/Nettesheim, Das Recht der Europäischen Union, 61. EL 2017, Art. 7 EUV Rn. 60; *Ruffert*, in: Calliess/Ruffert, EUV/AEUV, 5. Aufl. 2016, Art. 7 EUV Rn. 32.

[1148]  Anders hingegen *v. Bogdandy/Ioannidis*, ZaöRV 2014, 283 (294), die ein Kompetenzproblem der Union nach Art. 5 EUV nur bei unilateral bindenden Akten gegen Mitgliedstaaten und Individuen annehmen.

[1149]  Europäische Kommission, IP/14/237, 11.03.2014.

[1150]  Rat der Europäischen Union, Gutachten des juristischen Dienstes, 27.05.2014, Dok. 10296/14, Rn. 20 ff.

[1151]  Zwar eröffnet die Norm den Erlass von Maßnahmen ohne Gesetzescharakter, beschränkt sich aber auf der Tatbestandsebene auf eine Durchführungsevaluation im Rahmen des Raums der Freiheit, der Sicherheit und des Rechts. Der Anwendungsbereich kann dabei nicht über den in Titel V des AEU-Vertrages erfassten Bereich hinausgehen und umfasst damit nicht den Anwendungsbereich des EU-Rahmens, vgl. *Weiß*, in: Streinz, EUV/AEUV, 3. Aufl. 2018, Art. 70 AEUV Rn. 5 ff.; *Suhr*, in: Calliess/Ruffert, EUV/AEUV, 5. Aufl. 2016, Art. 70 AEUV Rn. 2; *Röben*, in: Grabitz/Hilf/Nettesheim, Das Recht der Europäischen Union, 53. EL 2014 Art. 70 AEUV Rn. 2; *Herrnfeld*, in: Schwarze, EU-Kommentar, 4. Aufl. 2019, Art. 70 AEUV Rn. 2 f.

[1152]  Aus Art. 241 AEUV lässt sich nicht ohne Weiteres eine Ermächtigung der Kommission begründen. Unterstellt man eine konkludente oder stillschweigende Aufforderung des Rates an die Kommission bzw. eine Ermessensreduzierung auf Null, ist die Vornahme von Untersuchungen und die Unterbreitung von Vorschlägen auf den Geltungsbereich des Unionsrechts beschränkt. Insoweit bedürfte es wieder eines Rückgriffs auf Art. 7 EUV. Vgl. hierzu *Nettesheim/Grabitz/Hilf*, in: Grabitz/Hilf/Nettesheim, Das Recht der Europäischen Union, 55. EL 2015, Art. 241 AEUV Rn. 6 f.; *Jacqué*, in: v. d. Groeben/Schwarze/Hatje, Europäisches Unionsrecht, 7. Aufl. 2015, Art. 241 AEUV Rn. 1; *Ruffert*, in: Calliess/Ruffert, EUV/AEUV, 5. Aufl. 2016, Art. 241 AEUV Rn. 1 f.; *Haratsch*, in: Pechstein/Nowak/Häde, Frankfurter Kommentar, 2017, Art. 241 AEUV Rn. 1 f.

[1153]  Zwar behandelt Art. 337 AEUV die Materie der Einholung von Auskünften und Nachprüfungsrechten durch die Kommission. Indes begründet die Norm nach herrschender Meinung den Vorbehalt einer sekundärrechtlichen Konkretisierung durch den Rat und stellt damit keine unmittelbaren Befugnisse der Kom-

Kommission in Bezug auf den EU-Rahmen begründen. Damit stellt sich die Frage eines Rückgriffs auf die Flexibilitätsklausel des Art. 352 AEUV. Diese ist nur eröffnet, wenn es sich um die Verwirklichung eines der Ziele der Verträge im Rahmen der vertraglich festgelegten Politikbereiche handelt und die Verträge nicht bereits ausdrücklich oder implizit eine Kompetenz begründen.[1154] Angesichts der Nähe des EU-Rahmens zum „Art. 7 EUV"-Verfahren könnte ein Rückgriff auf Art. 352 AEUV entfallen.

Insoweit ist zu untersuchen, ob sich im Wege der Auslegung der mit dem Frühwarnverfahren übertragenen Befugnisse i.S.d. Art. 7 Abs. 1 EUV auch eine Ausdehnung des Kompetenzbereichs der Kommission auf deren Handeln zu Gunsten des EU-Rahmens begründen lässt.[1155] Zudem liegen mit Art. 17 Abs. 1 S. 2 EUV und dem allgemeinen Auskunfts- und Nachprüfungsrecht i.S.d. Art. 337 AEUV unionale Regelungen vor, die eine diesbezügliche Kommissionszuständigkeit andeuten.

Nach Art. 7 Abs. 1 UAbs. 1 S. 1 EUV steht der Kommission im Rahmen der Vorfeldmaßnahme ausdrücklich ein Initiativrecht zu. Das Vorschlagsrecht zeigt auf, dass der Kommission die Ermächtigung eingeräumt wird, die Gefahren einer schwerwiegenden Verletzung der Werte zu analysieren. Dieses Vorschlagsrecht muss sich die Kommission nach Art. 7 Abs. 1 EUV mit den Mitgliedstaaten und dem Europäischen Parlament teilen. Für die Ableitung einer alleinigen Befugnis der Kommission im EU-Rahmen lässt sich anführen, dass ihr als „Hüterin der Verträge" gem. Art. 17 Abs. 1 S. 2, 3 EUV naturgemäß die Aufgabe zukommt, die korrekte Anwendung des Unionsrechts durch die Mitgliedstaaten zu überwachen. Zugleich hat sie als „Motor der Integration" gem. Art. 17 Abs. 1 S. 1 EUV die Unionsinteressen zu fördern, welche neben den Zielen der EU auch die Werte umfassen und damit auch den Bereich der Rechtsstaatlichkeit.[1156] Ferner bleiben weder der Rat noch das Parlament im Überwachungsverfahren der Kommission unberücksichtigt. Die Mitteilung sieht vor, dass die beiden Unionsorgane regelmäßig über die Ergebnisse des Dialogs mit dem betreffenden Mitgliedstaat und der Entscheidungsfindung durch die Kommission informiert werden.[1157] Insoweit erfolgt ein Ausgleich zur alleinigen Überwachung durch die Kommission und eine Annäherung an die Vorfeldmaßnahme nach Art. 7 Abs. 1 UAbs. 1 S. 1 EUV.

Weiterhin ist der eng begrenzte Kompetenzbereich des Art. 7 Abs. 1 EUV zu beachten, der dem Rat ein alleiniges Entscheidungs- und der Kommission lediglich ein Vorschlagsrecht gewährt. Eine Ausweitung der Organkompetenz zu Gunsten der Kommission er-

---

mission selbst dar, vgl. *Jaeckel*, in: Grabitz/Hilf/Nettesheim, Das Recht der Europäischen Union, 45. EL 2011, Art. 337 AEUV Rn. 2; *Wegener*, in: Calliess/Ruffert, EUV/AEUV, 5. Aufl. 2016, Art. 337 AEUV Rn. 1; *Ladenburger*, in: v. d. Groeben/Schwarze/Hatje, Europäisches Unionsrecht, 7. Aufl. 2015, Art. 337 AEUV Rn. 2.

[1154]  *Streinz*, in: Streinz, EUV/AEUV, 3. Aufl. 2018, Art. 352 AEUV Rn. 26; *Schröder*, in: v. d. Groeben/Schwarze/Hatje, Europäisches Unionsrecht, 7. Aufl. 2015, Art. 352 AEUV Rn. 15; *Winkler*, in: Grabitz/Hilf/Nettesheim, Das Recht der Europäischen Union, 63. EL 2017, Art. 352 AEUV Rn. 39; *Rossi*, in: Calliess/Ruffert, EUV/AEUV, 5. Aufl. 2016, Art. 352 AEUV Rn. 23.

[1155]  *Giegerich*, in: Calliess, Liber Amicorum für Torsten Stein, 2015, S. 499 (533).

[1156]  *Schmidt/v. Sydow*, in: v. d. Groeben/Schwarze/Hatje, Europäisches Unionsrecht, 7. Aufl. 2015, Art. 17 EUV Rn. 32, 18; *Ruffert*, in: Calliess/Ruffert, EUV/AEUV, 5. Aufl. 2016, Art. 17 EUV Rn. 4; *Martenczuk*, in: Grabitz/Hilf/Nettesheim, Das Recht der Europäischen Union, 59. EL 2016, Art. 17 EUV Rn. 15, 12.

[1157]  KOM (2014) 158 endg., 11.03.2014, S. 9.

scheint diesbezüglich nicht unangreifbar.[1158] Die Feststellung einer eindeutigen Gefahr einer schwerwiegenden Verletzung im Rahmen der Vorfeldmaßnahme gem. Art. 7 Abs. 1 EUV soll der Rat nach Zustimmung des Europäischen Parlaments treffen. Hierfür angeführt wird die besondere politische Sprengkraft, die eine Kontrolle und Entscheidung über die nationale Rechtsstaatlichkeit mit sich bringt. Daher ist nur dem Rat als Vertretung der Mitgliedstaaten eine Entscheidungsmacht zuzuerkennen.[1159] Für eine abweichende Organkompetenz ist anzuführen, dass die Unionsverträge gleichwohl auch Kompetenzzuweisungen an die Kommission vorsehen, wie bereits Art. 17 Abs. 1 S. 2 EUV, Art. 337 AEUV und auch Art. 258 AEUV zeigen. Zudem weist der EU-Rahmen in Bezug auf die Rechtsfolgenseite keine der Vorfeldmaßnahme vergleichbare Wirkung durch einen dort erfolgenden Feststellungsbeschluss auf. Eine alleinige Organkompetenz des Rates ist in Ermangelung einer vergleichbaren besonderen politischen Sprengkraft beim EU-Rahmen zu verneinen.[1160] Vielmehr wird der Kommission durch das Vorschlagsrecht nach Art. 7 Abs. 1 UAbs. 1 S. 1 EUV implizit die Ermächtigung eingeräumt, die Gefahren einer schwerwiegenden Verletzung der Werte zu analysieren und zu bewerten.[1161] Untersuchungen und Konsultationen durch dialogischen Austausch in Bezug auf die Rechtsstaatlichkeit im Vorfeld des Art. 7 EUV müssen hiervon gedeckt sein.[1162] Als „Hüterin der Verträge" und der Unionsinteressen wird die Kommission zudem die beste Gewähr für eine politisch neutrale Entscheidung im Sinne der Union und ihrer Werte bieten.[1163]

Der mit dem EU-Rahmen abgesteckte Bereich der Rechtsstaatlichkeit umfasst zudem auch die nationalen Rechtsordnungen und macht diese zum Verfahrensgegenstand für die Kommission. Dieser Bereich ist der Kommission bereits durch das Vorschlagsrecht im Wege der Vorfeldmaßnahme zur Überprüfung übertragen worden. Ungeachtet der Frage des Prüfungsrechts der Kommission ist beim EU-Rahmen zudem die Besonderheit der konkreten verfahrensrechtlichen Ausgestaltung durch den Dialog zwischen der Kommission und den Mitgliedstaaten zu berücksichtigen. Die explizit diskursive Ausformung ist auf die zwingende Mitwirkung des betroffenen Mitgliedstaates durch Erörterung der eigenen Rechtsstaatlichkeit angewiesen. Zwar ergibt sich aus dem Grundsatz der Unionstreue i.S.d. Art. 4 Abs. 3 EUV für die Mitgliedstaaten unter anderem die Verpflichtung, das Unionsrecht effektiv anzuwenden und dessen Durchsetzung nicht durch nationale Praktiken unmöglich zu machen.[1164] Bei einer fehlenden Kooperationsbereitschaft stößt der EU-

---

[1158] *Giegerich*, in: Calliess, Liber Amicorum für Torsten Stein, 2015, S. 499 (533).

[1159] *Würtenberger*, in: Ziegerhofer/Ferz/Polaschek, Festschrift für Johannes W. Pichler, 2017, S. 467 (479 f.).

[1160] A.A. *Würtenberger*, in: Ziegerhofer/Ferz/Polaschek, Festschrift für Johannes W. Pichler, 2017, S. 467 (479).

[1161] *Kochenov/Pech*, EUI Working Paper RSCAS 2015/24, S. 11.

[1162] *Ruffert*, in: Calliess/Ruffert, EUV/AEUV, 5. Aufl. 2016, Art. 7 EUV Rn. 32; *Kochenov/Pech*, EUI Working Paper RSCAS 2015/24, S. 11.

[1163] Zutreffend bereits *Giegerich*, in: Calliess, Liber Amicorum für Torsten Stein, 2015, S. 499 (533); vgl. auch *Kochenov/Pech*, EUI Working Paper RSCAS 2015/24, S. 11; demgegenüber wird man bei einer Entscheidungsfindung des Rates, in Vertretung der Mitgliedstaaten, den Einfluss nationaler Eigeninteressen und historisch gewachsenen Verbindungen als hinderlich für die Verwirklichung der Unionsinteressen ansehen dürfen.

[1164] *v. Bogdandy/Schill*, in: Grabitz/Hilf/Nettesheim, Das Recht der Europäischen Union, 65. EL 2018, Art. 4 EUV Rn. 59 ff.; *Streinz*, Europarecht, 11. Aufl. 2019, Rn. 164 ff.; ausführlich zur Unionstreue vgl. nur *Marauhn*, in: Schulze/Zuleeg/Kadelbach, Europarecht, 3. Aufl. 2015, § 7 Rn. 12 ff.

Rahmen aber an seine Grenzen und kann nicht mehr effektiv zur Verhinderung einer systemischen Gefährdung im Wege des Dialogs beitragen.[1165] Ohnehin wird man eine konkludente Billigung des Prüfungsrechts der Kommission im Falle der staatlichen Mitwirkung im Wege des Dialogs unterstellen dürfen. Insoweit hat die Kommission zu Recht den beherrschenden dialogisch-politischen Charakter dieses Instruments hervorgehoben.[1166] Dieser stellt gewissermaßen die Erörterung der nationalen Rechtsstaatlichkeit zur Disposition des betroffenen Mitgliedstaates.

Weiterhin wird angesichts der Gewährung zum Erlass von Empfehlungen im sensiblen Bereich der nationalen Rechtsstaatlichkeit zumindest eine implizite Kompetenzgrundlage der Kommission in den Unionsverträgen gefordert.[1167] Anders als das Feststellungs- und Sanktionsverfahren berechtigt der EU-Rahmen nur zum Erlass von Empfehlungen als Hilfestellung für die Umsetzung freiwilliger Reformbestrebungen. Für eine Ausdehnung der Handlungsbefugnisse der Kommission auf Empfehlungen ist eine Rückanknüpfung an die Kompetenz aus Art. 292 S. 4 AEUV in Betracht zu ziehen.[1168] Demnach wird der Kommission auch der Erlass von Empfehlungen gegenüber dem betroffenen Mitgliedstaat ermöglicht, ohne dass hierfür eine spezifische unionale Rechtsgrundlage nötig ist.[1169] Ob es einer kompetenzrechtlichen Absicherung über Art. 7 Abs. 1 UAbs. 1 S. 1 EUV für die Kommission zum Erlass von unverbindlichen Empfehlungen im Rahmen dieses Sicherungsmechanismus bedarf, kann dahinstehen.[1170]

Es bleibt festzuhalten, dass die Kommission die Kompetenz für den EU-Rahmen im Vorfeld des Art. 7 EUV innehat.[1171] Die der Union durch Art. 7 EUV übertragene Aufgabe der Sicherung der Werte legt zu Recht den Schluss nahe, dass *a maiore ad minus* hiervon weit weniger einschneidende Kontrollen im Vorfeld durch die Kommission gedeckt sind.[1172] Dieses extensive Verständnis des Art. 7 Abs. 1 UAbs. 1 S. 1 EUV wird zudem durch die Heranziehung der „Hüterfunktion" der Kommission nach Art. 17 Abs. 1 EUV

---

[1165] Die Kommission müsste hier wiederum auf das Vertragsverletzungsverfahren gem. Art. 258 ff. AEUV zurückgreifen vgl. *Calliess/Kahl/Puttler*, in: Calliess/Ruffert, EUV/AEUV, 5. Aufl. 2016, Art. 4 EUV Rn. 42.

[1166] KOM (2014) 158 endg., 11.03.2014, S. 8 f.; kritisch dagegen *Giegerich*, in: Calliess, Liber Amicorum für Torsten Stein, 2015, S. 499 (534).

[1167] *Giegerich*, in: Calliess, Liber Amicorum für Torsten Stein, 2015, S. 499 (534).

[1168] *Giegerich*, in: Calliess, Liber Amicorum für Torsten Stein, 2015, S. 499 (535); *Schmahl*, in: Calliess, Liber Amicorum für Torsten Stein, 2015, S. 834 (854).

[1169] *Gellermann*, in: Streinz, EUV/AEUV, 3. Aufl. 2018, Art. 292 AEUV Rn. 5; *Geismann*, in: v. d. Groeben/Schwarze/Hatje, Europäisches Unionsrecht, 7. Aufl. 2015, Art. 292 AEUV Rn. 3; *Nettesheim*, in: Grabitz/Hilf/Nettesheim, Das Recht der Europäischen Union, 50. EL 2013, Art. 292 AEUV Rn. 13 f.; kritisch *Giegerich*, in: Calliess, Liber Amicorum für Torsten Stein, 2015, S. 499 (535 f.).

[1170] Eine Ermächtigungsgrundlage auch bei rechtlich unverbindlichen Handlungen fordert etwa *Streinz*, in: Streinz, EUV/AEUV, 3. Aufl. 2018, Art. 5 EUV Rn. 4; *Bast*, in: Grabitz/Hilf/Nettesheim, Das Recht der Europäischen Union, 65. EL 2018, Art. 5 EUV Rn. 23 ff.; a.A. *Krauβer*, Das Prinzip begrenzter Ermächtigung im Gemeinschaftsrecht als Strukturprinzip des EWG-Vertrages, 1991, S. 88 f.; *v. Bogdandy/Ioannidis*, ZaöRV 2014, 283 (294).

[1171] *Ruffert*, in: Calliess/Ruffert, EUV/AEUV, 5. Aufl. 2016, Art. 7 EUV Rn. 32; *Kochenov/Pech*, EUI Working Paper RSCAS 2015/24, S. 5; a.A. *Würtenberger*, in: Ziegerhofer/Ferz/Polaschek, Festschrift für Johannes W. Pichler, 2017, S. 467 (480).

[1172] A.A. *Brauneck*, NVwZ 2018, 1423 (1429).

sowie deren allgemeine Empfehlungskompetenz aus Art. 292 S. 4 AEUV gestützt.[1173] Neue rechtssetzende Befugnisse werden hiermit weder der Kommission noch der Union verliehen, so dass es sich um eine bloße Ergänzung der bereits bestehenden Mechanismen, insbesondere dem Verfahren nach Art. 7 EUV, handelt.[1174] Insgesamt stehen einer Etablierung dieses Verfahrens mit Soft-Law-Charakter im Vorfeld des Art. 7 EUV keine rechtlichen Bedenken im Wege.[1175]

## IV. Rechtsstaatsdialog des Rates – Konkurrenz oder sinnvolle Ergänzung?

Der EU-Rahmen ist als Sicherungsmechanismus entscheidend auf die Kooperationsbereitschaft des jeweiligen Mitgliedstaates angewiesen. Es scheint jedoch – auch unter dem Eindruck des negativen Votums seines juristischen Dienstes – Vorbehalte im Rat gegenüber dem EU-Rahmen zu geben. Dieser verpflichtete sich in den „Schlussfolgerungen des Rates der EU (Allgemeine Angelegenheiten) und der im Rat vereinigten Mitgliedstaaten über die Gewährleistung der Achtung der Rechtsstaatlichkeit" vom 16.12.2014, einen jährlichen politischen Dialog zur Förderung und Wahrung der Rechtsstaatlichkeit im Rahmen der Verträge abzuhalten.[1176]

Der Dialog soll im Rat nach entsprechender Vorbereitung durch den Ausschuss der Ständigen Vertreter unter Anwendung eines alle Seiten einbeziehenden Ansatzes stattfinden. Zudem soll er auf den Grundsätzen der Objektivität, Nichtdiskriminierung und Gleichbehandlung aller Mitgliedstaaten fußen und in evidenzbasierter und unparteiischer Weise geführt werden. Anders als beim EU-Rahmen steht generell die Förderung und Wahrung der Rechtsstaatlichkeit in der Europäischen Union und weniger die Debatte individueller mitgliedstaatlicher Rechtsstaatlichkeitsverstöße im Fokus.[1177]

Dies vorangestellt, kann dem Rat unterstellt werden, dass dieser an einer Vereinbarkeit des neuen EU-Rahmens mit dem Prinzip der begrenzten Einzelermächtigung zweifelt und eine Gefahr für die nationale Identität der Mitgliedstaaten befürchtet.[1178] Dies wird umso deutlicher, als der Rat den EU-Rahmen der Kommission in seiner Pressemitteilung nicht als Instrument zur Sicherung der Rechtsstaatlichkeit neben den Art. 258 ff. AEUV und Art. 7 EUV benennt.[1179] Als zusätzliches Verfahren zur Einhaltung der Rechtsstaatlichkeit innerhalb der Union darf zu Recht die Frage gestellt werden, ob der Rechtsstaatsdialog des Rates hierzu einen sinnvollen Beitrag leisten kann oder doch nur im Wettstreit mit der

---

[1173] *Schmahl*, in: Calliess, Liber Amicorum für Torsten Stein, 2015, S. 834 (854); vgl. auch *v. Bogdandy/Ioannidis*, ZaöRV 2014, 283 (324); kritisch *Giegerich*, in: Calliess, Liber Amicorum für Torsten Stein, 2015, S. 499 (536); im Ergebnis wohl auch *Hummer*, EuR 2015, 625 (639 ff.).

[1174] *Hummer*, EuR 2015, 625 (636).

[1175] Zutreffend bereits *Schmahl*, in: Calliess, Liber Amicorum für Torsten Stein, 2015, S. 834 (854).

[1176] Rat der Europäischen Union, Mitteilung an die Presse, 16936/14, 16.12.2014, PRESSE 652, S. 20 ff.

[1177] *Hummer*, Gefährdung der Rechtsstaatlichkeit in Polen, EU-Infothek, 02.08.2016, http://www.eu-infothek.com/article/gefaehrdung-der-rechtsstaatlichkeit-polen (zuletzt abgerufen: 31.01.2021 um 16:45 Uhr).

[1178] *Kochenov/Pech*, EUI Working Paper RSCAS 2015/24, S. 13; *Schorkopf*, EuR 2016, 147 (157).

[1179] Rat der Europäischen Union, Mitteilung an die Presse, 16936/14, 16.12.2014, PRESSE 652, S. 22.

Kommission einen Versuch der Mitgliedstaaten darstellt, ein politisches Signal der Handlungsfähigkeit zu demonstrieren.

Der Rat tagt einmal jährlich in der Zusammensetzung der „Allgemeinen Angelegenheiten" mit den zuständigen Ministern aller Mitgliedstaaten. Bei diesem Turnus muss kritisch hinterfragt werden, ob zur Sicherung der Rechtsstaatlichkeit eine nur jährlich stattfindende Aussprache unter den Mitgliedstaaten als ausreichend anzusehen ist. Die gegenwärtigen Entwicklungen in der Union in Bezug auf Ungarn und Polen lassen dahingehend Zweifel aufkommen. Angesichts der Schnelligkeit und Häufigkeit, mit der Mitgliedstaaten zum Teil rechtsstaatlich bedenkliche Reformen auf den Weg gebracht haben, sind viertel- bis halbjährliche Treffen zu fordern. Dies gilt auch unter dem Gesichtspunkt einer generellen Förderung und Wahrung der Rechtsstaatlichkeit der Union. Inwieweit der Rat in seinen jährlichen Treffen zur Sicherung ausreichend beitragen kann, bleibt abzuwarten.

Weiterhin ist kritisch zu hinterfragen, ob der Rat in der Zusammensetzung „Allgemeine Angelegenheiten" für die Aufgabe die naheliegende und richtige Wahl darstellt. Eine größere sachliche Nähe weist dabei der Rat für „Justiz und Inneres" auf. Den hierin vertretenen Justiz- und Innenministern der Mitgliedstaaten darf eine tiefgehende Expertise in dieser Materie unterstellt werden.

Die Wahrung und Förderung der Rechtsstaatlichkeit im Rat soll des Weiteren im Wege eines Dialogs zwischen den Vertretern der Mitgliedstaaten erfolgen. Bezüge zum EU-Rahmen werden hier besonders erkennbar. Hierbei ist positiv zu bewerten, dass die Mitgliedstaaten selbst auf höchster Ebene das Problem angehen wollen. Auf diesem Wege haben sie grundsätzlich eine Möglichkeit geschaffen, mit politischer Einflussnahme auf Werte gefährdende Tendenzen innerhalb der EU zu reagieren und diesen vorzubeugen. Jedoch darf die Effektivität des mitgliedstaatlichen Dialogs bezweifelt werden. Dies liegt in dessen Natur begründet. Als ergebnisoffenes Zwiegespräch widmen sich die Mitgliedstaaten auf politischer Ebene den grundsätzlichen Fragen der Rechtsstaatlichkeit. Hierbei kommen sie nicht umhin, auch Verfassungs- und Justizsysteme in den Blick zu nehmen und sich damit den sensiblen Kernbereichen nationaler Verfassungsautonomie zu nähern. Der Problematik der Einhaltung und Förderung der Rechtsstaatlichkeit sieht sich jeder Mitgliedstaat selbst gegenübergestellt. Eine eingehende Befassung unter den Mitgliedern erscheint unwahrscheinlich.[1180] Dies zeigen bereits die Erfahrungen der EU im Rahmen des „Menschenrechtsdialogs" mit Drittstaaten.[1181]

---

[1180] *Kochenov/Pech*, EUI Working Paper RSCAS 2015/24, S. 13 f.; hier kann auf die Ergebnisse der nur begrenzten Anzahl von Einleitungen mitgliedstaatlicher Vertragsverletzungsverfahren Bezug genommen werden, die die Grundproblematik der großen Zurückhaltung der Mitgliedstaaten zeigen, vgl. EuGH, Rs. C-141/78, Frankreich/Vereinigtes Königreich, Slg. 1979, 2923; EuGH, Rs. C-388/95, Belgien/Spanien, Slg. 2000, I-3123; EuGH, Rs. C-145/04, Spanien/Vereinigtes Königreich, Slg. 2006, I-7917; EuGH, Rs. C-364/10, Ungarn/Slowakei, ECLI:EU:C:2012:630.

[1181] *Kochenov/Pech*, EUI Working Paper RSCAS 2015/24, S. 14. Der tatsächliche Erfolg eines mit mehr als 40 Drittländern durchgeführten Versuchs der positiven Einwirkung auf die Einhaltung und Förderung von Menschenrechten im Wege des staatlichen Dialogs, wird stark bezweifelt, vgl. European Parliament resolution of 16 December 2010 on the Annual Report on Human Rights in the World 2009 and the European Union's policy on the matter (2010/2202(INI)), 16.12.2010, Rn. 157.

Die durch Kommission und den Rat verfolgten Ansätze unterscheiden sich grundlegend in ihrer Natur.[1182] Insoweit lässt sich ein Vergleich nur schwer ziehen. Strebt die Kommission eine strukturierte Auseinandersetzung im direkten Dialog mit dem potentiell rechtsstaatlichkeitsgefährdenden Mitgliedstaat an, beschränken sich die Mitgliedstaaten im Rat auf einen allgemeinen Dialog über die Rechtsstaatlichkeit.[1183] Letztlich ist der Rechtsstaatsdialog des Rates nicht als Konkurrenz zum EU-Rahmen zu sehen. Vielmehr ist er als Ergänzung anzusehen, dessen praktische Auswirkung noch ungewiss erscheint. Dennoch ist zu hoffen, dass er unter den Mitgliedstaaten für ein besseres Bewusstsein und eine höhere Sensibilität hinsichtlich rechtsstaatlicher Bedrohungen sorgt.

## V.    Verhältnis zu Art. 7 EUV und Art. 258 AEUV

Mit Blick auf die strukturelle Einbindung dieses Verfahrens in die repressiven Sicherungsmechanismen der Union ist der EU-Rahmen primär dem Sanktionsverfahren nach Art. 7 EUV vorgeschaltet. Eine Aktivierung des Sanktionsverfahrens aufgrund einer eindeutigen Gefahr einer schwerwiegenden Verletzung der Rechtsstaatlichkeit soll vermieden werden. Damit schließt der flexible EU-Rahmen mit seinen begrenzten formellen und materiellen Anforderungen eine Lücke im Vorfeld des Art. 7 EUV für die Fälle der Anbahnung einer rechtsstaatlichen Gefährdung der Union. Immer, wenn die Kommission die Einleitung des Sanktionsverfahrens zu einem späteren Zeitpunkt in Betracht zieht bzw. nicht ausschließt, ist die Durchführung des EU-Rahmens angezeigt.[1184]

Etwas anderes muss gelten, wenn sich die Lage in dem betroffenen Mitgliedstaat innerhalb kürzester Zeit folgenschwer zu Lasten der Rechtsstaatlichkeit verschlechtert. Liegt eine aufkommende Gefährdung der Rechtsstaatlichkeit nicht mehr vor, wird eine Einleitung des „Art. 7 EUV"-Verfahrens notwendig.[1185] Zudem kann auch eine Initiierung des „Wertesicherungsverfahrens" in Betracht gezogen werden. In einer derartigen Konstellation besteht kein Bedürfnis für eine Anknüpfung im Vorfeld, da der EU-Rahmen zur Sicherung der Rechtsstaatlichkeit keinen sinnvollen Mehrwert leisten kann.

Die strukturelle Einbindung des EU-Rahmens entlang der repressiven Verfahren des Sanktions- und „Wertesicherungsverfahrens" führt zu einer sinnvollen Ergänzung der Sicherungsmechanismen. Neben der allgemeinen Begegnung spezifischer Einzelverletzungen des Unionsrechts durch das klassische Vertragsverletzungsverfahren i.S.d. Art. 258 ff. AEUV wurde mit dem neuen EU-Rahmen durch dialogischen Austausch und Informationssammlung eine Brücke zum Sanktions-,[1186] aber auch zum „Wertesicherungsverfahren" geschlagen. Mithin kommt dem EU-Rahmen die Funktion eines verbindenden Elements der bereits bestehenden repressiven Mechanismen zu und rundet die Wertesicherung ab.

---

[1182]  *Hillion*, SIEPS 2016:1epa, 13.

[1183]  Ähnlich bereits *Hillion*, SIEPS 2016:1epa, 13.

[1184]  *Hofmeister*, DVBl. 2016, 869 (874).

[1185]  Vgl. auch *Hofmeister*, DVBl. 2016, 869 (874).

[1186]  *Kochenov/Pech*, EUI Working Paper RSCAS 2015/24, S. 11; *Hillion*, SIEPS 2016:1epa, 12.

## VI.   Mehrwert des EU-Rahmens gegenüber EU-Grundrechteagentur und Venedig-Kommission

Die auf Unionsebene agierende EU-Grundrechteagentur und die Venedig-Kommission des Europarats sind ebenfalls an der Sicherung der Werte beteiligt. Sie widmen sich auch der Überwachung und Aufdeckung defizitärer Strukturen in den Mitgliedstaaten und empfehlen Gegenmaßnahmen. Deshalb stellt sich die Frage nach dem Mehrwert des EU-Rahmens gegenüber den bislang agierenden internationalen Akteuren.[1187]

So befasst sich die FRA mit der Kontrolle der mitgliedstaatlichen Gesamtsituation.[1188] Die Agentur ist in das System aus nationaler, europäischer und internationaler Grundrechtssicherung eingebunden. Sie ist damit betraut, die Grundrechte der in der EU lebenden Menschen zu schützen. Als unabhängige Institution ist ihr unter anderem die wichtige Aufgabe übertragen, Informationen zur Grundrechtssituation in der Union zu sammeln, zu analysieren und aufbereitet den Mitgliedstaaten zur Verfügung zu stellen.[1189] Mit ihren Informationen und Fachkenntnissen unterstützt und berät sie die Mitgliedstaaten bei der Festlegung von Maßnahmen mit Grundrechtsbezug. Somit beschäftigt sich die Agentur mit den Grundsatzfragen des Menschenrechtsschutzes in der EU und den Mitgliedstaaten im Ganzen.[1190] Ihre Befugnisse sind jedoch stark begrenzt. Als unabhängige Menschenrechtsinstitution ist sie weder befugt, individuelle Beschwerden zu untersuchen, noch Entscheidungen oder Vorschriften zu erlassen.[1191]

Ähnlich verhält es sich mit der Venedig-Kommission. Als Einrichtung des Europarates steht diese ihren Mitgliedstaaten in verfassungsrechtlichen Fragen beratend zur Seite und unterstützt diese unter anderem in den Angelegenheiten Grundrechte, demokratische Einrichtungen, Wahlen, Verfassungsrecht und allgemeine Rechtsprechung.[1192] Auch hier nehmen die von den Mitgliedstaaten entsandten Vertreter, die unabhängige Experten für Verfassungs- bzw. Völkerrecht, Richter bzw. Verfassungsrichter oder nationale Parlamentsmitglieder sind, das gesamte mitgliedstaatliche Verfassungssystem in den Blick.[1193] Die Beurteilung dieses Gremiums genießt höchstes Ansehen. Jedoch wird dieses Instrument nicht auf eigene Initiative tätig, sondern muss mit der Untersuchung eines Mitgliedstaates durch den Mitgliedstaat selbst oder durch Dritte befasst werden.[1194] Zudem haben die Gutachten und Stellungnahmen der Kommission keine verbindliche Wirkung für die Mitgliedstaaten.[1195]

---

[1187] *Schmahl*, in: Calliess, Liber Amicorum für Torsten Stein, 2015, S. 834 (852).

[1188] Ausführlich hierzu *Frenz*, Handbuch Europarecht, Bd. 4, 2009, Rn. 793 ff.; *Jarass*, in: Jarass, Charta der Grundrechte der EU, 3. Aufl. 2016, Einleitung: Grundlagen der Grundrechte, Rn. 79 f.; *Bergmann*, in: Bergmann, Handlexikon der Europäischen Union, 5. Aufl. 2015, „Grundrechte, Agentur der EU für (Fundamental Rights Agency = FRA)".

[1189] *Härtel*, EuR 2008, 489 (497 ff.); *v. Bogdandy/v. Bernstorff*, EuR 2010, 141 (150 ff.).

[1190] Art. 3 Abs. 3 der Verordnung (EG) Nr. 168/2007 des Rates vom 15.02.2007.

[1191] Art. 4 Abs. 2 der Verordnung (EG) Nr. 168/2007 des Rates vom 15.02.2007.

[1192] Eingehend hierzu *Grabenwarter*, in: Schmahl/Breuer, The Council of Europe, 2017, S. 732 (732 ff.).

[1193] *Raue*, Der Europarat als Verfassungsgestalter seiner neuen Mitgliedstaaten, 2005, S. 48 ff.; *Dürr*, in: Kleinsorge, Council of Europe, 2010, Part IV, Chapter 2., Rn. 368 ff.

[1194] *Nickel*, EuR 2017, 663 (679).

[1195] *Raue*, Der Europarat als Verfassungsgestalter seiner neuen Mitgliedstaaten, 2005, S. 54.

Es bleibt festzuhalten, dass die FRA mit ihren Informationen und Analysen eine wichtige Basis für die Beurteilung der Wertesituation in der Union liefert. Die Venedig-Kommission ist ferner mit der Kompetenz zum Erlass von Empfehlungen ausgestattet. Doch keines dieser Instrumente widmet sich der Rechtsstaatlichkeit eines Mitgliedstaates als Ganzes und hat zugleich die Befugnis zu Entscheidungen mit Außenwirkung inne.[1196] Das Vorgehen der Kommission im Wege des EU-Rahmens dient auch der strukturierten Vorbereitung zur Einleitung eines Antrags nach Art. 7 Abs. 1 bzw. Abs. 2 EUV. Insoweit zeigt sich der eindeutige Mehrwert des EU-Rahmens. Jedoch schafft erst das Zusammenwirken der EU-Grundrechteagentur und der Venedig-Kommission mit dem neuen EU-Rahmen ein engmaschiges Netz zur Sicherung der Werte.[1197]

## VII.  Würdigung

Zur Bewertung der Effektivität des EU-Rahmens bei der Sicherung des Wertes der Rechtsstaatlichkeit erfolgt nachstehend eine kritische Auseinandersetzung mit einzelnen Elementen.

### 1.  Mitgliedstaatliche Kooperationsbereitschaft als limitierender Faktor

Die Einbindung des EU-Rahmens im Vorfeld des Sanktionsverfahrens macht eine Ausgestaltung im Wege des Soft-Law-Instruments notwendig. Dabei ist die Kommission von der Annahme getragen, dass ein konstruktiver Dialog zwischen der Kommission und der Regierung des betroffenen Mitgliedstaates über eine mögliche Verletzung der Rechtsstaatlichkeit ein positives und fruchtbares Ergebnis herbeiführen kann. Dies ist naheliegend, schließlich begegnen sie sich im Wege des Dialogs auf Augenhöhe und unterliegen dem Grundsatz der loyalen Zusammenarbeit nach Art. 4 Abs. 3 EUV.

Dieser Annahme wird ihre Grundlage entzogen, wenn sich eine Regierung bewusst und ausdrücklich für ein Abweichen von dem Rechtsstaatprinzip der Union entscheidet, so dass sich damit ein differenziertes Bild der Effektivität des Dialogverfahrens abzeichnet.[1198] Bei einer bewussten Zuwiderhandlung wird die Einleitung des EU-Rahmens keinen nennenswerten positiven Einfluss auf die Einhaltung der Rechtsstaatlichkeit in dem betroffenen Mitgliedstaat herbeiführen können.[1199] Zwar besteht bei der bewussten Verweigerung der loyalen Zusammenarbeit eines Mitgliedstaates die Möglichkeit, mit einer Einleitung des Vertragsverletzungsverfahrens nach Art. 258 AEUV zu reagieren.[1200] Eine

---

[1196]  Zutreffend bereits *Schmahl*, in: Calliess, Liber Amicorum für Torsten Stein, 2015, S. 834 (853 f.).

[1197]  *Nickel*, EuR 2017, 663 (679 f.).

[1198]  So auch *Hofmeister*, DVBl. 2016, 869 (875); *Kochenov/Pech*, EUI Working Paper RSCAS 2015/24, S. 12.

[1199]  *Kochenov/Pech*, EUI Working Paper RSCAS 2015/24, S. 12.

[1200]  Vgl. nur *Karpenstein*, in: Grabitz/Hilf/Nettesheim, Das Recht der Europäischen Union, 65. EL 2018, Art. 258 AEUV Rn. 79; *Wunderlich*, in: v. d. Groeben/Schwarze/Hatje, Europäisches Unionsrecht, 7. Aufl. 2015, Art. 258 AEUV Rn. 24, 40; *Pache*, in: Vedder/Heintschel v. Heinegg, Europäisches Unionsrecht, 2. Aufl. 2018, Art. 258 AEUV Rn. 4.

Handlungspflicht kann das Verfahren nicht erzwingen. Vielmehr erschöpft sich die Rechtsfolge in der Feststellung der Verletzung der Mitwirkungs- und Informationspflicht i.S.d. Art. 260 Abs. 1 AEUV, dem bei anhaltender Zuwiderhandlung durch den Mitgliedstaat ein Zwangsgeld nach Art. 260 Abs. 2 AEUV folgen kann.

Damit sind dem Dialogverfahren bei fehlender Mitwirkungsbereitschaft eines Mitgliedstaates klare Grenzen aufgezeigt. Die Handlungs- und Diskussionsbereitschaft des betroffenen Mitgliedstaates bildet die entscheidende Grundlage des erfolgversprechenden Auftaktes eines Dialogs und muss als limitierender Faktor angesehen werden. Dem kann die Union nur durch Überleitung in das „Wertesicherungsverfahren" oder in das Sanktionsverfahren begegnen.

## 2.    Rechtsstaatlichkeit als beherrschendes Ordnungsprinzip

Mit der Ausrichtung des EU-Rahmens auf die Rechtsstaatlichkeit hat die Kommission unter Hinweis auf den EuGH, den EGMR, der Venedig-Kommission und dem Europarat einen wichtigen Impuls im Rahmen der repressiven Sicherungsmechanismen der Union gegeben. Dieser Schritt ist aus mehreren Gründen positiv zu bewerten.

Zunächst wurden mit der Umschreibung der Rechtsstaatlichkeit durch die Kommission abermals deren inhaltliche Kernelemente auf Unionsebene gefestigt.[1201] Der limitierte Anwendungsbereich des neu geschaffenen Mechanismus führt zudem zu einer spezialisierten, fokussierten und damit effektiven Kontrolle durch die Kommission.[1202] Zugleich wird die Rechtsstaatlichkeit als beherrschendes Ordnungsprinzip für die Regelung der Ausübung öffentlicher Gewalt etabliert und gewissermaßen als Mindeststandard in allen Mitgliedstaaten der Union vorausgesetzt.[1203]

Die Fokussierung der Kommission auf dieses Prinzip bestätigt zugleich eine Hierarchisierung des Wertekatalogs des Art. 2 S. 1 EUV.[1204] Dem Prinzip der Rechtsstaatlichkeit kommt eine Schlüsselrolle zu, da es die Grundlage jedes freiheitlichen und politischen Gemeinwesens sowie Ausgangspunkt für die Gewährung der übrigen durch Art. 2 S. 1 EUV geschützten Werte ist.[1205] Die Hierarchisierung des Wertekatalogs zu Gunsten der „Herrschaft des Rechts" ist damit die logische Konsequenz eines Versuchs, das Vertrauen der Mitgliedstaaten und der Unionsbürger in die Funktionsfähigkeit der EU aufrechtzuerhalten.[1206] Somit ist die Beschränkung des EU-Rahmens zu Gunsten der Rechtsstaatlichkeit als positive Entscheidung zur Ausweitung der Sicherungsmechanismen zu bewerten.

---

[1201] Zutreffend bereits *Kochenov/Pech*, EUI Working Paper RSCAS 2015/24, S. 19; kritisch dagegen *Würtenberger*, in: Ziegerhofer/Ferz/Polaschek, Festschrift für Johannes W. Pichler, 2017, S. 467 (474).

[1202] *Schorkopf*, in: Grabitz/Hilf/Nettesheim, Das Recht der Europäischen Union, 61. EL 2017, Art. 7 EUV Rn. 66.

[1203] *Schorkopf*, EuR 2016, 147 (158).

[1204] *Schorkopf*, EuR 2016, 147 (158).

[1205] So bereits *Schmahl*, in: Calliess, Liber Amicorum für Torsten Stein, 2015, S. 834 (839); *Schorkopf*, EuR 2016, 147 (158); kritisch *Stöbener*, EuZW 2014, 246 (246).

[1206] So auch *Schmahl*, in: Calliess, Liber Amicorum für Torsten Stein, 2015, S. 834 (839).

## 3. Inanspruchnahme der Expertise Dritter

Die Einholung externen Fachwissens durch die Kommission zur Erlangung einer besseren Sachkunde bei der EU-Grundrechteagentur, dem Europarat, den Mitgliedern der justiziellen Netze und der Venedig-Kommission ist ebenfalls positiv zu bewerten.

Zunächst ist der Rückgriff auf die Informationen und Analysen dieser Einrichtungen für die Union aus ökonomischer Sicht sinnvoll, da hiermit nicht nur Ressourcen, sondern auch Zeit gespart werden kann. Durch die Vermeidung von doppelter Arbeit stehen der Kommission zudem mehr Ressourcen für die Umsetzung der Sicherung der Rechtsstaatlichkeit zur Verfügung.[1207]

Zudem besitzen diese Einrichtungen nicht nur ein umfangreiches Personal und Netzwerk zur Informationsbeschaffung, sondern auch eine breite Expertise bei der Überprüfung von Mitgliedstaaten und der Aufbereitung und Auswertung der gewonnenen Daten. Damit kann die Kommission verstärkt ihren Fokus auf die Problembehebung des Defizits im Austausch mit dem betroffenen Mitgliedstaat setzen. Mit der Einbeziehung der Expertise Dritter eröffnet sich der Kommission zudem die Möglichkeit, ein umfangreicheres Bild über die Defizite in einem Mitgliedstaat zu erhalten, als es ihr im Wege einer eigenen Untersuchung möglich wäre.

## 4. Fehlende rechtliche Bindungswirkung des Verfahrens

Mit der Ausgestaltung des EU-Rahmens als Soft-Law-Instrument sind weitere Nachteile bei der Sicherung der Rechtsstaatlichkeit verbunden. Nach der Feststellung eines Defizits kann die Kommission zwar eine Empfehlung gegenüber dem betroffenen Mitgliedstaat erlassen. Dieser „Rechtsstaatsempfehlung" kommt, wie Art. 288 Abs. 5 AEUV darlegt, keine rechtliche Verbindlichkeit zu. Der Mangel an rechtlicher Bindungswirkung ist als nachteilig zu bewerten,[1208] da es die Umsetzung der Empfehlung in das Belieben des betroffenen Mitgliedstaates stellt.

Zwar werden – anders als bei der Sachstandsanalyse – auf der zweiten Verfahrensstufe die wesentlichen Inhalte der Empfehlung veröffentlicht. Die praktische Wirkung des sog. *„naming and shaming"* einer Veröffentlichung darf jedoch nicht allzu hoch bewertet werden.[1209] Insbesondere ist die Wirkung gering, wenn ein Mitgliedstaat sich bewusst gegen das Prinzip der Rechtsstaatlichkeit stellt oder sich bereits mit der Kommission überworfen hat. In diesem Fall wird sich der betroffene Mitgliedstaat nicht positiv von einer Veröffentlichung der Empfehlung beeinflussen lassen.

Ungeachtet dessen gilt hier zwar ebenfalls der Grundsatz der loyalen Zusammenarbeit nach Art. 4 Abs. 3 EUV. Dadurch ist der Mitgliedstaat gehalten, die Empfehlungen der Kommission nicht zu ignorieren. Bei Missachtung der Empfehlung kann die Kommission wiederum nur begrenzt auf den Mitgliedstaat im Wege des Vertragsverletzungsverfahrens einwirken. Zudem führt auch das Unterlassen der Mitwirkung durch den betroffenen

---

[1207] So auch *Kochenov/Pech*, EUI Working Paper RSCAS 2015/24, S. 11.
[1208] So auch *Hofmeister*, DVBl. 2016, 869 (875).
[1209] *Hofmeister*, DVBl. 2016, 869 (875).

Mitgliedstaat nicht automatisch zur Einleitung des „Art. 7 EUV"-Verfahrens. Es bedarf vielmehr der gesonderten Initiative entsprechend dem Mehrheitserfordernis nach Absatz 1 bzw. 2.

So hat die Kommission im Zuge des dialogischen Austausches mit Polen nach einer ersten,[1210] eine zweite[1211] und dritte[1212] Empfehlung zur Rechtsstaatlichkeit erlassen.[1213] Auf die ablehnende Haltung der polnischen Regierung reagierte die Kommission mit der Einleitung der Vorfeldmaßnahme durch begründeten Vorschlag an den Rat nach Art. 7 Abs. 1 EUV.[1214] Auch in der parallel ergangenen vierten[1215] ergänzenden Empfehlung hält die Kommission weiterhin an einer gütlichen Streitbeilegung im Wege des EU-Rahmens gegenüber der polnischen Regierung fest.[1216]

## VIII. Fazit

Um dem schleichenden Verfall der Rechtsstaatlichkeit in der Union zu begegnen, unternahm die Kommission den wichtigen Schritt zur Schaffung des sog. EU-Rechtsstaatsmechanismus. Ein Verstoß gegen das Prinzip der begrenzten Einzelermächtigung ist aufgrund der bestehenden primärrechtlichen Ermächtigungsgrundlagen nicht gegeben. Die Kommission kann als „Hüterin der Verträge" und „Motor der Integration" dieser wichtigen Rolle gerecht werden.[1217] Mit der Anknüpfung an das Rechtsstaatsprinzip hat die Kommission einen zentralen Punkt der Werteunion in den Mittelpunkt gerückt, dessen Bewahrung und Befolgung essentiell für die Funktionsfähigkeit der Union als Rechtsgemeinschaft und ihrer übrigen Werte ist. Die Rechtsstaatlichkeit als grundlegendes Ordnungsprinzip der Union schafft die Basis für die Verwirklichung aller übrigen Werte und ist damit zentraler Ausgangspunkt bei der Sicherung ihres Wertefundaments.

Der dialogische Ansatz des EU-Rahmens darf als positiver Anreiz zum Einstieg in die Lösung rechtsstaatlicher Probleme angesehen werden, indem ein Meinungsaustausch auf Augenhöhe stattfindet. Dem Verfahren sind hierdurch aber auch Grenzen gesetzt, wenn die Empfehlungen nicht befolgt werden und damit dessen positive Wirkung verfehlt wird. Dies zeigt sich in der bisherigen Praxis gegenüber Polen. Die fehlende Bindungswirkung des Verfahrens bzw. automatisierte Aktivierung des Sanktionsverfahrens steht dessen Effektivität nicht unweigerlich entgegen.

Als vorbereitendes Verfahren zu Art. 7 EUV konzipiert, fügt es sich nahtlos in das bestehende System der repressiven Sicherungsmechanismen ein. Im Wege des Dialogs kann die Union frühzeitig aufkommende Gefahren für den Wert der Rechtsstaatlichkeit adres-

---

[1210] C (2016) 5703 endg., 27.07.2016.
[1211] C (2016) 8959 endg., 21.12.2016.
[1212] C (2017) 5320 endg., 26.07.2017.
[1213] *Franzius*, DÖV 2018, 381 (385).
[1214] KOM (2017) 835 endg., 20.12.2017.
[1215] C (2017) 9050 endg., 20.12.2017.
[1216] Vgl. Europäische Kommission, IP/17/5367, 20.12.2017.
[1217] Kritisch hierzu *Weber*, DÖV 2017, 741 (748), der eine Verfassungsaufsicht durch den Gerichtshof fordert, wahlweise eine gutachterliche Einbindung dessen im Verfahren nach Art. 7 Abs. 1 EUV.

sieren und Informationen sammeln, die wiederum Grundlage und Ausgangspunkt für eine spätere Einleitung des „Wertesicherungsverfahrens", aber auch des Sanktionsverfahrens darstellen. Letztlich darf der EU-Rahmen als sinnvolle Ergänzung bewertet werden, der eine Brücke zu den übrigen Mechanismen schlägt und das System der repressiven Sicherungsmechanismen der Union abrundet.

# § 5 Die Handlungsmechanismen: Ein Vergleich

Das Spektrum an unionalen Handlungsmechanismen zur Sicherung der Werte ist breit gefächert und reicht vom Beitrittsverfahren gem. Art. 49 EUV über den EU-Rahmen bis hin zum Sanktionsverfahren i.S.d. Art. 7 EUV. Dabei ist der Kontrollprozess unter den Unionsorganen nicht einheitlich koordiniert. Vielmehr haben die verschiedenen Institutionen zum Schutz der Werte eigene unionale Handlungsmechanismen etabliert. Abschließend sind deshalb deren Besonderheiten und Verschränkungen in einem wertenden Vergleich gegenüberzustellen.

Zunächst können die Sicherungsmechanismen in Bezug auf ihre rechtliche Ausgestaltung verglichen werden. Es kann zwischen den vertraglich kodifizierten und den „Soft-Law"-Mechanismen unterschieden werden. Die vertraglich verankerten Mechanismen i.S.d. Art. 49 EUV, Art. 258, 260 AEUV und Art. 7 EUV heben sich in vielerlei Hinsicht von den „Soft-Law"-Mechanismen i.S.d. EU-Rahmens zur Sicherung der Rechtsstaatlichkeit, dem Rechtsstaatsdialog des Rates sowie dem Kooperations- und Kontrollmechanismus ab.

Mit Blick auf die Voraussetzungen zeigen die vertraglich verankerten Mechanismen ein umfangreiches und detailliertes Prüfprogramm. So verlangen das Beitritts- und das Sanktionsverfahren neben einem umfassenden Wertebezug detaillierte Voraussetzungen von besonderer Qualität wie das Vorliegen der vom Rat vereinbarten Kriterien oder eine „schwerwiegende und anhaltende Verletzung". Zudem sind am Verfahren eine Vielzahl von unterschiedlichen Akteuren beteiligt. Das Beitrittsverfahren verlangt beispielsweise nicht nur die Anhörung der Kommission, sondern auch die Unterrichtung des Europäischen Parlaments und den Beschluss des Rates. Ähnlich vielfältig erscheint durch die Beteiligung der Kommission, des Gerichtshofs und des betroffenen Mitgliedstaats auch das „Wertesicherungsverfahren". Auch der Geltungsbereich der vertraglich kodifizierten Mechanismen ist umfassender und weist keine Beschränkung auf spezifische Mitgliedstaaten auf.

Spiegelbildlich zu den Voraussetzungen der Mechanismen fällt auch die Reichweite auf Rechtsfolgenseite umfassend aus. Art. 49 EUV eröffnet exemplarisch die Möglichkeit eines Beitritts und Art. 7 EUV den Ausschluss unterschiedlicher vertraglicher Rechte des betroffenen Mitgliedstaates.

Demgegenüber bedarf es für die Einleitung der „Soft-Law"-Mechanismen nicht nur geringerer Eingriffsvoraussetzungen, sondern diese sind zugleich auf einen spezifischen Wert beschränkt. Den Mechanismen ist gemein, dass sie alleine an den Wert der Rechtsstaatlichkeit anknüpfen. Für die Einleitung reicht eine systemische Gefährdung bzw. ein systemisches Defizit aus. Nicht nur die Anforderungen dieser Mechanismen auf Tatbestandsebene, sondern auch die am Verfahren beteiligten Akteure sind auf ein Minimum begrenzt. Sowohl die Durchführung des EU-Rahmens als auch des Kooperations- und Kontrollmechanismus erfolgen alleine durch die Kommission. Der konzeptionellen Ausgestaltung als „Soft-Law"-Mechanismus geschuldet ist die stark eingeschränkte Reichweite auf Rechtsfolgenseite. Diese erschöpft sich in unverbindlichen Empfehlungen und begrenzten Schutzmaßnahmen.

Insoweit zeigt der Vergleich, dass die „Soft-Law"-Mechanismen in ihrer Ausgestaltung und Reichweite gegenüber den vertraglich kodifizierten Mechanismen stark beschränkt sind. Andererseits eröffnen die geringen formellen und materiellen Anforderungen eine höhere Flexibilität sowie schnellere Handlungsfähigkeit der Union gegenüber dem betreffenden Mitgliedstaat. Damit bilden die „Soft-Law"-Mechanismen eine sinnvolle und flexible Ergänzung des Vertragsrechts und runden das Wertesicherungssystem ab.

Einen aufschlussreichen Vergleich zur Beurteilung der Effektivität der EU bei der Sicherung ihrer Werte kann die Gegenüberstellung ihrer Mechanismen anhand der Kriterien Anwendungsbereich, beteiligte Akteure, deren Funktion sowie der Einschränkungen bringen.

Der Anwendungsbereich des Beitrittsverfahrens nach Art. 49 EUV erfasst die präventive Sicherung zur Gewährleistung der einheitlichen Wertehomogenität. An diesem präventiv ausgestalteten Mechanismus muss sich jeder Beitrittsaspirant messen lassen. An der Kontrolle der Wertekonformität des nationalen Staats- und Verfassungssystems sind eine Vielzahl von Akteuren in unterschiedlichen Rollen beteiligt. Vom Antrag des Beitrittsaspiranten werden neben dem Europäischen Parlament auch die nationalen Parlamente unterrichtet. Der Rat beschließt einstimmig nach Anhörung der Kommission und der durch Mehrheitsbeschluss erteilten Zustimmung des Europäischen Parlaments über den Aufnahmeantrag. Für die Aufnahme in die Werteunion ist das Abkommen durch alle Vertragsstaaten nach nationalem Verfassungsrecht zu ratifizieren. Einschränkungen bei der Effektivität der Wertesicherung sind vor allem in der ungenauen Kontrolle der Werte und ihrer Kernelemente sowie in der wenig transparenten Entscheidungsfindung der Kommission zu sehen.

Der Anwendungsbereich des „Soft-Law"-Instruments Kooperations- und Kontrollmechanismus ist alleine auf Bulgarien und Rumänien begrenzt. Die Beurteilung der Fortschritte dieser beiden Mitgliedstaaten bei der Erfüllung des Wertes der Rechtsstaatlichkeit ist durch spezifische Benchmarks auf die Bereiche Justizreform, Bekämpfung von Korruption und organisierte Kriminalität beschränkt. Die Bewertung der Fortschritte, die Ermittlung der notwendigen Maßnahmen und die Unterstützung des Reformprozesseses liegen alleine bei der Kommission. Sowohl der Rat als auch das Europäische Parlament werden von der Kommission bloß über die gewonnenen Erkenntnisse und Fortschritte des Reformprozesses informiert. Der Mechanismus eröffnet als länderspezifisches Handlungsinstrument keine Sicherung des Werts der Rechtsstaatlichkeit in allen Mitgliedstaaten. Da er lediglich als Heranführungsmechanismus für eine Übergangsphase eingerichtet wurde und vor diesem Hintergrund die Sanktionsmöglichkeiten nur ungenügend ausgestaltet wurden, kommt ihm eine mangelnde Sicherungswirkung zu.

Das Sanktionsverfahren nach Art. 7 EUV dient als umfassender repressiver Sicherungsmechanismus dem Schutz der Werte gegenüber allen Mitgliedstaaten. Am Verfahren sind wiederum mehrere Akteure in unterschiedlichen Funktionen beteiligt. Neben der Kommission können auch die Mitgliedstaaten mit der Mehrheit von einem Drittel einen Vorschlag zur Einleitung unterbreiten. Das Europäische Parlament muss zustimmen, bevor der Rat seinen Beschluss über das Vorliegen einer eindeutigen Gefahr einer schwerwiegenden Verletzung der Werte nach Absatz 1 mit der Mehrheit von vier Fünfteln seiner Mitglieder bzw. nach Absatz 2 über das Vorliegen einer schwerwiegenden und anhaltenden Verletzung der Werte einstimmig beschließt. Über die Aussetzung bestimmter Rechte entscheidet der Rat nach Absatz 3 mit qualifizierter Mehrheit alleine. Neben den umfänglichen formellen Anforderungen der Vorfeldmaßnahme steht insbesondere die Einstimmigkeit des Feststellungsbeschlusses einer praktischen Anwendbarkeit entgegen. Aber auch die Unbestimmtheit der materiellen Anforderungen der „eindeutigen Gefahr einer schwerwiegenden Verletzung" sowie der „schwerwiegenden und anhaltenden Verletzung" stellen die Effektivität zur Wertesicherung in Frage und beschränken die Durchsetzbarkeit dieses Handlungsmechanismus.

Ähnlich dem Sanktionsverfahren dient auch das Vertragsverletzungsverfahren in der Form des „Wertesicherungsverfahrens" gem. Art. 258, 260 AEUV i.V.m. Art. 2 S. 1 EUV der umfassenden repressiven Sicherung. Mit Darlegung einer systemischen Vertragsverletzung eines Mitgliedstaates gegen Art. 2 S. 1 EUV durch die Kommission ist eine Ahndung durch den Gerichtshof eröffnet. Stellt dieser eine Verletzung fest, hat der Mitgliedstaat nach Art. 260 Abs. 1 EUV die erforderlichen Maßnahmen zur Abstellung zu ergreifen bzw. kann erneut durch den Gerichtshof nach Art. 260 Abs. 2 EUV mit Pauschalbetrag oder Zwangsgeld sanktioniert werden. Die beteiligten Akteure beschränken sich hier auf Kommission, Mitgliedstaat und Gerichtshof. Die Kommission kann die Angelegenheit nach vorheriger erfolgloser Beteiligung des Mitgliedstaates vor den EuGH bringen. Dieser kann nach erneuter Vorlage durch die Kommission finanzielle Sanktionen verhängen. Zwar ist die Sicherungswirkung der Werte bei dem auf den Einzelfall gerichteten Vertragsverletzungsverfahren stark begrenzt. Mit der Darlegung einer systemischen Verletzung kann jedoch eine wirksame Wertesicherung erfolgen. Das derzeitig begrenzte Verständnis vom Vertragsverletzungsverfahren zur Untersuchung von Einzelverletzungen des EU-Rechts beschränkt dessen Sicherungspotential. Demgegenüber zeigt sich in der jüngeren Rechtsprechung, dass der Gerichtshof gewillt ist, die Einhaltung der Werteverbürgungen durch die Mitgliedstaaten im Wege des Art. 258 AEUV zu überprüfen.

Der EU-Rahmen als „Soft-Law"-Mechanismus beschränkt sich auf die Wahrung der Rechtsstaatlichkeit und zielt darauf ab, bereits einer diesbezüglichen aufkommenden Gefährdung zu begegnen. Zentraler Akteur ist die Kommission, die alleine über die Einleitung des Verfahrens entscheidet und mit dem betroffenen Mitgliedstaat kommuniziert. Das Europäische Parlament und der Rat werden nur über die Ergebnisse des Austausches informiert. Zur besseren Beurteilung der Bedrohung der Rechtsstaatlichkeit kann die Kommission insbesondere auf die Informationen der Grundrechteagentur FRA und des Europarats zurückgreifen. Der Mechanismus dient nicht der allgemeinen Sicherung der Werte und kann nur bei einer aufkommenden Bedrohung für die Rechtsstaatlichkeit sinnvoll eingesetzt werden. Zudem liegt die Einleitung alleine im Ermessen der Kommission. Ferner fehlt es dem Mechanismus an Sanktionen, weshalb die Abschreckungswirkung begrenzt ist und von einer zwingenden Mitwirkung des Mitgliedstaates abhängt.

Der Rechtsstaatsdialog des Rates ist als „Soft-Law"-Mechanismus auf eine jährliche Debatte zwischen allen Mitgliedstaaten innerhalb des Rates zur Förderung und Wahrung der Rechtsstaatlichkeit in der EU beschränkt. Die beteiligten Akteure sind auf den Rat und die nationalen Regierungen umgrenzt. Dem Dialog ist ein begrenzter Mehrwert zur Sicherung beizumessen, da dieser mit einer jährlichen Debatte zeitlich ungenügend ausgestaltet ist. Zudem fehlt dem Rat für „Allgemeine Angelegenheiten" die entsprechende Expertise in dieser Materie. Schließlich ist auch dessen Wirksamkeit ungewiss, da konkrete Ergebnisse zur Wahrung der Rechtsstaatlichkeit zweifelhaft sind.

Der Vergleich zeigt, dass die einzelnen präventiven und repressiven Sicherungsmechanismen zu unterschiedlichen Zeiten bei der Wertesicherung eingreifen. Einzelne repressive Mechanismen können mitunter gleichzeitig Anwendung finden. Die Verschränkung der Kontrollverfahren wird insbesondere mit Blick auf die „Soft-Law"-Mechanismen deutlich. Diese können zeitlich vor, aber auch parallel zum „Wertesicherungsverfahren" oder zum Sanktionsverfahren eingeleitet werden. Aufgrund der unterschiedlichen Anforderungen, Beteiligungen sowie Beschränkungen der einzelnen Verfahren besitzt die Union ein ausdifferenziertes Handlungsspektrum zur Wertesicherung, auf das sie einzelfallbezogen zurückgreifen kann.

# § 6 Resümee

Unverkennbar ist die Wertesicherung nicht allein unter einem rein rechtlichen, sondern gleichzeitig unter dem politischen Blickwinkel einer Stabilitäts- und Friedenssicherung und insbesondere der Euro- und Flüchtlingskrise, separatistischen Bewegungen wie dem „Brexit" sowie der Spaltung der Union als „Europa der zwei Geschwindigkeiten" zu beurteilen.

Festzuhalten bleibt, dass es einer Vertragsrevision zur Bestandssicherung der Werteunion nicht bedarf. Das Unionsrecht eröffnet ein ausreichendes Repertoire an präventiven und repressiven Sicherungsmechanismen zum Schutz der Wertehomogenität. Anzuerkennen ist indes, dass nicht jeder Mechanismus hinreichend geeignet ist, schnell und effektiv aufkommenden Bedrohungen oder bereits bestehenden Verletzungen zu begegnen.

In seiner derzeitigen Ausgestaltung bietet Art. 49 EUV als Beitrittshürde dem Grunde nach die hinreichende Gewähr zur Heranführung an das unionale Werteniveau. Nicht nur die Verweisung auf die nun umfänglich kodifizierte Werteklausel des Art. 2 EUV,[1218] sondern auch die Möglichkeit der individuellen Anpassung der Anforderungen durch die *Kopenhagener Kriterien*[1219] stärken dieses Verfahren. Die frühzeitig ansetzende und jahrelange Heranführung an das Wertesystem durch die Analyse und Überwachung der Reformen des Verfassungssystems des Beitrittslandes durch die Kommission ist als effektiv zur Erreichung des Werteniveaus zu beurteilen.[1220] Dass die Analyse durch die Kommission hierbei nicht immer hinreichend klar, mitunter diffus und sich die Entscheidungsfindung als wenig transparent darstellt, ist demgegenüber der Etablierung einer Wertehomogenität abträglich und bedarf einer Korrektur.[1221] Die Aussetzung oder der endgültige Abbruch der Beitrittsverhandlungen eröffnet der EU eine wichtige Verhandlungsoption, um die Erfüllung des Werteniveaus einseitig zu diktieren.[1222] Zur Erhaltung und Förderung der Werteunion ist es auch bei künftigen Beitritten unabdingbar, das Beitrittsverfahren konsequent anzuwenden und sich der zwingenden Erfüllung und dauerhaften Anwendung der Werteverbürgungen im Beitrittsstaat zu versichern.

Der in diesem Zusammenhang zu erwähnende länderspezifische Kooperations- und Kontrollmechanismus ist das Resultat einer Aufweichung des Beitrittsverfahrens und für die Effektivität der Sicherung der Werte als kritisch anzusehen.[1223] Die Gewährung des Beitritts Bulgariens und Rumäniens trotz Nichterfüllung der unionalen Anforderungen an die Rechtsstaatlichkeit steht den klaren Verbürgungen des präventiven Mechanismus des

---

[1218] Vgl. oben unter 2. Achtung und Förderung der in Art. 2 EUV genannten Werte, S. 32 ff.
[1219] Vgl. oben unter 3. Kopenhagener Kriterien gem. Art. 49 Abs. 1 S. 4 EUV, S. 35 ff.
[1220] Vgl. oben unter III. Die Werterelevanz im Beitrittsverfahren, S. 39 ff.
[1221] Vgl. oben unter V. Würdigung, S. 51 ff.
[1222] Vgl. oben unter 4. Aussetzung und Abbruch des Verfahrens bei Verstoß gegen die Werte, S. 47 f.
[1223] Vgl. oben unter V. Fazit, S. 69 f.

Beitrittsverfahrens entgegen. Die Ausgestaltung des Kooperations- und Kontrollmechanismus ist ungenügend,[1224] was sich auch in seiner über zehnjährigen Anwendung zeigt und weshalb dieser keinen effektiven Beitrag zur Sicherung der Rechtsstaatlichkeit leistet.[1225]

Mit der Einführung des EU-Rahmens durch die Kommission hat die Union auf die gegenwärtigen Herausforderungen der zunehmenden Aufweichung der Gewährleistung der Rechtsstaatlichkeit unter den Mitgliedstaaten reagiert.[1226] Die bis dahin alleine in Betracht kommende Vorfeldmaßnahme i.S.d. Art. 7 Abs. 1 EUV ist aufgrund ihrer bestehenden Anforderungen für eine schnelle und effektive Adressierung einer aufkommenden Wertegefährdung ungeeignet. Um möglichst frühzeitig nicht nur die Besorgnis hierüber auszudrücken, sondern auch Lösungen zu unterbreiten, hat die Kommission folgerichtig den EU-Rechtsstaatsmechanismus eingeführt. Die Etablierung als dialogischer Austausch ist dabei als erfolgversprechendes Konzept anzusehen.[1227] Die vereinfachten formellen und materiellen Anforderungen sowie der Dialog auf Augenhöhe zwischen Kommission und Mitgliedstaat erlauben eine schnelle Konfliktlösung. Der Rückgriff auf die Informationssammlungen von anerkannten Institutionen verringert die Reaktionszeit der Kommission, bietet ihr zugleich eine breite Informationsbasis und damit eine gute Ausgangsposition für einen Dialog.[1228] Die hierdurch gewonnenen Erkenntnisse können zugleich gewinnbringend für eine Initiierung des Sanktions- oder „Wertesicherungsverfahrens" verwendet werden. Damit wird nicht nur dem betroffenen Mitgliedstaat die wachsame Überprüfung der nationalen Maßnahmen durch die Kommission angezeigt, sondern zugleich wichtige Vorarbeit für eine spätere Einleitung der weiteren repressiven Sicherungsmechanismen geleistet. Zu Recht stellt der EU-Rahmen mit seiner vereinfachten Ausgestaltung ein Brückenverfahren dar, welches effektiv zur Sicherung der Werte beitragen kann.[1229]

Das Sanktionsverfahren i.S.d. Art. 7 EUV wird zu Unrecht als *„nuclear option"* verkannt. Als schärfste Reaktionsmöglichkeit der Union ist dies bei einer schwerwiegenden und anhaltenden Verletzung der Werte durch autoritäre Anfeindungen eines ihrer Mitgliedstaaten die einzig folgerichtige Antwort. Die umfangreichen formellen Anforderungen der Vorfeldmaßnahme sind indes nicht geeignet, um auf eine Gefährdung der Werte seitens der Union schnell zu reagieren.[1230] Entwickelt sich aus einer bloßen Gefährdung eine Verletzung der Werte, wird grundsätzlich in das Feststellungsverfahren nach Art. 7 Abs. 2 EUV übergeleitet.[1231] Die zwingende Voraussetzung eines einstimmig gefassten Feststellungsbeschlusses stellt sich in der Praxis als nahezu unerreichbar und damit als ungeeignet dar.[1232] Der sich daran anknüpfende Sanktionsbeschluss i.S.d. Art. 7 Abs. 3 S. 1 EUV eröffnet der Union die Möglichkeit, dem Verletzerstaat unter anderem Stimm-,

---

[1224] Vgl. oben unter III. Das Kooperations- und Kontrollverfahren, S. 63 ff.
[1225] Vgl. oben unter IV. Würdigung, S. 68 f.
[1226] Vgl. oben unter I. Überblick, S. 174 ff.
[1227] Vgl. oben unter 2. Rechtsstaatlichkeitsdialog – Verfahrensschritte, S. 178 ff.
[1228] Vgl. oben unter 3. Inanspruchnahme der Expertise Dritter, S. 191.
[1229] Vgl. oben unter V. Verhältnis zu Art. 7 EUV und Art. 258 AEUV, S. 187.
[1230] Vgl. oben unter II. Die Vorfeldmaßnahmen des Art. 7 Abs. 1 EUV, S. 75 ff.
[1231] Vgl. oben unter III. Das Feststellungs- und Sanktionsverfahren nach Art. 7 Abs. 2 bis 5 EUV, S. 91 ff.
[1232] Vgl. oben unter 3. Fehlende Praktikabilität des Einstimmigkeitserfordernisses, S. 134 ff.

Teilnahmerechte sowie Finanzmittel der Union zu entziehen und hierdurch erheblichen Anpassungsdruck auf diesen auszuüben.[1233] Zwar eröffnet das Sanktionsverfahren gleich den anderen repressiven Sicherungsmechanismen nicht eine direkte Unterbindung der Wertemissachtung im Mitgliedstaat. Es gewährt der Union aber die Möglichkeit, sich durch Suspendierung mitgliedstaatlicher Rechte vor deren weiterer Einflussnahme auf EU-Ebene zu schützen sowie faktischen Druck durch Aussetzung der finanziellen Leistungen aufzubauen.

Mit Blick auf die repressiven Mechanismen kommt dem klassischen Vertragsverletzungsverfahren gem. Art. 258 AEUV in seiner aktuellen Anwendung als indirektes Wertesicherungsverfahren nur eine untergeordnete Rolle zu.[1234] Die hiermit in der Praxis zur Ahndung gebrachten spezifischen Unionsrechtsverstöße als Ausformung der zu Grunde liegenden Verfassungsprinzipien sind unstreitig der Kontrolle des Gerichtshofs zugänglich. Die sich hierauf gründenden Urteile des EuGH führen aber wie bereits gesehen nicht zur vollständigen Wiederherstellung dieser Prinzipien.[1235]

Als ein erfolgversprechendes Verfahren ist demgegenüber das systemische Vertragsverletzungsverfahren in der Form des „Wertesicherungsverfahrens" gem. Art. 258 AEUV i.V.m. Art. 2 S. 1 EUV anzusehen.[1236] Wenngleich eine direkte Heranziehung der Werte im Rahmen des Art. 258 AEUV durch die Kommission vor dem Gerichtshof noch nicht erfolgt ist, stellt dieses Verfahren mit Blick auf dessen Anforderungen und Rechtsfolgen einen vielversprechenden Ansatz zur Wertesicherung dar.[1237] Im Wege der Darlegung einer systemischen Vertragsverletzung durch die Kommission könnte mit einer Annahme des Verfahrens durch den Europäischen Gerichtshof dieser eine zentrale Rolle bei der rechtlichen Bewertung eines Werteverstoßes einnehmen und den Konflikt entpolitisieren. Damit würde die Verletzung der Verfassungsprinzipien eine rechtliche Beurteilung durch den EuGH erhalten.[1238] Die mit Art. 260 AEUV eröffneten Rechtsfolgen gewähren selbstverständlich nicht das Sanktionspotential des „Art. 7 EUV"-Verfahrens. Die Finanzsanktionen sind gleichwohl geeignet, einen Werte verletzenden Mitgliedstaat zu treffen und auf diesen einzuwirken.[1239] Der Beitrag des „Wertesicherungsverfahrens" darf trotz einer bisher fehlenden Aktivierung und seiner begrenzten Reichweite im Gegensatz zum Sanktionsverfahren nicht unterschätzt werden.

Abschließend bleibt festzustellen, dass das Unionsrecht trotz kritischer Stimmen in der Literatur und im öffentlichen Diskurs über unterschiedlich wirksame, gleichwohl ausreichende präventive und repressive Handlungsmechanismen zur Sicherung der Werte ver-

---

[1233] Vgl. oben unter 3. Sanktionsbeschluss, Art. 7 Abs. 3 EUV – dritte Verfahrensstufe, S. 101 ff.

[1234] Vgl. oben unter 5. Zwischenergebnis, S. 149 f.

[1235] Vgl. oben unter 2. Bisherige Praxis der (indirekten) Wertesicherung, S. 144 ff; vgl. oben unter 3. Unzureichende Kompensation der zu Grunde liegenden Werteverletzung, S. 146 f.

[1236] Vgl. oben unter V. Fazit, S. 173.

[1237] Vgl. oben unter 1. Verstoß gegen eine „Verpflichtung aus den Verträgen" – die Werte als Klagegegenstand, S. 150 ff.

[1238] Die jüngere Rechtsprechung zur Operationalisierung der Werte kann als Bekräftigung dieses Ansatzes verstanden werden, da sie von einer Offenheit des Gerichtshofs zur Kontrolle der Werte im Wege des Vertragsverletzungsverfahrens zeugt, vgl. oben unter 4. Die Operationalisierung der Werte durch den EuGH, S. 148 f.

[1239] Vgl. oben unter 5. Finanzsanktionen nach Art. 260 Abs. 2 AEUV – ein scharfes Schwert, S. 162 ff.

fügt. In Anbetracht der Anforderungen und Rechtsfolgen der einzelnen repressiven Mechanismen ist für eine schnelle und zugleich effektive Gegenreaktion der Union vor allem dem flexibel gehaltenen EU-Rahmen und dem „Wertesicherungsverfahren" ein besonderer Mehrwert bei der Sicherung der Werte zuzusprechen. Zur Begegnung der „Werte-Krise" liegt es nun vor allem an der Kommission, das Sicherungspotential des Vertragswerkes auszuschöpfen, um den Werten innerhalb der Union praktische Wirksamkeit zukommen zu lassen.

# Literaturverzeichnis

*Balli, Volker*: Europäische Werte in Praxis? Über die Herausbildung eines normativen Selbstverständnis der Europäischen Union, in: Heit, Helmut, Die Werte Europas: Verfassungspatriotismus und Wertegemeinschaft in der EU?, 2005, S. 164 – 177, Lit, Münster.

*Barents, René*: Some Observations on the Treaty of Amsterdam, Maastricht Journal of European and Comparative Law (MJ), 1997, 332 – 345.

*Bergmann, Jan*: Handlexikon der Europäischen Union, 5. Auflage 2015, Nomos, Baden-Baden.

*ders.*: Kapitel 1: Grundrechte und Nichtdiskriminierung, in: Bergmann, Jan/Lenz, Christofer: Der Amsterdamer Vertrag – Eine Kommentierung der Neuerungen des EU- und EG-Vertrages, 1998, S. 23 – 43, Omnia, Köln.

*Berner, Georg/Köhler, Gerd Michael/Käß, Robert*: Polizeiaufgabengesetz – Handkommentar, 20. Auflage, 2010, Jehle, München.

*Blanke, Hermann-Josef*: Erweiterung ohne Vertiefung? – Zur „Verfassungskrise" der Europäischen Union, EuR 2005, 787 – 801.

*von Bogdandy, Armin*: Grundprinzipien des Unionsrechts – eine verfassungstheoretische und -dogmatische Skizze, EuR 2009, 749 – 769.

*ders.*: Grundprinzipien, in: von Bogdandy, Armin/Bast, Jürgen: Europäisches Verfassungsrecht, Theoretische und dogmatische Grundzüge, 2. Auflage 2009, S. 13 – 71, Springer, Heidelberg.

*ders.*: Jenseits der Rechtsgemeinschaft – Begriffsarbeit in der europäischen Sinn- und Rechtsstaatlichkeitskrise, EuR 2017, 487 – 512.

*ders.*: Tyrannei der Werte? Herausforderungen und Grundlagen einer europäischen Dogmatik systemischer Defizite, ZaöRV 2019, 503 – 551.

*ders./Antpöhler, Carlino/Dickschen, Johanna/Hentrei, Simon/Kottmann, Matthias/Smrkolj, Maja*: A European Response to Domestic Constitutional Crisis: Advancing the Reverse-Solange Doctrine, in: von Bogdandy, Armin/Sonnevend, Pál, Constitutional Crisis in the European Constitutional Area – Theory, Law and Politics in Hungary and Romani, 2015, S. 235 – 253, Hart, Oxford.

*ders./von Bernstorff, Jochen*: Die Europäische Agentur für Grundrechte in der europäischen Menschenrechtsarchitektur und ihre Fortentwicklung durch den Vertrag von Lissabon, EuR 2010, 141 – 165.

*ders./Ioannidis, Michael*: Das systemische Defizit – Merkmale, Instrumente und Probleme am Beispiel der Rechtsstaatlichkeit und des neuen Rechtsstaatlichkeitsverfahrens, ZaöRV 2014, 283 – 328.

*ders./Kottmann, Matthias/Antpöhler, Carlino/Dickschen, Johanna/Hentrei, Simon/Smrkolj, Maja*: Ein Rettungsschirm für europäische Grundrechte: Grundlagen einer unions-rechtlichen Solange-Doktrin gegenüber Mitgliedstaaten, ZaöRV 2012, 45 – 78.

*ders./Spieker, Dimitrios Luke*: Countering the Judicial Silencing of Critics: Article 2 TEU Values, Reverse Solange, and the Responsibilities of National Judges, EuConst 2019, 391 – 426.

*Bonelli, Matteo/Claes, Monica*: Judicial serendipity: how Portuguese judges came to the rescue of the Polish judiciary: ECJ 27 February 2018, Case C-64/16, AssociacAo Sindical dos Juizes Portugueses, EuConst 2018, 622 – 643.

*Bonnie, Anne*: Commission Discretion under Article 171(2) E.C., ELRev. 1998, 537 – 551.

*Brauneck, Jens*: Rettet die EU den Rechtsstaat in Polen?, NVwZ 2018, 1423 – 1429.

*Brockhaus*, Enzyklopädie in 30 Bänden, Band 23, Rent – Santh, 21. Auflage 2006, Brock-haus, Leipzig, Mannheim.

*Bruha, Thomas/Vogt, Oliver*: Rechtliche Grundfragen der EU-Erweiterung, VRÜ 1997, 477 – 502.

*Burgi, Martin*: § 6 Vertragsverletzungsverfahren, in: Rengeling, Hans-Werner/Middeke, Andreas/Gellermann, Martin: Handbuch des Rechtsschutzes in der Europäischen Union, 3. Auflage 2014, S. 70 – 110, C. H. Beck, München.

*Calliess, Christian*: Europa als Wertegemeinschaft – Integration und Identität durch euro-päisches Verfassungsrecht?, JZ 2004, 1033 – 1045.

*ders.*: Staatsrecht III, Bezüge zum Völker- und Europarecht, 2. Auflage 2018, C. H. Beck, München.

*ders./Hartmann, Moritz*: Zur Demokratie in Europa: Unionsbürgerschaft und europäische Öffentlichkeit, 2014, Mohr Siebeck, Tübingen.

*ders./Ruffert, Matthias*: EUV/AEUV, Das Verfassungsrecht der Europäischen Union mit Europäischer Grundrechtecharta, 5. Auflage 2016, C. H. Beck, München.

*dies.*: EUV/EGV, Kommentar des Vertrages über die Europäische Union und des Vertra-ges zur Gründung der Europäischen Gemeinschaft, 2. Auflage 2002, Luchterhand, Neuwied.

*dies.*: EUV/EGV, Verfassung der Europäischen Union mit Europäischer Grundrechtecharta, 3. Auflage 2007, C. H. Beck, München.

*dies.*: Verfassung der Europäischen Union, Kommentar der Grundlagenbestimmungen
(Teil I), 2006, C. H. Beck, München.

*Carp, Radu*: The Struggle for the Rule of Law in Romania as an EU Member State: The
Role of the Cooperation and Verification Mechanism, Utrecht L. Rev. 1, 2014, 1 –
16.

*Classen, Claus Dieter*: Rechtsstaatlichkeit als Primärrechtsgebot in der Europäischen Union – Vertragsrechtliche Grundlagen und Rechtsprechung der Gemeinschaftsge-
richte, EuR Beih. 3/2008, 7 – 23.

*Closa, Carlos/Kochenov, Dimitry/Weiler, J. H. H.*, EUI Working Paper RSCAS 2014/25,
2014, https://cadmus.eui.eu/bitstream/handle/1814/30117/RSCAS_2014_25_
FINAL.pdf?sequence=3 (zuletzt abgerufen: 31.01.2021 um 18:00 Uhr).

*Cremona, Marise*: EU Enlargement: Solidarity and Conditionality, ELRev. 2005, 3 – 22.

*Dagtoglou, Prodromos*: Die Süderweiterung der Europäischen Gemeinschaft – insbesondere der Beitritt Griechenlands, EuR 1980, 1 – 21.

*Dashwood, Alan*: The Constitution of the European Union after Nice: Law-making Proce-
dures, ELRev. 2001, 215 – 238.

*Dauses, Manfred A./Ludwigs, Markus*: Handbuch des EU-Wirtschaftsrechts,
50. Ergänzungslieferung 2020, C. H. Beck, München.

*Dawson, Mark/Muir, Elise*: Individual, Institutional and Collective Vigilance in Protecting
Fundamental Rights in the EU: Lessons from the Roma, CMLRev. 2011, 751 – 775.

*Detterbeck, Steffen*: Staatshaftung für die Mißachtung von EG-Recht, VerwArch 1994, 159
– 207.

*Di Fabio, Udo*: Grundrechte als Werteordnung, JZ 2004, 1 – 8.

*Dorau, Christoph*: Die Öffnung der Europäischen Union für europäische Staaten – „Europäisch" als Bedingung für einen EU-Beitritt nach Art. 49 EUV, EuR 1999, 736 –
753.

*Dürr, Rudolf Schnutz*: Part IV, Chapter 2., The Venice Commission, in: Kleinsorge, Tanja
E.J., Council of Europe, 2010, S. 151 – 163, Wolters Kluwer, Austin, u. a.

*Ehlermann, Claus-Dieter*: Mitgliedschaft in der Europäischen Gemeinschaft – Rechtspro-
bleme der Erweiterung, der Mitgliedschaft und der Verkleinerung, EuR 1984, 113 –
125.

*Epiney, Astrid/Freiermuth Abt, Marianne/Mosters, Robert*: Der Vertrag von Nizza, DVBl. 2001, 941 – 952.

*Epping, Volker*: § 7 Der Staat als die „Normalperson" des Völkerrechts, in: Ipsen, Knut: Völkerrecht, 7. Auflage 2018, S. 76 – 231, C. H. Beck, München.

*Everling, Ulrich*: Die Mitgliedstaaten der Europäischen Union unter der Aufsicht von Kommission und Gerichtshof, in: Depenheuer, Otto/Heintzen, Markus/Jestaedt, Matthias/Axer, Peter, Staat im Wort, Festschrift für Josef Isensee, 2007, S. 773 – 791, C. F. Müller, Heidelberg.

*Franzius, Claudio*: Der Kampf um Demokratie in Polen und Ungarn, DÖV 2018, 381 – 389.

*ders.*, Europäisches Verfassungsrechtsdenken, 2010, Mohr Siebeck, Tübingen.

*Frenz, Walter*: Handbuch Europarecht, Band 4: Europäische Grundrechte, 2009, Springer, Berlin.

*ders.*: Handbuch Europarecht, Band 5: Wirkungen und Rechtsschutz, 2010, Springer, Berlin.

*ders.*: Werte der Union, Rechtstheorie 2010, 400 – 418.

*Friede, Wilhelm*: Das Estoppel-Prinzip im Völkerrecht, ZaöRV 1935, 517 – 545.

*Frowein, Jochen Abraham*: Die rechtliche Bedeutung des Verfassungsprinzips der parlamentarischen Demokratie für den europäischen Integrationsprozeß, EuR 1983, 301 – 317.

*Gateva, Eli*: Post-Accession Conditionality, Support Instrument for Continuous Pressure?, KFG Working Paper, No. 18, October 2010, S. 1 – 27, http://userpage.fu-berlin.de/kfgeu/kfgwp/wpseries/WorkingPaperKFG_18.pdf (zuletzt abgerufen: 31.01.2021 um 17:00 Uhr).

*Geiger, Rudolf/Khan, Daniel-Erasmus/Kotzur, Markus*: EUV/AEUV, Vertrag über die Europäischen Union, Vertrag über die Arbeitsweise der Europäischen Union, 6. Auflage 2017, C. H. Beck, München.

*Gerhards, Jürgen/Hölscher, Michael*, Europäischer Verfassungspatriotismus und die Verbreitung zentraler Werte in den Mitglieds- und Beitrittsländern der EU und der Türkei. in: Heit, Helmut, Die Werte Europas: Verfassungspatriotismus und Wertegemeinschaft in der EU?, 2005, S. 96 – 107, Lit, Münster.

*Giegerich, Thomas*: Verfassungshomogenität, Verfassungsautonomie und Verfassungsaufsicht in der EU: Zum „neuen Rechtsstaatsmechanismus" der Europäischen Kommission, in: Calliess, Christian: Herausforderungen an Staat und Verfassung, Liber Amicorum für Torsten Stein zum 70. Geburtstag, 2015, S. 499 – 542, Nomos, Baden-Baden.

*Grabenwarter, Christoph*: Constitutional Standardsetting and Strengthening of New Democracies, in: Schmahl, Stefanie/Breuer, Marten, The Council of Europe, Its Law and Policies, 2017, S. 732 – 746, Oxford University Press, Oxford.

*Grabitz, Eberhard/Hilf, Meinhard/Nettesheim, Martin*: Das Recht der Europäischen Union: EUV/AEUV, Band 1 bis 3, 70. Ergänzungslieferung Mai 2020, C. H. Beck, München.

*dies.*: Das Recht der Europäischen Union: EUV/EGV, Band 1, 40. Ergänzungslieferung Oktober 2009, C. H. Beck, München.

*Griller, Stefan/Droutsas, Dimitri P./Falkner, Gerda/Forgó, Katrin/Nentwich, Michael*: The Treaty of Amsterdam – Facts, Analysis, Prospects, 2000, Springer, Wien, New York.

*von der Groeben, Hans/Schwarze, Jürgen*: Kommentar zum Vertrag über die Europäischen Union und zur Gründung der Europäischen Gemeinschaft, 6. Auflage 2003, Band 1, Art. 1 – 53 EUV, Art. 1 – 80 EGV, Nomos, Baden-Baden.

*dies.*: Kommentar zum Vertrag über die Europäischen Union und zur Gründung der Europäischen Gemeinschaft, 6. Auflage 2003, Band 4, Art. 198 – 314 EGV, Nomos, Baden-Baden.

*dies./Hatje, Armin*: Europäisches Unionsrecht, Vertrag über die Europäische Union, Vertrag über die Arbeitsweise der Europäischen Union, Charta der Grundrechte der Europäischen Union, 7. Auflage 2015, Band 1, Art. 1 – 55 EUV, Art. 1 – 54 GRC, Art. 1 – 66 AEUV, Nomos, Baden-Baden.

*dies.*: Europäisches Unionsrecht, Vertrag über die Europäische Union, Vertrag über die Arbeitsweise der Europäischen Union, Charta der Grundrechte der Europäischen Union, 7. Auflage 2015, Band 4, Art. 174 – 358 AEUV, Nomos, Baden-Baden.

*ders./Thiesing, Jochen/Ehlermann, Claus-Dieter*: Kommentar zum EU-/EG-Vertrag, 5. Auflage 1999, Band 4, Art. 137 – 209a EGV, Nomos, Baden-Baden.

*Gurreck, Matti/Otto, Patrick Christian*: Das Vertragsverletzungsverfahren, JuS 2015, 1079 – 1083.

*Härtel, Ines*: Die Europäische Grundrechteagentur: unnötige Bürokratie oder gesteigerter Grundrechtsschutz?, EuR 2008, 489 – 513.

*dies.*: Durchsetzbarkeit von Zwangsgeld-Urteilen des EuGH gegen Mitgliedstaaten, EuR 2001, 617 – 630.

*Hailbronner, Kay/Klein, Eckart/Magiera, Siegfried/Müller-Graff, Peter-Christian*: Handkommentar zum Vertrag über die Europäische Union (EUV/EGV), 7. Ergänzungslieferung 1998, Heymanns, Köln.

*Hakenberg, Waltraud*, Europarecht, 8. Auflage 2018, Vahlen, München.

*Hanschel, Dirk*: Der Rechtsrahmen für den Beitritt, Austritt und Ausschluss zu bzw. aus der Europäischen Union und Währungsunion – Hochzeit und Scheidung à la Lissabon, NVwZ 2012, 995 – 1001.

*Hanschmann, Felix*: Der Begriff der Homogenität in der Verfassungslehre und der Europarechtswissenschaft – Zur These von der Notwendigkeit homogener Kollektive unter besonderer Berücksichtigung der Homogenitätskriterien „Geschichte" und „Sprache", 2008, Springer, Berlin.

*Haratsch, Andreas/Koenig, Christian/Pechstein, Matthias*: Europarecht, 12. Auflage 2020, Mohr Siebeck, Tübingen.

*Hartley, Trevor C.*, Constitutional and Institutional Aspects of the Maastricht Agreement, ICLQ 1993, 213 – 237.

*Hatje, Armin*: Die institutionelle Reform der Europäischen Union – der Vertrag von Nizza auf dem Prüfstand, EuR 2001, 143 – 184.

*ders./Kindt, Anne*: Der Vertrag von Lissabon – Europa endlich in guter Verfassung?, NJW 2008, 1761 – 1768.

*ders./Müller-Graff, Peter-Christian*: Europäisches Organisations- und Verfassungsrecht, Enzyklopädie Europarecht Band 1, 2014, Nomos, Baden-Baden.

*Hau, André*: Sanktionen und Vorfeldmaßnahmen zur Absicherung der europäischen Grundwerte, Rechtsfragen zu Art. 7 EU, 2002, Nomos, Baden-Baden.

*Haudek, Wilhelm*: Kompensation (Aufrechnung), in: Schlegelberger, Franz, Rechtsvergleichendes Handwörterbuch für das Zivil- und Handelsrecht des In- und Auslandes, Band V, 1936, S. 58 – 66, Franz Vahlen, Berlin.

*Heidig, Stefan*: Die Verhängung von Zwangsgeldern und Pauschalbeträgen gegen die Mitgliedstaaten der EG – Das Sanktionsverfahren nach Art. 228 Abs. 2 EGV, 2001, Nomos, Baden-Baden.

*ders.*: Nichtdurchführung eines Urteils des Gerichtshofes, durch das eine Vertragsverletzung festgestellt wird, Anmerkung zu EuGH, 4.7.2000, Rs. C-387/97, Kommission/Griechenland, EuR 2000, 782 – 791.

*Hellwig, Hans-Jürgen*: Die Autorität des Unionsrechts – Glauben wir noch daran?, EuZW 2018, 222 – 228.

*Herdegen, Matthias*: Die Europäische Union als Wertegemeinschaft: aktuelle Herausforderungen, in: Pitschas, Rainer/Uhle, Arnd/Aulehner, Josef, Wege gelebter Verfassung in Recht und Politik, Festschrift für Rupert Scholz zum 70. Geburtstag, 2007, S. 139 – 150, Duncker & Humblot, Berlin.

*ders.*: Europarecht, 21. Auflage 2019, C. H. Beck, München.

*Hering, Laura*: Das Vertragsverletzungsverfahren als Instrument zum Schutz der Unionswerte, DÖV 2020, 293 – 302.

*Hillion, Christophe*: Overseeing the rule of law in the European Union – Legal mandate and means, SIEPS, European Policy Analysis, 2016:1epa, 1 – 14, http://www.sieps.se/en/publications/2016/overseeing-the-rule-of-law-in-the-european-union-legal-mandate-and-means-20161epa/Sieps_2016_1_epa (zuletzt abgerufen: 31.01.2021 um 14:10 Uhr).

*ders.*: The European Union is dead. Long live the European Union... A Commentary on the Treaty of Accession 2003, ELRev. 2004, 583 – 612.

*Hillmann, Karl-Heinz*: Soziale Werte, in: Reinhold, Gerd, Soziologie-Lexikon, 3. Auflage 1997, S. 593 – 596, R. Oldenbourg, München.

*Hoffmeister, Frank*: Changing Requirements for Membership, in: Ott, Andrea/Inglis, Kirstyn: Handbook on European Enlargement – A Commentary on the Enlargement Process, 2002, S. 90 – 102, T.M.C. Asser Press, The Hague.

*ders.*: Enforcing the EU Charter of Fundamental Rights in Member States: How Far are Rome, Budapest and Bucharest from Brussels?, in: von Bogdandy, Armin/Sonnevend, Pál, Constitutional Crisis in the European Constitutional Area – Theory, Law and Politics in Hungary and Romani, 2015, S. 195 – 234, Hart, Oxford.

*Hofmann, Rainer*: Wieviel Flexibilität für welches Europa? – Gedanken zur künftigen Entwicklung der europäischen Integration, EuR 1999, 713 – 735.

*Hofmeister, Hannes*: Polen als erster Anwendungsfall des neuen „EU Rahmens zur Stärkung des Rechtsstaatsprinzips", DVBl. 2016, 869 – 875.

*Holterhus, Till Patrik/Kornack, Daniel*: Die materielle Struktur der Unionsgrundwerte – Auslegung und Anwendung des Art. 2 EUV im Lichte aktueller Entwicklungen in Rumänien und Ungarn, EuGRZ 2014, 389 – 400.

*Honer, Mathias*: Die Geltung der EU-Grundrechte für die Mitgliedstaaten nach Art. 51 I 1 GRCh, JuS 2017, 409 – 413.

*Huber M. Peter*: Europäische Verfassungs- und Rechtsstaatlichkeit in Bedrängnis, Der Staat, 389 – 414.

*ders.*: Unionsbürgerschaft, EuR 2013, 637 – 655.

*Hummer, Waldemar*: Der Schutz der Grund- und Menschenrechte in der Europäischen Union, in: Hummer, Waldemar: Die Europäische Union nach dem Vertag von Amsterdam, 1998, S. 71 – 101, Manz, Wien.

*ders.*: Ungarn erneut am Prüfstand der Rechtsstaatlichkeit und Demokratie. Wird Ungarn dieses Mal zum Anlassfall des neu konzipierten „Vor Artikel 7 EUV"-Verfahrens?, EuR 2015, 625 – 641.

*ders./Obwexer, Walter*: Die Wahrung der „Verfassungsgrundsätze" der EU – Rechtsfragen der „EU-Sanktionen" gegen Österreich, EuZW 2000, 485 – 496.

*dies.*: Österreich unter „EU-Kuratel" (Teil II), Die EU als Wertegemeinschaft: vom völkerrechtlichen Interventionsverbot zum gemeinschaftsrechtlichen Interventionsgebot, europa blätter 2000, 93 – 101.

*Iglesias, Gil Carlos Rodríguez*: Gedanken zum Entstehen einer Europäischen Rechtsordnung, NJW 1999, 1 – 9.

*Jaeger, Thomas*: Gerichtsorganisation und EU-Recht: Eine Standortbestimmung, EuR 2018, 611 – 653.

*Jarass, Hans D.*: Charta der Grundrechte der Europäischen Union, 3. Auflage 2016, C. H. Beck, München.

*Joas, Hans/Mandry, Christof*: § 16 Europa als Werte- und Kulturgemeinschaft, in: Schuppert, Gunnar Folke/Pernice, Ingolf/Haltern, Ulrich, Europawissenschaft, 2005, S. 541 – 572, Nomos, Baden-Baden.

*Kanalan, Ibrahim/Wilhelm, Maria/Schwander, Timo*: Die Unverzichtbarkeit der Werte? Zur Suspendierung der drei Säulen der europäischen Rechtsordnung, Der Staat, 2017, 193 – 226.

*Karpenstein, Ulrich*: Anmerkung zu EuGH: Verurteilung zur Zahlung von Zwangsgeld, Urt. v. 4.7.2000, Rs. C-387/97, Kommission/Griechenland, EuZW 2000, 537 – 538.

*Kassner, Ulrike*: Die Unionsaufsicht: Ausmaß und Bedeutung des Überwachungsmechanismus nach Artikel 7 des Vertrages über die Europäische Union, 2003, Peter Lang, Frankfurt am Main.

*Klamert, Marcus*: Die Durchsetzung finanzieller Sanktionen gegenüber den Mitgliedstaaten, EuR 2018, 159 – 175.

*Knauff, Matthias*: Die Erweiterung der Europäischen Union auf Grundlage des Vertrages von Lissabon, DÖV 2010, 631 – 638.

*Kochenov, Dimitry*: Biting Intergovernmentalism: The Case for the Reinvention of Article 259 TFEU to Make It a Viable Rule of Law Enforcement Tool, Hague J Rule Law (HJRL), 2015, 153 – 174.

*ders.*: EU Enlargement and the Failure of Conditionality – Pre-accession Conditionality in the Fields of Democracy and the Rule of Law, 2008, Wolters Kluwer, The Netherlands.

*ders./Pech, Laurent*: Upholding the Rule of Law in the EU: On the Commission's 'Pre-Article 7 Procedure' as a Timid Step in the Right Direction, EUI Working Paper RSCAS 2015/24, https://cadmus.eui.eu/bitstream/handle/1814/35437/RSCAS_2015_24.pdf (zuletzt abgerufen: 31.01.2021 um 16:45 Uhr).

*Koenig, Christian/Haratsch, Andreas*: Europarecht, 3. Auflage 2000, Mohr Siebeck, Tübingen.

*von Komorowski, Alexis*: Der Beitrag der Europäischen Sozialcharta zur europäischen Wertegemeinschaft, in: Blumenwitz, Dieter/Gornig, Gilbert H./Murswiek, Dietrich, Die Europäische Union als Wertegemeinschaft, 2005, S. 99 – 157, Duncker & Humblot, Berlin.

*Korte, Stefan*: Standortfaktor Öffentliches Recht – Integration und Wettbewerb in föderalen Ordnungen am Beispiel der Gesetzgebung, 2016, Mohr Siebeck, Tübingen.

*Kraft, Daniel*: Zur Zukunft der EU angesichts der bevorstehenden Erweiterung, APuZ B 15/2001, 6 – 12.

*Krausser, Hans-Peter*: Das Prinzip begrenzter Ermächtigung im Gemeinschaftsrecht als Strukturprinzip des EWG-Vertrages, 1991, Duncker & Humblot, Berlin.

*Kubicki, Philipp*: Die subjektivrechtliche Komponente der Unionsbürgerschaft, EuR 2006, 489 – 511.

*Langenfeld, Christine*: Erweiterung ad infinitum? – Zur Finalität der Europäischen Union, ZRP 2005, 73 – 76.

*Langrish, Sally*: The Treaty of Amsterdam: Selected Highlights, ELRev. 1998, 3 – 19.

*Lenaerts, Koen*: Die EU-Grundrechtecharta: Anwendbarkeit und Auslegung, EuR 2012, 3 – 17.

*ders.*: Die Werte der Europäischen Union in der Rechtsprechung des Gerichtshofs der Europäischen Union: eine Annäherung, EuGRZ 2017, 639 – 642.

*Lenz, Carl Otto*: EG-Vertrag, Kommentar, 2. Auflage 1999, Bundesanzeiger, Köln.

*ders./Borchardt, Klaus-Dieter*: EU- und EG-Vertrag, Kommentar, 3. Auflage 2003, Bundesanzeiger, Köln.

*dies.*: EU-Verträge Kommentar – EUV, AEUV, GRCh, 6. Auflage 2012, Bundesanzeiger, Köln.

*Lindner, Josef Franz*: Was ist und wozu braucht man die EU-Grundrechteagentur?, BayVBl. 2008, 129 – 133.

*Lippert, Barbara*: Von Kopenhagen bis Kopenhagen: Eine erste Bilanz der EU-Erweiterungspolitik, APuZ 1-2/2003, 7 – 15.

*Ludwig, Katharina*: Die Rechtsstaatlichkeit in der Erweiterungs-, Entwicklungs- und Nachbarschaftspolitik der Europäischen Union – Entwicklung einer European Rule of Law?, 2011, Nomos, Baden-Baden.

*Luhmann, Niklas*: Das Recht der Gesellschaft, 1995, Suhrkamp, Frankfurt am Main.

*Malinverni, Giorgio*: The Contribution of the European Commission for Democracy through Law (Venice Commission), in: Bourloyannis-Vrailas, Christiane/ Sicilianos, Linos-Alexander, The Prevention of Human Rights Violation, 2001, S. 123 – 137, Kluwer Law International, The Hague.

*Mandry, Christof*: Europa als Wertegemeinschaft: Eine theologisch-ethische Studie zum politischen Selbstverständnis der Europäischen Union, 2009, Nomos, Baden-Baden.

*Marauhn, Thilo*: § 7 Unionstreue, in: Schulze, Reiner/Zuleeg, Manfred/Kadelbach, Stefan, Europarecht – Handbuch für die deutsche Rechtspraxis, 3. Auflage 2015, S. 317 – 337, Nomos, Baden-Baden.

*Maresceau, Marc*: The EU Pre-Accession Strategies: a Political and Legal Analysis, in: Maresceau, Marc/Lannon, Erwan, The EU's Enlargement and Mediterranean Strategies – A Comparative Analysis, 2001, S. 3 – 28, Palgrave Macmillan, New York.

*Maunz, Theodor/Dürig, Günter*: Grundgesetz-Kommentar, 90. Ergänzungslieferung Februar 2020, Band IV, Art. 23 – 53a, C. H. Beck, München.

*Meier, Gert*: Anmerkung zu EuGH: Behinderung von Agrarimporten durch Demonstranten, Urt. v. 9.12.1997, Rs. C-265/95, Kommission/Frankreich, EuZW 1998, 84 – 88.

*ders.*: Die rechtlichen Grenzen für einen Beitritt zu den Europäischen Gemeinschaften, EuR 1978, 12 – 25.

*Millarg, Eberhard*: Anmerkung zum Urteil des EuGH v. 7.2.1973, Rs. C-39/72 Kommission/Italien, EuR 1973, 231 – 238.

*Müller-Graff, Peter-Christian*: Die Kopfartikel des Verfassungsentwurfs für Europa – ein europarechtlicher Vergleichsblick, integration 2003, 111 – 129.

*Murswiek, Dietrich*: Die heimliche Entwicklung des Unionsvertrages zur europäischen Oberverfassung – Zu den Konsequenzen der Auflösung der Säulenstruktur der Europäischen Union und der Erstreckung der Gerichtsbarkeit des EU-Gerichtshofs auf den EU-Vertrag, NVwZ 2009, 481 – 486.

*Nettesheim, Martin*: EU-Beitritt und Unrechtsaufarbeitung, EuR 2003, 36 – 64.

*Nickel, Dietmar*: Integrationspolitische Herausforderungen an den Europäischen Rechtsstaat: „Zur Zukunft der europäischen Rechts- und Wertegemeinschaft", EuR 2017, 663 – 681.

*Niedobitek, Matthias*: Europarecht – Grundlagen der Union, 2014, De Gruyter, Berlin/Boston.

*ders.*: Völker- und europarechtliche Grundfragen des EU-Beitrittsvertrages, JZ 2004, 369 – 375.

*Norbert, Reich*: Bürgerrechte in der Europäischen Union – Subjektive Rechte von Unionsbürgern und Drittstaatsangehörigen unter besonderer Berücksichtigung der Rechtslage nach der Rechtsprechung des EuGH und dem Vertrag von Amsterdam, 1999, Nomos. Baden-Baden.

*Oppermann, Thomas*: Die Grenzen der Europäischen Union oder das Vierte Kopenhagener Kriterium, in: Gaitanides, Charlotte/Kadelbach, Stefan/Iglesias, Gil Carlos Rodrigues: Europa und seine Verfassung: Festschrift für Manfred Zuleeg zum siebzigsten Geburtstag, 2005, S. 72 – 79, Nomos, Baden-Baden.

*ders./Classen, Claus Dieter/Nettesheim, Martin*: Europarecht, 8. Auflage 2018, C. H. Beck, München.

*Ortlepp, Beate Christina*: Das Vertragsverletzungsverfahren als Instrument zur Sicherung der Legalität im Europäischen Gemeinschaftsrecht, 1987, Nomos, Baden-Baden.

*Pache, Eckhard/Rösch Franziska*: Der Vertrag von Lissabon, NVwZ 2008, 473 – 480.

*ders./Schorkopf, Frank*: Der Vertrag von Nizza – Institutionelle Reform zur Vorbereitung der Erweiterung, NJW 2001, 1377 – 1386.

*Pech, Laurent/Scheppele, Kim Lane*: Is Article 7 Really the EU's „Nuclear Option"?, VerfBlog, 2018/3/06, https://verfassungsblog.de/is-article-7-really-the-eus-nuclear-option/ (zuletzt abgerufen: 31.01.2021 um 18:00 Uhr).

*dies.*: Poland and the European Commission, Part II: Hearing the Siren Song of the Rule of Law, VerfBlog, 2017/1/06, https://verfassungsblog.de/poland-and-the-european-commission-part-ii-hearing-the-siren-song-of-the-rule-of-law/ (zuletzt abgerufen: 31.01.2021 um 18:00 Uhr).

*Pechstein, Matthias*: EU-Prozessrecht, 4. Auflage 2011, Mohr Siebeck, Tübingen.

*ders./Koenig, Christian*: Die Europäische Union, 2. Auflage 1998, Mohr Siebeck, Tübingen.

*dies.*: Die Europäische Union, 3. Auflage 2000, Mohr Siebeck, Tübingen.

*ders./Nowak, Carsten/Häde, Ulrich*: Frankfurter Kommentar zu EUV, GRC und AEUV, Band 1 und 4, 2017, Mohr Siebeck, Tübingen.

*Pernice, Ingolf*: Multilevel Constitutionalism and the Treaty of Amsterdam: European Constitution-Making revisited?, CMLRev. 1999, 703 – 750.

*Pinelli, Cesare*: Protecting the Fundamentals – Article 7 of the Treaty on the European Union and beyond, Foundation of European Progressive Studies (FEPS) Jurist Network, 25.09.2012, https://www.feps-europe.eu/component/attachments.html?task=gresource&ctype=publication&oid=159&asset=9a4619cf-1a01-4f96-8e27-f33b65337a9b/programmaticdevelopment-dhk-30052017pdf (zuletzt abgerufen: 31.01.2021 um 10:35 Uhr).

*Prieß, Hans Joachim*: Die Haftung der EG-Mitgliedstaaten bei Verstößen gegen das Gemeinschaftsrecht, NVwZ 1993, 118 – 125.

*Prümm, Hans Paul*: Zu welchen Werte bekennt sich Europa überhaupt?, VR 2016, 361 – 369.

*De Quadros, Fausto*: Einige Gedanken zum Inhalt und zu den Werten der Europäischen Verfassung, in: Brenner, Michael/Huber, Peter M./Möstl, Markus, Der Staat des Grundgesetzes – Kontinuität und Wandel, Festschrift für Peter Badura zum siebzigsten Geburtstag, 2004, S. 1125 – 1134, Mohr Siebeck, Tübingen.

*Raue, Julia*: Der Europarat als Verfassungsgestalter seiner neuen Mitgliedsstaaten: Vom Beobachter zum Reformer in Osteuropa?, 2005, Schulthess, Zürich.

*Raz, Joseph*: The Authority of Law: Essays on Law and Morality, 2. Edition, 2009, Oxford University Press, Oxford.

*Reich, Norbert*: Bürgerrechte in der Europäischen Union, Subjektive Recht von Unionsbürgern und Drittstaatsangehörigen unter besonderer Berücksichtigung der Rechtslage nach der Rechtsprechung des EuGH und dem Vertrag von Amsterdam, 1999, Nomos, Baden-Baden.

*Reimer, Franz*: Wertegemeinschaft durch Wertenormierung? Die Grundwerteklausel im europäischen Verfassungsvertrag, ZG 2003, 208 – 217.

*Rensmann, Thilo*: Grundwerte im Prozeß der europäischen Konstitutionalisierung – Anmerkungen zur Europäischen Union als Wertegemeinschaft aus juristischer Perspektive, in: Blumenwitz, Dieter/Gornig, Gilbert H./Murswiek, Dietrich: Die Europäische Union als Wertegemeinschaft, 2005, S. 49 – 71, Duncker & Humblot, Berlin.

*Rötting, Michael*: Das verfassungsrechtliche Beitrittsverfahren zur Europäischen Union und seine Auswirkungen am Beispiel der Gotovina-Affäre im kroatischen Beitrittsverfahren, 2009, Springer, Heidelberg.

*Rülke, Steffen*: Venedig-Kommission und Verfassungsgerichtsbarkeit, Eine Untersuchung über den Beitrag des Europarates zur Verfassungsentwicklung in Mittel- und Osteuropa, 2003, Carl Heymanns, Köln.

*Šarčević, Edin*: EU-Erweiterung nach Art. 49 EUV: Ermessensentscheidungen und Beitrittsrecht, EuR 2002, 461 – 482.

*Saurer, Johannes*: Der kompetenzrechtliche Verhältnismäßigkeitsgrundsatz im Recht der Europäischen Union, JZ 2014, 281 – 286.

*Schauer, Martin*: Die Maßnahmen der 14 in der rechtswissenschaftlichen Analyse, in: Busek, Erhard/Schauer, Martin: Eine europäische Erregung – Die „Sanktionen" der Vierzehn gegen Österreich im Jahr 2000. Analysen und Kommentare, 2003, Böhlau, Wien.

*Schenke, Wolf-Rüdiger*: Polizei- und Ordnungsrecht, 10. Auflage 2018, C. F. Müller, Heidelberg.

*Scheppele, Kim Lane*: Can Poland be Sanctioned by the EU? Not Unless Hungary is Sanctioned Too, VerfBlog, 2016/10/24, http://verfassungsblog.de/can-poland-be-sanctioned-by-the-eu-not-unless-hungary-is-sanctioned-too/, (zuletzt abgerufen: 31.01.2021 um 16:20).

*dies.*: Enforcing the Basic Principles of EU Law through Systemic Infringement Actions, in: Closa, Carlos/Kochenov, Dimitry, Reinforcing Rule of Law Oversight in the European Union, 2016, S. 105 – 132, Cambridge University Press, Cambridge.

*dies.*: Understanding Hungary's Constitutional Revolution, in: von Bogdandy, Armin/Sonnevend, Pál, Constitutional Crisis in the European Constitutional Area – Theory, Law and Politics in Hungary and Romani, 2015, S. 111 – 124, Hart, Oxford.

*dies.*: What Can the European Commission Do When Member States Violate Basic Principles of the European Union? The Case for Systemic Infringement Actions, VerfBlog, 2013/11/01, https://verfassungsblog.de/wp-content/uploads/2013/11/scheppele-systemic-infringement-action-brussels-version.pdf (zuletzt abgerufen: 31.01.2021 um 16:30 Uhr).

*Schlichting, Jan Muck/Pietsch, Jörg*: Die Europäische Grundrechteagentur – Aufgaben – Organisation – Unionskompetenz, EuZW 2005, 587 – 589.

*Schmahl, Stefanie*: Die Reaktionen auf den Einzug der Freiheitlichen Partei Österreichs in das österreichische Regierungskabinett – Eine europa- und völkerrechtliche Analyse, EuR 2000, 819 – 835.

*dies.*: Filling a Legal Gap?: Das neue EU-Monitoring-Verfahren bei Rechtsstaatsdefiziten, in: Calliess, Christian: Herausforderungen an Staat und Verfassung, Liber Amicorum für Torsten Stein zum 70. Geburtstag, 2015, S. 834 – 855, Nomos, Baden-Baden.

*dies.*: § 6 Rechtsstaatlichkeit, in: Schulze, Reiner/Zuleeg, Manfred/Kadelbach, Stefan, Europarecht, Handbuch für die deutsche Rechtspraxis, 3. Auflage, 2015, S. 284 – 316, Nomos, Baden-Baden.

*Schmidbauer, Wilhelm/Steiner, Udo*: Polizeiaufgabengesetz, Polizeiordnungsgesetz – Kommentar, 5. Auflage 2020, C. H. Beck, München.

*Schmitz, Thomas*: Die Charta der Grundrechte der Europäischen Union als Konkretisierung der gemeinsamen europäischen Werte, in: Blumenwitz, Dieter/Gornig, Gilbert H./Murswiek, Dietrich: Die Europäische Union als Wertegemeinschaft, 2005, S. 73 – 97, Duncker & Humblot, Berlin.

*Schoch, Friedrich*: Besonderes Verwaltungsrecht, 2018, C. H. Beck, München.

*Schönborn, Tim*: Die Causa Austria – Zur Zulässigkeit bilateraler Sanktionen zwischen den Mitgliedstaaten der Europäischen Union, 2005, Peter Lang, Frankfurt am Main.

*Schorkopf, Frank*: Der Europäische Weg – Grundlagen der Europäischen Union, 2010, Mohr Siebeck, Tübingen.

*ders.*: Europäischer Konstitutionalismus oder die normative Behauptung des „European way of life" – Potenziale der neueren Werterechtsprechung des EuGH, NJW 2019, 3418 – 3423.

*ders.*: Homogenität in der Europäischen Union – Ausgestaltung und Gewährleistung durch Art. 6 Abs. 1 und Art. 7 EUV, 2000, Duncker & Humblot, Berlin.

*ders.*: Verletzt Österreich die Homogenität in der Europäischen Union? Zur Zulässigkeit der „bilateralen" Sanktionen gegen Österreich, DVBl. 2000, 1036 – 1044.

*ders.*: Wertesicherung in der Europäischen Union. Prävention, Quarantäne und Aufsicht als Bausteine eines Rechts der Verfassungskrise?, EuR 2016, 147 – 164.

*Schroeder, Werner*: Grundkurs Europarecht, 6. Auflage 2019, C. H. Beck, München.

*Schroth, Hans-Jürgen*: Sanktionen gegen EU-Mitgliedstaaten, in: Triffterer, Otto, Gedächtnisschrift für Theo Vogler, 2004, S. 93 – 107, C. F. Müller, Heidelberg.

*De Schutter, Olivier*: Infringement Proceedings as a Tool for the Enforcement of Fundamental Rights in the European Union, Open Society European Policy Institute, Oktober 2017, https://www.opensocietyfoundations.org/sites/default/files/infringement-proceedings-as-tool-for-enforcement-of-fundamental-rights-in-eu-20171214.pdf, (zuletzt abgerufen: 31.01.2021 um 17:20 Uhr).

*Schwarze, Jürgen*: Das allgemeine Völkerrecht in den innergemeinschaftlichen Rechtsbeziehungen, EuR 1983, 1 – 39.

*ders.*: Der Reformvertrag von Lissabon – Wesentliche Elemente des Reformvertrages, EuR Beih. 1/2009, 9 – 28.

*ders.*: EU-Kommentar, 2000, Nomos, Baden-Baden.

*ders.*: EU-Kommentar, 2. Auflage 2009, Nomos, Baden-Baden.

*ders.*: EU-Kommentar, 4. Auflage 2019, Nomos, Baden-Baden.

*Schweitzer, Michael/Dederer, Hans-Georg*: Staatsrecht III – Staatsrecht, Völkerrecht, Europarecht, 11. Auflage 2016, C. F. Müller, Heidelberg.

*Serini, Katharina*: Sanktionen der Europäischen Union bei Verstoß eines Mitgliedstaates gegen das Demokratie- oder Rechtsstaatsprinzip, 2009, Duncker & Humblot, Berlin.

*Skouris, Vassilios*: Die Rechtsstaatlichkeit in der Europäischen Union, EuR Beih. 2/2015, 9 – 18.

*Slavu, Stefania*: Die Osterweiterung der Europäischen Union – Eine Analyse des EU-Beitritts Rumäniens, 2008, Peter Lang, Frankfurt am Main.

*Speer, Benedikt*: Die Europäische Union als Wertegemeinschaft, DÖV 2001, 980 – 988.

*Stein, Torsten*: Die rechtlichen Reaktionsmöglichkeiten der Europäischen Union bei schwerwiegender und anhaltender Verletzung der demokratischen und rechtsstaatlichen Grundsätze in einem Mitgliedstaat, in: Volkmar, Götz/Selmer, Peter/Wolfrum, Rüdiger: Liber amicorum Günther Jaenicke – Zum 85. Geburtstag, 1998, S. 871 – 898, Springer, Berlin.

*Stöbener, Patricia Sarah*: Institutionelles: Kommissionsvorschlag für einen neuen Rahmen zum Schutz der Rechtsstaatlichkeit in der EU, EuZW 2014, 246.

*Streinz, Rudolf*: Beck'sche Kurzkommentar EUV/AEUV, 3. Auflage 2018, C. H. Beck, München.

*ders.*: Die Europäische Union als Rechtsgemeinschaft – Rechtsstaatliche Anforderungen an einen Staatenverbund, in: Kirchhof, Ferdinand/Papier, Hans-Jürgen/Schäffer, Heinz, Rechtsstaat und Grundrechte – Festschrift für Detlef Merten, 2007, S. 395 – 414, C. F. Müller, Heidelberg.

*ders.*: Europarecht, 11. Auflage 2019, C. F. Müller, Heidelberg.

*ders.*: Europarecht: Bedeutung der richterlichen Unabhängigkeit – Keine Gefährdung durch allgemeine Sparmaßnahmen eines Mitgliedstaats, JuS 2018, 1016 – 1018.

*ders./Ohler, Christoph/Herrmann, Christoph*: Der Vertrag von Lissabon zur Reform der EU: Einführung mit Synopse, 3. Auflage 2010, C. H. Beck, München.

*Terhechte, Jörg Philipp*: Der Vertrag von Lissabon: Grundlegende Verfassungsurkunde der europäischen Rechtsgemeinschaft oder technischer Änderungsvertrag?, EuR 2008, 143 – 190.

*Tesauro, Giuseppe*: Les sanctions pour le non-respect d'une obligation découlant du droit communautaire par les Etats membres, in: van Gerven, Walter/Zuleeg Manfred, Sanktionen als Mittel zur Durchsetzung des Gemeinschaftsrechts, 1996, S. 17 – 27, Bundesanzeiger, Köln.

*Teske, Horst*: Die Sanktion von Vertragsverstößen im Gemeinschaftsrecht, EuR 1992, 265 – 286.

*Thiele, Alexander*: Art. 7 EUV im Quadrat? Zur Möglichkeit von Rechtsstaats-Verfahren gegen mehrere Mitgliedsstaaten, VerfBlog, 2017/7/24, http://verfassungsblog.de/ art-7-euv-im-quadrat-zur-moeglichkeit-von-rechtsstaats-verfahren-gegen-mehrere-mitgliedsstaaten/, (zuletzt abgerufen: 31.01.2021 um 16:20 Uhr).

*ders.*: Das Rechtsschutzsystem nach dem Vertrag von Lissabon – (K)ein Schritt nach vorn?, EuR 2010, 30 – 51.

*Thiele, Carmen*: Sanktionen gegen EG-Mitgliedstaaten zur Durchsetzung von Europäischem Gemeinschaftsrecht – Das Sanktionsverfahren nach Art. 228 Abs. 2 EG, EuR 2008, 320 – 344.

*Thun-Hohenstein, Christoph*: Der Vertrag von Amsterdam – Die neue Verfassung der EU – Der neue EG-Vertrag – Der neue EU-Vertrag – Erläuterungen der neuen Bestimmungen, 1997, C. H. Beck, München.

*Träbert, Katrin*: Sanktionen der Europäischen Union gegen ihre Mitgliedstaaten, 2010, Peter Lang, Frankfurt am Main.

*Trauner, Florian*: Post-accession compliance with EU law in Bulgaria and Romania: a comparative perspective, in: Schimmelfennig, Frank/Trauner, Florian, Post-accession compliance in the EU's new member states, European Integration online Papers (EIoP), 2009, Special Issue 2, Vol. 13, Art. 21, 1 – 18, http://eiop.or.at/ eiop/pdf/2009-021.pdf (zuletzt abgerufen: 31.01.2021 um 15:35 Uhr).

*Trstenjak, Verica/Beysen, Erwin*: Das Prinzip der Verhältnismäßigkeit in der Unionsrechtsordnung, EuR 2012, 265 – 285.

*Tudor, Chiuariu*: The Caducity of the Cooperation and Verification Mechanism after the Entry into Force of the Lisbon Treaty, Law Annals Titu Maiorescu, 2015, 43 – 50.

*Unruh, Peter*: Die Unionstreue – Anmerkungen zu einem Rechtsgrundsatz der Europäischen Union, EuR 2002, 41 – 66.

*Vedder, Christoph/Heintschel von Heinegg, Wolff*: Europäisches Unionsrecht, EUV, AEUV, GRCh, EAGV, 2. Auflage 2018, Nomos, Baden-Baden.

*Verhoeven, Amaryllis*: How Democratic Need European Union Members Be? Some Thoughts After Amsterdam, ELRev. 1998, 217 – 234.

*Wägenbaur, Rolf*: Zur Nichtbefolgung von Urteilen des EuGH durch die Mitgliedstaaten, in: Due, Ole/Lutter, Marcus/Schwarze, Jürgen, Festschrift für Ulrich Everling, Band 2, 1995, S. 1611 – 1623, Nomos, Baden-Baden.

*Weber, Albrecht*: Europäisches Rechtsdenken in der Krise?, DÖV 2017, 741 – 748.

*Wennerås, Pål*: A New Dawn for Commission Enforcement under Articles 226 and 228 EC: General and Persistent (GAP) Infringements, Lump Sums and Penalty Payments, CMLRev. 2006, 31 – 62.

*Winkler, Roland*: Der Rechtsschutz gegen Maßnahmen zur Sanktionierung eines EU-Mitgliedstaats wegen Verletzung europäischer Grundwerte und gegen die Maßnahmen der „EU-14", JRP 2000, 308 – 327.

*Würtenberger, Thomas*: Der neue EU-Rahmen zur Stärkung des Rechtsstaatsprinzips, in: Ziegerhofer, Anita/Ferz, Sascha/Polaschek, Martin F.: Zukunft Europa? Festschrift für das „zóon europaíon" Johannes W. Pichler zum 70. Geburtstag, 2017, S. 467 – 484, Verlag Österreich, Wien.

*ders.*: Die Werte des Art. 2 EUV: normativ verbindlich oder politisches Programm? in: Bruns, Alexander/Kern, Christoph/Münch, Joachim/Piekenbrock, Andreas/Stadler, Astrid/Tsikrikas, Dimitios: Festschrift für Rolf Stürner zum 70. Geburtstag, 2. Teilband, 2013, S. 1974 – 1987, Mohr Siebeck, Tübingen.

*Wunderlich, Nina*: Das Verhältnis von Union und Mitgliedstaaten am Beispiel des Vertragsverletzungsverfahrens, EuR Beih. 1/2012, 49 – 61.

*Wusterhausen, Uwe*: Die Wirkungen der Urteile des EuGH in der Zeit, Ein Beitrag zur Problematik der zeitlichen Beschränkung von Urteilswirkungen durch den Gerichtshof der Europäischen Union, 2016, Nomos, Baden-Baden.

*Yamato, Richard/Stephan, Juliane*: Eine Politik der Nichteinmischung, DÖV 2014, 58 – 66.

*Zeh, Juli*: Recht auf Beitritt?, Ansprüche von Kandidatenstaaten gegen die Europäischen Union, 2002, Nomos, Baden-Baden.

*Zuleeg, Manfred*: Der rechtliche Zusammenhalt der Europäischen Gemeinschaft, in: Blomeyer, Wolfgang/Schachtschneider, Karl Albrecht: Die Europäische Union als Rechtsgemeinschaft, 1995, S. 9 – 36, Duncker & Humblot, Berlin.

9 783958 262249